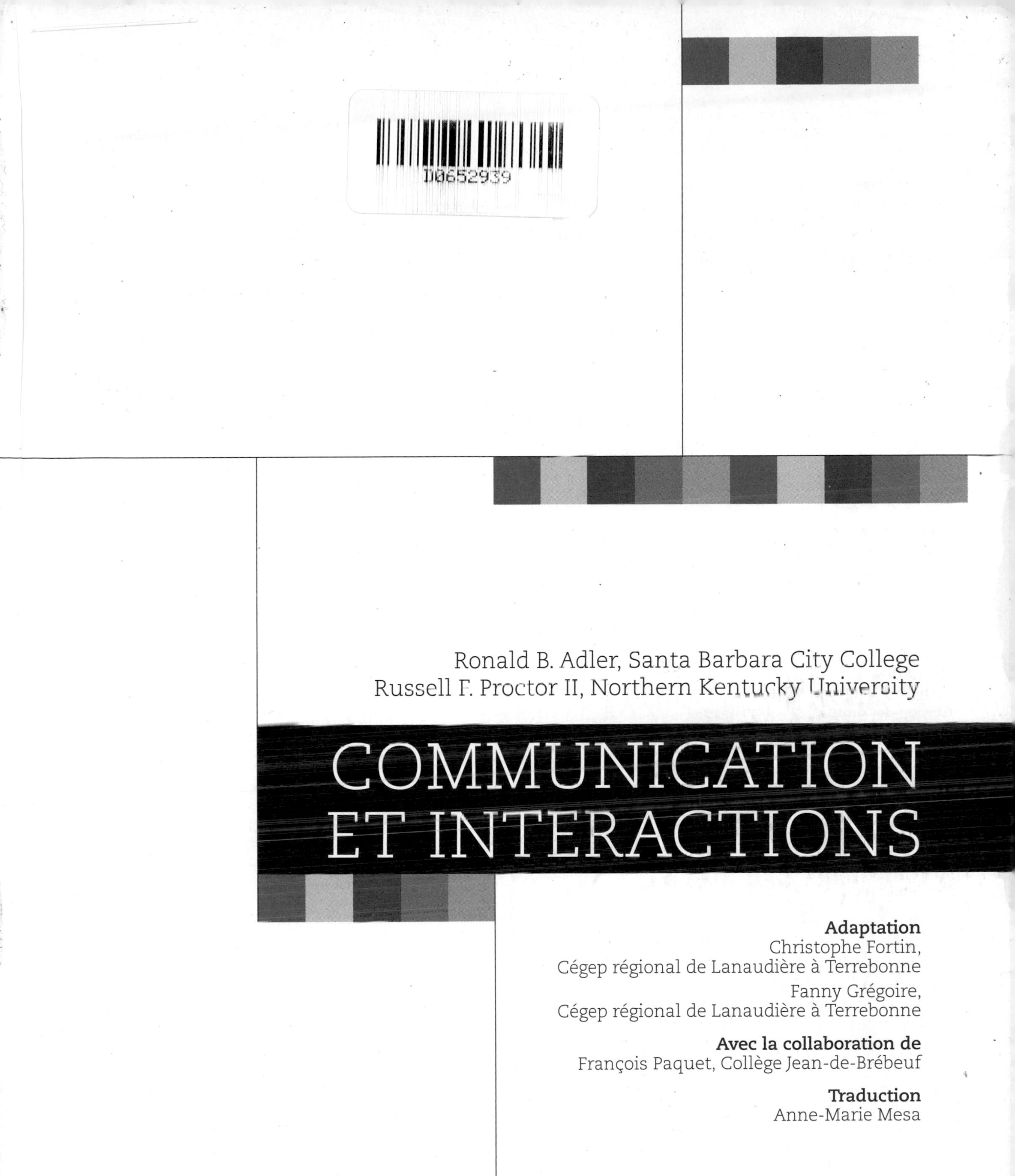

Ronald B. Adler, Santa Barbara City College
Russell F. Proctor II, Northern Kentucky University

COMMUNICATION ET INTERACTIONS

Adaptation
Christophe Fortin,
Cégep régional de Lanaudière à Terrebonne
Fanny Grégoire,
Cégep régional de Lanaudière à Terrebonne

Avec la collaboration de
François Paquet, Collège Jean-de-Brébeuf

Traduction
Anne-Marie Mesa

MODULO

Communication et interactions est la traduction de la douzième édition de *Looking Out/Looking In* de Ronald B. Adler et Russell F. Proctor II.

Nous reconnaissons l'aide financière du gouvernement du Canada par l'entremise du Programme d'aide au développement de l'industrie de l'édition (PADIE) pour nos activités d'édition.

Catalogage avant publication de Bibliothèque et Archives nationales du Québec et Bibliothèque et Archives Canada

Adler, Ronald B. (Ronald Brian), 1946-

Communication et interactions

Traduction de la 12 éd. de: Looking out/looking in.
Comprend des réf. bibliogr. et un index.
Pour les étudiants au niveau collégial.

ISBN 978-2-89650-051-2

1. Communication interpersonnelle. 2. Communication. 3. Interaction sociale.
I. Proctor, Russell F. II. Fortin, Christophe. III. Grégoire, Fanny. IV. Titre.

BF637.C45A3414 2009 158.2 C2009-940361-7

Équipe de production

Éditeur: Bianca Lam
Chargé de projet: Robert Dolbec
Révision linguistique: Monique Tanguay
Correction d'épreuves: Isabelle Maes
Montage: Josée Bégin
Coordination de la mise en pages: Marguerite Gouin
Maquette: Marguerite Gouin
Couverture: Marguerite Gouin
Recherche droits textes et photos: Anne Hébert, Claudine Bourgès
Gestion des droits: Gisèle Séguin
Indexage: Dolène Schmidt, Ghislain Morin

MODULO

Groupe Modulo est membre de l'Association nationale des éditeurs de livres.

Communication et interactions

5800, rue Saint - Denis, bureau 1102
Montréal (Québec) H25 3L5
CANADA
Téléphone: 514 738-9818 / 1 888 738-9818
Télécopieur: 514 738-5838 / 1 888 273-5247
Site Internet: www.groupemodulo.com

Dépôt légal — Bibliothèque et Archives nationales du Québec, 2009
Bibliothèque et Archives Canada, 2009
ISBN 978-2-89650-051-2

Imprimé aux États-Unis
4 5 13 12 11 10

AVANT-PROPOS

C'est avec plaisir que nous, Christophe Fortin et Fanny Grégoire, vous présentons cette adaptation du livre *Looking Out/Looking In* de Ronald B. Adler et Russell F. Proctor II. Cette nouvelle mouture tient compte des questionnements et des préoccupations concernant la communication et ses enjeux, et s'adresse aux étudiants du secteur tant préuniversitaire que technique. Elle offre un contenu renouvelé et bonifié par l'ajout, notamment, d'un chapitre sur la dynamique communicationnelle dans les groupes.

Ce livre, tout en respectant la rigueur scientifique, propose une approche intuitive et colorée de la communication. Avec des définitions en marge, des objectifs clairs et des résumés dans chaque chapitre, la structure de *Communication et interactions* favorise une intégration de la matière par l'étudiant.

Écrit dans un style dynamique et accessible, *Communication et interactions* propose une séquence explicite et facile à suivre. L'ouvrage permet aux étudiants non seulement d'apprendre ou d'approfondir leurs connaissances sur le fascinant domaine de la communication, mais les invite également à se questionner sur leurs propres habiletés de communication grâce à des rubriques et des exercices synthétisant la matière.

TABLE DES MATIÈRES

REMERCIEMENTS

L'adaptation de ce livre est le résultat du travail résolu d'une équipe de professionnels dédiés à la tâche. Nous tenons à remercier tous ceux et toutes celles qui ont contribué à la réalisation de ce projet, et plus particulièrement :

- François Paquet, Ph. D., pour la qualité de son travail et la couleur de ses propos.
- L'équipe de Modulo, tout particulièrement Bianca Lam, éditrice, Robert Dolbec, chargé de projet, et Monique Tanguay, réviseure linguistique.

Chapitre 1

UN PREMIER REGARD SUR LA COMMUNICATION INTERPERSONNELLE

CONTENU

OBJECTIFS

- Déterminer et comprendre les différents besoins qui sont à l'origine de la communication.
- Comprendre ce qu'est la communication, son fonctionnement et les règles qui la régissent.
- Déterminer les éléments de compétence d'un communicateur efficace.

Il vous est peut-être déjà arrivé de jouer à ce jeu quand vous étiez jeune. Un groupe d'enfants désigne une victime – soit pour la punir, soit pour s'amuser –, puis il l'ignore pendant un certain temps. Personne ne lui parle ni ne réagit à ce qu'elle dit ou fait.

La personne qui subit ce traitement vit toute une gamme d'émotions. Au début, elle est indifférente, ou prétend l'être. Toutefois, après un certain temps, le fait d'être traitée comme si elle était invisible entraîne une tension. Si le jeu se poursuit assez longtemps, elle finira par se retrancher dans un état dépressif ou par riposter agressivement, pour montrer sa colère ou provoquer une réaction.

De tout temps et dans pratiquement toutes les sociétés, les adultes et les enfants ont eu recours à cette stratégie qui consiste à ignorer l'autre. C'est en effet un moyen d'une grande puissance pour exprimer le déplaisir et exercer un contrôle social[1]. On sait tous intuitivement que la communication est un des besoins les plus fondamentaux de l'être humain et que l'isolement fait partie des punitions les plus cruelles que l'on puisse infliger. En plus d'être douloureuse sur le plan affectif, l'absence de contacts est une épreuve si difficile à supporter qu'elle peut avoir un effet sur la vie elle-même. Dans une étude portant sur l'isolement, des participants ayant été payés pour rester seuls dans une pièce fermée à clé ont eu du mal à s'acquitter de leur tâche. Sur les cinq participants, un seul a réussi à tenir huit jours, trois ont tenu deux jours (l'un d'eux a dit : « Jamais plus. ») et le cinquième a abandonné au bout de deux heures[2].

Le besoin de contacts et de compagnie est important pour tous, même pour les personnes qui ont mené des vies solitaires par choix ou par nécessité. W. Carl Jackson, un navigateur qui a traversé seul l'Atlantique en 51 jours, résume le sentiment courant chez la plupart des solitaires : « Au cours du deuxième mois, j'ai trouvé la solitude insupportable. J'ai toujours pensé que je me suffisais à moi-même, mais j'ai découvert que la vie sans les autres n'avait pas de sens. J'avais vraiment besoin de parler à quelqu'un, une vraie personne, qui vit et qui respire[3]. »

POURQUOI COMMUNIQUONS-NOUS ?

On pourrait penser que la solitude nous empêche de subir les irritations de la vie quotidienne et qu'elle est ainsi la bienvenue. Il est vrai qu'on a tous besoin de solitude et que souvent on n'en bénéficie pas assez. Toutefois, au-delà d'un certain point, la solitude cesse d'être agréable et devient douloureuse. En d'autres mots, tout le monde a besoin d'entrer en relation avec les autres et de communiquer.

LES BESOINS PHYSIQUES

La communication est tellement importante que sa présence, tout comme son absence, a des répercussions sur la santé physique. Les chercheurs en médecine ont en effet découvert que l'absence de relations interpersonnelles entraîne des risques pour la santé. En voici des exemples :

- Le manque de relations sociales est aussi dangereux pour le cœur que le tabac, la pression artérielle élevée, les lipides dans le sang, l'obésité et le manque d'activité physique[4].
- Les personnes qui souffrent d'isolement social sont deux ou trois fois plus susceptibles de mourir prématurément que celles qui ont de solides liens sociaux[5].
- Chez les hommes divorcés (âgés de moins de 70 ans), le taux de mortalité attribuable à une maladie cardiaque, à un cancer ou à une embolie est deux fois plus élevé que chez les hommes mariés. Ils sont trois fois plus nombreux à mourir d'hypertension, cinq fois plus à se suicider, sept fois plus à mourir des suites d'une cirrhose du foie et dix fois plus, de la tuberculose[6].
- Le taux d'incidence de tous les types de cancers est cinq fois plus élevé chez les femmes et les hommes divorcés que chez les gens mariés[7].
- La probabilité de décès augmente avec la mort d'un proche parent. Dans un village gallois, les personnes qui avaient perdu un proche parent affichaient, dans l'année suivant l'événement, un taux de mortalité plus de cinq fois supérieur à celui des autres[8].

Ces recherches montrent bien l'importance d'entretenir des relations interpersonnelles satisfaisantes. L'équilibre psychologique et émotionnel de chaque personne dépend en partie du nombre de relations interpersonnelles qu'elle a, mais encore davantage de la qualité de celles-ci. Bien que les besoins en matière de contacts diffèrent d'un individu à l'autre, la communication interpersonnelle demeure essentielle pour tous.

LES BESOINS RELATIFS À L'IDENTITÉ

Victor l'enfant de l'Aveyron, gravure de J.E. Itard (XVIIIe siècle)

La communication ne nous permet pas seulement de survivre, elle est essentielle à notre développement personnel. Notre sens de l'identité dépend de la façon dont on interagit avec les autres. « Suis-je intelligent ou stupide, beau ou laid, compétent ou incompétent ? » Il ne suffit pas de se regarder dans le miroir pour répondre à ces questions. On détermine qui on est en se basant sur les réactions des autres à notre égard.

Si l'on ne pouvait communiquer avec les autres, notre conscience de soi serait extrêmement limitée. Dans son livre *Bridges Not Walls,* John Stewart relate le cas de « l'enfant sauvage de l'Aveyron », qui n'avait eu apparemment aucun contact humain au cours des premières années de sa vie. L'enfant a été trouvé dans un village français en janvier 1800, alors qu'il creusait la terre à la recherche de légumes. Aucun de ses comportements ne correspondait à ceux que l'on attend d'un être humain socialisé. L'enfant, ne sachant pas parler, ne poussait que des cris bizarres. Toutefois, son absence d'identité en tant qu'être humain s'est révélée plus significative encore que son manque d'habiletés sociales. Comme l'a déclaré l'auteur Roger Shattut, qui s'est intéressé à ce cas unique, «l'enfant ne montrait aucun sentiment d'appartenance au monde. Il n'avait nullement l'impression d'être relié de quelque façon que ce soit aux autres personnes[9] ». Ce n'est que grâce à l'influence d'une « mère » aimante que le jeune garçon a commencé à se comporter – et fort probablement à se considérer – comme un être humain.

Comme l'enfant de l'Aveyron, on arrive au monde sans savoir qui on est. Chacun construit son identité à partir de la façon dont les autres le définissent. Comme il est expliqué au chapitre 2, les messages que l'on reçoit pendant la petite enfance ont un effet déterminant sur l'identité, mais l'influence des autres continue à s'exercer tout au long de la vie.

LES BESOINS SOCIAUX

La communication contribue non seulement à définir notre identité, mais aussi à établir des liens vitaux avec les autres. Les chercheurs et les théoriciens ont déterminé une gamme complète de besoins sociaux que l'on satisfait en communiquant. Parmi ceux-ci, mentionnons le plaisir, l'affection, la camaraderie, la fuite, la relaxation et le contrôle[10].

Ces besoins sont présents dans pratiquement toute relation, que ce soit avec les amis, les collègues, les membres de la famille, les êtres aimés, le conjoint et même les étrangers. La communication est le principal moyen de satisfaire nos besoins sociaux. En fait, certains spécialistes des sciences sociales soutiennent que c'est surtout en communiquant que l'on établit des relations[11]. Pour s'en convaincre, on n'a qu'à penser à l'esprit de camaraderie qui se développe au sein d'un groupe étudiant inscrit au même programme.

La recherche suggère qu'il y a un lien solide entre l'efficacité de la communication interpersonnelle et le bonheur. Une étude portant sur plus de 200 étudiants de niveau collégial a en effet révélé que ceux qui font partie des plus heureux, soit 10 % des participants, déclarent avoir une vie sociale riche[12]. Dans une autre étude, les femmes ont rapporté que les contacts sociaux contribuaient davantage à leur sentiment de satisfaction que toute autre activité, beaucoup plus que la relaxation, le magasinage ou l'activité physique entre autres[13].

Étant donné que les relations avec les autres sont si essentielles, certains théoriciens vont jusqu'à soutenir que la communication est le but principal de l'existence humaine[14].

LES BUTS PRATIQUES

objectif instrumental: but pratique.

En plus de combler nos besoins sociaux et de forger notre identité, la communication est la méthode la plus utilisée pour satisfaire ce que les spécialistes appellent les **objectifs instrumentaux**, en amenant les autres à se comporter selon nos désirs. Certains de ces objectifs sont tout à fait accessoires, par exemple, obtenir de son coiffeur la coupe de cheveux qu'on désire ou encore éviter une contravention en persuadant un policier qu'on n'a pas grillé le feu rouge.

Cependant, d'autres objectifs instrumentaux sont plus fondamentaux. La réussite professionnelle en est un bon exemple. Les habiletés de communication, c'est-à-dire parler et écouter efficacement, sont les principaux facteurs qui aident les diplômés du collégial à trouver du travail dans un marché de plus en plus concurrentiel. Elles comptent plus que les compétences techniques, l'expérience de travail ou le diplôme[15]. Une bonne communication au travail est au moins aussi importante que tous les éléments précités. Par exemple, imaginez que vous êtes dentiste et que vous désirez embaucher un hygiéniste dentaire pour vous assister. Qui serait votre premier choix ? Un candidat, exceptionnellement compétent, avec qui il est toutefois difficile de communiquer, ou un autre candidat ayant toutes les compétences requises, mais avec qui la communication est aisée ? La réponse semble évidente ; cela signifie que les habiletés interpersonnelles ne sont pas sans importance, puisqu'elles peuvent déterminer le succès ou l'échec au travail.

Le psychologue Abraham Maslow répartit les besoins physiques, identitaires, sociaux et pratiques en cinq niveaux hiérarchiques (voir la figure 1.1). Chacun de ces niveaux doit être atteint avant qu'une personne soit en mesure de se préoccuper des besoins moins fondamentaux[16]. Le premier niveau comprend les besoins les plus fondamentaux, qui sont d'ordre *physique*: l'air, l'eau, la nourriture et le repos en quantité suffisante, et la capacité de se reproduire en tant qu'espèce. Le deuxième niveau est la *sécurité*: la protection contre ce qui menace le bien-être de la personne. Au troisième niveau, on retrouve les *besoins sociaux* que nous avons déjà mentionnés et, au quatrième niveau, les besoins liés à l'*estime de soi*, c'est-à-dire le désir de croire en sa valeur. Enfin, la cinquième catégorie de besoins décrite par Maslow est la *réalisation* ou l'*accomplissement de soi*: le désir d'exploiter son potentiel au maximum, de devenir la meilleure personne possible.

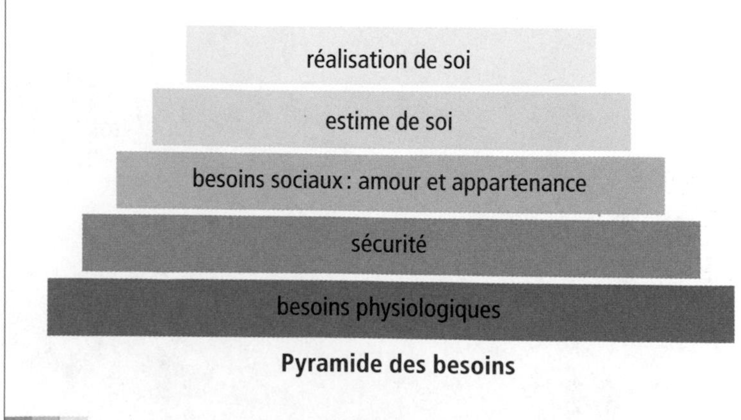

FIGURE 1.1 La pyramide de Maslow.

LE PROCESSUS DE LA COMMUNICATION

Nous avons abordé le sujet de la communication comme si la signification de ce mot était parfaitement claire. Or, avant d'aller plus loin, il importe d'expliquer systématiquement ce qui se produit quand les gens échangent des messages. Cela permettra de présenter le vocabulaire couramment employé et aussi d'avoir un aperçu des sujets traités dans les chapitres suivants.

UNE VISION LINÉAIRE

Lorsque les chercheurs se sont mis à étudier la communication en tant que science sociale, ils ont créé des modèles visant à expliquer le processus communicationnel. Leurs premières tentatives se sont traduites par un **modèle de communication linéaire**, lequel décrit la communication comme une chose qu'un émetteur « envoie » à un récepteur. Selon le modèle linéaire présenté à la figure 1.2, l'**émetteur** (la personne qui crée le message) **encode** (traduit sa pensée au moyen de symboles, généralement des mots) un **message** (l'information transmise) destiné au **récepteur** (la personne qui reçoit le message) qui le **décode** (lui donne une signification), tout en luttant contre le **bruit** (les distractions qui perturbent la transmission).

modèle de communication linéaire: modèle unidirectionnel où l'information va de l'émetteur au récepteur.

émetteur: personne qui crée le message.

encoder: traduire sa pensée au moyen de symboles, de mots.

message: information transmise.

récepteur: personne qui reçoit le message.

décoder: donner une signification au message reçu.

bruit: distraction qui pertube la transmission d'un message.

On remarque à quel point le schéma et le vocabulaire présentés à la figure 1.2 sont représentatifs du fonctionnement de la radio et de la télévision. Il ne s'agit pas d'une coïncidence: les scientifiques qui ont élaboré ce modèle, dans les années 1970, s'intéressaient aux médias électroniques au départ. L'utilisation généralisée de ce modèle a influencé notre façon d'envisager la communication et d'en parler. Des phrases courantes comme « La communication est rompue » et « Je ne pense pas que mon message passe » illustrent bien cette vision linéaire, quasi mécanique. Ces phrases familières (et la pensée qu'elles reflètent) masquent toutefois certaines différences importantes entre la communication mécanique et humaine. La communication interpersonnelle subit-elle réellement une rupture ou les gens continuent-ils à échanger de l'information même lorsqu'ils ne se parlent pas?

Voici d'autres questions concernant les défauts du modèle linéaire: lors d'une discussion entre deux amis, n'y a-t-il qu'un seul émetteur et qu'un seul récepteur, ou les deux envoient-ils et reçoivent-ils des messages simultanément? Une personne

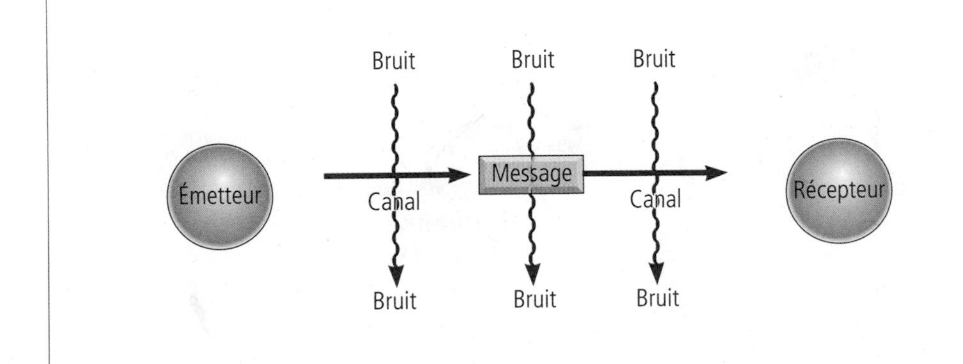

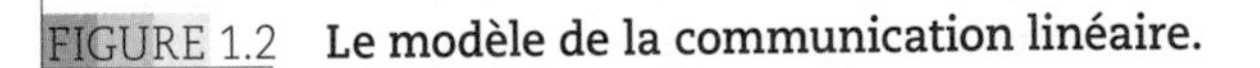
FIGURE 1.2 **Le modèle de la communication linéaire.**

veut-elle vraiment encoder tous les messages qu'elle envoie ou adopte-t-elle inconsciemment des comportements qui communiquent tout de même des messages aux autres ? La communication se produit-elle dans un vide, ou la signification du message est-elle perturbée par des facteurs plus importants comme la culture, l'environnement et l'histoire de la relation ? Ces questions ont amené les spécialistes à créer des modèles qui représentent mieux la communication interpersonnelle. Voici l'un d'eux.

UNE VISION TRANSACTIONNELLE

modèle de communication transactionnelle : modèle où le communicateur est simultanément récepteur et émetteur.

environnement : lieux physiques, expériences personnelles et origines culturelles influençant la compréhension du comportement des autres.

Le **modèle de communication transactionnelle** (voir la figure 1.3) met à jour et élargit le modèle linéaire pour mieux saisir la communication en tant que processus strictement humain. Certains concepts et termes du modèle linéaire se retrouvent dans le modèle transactionnel, alors que d'autres ont été améliorés ou éliminés. Par exemple, le modèle transactionnel utilise le mot *communicateur* au lieu d'*émetteur* et de *récepteur*. Ce terme reflète le fait que les individus envoient et reçoivent des messages simultanément plutôt qu'en va-et-vient, comme le suggère le modèle linéaire.

Considérons, par exemple, ce qui se produit quand deux colocataires discutent de la façon de s'acquitter des corvées domestiques. Dès qu'il commence à entendre (recevoir) les mots émis par le colocataire 1 (« J'aimerais maintenant parler du nettoyage de la cuisine… »), le colocataire 2 grimace et serre les dents (envoyant ainsi un message non verbal en même temps qu'il reçoit un message verbal). Cette réaction incite le colocataire 1 à s'interrompre et à se défendre en envoyant un nouveau message (« Mais attends une minute… »).

Le modèle transactionnel montre aussi que les communicateurs se trouvent souvent dans différents **environnements** – des domaines d'expérience qui influencent la compréhension du comportement des autres. Dans la terminologie de la communication, le mot *environnement* renvoie non seulement au lieu physique, mais aussi aux expériences personnelles et aux origines culturelles des locuteurs. Le modèle présenté à la figure 1.3 montre que les environnements des individus A et B se chevauchent. Cette

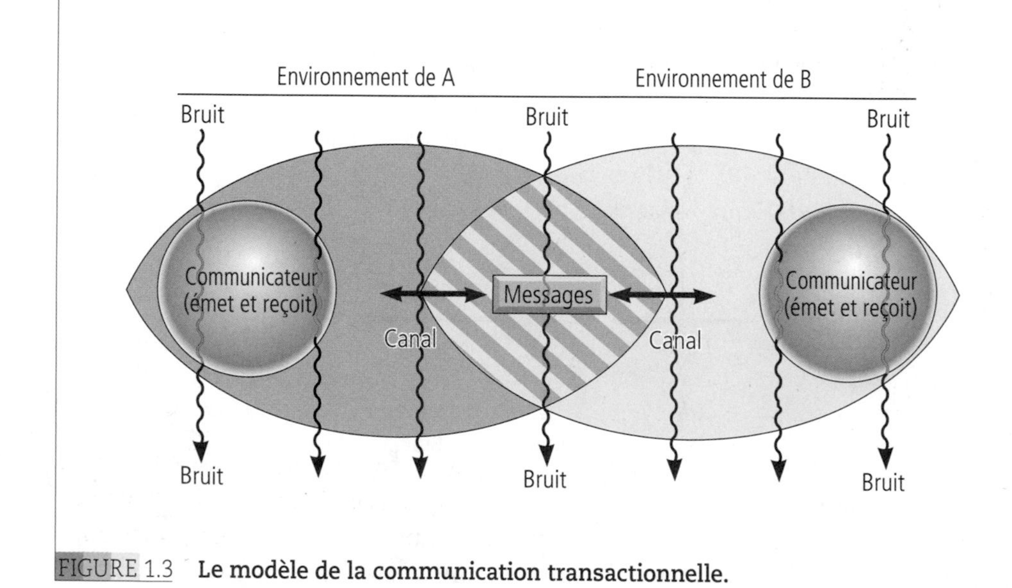

FIGURE 1.3 **Le modèle de la communication transactionnelle.**

zone représente ce que les communicateurs ont en commun. Plus l'environnement commun se rapetisse, plus la communication devient difficile.

Voici quelques faits qui illustrent comment les différentes perspectives peuvent rendre la compréhension difficile. Les patrons qui ont du mal à comprendre le point de vue de leurs employés sont des gestionnaires moins efficaces que les autres, et les travailleurs qui ne connaissent pas les défis inhérents à la fonction de patron seront probablement moins coopératifs (et donc moins aptes à être promus). Les parents qui ont de la difficulté à se souvenir de leur jeunesse risquent d'avoir des conflits avec leurs enfants, et ces derniers, n'ayant jamais expérimenté la responsabilité d'être parent, ne peuvent donc pas la comprendre. Les membres d'une **culture dominante**, qui ne se sont jamais sentis « différents », ne sont pas toujours sensibles aux préoccupations des personnes appartenant aux sous-cultures minoritaires. De leur côté, ces personnes peuvent percevoir l'insensibilité de la majorité comme du mépris ou de l'arrogance.

Les **canaux** de communication jouent un rôle important dans le modèle transactionnel, tout comme dans le modèle linéaire. Bien qu'il soit tentant de considérer ces canaux comme des voies neutres permettant de livrer un message, on comprend leur rôle en les examinant de plus près. Par exemple, vaut-il mieux dire « Je t'aime » en personne ? Au téléphone ? En envoyant des fleurs et une carte ? Dans un télégramme chanté ? Par courriel ? Par messagerie vocale ? Chaque canal est différent et influe sur la signification du message.

culture dominante : modèle culturel qui s'impose à l'ensemble d'une société.

canal : moyen utilisé pour transmettre l'information.

bruit externe : élément extérieur à la communication qui vient la perturber.

bruit physiologique : facteur biologique faisant obstacle à l'émission ou à la réception du message (fatigue, surdité, etc.).

bruit psychologique : facteur personnel faisant obstacle à l'expression ou à la compréhension du message (peur, préjugé, etc.).

Le modèle transactionnel conserve aussi le concept de *bruit* tout en l'élargissant. Dans le modèle linéaire, on se concentre sur le bruit dans le canal, ce qu'on appelle le **bruit externe**. Par exemple, une musique trop forte ou une quantité trop élevée de fumée de cigarette dans une pièce bondée peut faire en sorte que l'on ait de la difficulté à accorder de l'attention à une personne. Le modèle transactionnel montre que les communicateurs sont également des sources importantes de bruit. Ils sont la source du **bruit physiologique**, que sont les facteurs biologiques interférant avec la réception exacte (maladie, fatigue, perte auditive, etc.). Les communicateurs peuvent aussi subir des **bruits psychologiques** : des facteurs intérieurs qui nuisent à la capacité de bien comprendre le message. Par exemple, un étudiant peut être si contrarié en apprenant qu'il a échoué à un test qu'il sera très réticent à comprendre clairement ses erreurs, voire incapable.

Malgré toutes les perspectives qu'ils présentent, les modèles ne peuvent toutefois rendre compte de certaines caractéristiques importantes de la communication interpersonnelle. Un modèle est une « image instantanée » ; la communication, quant à elle, ressemble davantage à un « film ». Dans la vie réelle, il est difficile d'isoler un « acte » communicationnel des événements qui le précèdent et qui le suivent[17].

Cela nous amène à un autre élément important : la communication transactionnelle n'est pas quelque chose que nous faisons *aux* autres, mais bien une activité que nous faisons *avec* les autres. En ce sens, la communication entre deux personnes s'apparente à une danse qui se pratique à deux. Comme en danse, la communication dépend de la collaboration du partenaire et la réussite ne dépend pas uniquement de celui qui mène. Le bon danseur qui ne tient pas compte du niveau de son partenaire et qui ne s'y adapte pas gâchera la performance du couple. Que ce soit en communication ou en danse, le talent des deux partenaires n'est pas un gage de succès. Deux danseurs habiles qui ne coordonnent pas leurs mouvements ne se sentiront pas à l'aise, et le public les trouvera ridicules. Finalement, la communication relationnelle – comme la danse – est une création unique qui résulte de l'interaction des partenaires. Notre façon de danser peut varier en fonction de notre partenaire. C'est aussi le cas de notre manière de communiquer.

communication : mécanisme transactionnel auquel participent des personnes qui vivent dans des environnements différents se chevauchant, et qui créent des relations en échangeant des messages dont plusieurs sont influencés par des bruits externes, physiologiques et psychologiques.

À l'aide des concepts élaborés jusqu'à présent, il est maintenant possible de donner une définition de la communication : la **communication** est un mécanisme transactionnel auquel participent des personnes qui vivent dans des environnements différents se chevauchant, et qui créent des relations en échangeant des messages dont plusieurs sont influencés par des bruits externes, physiologiques et psychologiques.

LA COMMUNICATION: PRINCIPES ET MYTHES

Avant d'examiner les caractéristiques de la communication interpersonnelle, il est important de définir ce qu'elle peut accomplir et de connaître ses limites.

LES PRINCIPES DE LA COMMUNICATION

La communication peut être intentionnelle ou non

Souvent, la communication est clairement intentionnelle. C'est le cas lorsqu'un employé demande une augmentation de salaire à son patron ou qu'il se propose de lui faire une critique constructive ; dans l'une ou l'autre de ces situations, l'employé aura tendance à bien peser ses mots avant de parler. Certains spécialistes soutiennent que seuls les messages intentionnels comme ceux-ci relèvent de la communication. D'autres défendent l'idée que même le comportement non intentionnel est un acte de communication. Supposons, par exemple, qu'un ami vous surprenne en train de marmonner et de vous plaindre. Même si vos remarques n'étaient pas destinées à être entendues, elles sont tout de même porteuses d'un message. De la même façon, les messages non verbaux que l'on envoie involontairement – que ce soit par des expressions faciales, un mouvement d'impatience ou des soupirs d'ennui – n'échappent pas aux autres.

La communication est irréversible

On aimerait parfois avoir la possibilité de revenir en arrière pour effacer certains mots ou certains actes. S'il est vrai qu'une bonne explication ou que des excuses sincères permettent souvent de clarifier une situation ou d'amoindrir la peine que l'on a causée, un fait demeure: ce qui est fait est fait, ce qui est dit est dit. C'est irréversible.

On peut faire pause. On peut même faire avance rapide.
Mais on ne peut jamais rembobiner !

La communication est inévitable

Étant donné que les comportements intentionnels et involontaires envoient un message, plusieurs théoriciens s'accordent à dire que la communication est inévitable. Que l'on parle ou que l'on se taise, que l'on affronte ou que l'on évite une situation ou une personne, que l'on réagisse de façon émotive ou impassible, on communique de l'information sur nos pensées et nos sentiments. Si en plus on tient compte que la communication non verbale est toujours présente, on peut dire que nous sommes comme des émetteurs impossibles à éteindre. Bien entendu, les personnes qui décodent nos messages ne les interprètent pas toujours avec exactitude. Il arrive même que le message que l'on voulait transmettre soit bien différent de celui que les autres déduisent de nos actes.

La communication est unique

Comme la communication est un processus continu, il est impossible de répéter le même événement. Le sourire amical qui a produit un bel effet sur la personne que vous avez rencontrée il y a quelques jours n'entraînera pas le même résultat sur la personne que vous croiserez demain. Il est impossible de récréer un événement, même si des individus se retrouvent dans une situation identique à celle qu'ils ont vécue. Pourquoi ? Parce que les deux protagonistes ont changé depuis leur première interaction, peu importe si elle remonte à hier ou à un an, et que leurs sentiments l'un vis-à-vis de l'autre ont évolué. L'expression « On n'a jamais une deuxième chance de faire une première impression » traduit bien l'idée que la communication est un processus qu'on ne peut répéter.

La communication a une dimension «relation» et une dimension «contenu»

dimension « contenu »: information dont il est explicitement question.

dimension « relation »: sentiments du locuteur envers l'autre personne.

Pratiquement tous les échanges se déroulent sur deux plans. La **dimension «contenu»** comprend l'information dont il est explicitement question, comme « Tournez à gauche au prochain coin de rue » ou « Vous me marchez sur le pied ». En plus de cet aspect explicite, tous les messages ont une **dimension «relation»** qui exprime les sentiments du locuteur envers l'autre personne : s'il l'apprécie ou non, s'il se sent à l'aise ou anxieux, etc.[18] Par exemple, imaginez le nombre de messages relationnels différents que l'on peut communiquer simplement en prononçant de différentes façons la phrase suivante : « Continue de parler, ce que tu dis m'intéresse beaucoup. »

Dans certaines situations, la dimension «contenu» d'un message est la plus importante. Par exemple, on se soucie peu de ce que le représentant du service à la clientèle d'une entreprise d'équipement informatique pense de nous pour autant qu'il s'occupe de régler notre problème. Dans d'autres situations toutefois, la dimension «relation » du message a plus de valeur que son contenu. Cela explique pourquoi on peut se disputer pour des questions futiles en apparence, comme faire le ménage. Dans ces cas-là, ce qui est réellement en jeu, c'est la nature de la relation.

LES IDÉES PRÉCONÇUES SUR LA COMMUNICATION

Apprendre à communiquer adéquatement est un travail de longue haleine. Bien des obstacles, sous forme d'idées préconçues, se dressent sur la voie de l'excellence. Connaître et savoir éviter les méprises suivantes, c'est prévenir beaucoup de conflits.

Plus ne signifie pas toujours « mieux »

Si un manque de communication peut effectivement poser un problème, un excès de communication n'est pas à conseiller non plus. Cet excès est parfois tout simplement improductif, comme lorsque deux personnes « parlent à fond d'un problème », avançant sans cesse les mêmes arguments sans progresser. Trop parler peut aussi réellement aggraver un problème. Tout le monde a un jour vécu l'expérience d'une discussion sans fin qui envenime la situation parce que les deux parties sont allées trop loin dans leurs propos. Comme le souligne un auteur : « Communiquer en étant de plus en plus négatif entraîne tout simplement des résultats de plus en plus négatifs[19]. »

La signification n'est pas dans les mots

La plus grande erreur que l'on puisse faire est de supposer que le fait de *dire* une chose revient à la *communiquer*. Par exemple, imaginez un adolescent qui dit à ses parents : « Mon prof est malade ! » Ceux-ci penseront peut-être que l'enseignant souffre d'une maladie alors que l'affirmation de l'adolescent renvoie plutôt à son admiration, ou à son antipathie profonde, pour le professeur. Comme nous l'expliquons au chapitre 3, les mots qui ont un sens pour un locuteur peuvent être interprétés différemment par une autre personne.

Une communication réussie ne signifie pas nécessairement une compréhension partagée

Si, dans la plupart des échanges, la réussite de la communication repose sur la compréhension mutuelle, il existe toutefois des situations où il est préférable de ne pas entièrement comprendre l'autre. Par exemple, vous avez sûrement déjà été délibérément vague pour ne pas vexer votre interlocuteur. Que répondriez-vous à un ami qui vous demanderait : « Que penses-tu de mon nouveau tatouage ? » Vous pourriez réagir avec tact et répliquer : « Et bien, c'est vraiment original ! » au lieu d'être honnête et de répondre : « Je trouve ça grotesque. » Dans ce cas, la clarté est sacrifiée au nom de l'amitié dans le but de poursuivre la relation.

Une seule personne ou un seul événement n'expliquent pas totalement la réaction d'un individu

La réaction des gens à ce qui leur est communiqué ne dépend jamais d'un seul facteur. Même si les habiletés de communication influencent la réaction des gens, plusieurs facteurs interagissent pour expliquer la façon dont les autres réagissent à la communication dans une situation. Supposons qu'une personne se fâche contre un ami et prononce des paroles qu'elle regrette dès qu'elle les dit. La réaction de l'ami ne dépendra pas que de la remarque injustifiée, mais aussi de son état d'esprit à ce moment-là (tendu ou serein), de sa personnalité (tendance à juger ou à pardonner), de l'histoire de la relation entre les deux protagonistes (réconfortante ou hostile) et de sa connaissance de tout facteur dans la vie du locuteur qui pourrait l'avoir amené à faire cette remarque.

La communication ne résout pas tous les problèmes

Même la communication la mieux planifiée et qui se produit au moment le plus propice ne résout pas toujours un problème. Imaginons un étudiant qui demande à son professeur de lui expliquer pourquoi il a obtenu une mauvaise note pour un travail, qui, selon lui, méritait beaucoup plus. Le professeur lui donne clairement ses raisons et reste sur ses positions après avoir écouté avec attention les protestations de l'étudiant. La communication a-t-elle résolu le problème ? Pas vraiment. Une communication claire est parfois même la cause de certains problèmes. Si une jeune femme demande à son ami de lui dire honnêtement ce qu'il pense de sa nouvelle tenue qu'elle a payée 200 $ et qu'il lui répond sincèrement : « Je pense que ça te grossit », cela peut causer plus de tort que de bien. Il n'est pas toujours facile de décider quand et comment s'ouvrir aux autres.

« Ma femme me comprend... »

LA NATURE DE LA COMMUNICATION INTERPERSONNELLE

Maintenant que nous comprenons mieux le processus global de la communication humaine, il est temps d'examiner ce qu'est une communication interpersonnelle.

DEUX VISIONS DE LA COMMUNICATION INTERPERSONNELLE

communication interpersonnelle : dans l'approche *quantitative*, toute communication entre deux personnes ; dans l'approche *qualitative*, relation qui peut être interpersonnelle ou impersonnelle.

dyade : ensemble de deux individus engagés dans un processus de communication.

Les spécialistes ont décrit les caractéristiques de la **communication interpersonnelle** de plusieurs façons[20]. La définition la plus évidente concerne le nombre de personnes impliquées. Cette définition **quantitative** de la communication interpersonnelle comprend toute interaction entre deux personnes. Les spécialistes des sciences sociales parlent alors de **dyade**. Du point de vue quantitatif, les termes *communication dyadique* et *communication interpersonnelle* sont interchangeables. Ainsi, un vendeur s'entretenant avec un client ou un policier qui remet un constat d'infraction à un conducteur sont des exemples d'actes interpersonnels, alors qu'on ne peut parler de communication interpersonnelle dans le cas d'un échange entre un enseignant et sa classe, ou entre un artiste et son public.

Certains auteurs privilégient plutôt une définition d'ordre **qualitatif** pour traduire leur vision de la communication interpersonnelle. En reconnaissant que les relations entre individus n'ont pas toutes la même qualité, on peut distinguer les relations interpersonnelles des relations impersonnelles. Il est alors évident que l'exemple du policier donnant une contravention à un conducteur renvoie à la catégorie des relations impersonnelles.

Plusieurs caractéristiques servent à établir une distinction d'ordre qualitatif entre la communication interpersonnelle et la communication impersonnelle[21]. La première est l'*unicité*. Dans les échanges impersonnels, ce sont les règles sociales (rire poliment des plaisanteries des autres, ne pas monopoliser la conversation, etc.) et les rôles sociaux (le client a toujours raison, les personnes âgées imposent le respect) qui déterminent la communication. Les relations interpersonnelles sont caractérisées par le développement de rôles et de règles uniques. Par exemple, la relation qu'entretiennent deux amis leur permet d'échanger des injures inoffensives (l'un qui dit à l'autre : « Qu'est-ce que t'es imbécile quand tu veux ! »), alors que, dans un autre type de relation, ils respectent la règle tacite de ne pas offenser leur interlocuteur (on ne dira pas à son patron : « Qu'est-ce que t'es imbécile ! ») De même, avec un ami ou avec un membre de la famille, il est possible de régler un conflit en exprimant son désaccord immédiatement, alors que, dans un autre contexte, la règle non écrite veut qu'on laisse les ressentiments s'accumuler et qu'on fasse le ménage lorsque c'est nécessaire. Un spécialiste en communication a inventé l'expression *culture relationnelle* pour décrire les personnes qui, dans des relations intimes, inventent leurs propres façons d'interagir[22].

La deuxième caractéristique des relations interpersonnelles est leur côté *irremplaçable*. C'est ce qui explique que l'on éprouve généralement une grande tristesse quand une amitié profonde ou une histoire d'amour se termine abruptement. On sait très bien que, peu importe le nombre de relations présentes et à venir, aucune ne sera jamais tout à fait identique à celle qui vient de se terminer.

L'*interdépendance* est la troisième caractéristique des relations interpersonnelles. On peut ne pas se sentir concerné par la colère, l'affection ou l'enthousiasme que ressent une personne que l'on connaît peu, alors que, dans les relations plus personnelles, la vie de l'autre a une influence sur nous. L'interdépendance est parfois un plaisir, parfois un fardeau. Dans les relations interpersonnelles, l'identité de chacun dépend de la nature de ses interactions avec les autres. Comme l'explique le psychologue Kenneth Gergen : « On n'est pas attirant si les autres ne sont pas attirés, un leader n'existe que si les gens sont prêts à le suivre, et il n'y a pas d'amour si personne n'est là pour l'exprimer[23]. »

La quatrième caractéristique des relations interpersonnelles est le niveau de *dévoilement*, lequel est souvent lié à la quantité d'information personnelle révélée. Dans une relation impersonnelle, les personnes ne donnent que peu ou pas d'informations sur elles. Par contre, dans les relations interpersonnelles, elles se sentent beaucoup plus à l'aise de partager leurs pensées et leurs émotions. Cela ne signifie pas que toutes les relations interpersonnelles sont chaleureuses ou que l'ouverture de soi est toujours bonne. En fait, ce genre de relation peut mener à des conflits, particulièrement si on transmet de l'information personnelle négative, comme « Je suis vraiment fâché contre toi… » ou « Je trouve que tu as pris beaucoup de poids ».

La cinquième caractéristique de la communication interpersonnelle est la *compensation intrinsèque*. Dans la communication impersonnelle, le résultat à obtenir est plus important que la relation entre les personnes. Un étudiant qui écoute ses professeurs en classe ou une personne qui parle aux acheteurs éventuels de son véhicule veulent atteindre des buts qui ont peu à voir avec l'établissement de relations personnelles. En revanche, on consacre du temps aux amis ou à notre relation amoureuse parce que ce temps est en soi une récompense. Bien souvent, le sujet de la conversation n'est pas important, c'est la relation qui compte.

Les relations uniques, irremplaçables, interdépendantes, qui nous permettent de nous dévoiler et qui comportent une récompense intrinsèque sont rares. Cette rareté n'est pas nécessairement regrettable. En effet, comme la plupart d'entre nous n'ont ni le temps ni l'énergie pour établir une relation personnelle avec tous les gens qu'on rencontre, c'est précisément la rareté qui rend les communications interpersonnelles si précieuses.

LA TECHNOLOGIE ET LES RELATIONS INTERPERSONNELLES

communication assistée par ordinateur (CAO) : communication par le truchement d'un ordinateur (courriel, blog, clavardage, etc.).

À défaut de pouvoir communiquer en personne, on sait que l'on peut compter sur le téléphone, sur les bonnes vieilles lettres et sur la **communication assistée par ordinateur (CAO)** pour entrer en relation avec les autres. La messagerie instantanée, le courriel, les blogs et le clavardage sont autant de façons de faciliter la communication. Des recherches de plus en plus nombreuses révèlent que la CAO n'est pas aussi menaçante pour les relations de personne à personne que certains détracteurs le redoutaient. La plupart des utilisateurs d'Internet – qu'il s'agisse d'adultes, d'adolescents ou d'enfants – rapportent que le temps qu'ils passent en ligne n'influence pas celui qu'ils passent avec leur famille ou leurs amis. Plus des trois quarts d'entre eux affirment également ne pas souffrir d'un manque d'attention de la part d'un autre membre de la famille qui consacre du temps à Internet[24]. Enfin, plus de la moitié des personnes interrogées déclarent que le nombre de leurs relations personnelles s'est accru depuis qu'elles utilisent Internet[25].

Des études plus récentes relèvent aussi des effets positifs quant au rôle de la CAO en matière de relations et de prises de décision[26]. Elles montrent notamment que la communication assistée enrichit les réseaux sociaux, particulièrement chez les adolescents et les jeunes adultes qui ont grandi avec Internet, mais aussi chez les utilisateurs de toutes les générations. Il importe de souligner que la CAO ne remplace pas la communication directe, celle qui se fait de personne à personne. Une étude réalisée auprès de cégépiens qui utilisent fréquemment les messageries instantanées a conclu « que rien ne semble valoir la communication directe quand il s'agit de combler les besoins sociaux ainsi que les besoins de communication et d'information des individus[27] ».

Autre aspect à considérer : plutôt que d'écraser les autres formes de communication, la CAO les favorise et les renforce. En d'autres termes, ceux qui communiquent régulièrement avec leurs amis et leur famille grâce à l'ordinateur sont susceptibles de les appeler et de tenter de les voir plus souvent que les autres[28]. Plusieurs raisons expliquent une hausse de la fréquence et de la qualité des communications interpersonnelles. D'une part, la CAO facilite la communication[29]. En raison des horaires chargés et de la distance, il est en effet difficile, parfois impossible, d'entretenir des rapports de qualité de vive voix. Les personnes vivant dans des fuseaux horaires différents éprouvent de réelles difficultés à trouver des moments libres communs pour communiquer entre elles. Dans ces cas-là, la nature **asynchrone** du courriel aide à échanger de l'information. La messagerie instantanée est une autre façon de rester en contact. Selon Laura Balsam, une conseillère informatique de New York, découvrir la présence d'un ami ou d'un membre de sa famille en ligne et entamer une conversation, c'est comme « marcher dans la rue et rencontrer un ami par hasard[30] ». Même lorsqu'une rencontre est possible, certaines personnes préfèrent échanger de l'information personnelle par l'entremise de l'ordinateur. La sociolinguiste Deborah Tannen décrit comment le courrier électronique a transformé une relation :

asynchrone : désigne un type d'échange de données entre deux entités (individus, ordinateurs, etc.) où les données échangées sont émises et analysées selon une référence de temps différente et à un rythme variable.

INVITATION À L'INTROSPECTION

En ligne et en relation ?

Les études citées dans cette section suggèrent que la CAO (la communication assistée par ordinateur) améliore les relations interpersonnelles et le réseautage. Voyez si c'est votre cas en répondant aux questions qui suivent.

Pouvez-vous relever une relation qui…

1. … s'est améliorée grâce à des interactions régulières favorisées par la CAO, comme la messagerie instantanée, le courriel ou les blogs ?
2. … a vu le jour grâce à la CAO, peut-être dans un cybercafé, par la messagerie instantanée, un courriel ou un service de rencontre en ligne ?
3. … souffrirait ou même prendrait fin si vous n'aviez pas accès à un ordinateur ?

Que révèlent vos réponses quant à l'influence de la CAO sur vos relations interpersonnelles ? Y a-t-il des moments où la CAO a nui à vos relations ou les a gênées ?

> Le courriel a permis d'approfondir ma relation avec mon collègue Ralph. Même si son bureau était à côté du mien, nous avions rarement de longues conversations parce qu'il est timide. Lorsqu'on se rencontrait, il ne faisait que marmonner et je comprenais à peine ce qu'il disait. Cependant, dès que nous avons eu accès au courrier électronique, il a commencé à m'envoyer de longs courriels pleins de confidences. Nous nous sommes littéralement ouverts l'un à l'autre[31].

LA COMMUNICATION PERSONNELLE ET IMPERSONNELLE : UNE QUESTION D'ÉQUILIBRE

Maintenant que l'on sait ce qui distingue la communication interpersonnelle de la communication impersonnelle, on est en mesure de se demander laquelle des deux est la meilleure. La communication interpersonnelle est-elle l'objectif à atteindre dans tous nos échanges ?

La plupart des relations ne sont ni interpersonnelles ni impersonnelles. Elles se situent plutôt entre ces deux pôles. Habituellement, même les situations les plus impersonnelles contiennent un élément personnel. Par exemple, on peut apprécier le sens de l'humour unique d'un professeur ou encore réussir à établir un lien personnel avec son coiffeur. Même le patron le plus exigeant qui applique le règlement à la lettre fait parfois preuve d'un accès d'humanité.

Les relations que l'on entretient avec les gens que l'on apprécie peuvent également comporter un aspect impersonnel. Lorsque vous êtes fatigué ou occupé, il vous arrive sûrement de ne pas vouloir échanger sur les aspects fondamentaux de votre vie, comme vos valeurs ou l'état de votre couple. En fait, la communication interpersonnelle peut être comparée à l'activité physique : agréable en quantité modérée mais épuisante à forte dose. Il arrive aussi que la combinaison de ces deux formes de communication, impersonnelle et interpersonnelle, se transforme au fil du temps. La communication entre deux jeunes amoureux qui ne parlent que de leurs sentiments se transformera selon l'évolution de leur relation. Elle deviendra plus routinière et plus rituelle avec le passage du temps. Le pourcentage du temps consacré aux questions personnelles ou relationnelles diminuera alors qu'augmentera celui consacré aux discussions portant sur des sujets moins intimes, comme la gestion du budget ou la corvée des poubelles. On doit retenir que la communication interpersonnelle, bien qu'elle donne un sens à la vie, n'est pas toujours possible ni souhaitable à tout moment.

QU'EST-CE QU'UN COMMUNICATEUR COMPÉTENT?

Les bons communicateurs sont faciles à reconnaître, et les mauvais le sont encore davantage. Quelles sont les caractéristiques des communicateurs efficaces? Répondre à cette question a posé un véritable défi aux spécialistes[32]. Bien que l'on ne possède pas encore tous les éléments de réponse, les recherches ont permis de rassembler plusieurs données importantes sur les habiletés de communication.

LA DÉFINITION DES HABILETÉS DE COMMUNICATION

habileté de communication: capacité d'atteindre ses objectifs personnels en maintenant une bonne relation entre les deux parties.

Définir les **habiletés de communication** n'est pas aussi simple qu'on le croit. Les spécialistes s'efforcent encore de convenir d'une définition précise, bien que la plupart d'entre eux s'accordent à dire que l'art de communiquer est la capacité d'atteindre ses objectifs personnels d'une manière qui, idéalement, maintient la relation ou l'améliore[33]. Voyons ce qu'implique une telle affirmation et quelles sont les caractéristiques importantes des compétences en communication.

Il n'existe pas de façon idéale de communiquer

Divers styles de communication peuvent se révéler efficaces. Certains communicateurs très compétents sont sérieux, tandis que d'autres font preuve d'humour; certains sont sociables, alors que d'autres sont plus réservés. Tout comme il existe des genres de musiques et d'œuvres d'art, il y a de nombreux types d'habiletés de communication. Et s'il est vrai qu'on peut apprendre des façons de communiquer efficaces en observant des modèles, ce serait une erreur de tenter de copier le style ou les valeurs des autres s'ils ne correspondent pas aux nôtres.

Ce qui fait la qualité d'un communicateur varie également d'une culture à l'autre. Un comportement adéquat dans une culture peut être déplacé, voire offensant, dans une autre[34]. Par exemple, l'ouverture de soi et la manière directe sont valori-

INVITATION À L'INTROSPECTION

Vos relations sont-elles vraiment « personnelles » ?

Pensez à vos relations en vous basant sur les caractéristiques de la communication interpersonnelle décrites aux pages 14 à 15.

1. Dressez la liste des personnes qui sont vos proches (membres de votre famille, amis, colocataires, collègues, etc.).
2. Évaluez chaque relation à l'aide des échelles suivantes. Pour les distinguer, utilisez un stylo de couleurs différentes pour chacune.
3. Comparez vos résultats avec ceux de vos camarades.

Après cet exercice, demandez-vous à quel point ces réponses vous satisfont.

Unicité

1 2 3 4 5

Normale, habituelle .... Unique

Caractère irremplaçable

1 2 3 4 5

Remplaçable .... Irremplaçable

Interdépendance

1 2 3 4 5

Indépendance .... Interdépendance

Dévoilement

1 2 3 4 5

Faible .... Élevé

Compensation intrinsèque

1 2 3 4 5

Peu gratifiante .... Gratifiante

sées en Amérique du Nord, mais ces pratiques seraient jugées trop agressives et indélicates dans beaucoup de cultures asiatiques, où on privilégie la subtilité et la manière indirecte[35].

Par ailleurs, au sein d'une même société, les membres de diverses **sous-cultures** peuvent avoir une conception différente d'un comportement approprié. Une étude a révélé que les idées entourant la communication adéquate entre bons amis varient d'un groupe ethnique à l'autre[36]. En tant que groupe, les Latino-Américains accordent une grande valeur au soutien relationnel, alors que les Afro-Américains valorisent le respect et l'acceptation. Les Américains d'origine asiatique tiennent beaucoup à un échange d'idées constructif et bienveillant, et les Anglo-Américains accordent beaucoup d'importance aux amis qui reconnaissent leurs besoins en tant qu'individus. Ces résultats soulignent qu'il n'existe pas de règles ni de procédés qui garantissent le succès de la communication. Ils indiquent également que les communicateurs compétents doivent être capables d'adapter leur style aux préférences individuelles et culturelles des autres[37].

sous-culture : ensemble de valeurs et de comportements propres à un groupe social présentant un écart face à la culture dominante.

La compétence est fonction de la situation

Un type de communication particulièrement approprié dans une situation donnée peut passer pour une bévue monstre dans une autre. Les blagues que vous racontez à un ami pourraient offenser un membre de votre famille, et vos avances romantiques du samedi soir seraient plutôt déplacées au travail, le lundi matin. Comme le comportement approprié varie d'une situation et d'une personne à l'autre, on ne peut penser que les habiletés de communication sont un trait de caractère. Il serait plus juste de parler de degré ou de zone de compétences[38]. Une personne peut être très douée pour interagir avec ses pairs, mais se montrer plus maladroite avec des personnes très attirantes ou plus âgées. En réalité, l'habileté d'interaction varie selon les situations. Par exemple, un comptable qui communique facilement avec ses clients peut éprouver beaucoup de difficultés à s'exprimer adéquatement en public. S'il vous arrive de trouver que vous êtes un piètre communicateur, rappelez-vous que c'est souvent une généralisation excessive. Il serait plus juste de dire : « Je n'ai pas bien communiqué dans cette situation, alors que j'arrive à le faire en d'autres occasions ».

La compétence est relationnelle

Comme la communication est transactionnelle — c'est-à-dire qu'elle se fait avec les autres plutôt qu'aux autres —, il n'y a pas de comportement approprié à toutes les relations. Une façon déterminante de mesurer la compétence est de vérifier si les personnes avec lesquelles on communique trouvent cette approche efficace[39]. Par exemple, les chercheurs ont relevé diverses façons de gérer la jalousie dans une relation : surveiller le partenaire de près, feindre l'indifférence, se montrer moins affectueux, en parler ou se mettre en colère[40]. Ils ont conclu que les méthodes qui fonctionnent dans certaines relations sont nuisibles dans d'autres. Ces résultats montrent que la compétence repose sur la capacité de trouver des façons d'interagir efficaces et adaptées[41].

La compétence s'acquiert

Jusqu'à un certain degré, la biologie est déterminante en matière de style de communication[42]. Des études portant sur des jumeaux identiques suggèrent en effet que certains traits comme la sociabilité, l'irritabilité et l'aptitude à se détendre sont en partie génétiques. Heureusement, la capacité de communiquer relève aussi d'un ensemble d'habiletés que tout le monde peut acquérir, jusqu'à un certain point. Il a été prouvé que la formation axée sur les compétences aidait notamment les communicateurs à surmonter leur anxiété à l'idée de faire un discours[43] et qu'elle pouvait même améliorer leur habileté à détecter la duplicité[44]. La recherche montre aussi que les cégépiens améliorent généralement leurs habiletés de communication au cours de leurs études préuniversitaires[45]. En d'autres termes, le niveau de compétence croît grâce à l'éducation et à la formation, ce qui signifie qu'en lisant ce manuel et en suivant ce cours, vous pouvez devenir un communicateur plus compétent.

LES CARACTÉRISTIQUES D'UN COMMUNICATEUR COMPÉTENT

Même si l'efficacité de la communication varie d'une situation à l'autre, les experts ont dégagé plusieurs points communs à la plupart des situations.

Un large éventail de comportements

Les communicateurs efficaces sont capables de choisir leurs actions à partir d'une vaste gamme de comportements[46]. Pour comprendre l'importance d'un tel éventail, imaginez qu'une de vos connaissances répète continuellement les mêmes blagues racistes ou sexistes que vous trouvez offensantes. Vous pouvez réagir de plusieurs façons. Par exemple, vous pourriez décider de ne rien dire, parce qu'aborder le sujet comporte plus de risques que d'avantages. Vous pourriez aussi plaisanter sur l'insensibilité de votre ami et compter sur l'humour pour adoucir le choc de la critique. Vous pourriez aussi choisir d'exprimer votre malaise de façon directe et demander à cet ami de cesser de raconter des blagues offensantes, du moins en votre présence. Vous pourriez même exiger qu'il cesse de le faire. Parmi ces façons de réagir (et vous pouvez certainement en imaginez d'autres), votre choix peut se porter sur celle qui a le plus de chances de vous permettre d'arriver à vos fins. S'il n'y avait que deux réponses possibles, les chances de succès seraient de beaucoup réduites. Les mauvais communicateurs se reconnaissent facilement à l'éventail limité de leurs réponses. Certains sont des blagueurs chroniques. D'autres sont toujours agressifs. D'autres encore se taisent dans presque toutes les situations. Comme le joueur de piano qui ne connaît qu'une chanson ou le chef qui ne sait préparer que quelques plats, ces personnes sont forcées de recourir à un choix limité de réponses qu'ils utilisent indistinctement, qu'elles soient efficaces ou non.

La capacité de choisir le comportement le plus approprié

Le fait de posséder un large éventail d'habiletés de communication n'est pas un gage de succès. Il faut également savoir déterminer quelles habiletés sont les plus appropriées dans une situation donnée. Cette capacité d'opter pour la meilleure méthode est essentielle parce qu'une réponse efficace dans une situation pourrait lamentablement mener à un échec dans une autre. Bien qu'il soit impossible de dire précisément comment agir dans telle ou telle situation, trois facteurs doivent tout de même être pris en compte au moment de choisir la réponse appropriée.

Le premier facteur est le contexte de la communication, c'est-à-dire le moment et le lieu où la communication s'effectue. Ceux-ci influent presque toujours sur le comportement. Par exemple, demander une augmentation de salaire à son patron ou un baiser à son amoureux produira de bons résultats si le moment est approprié, mais cette même demande pourrait créer un tout autre effet si le moment est mal choisi. De la même façon, la blague idéale dans une fête de célibataires sera inappropriée lors d'un enterrement.

Le but, c'est-à-dire l'objectif que l'on désire atteindre, influe également sur la méthode choisie. Inviter un nouveau voisin à prendre un café ou à souper est une bonne initiative si vous souhaitez devenir amis, mais si votre but est de préserver votre intimité, il serait préférable de rester poli et réservé. Le but influe également sur la méthode à privilégier quand on souhaite aider quelqu'un. On sait, par exemple, que donner un conseil à un ami est parfois la meilleure chose à faire, mais ne rien dire et laisser cet ami considérer par lui-même les différentes alternatives et solutions qui s'offrent à lui peut être tout aussi bénéfique.

Enfin, notre connaissance de l'autre modèle aussi l'approche que l'on adopte. En présence d'une personne qui manque de confiance en elle, un comportement ouvert et accueillant est davantage approprié qu'une attitude provocatrice et trop insistante. Avec un vieil ami en qui on a entièrement confiance, on peut se montrer plus direct qu'avec une connaissance. Les caractéristiques intrinsèques de l'interlocuteur influent également sur la façon de communiquer. Par exemple, on agit différemment envers une personne de 80 ans et un adolescent. De la même façon, il est parfois approprié de traiter différemment un homme et une femme, malgré l'égalité des sexes qui prévaut à notre époque.

La capacité de mettre en pratique ses habiletés de communication

Une fois choisie la meilleure façon de communiquer, il faut encore l'appliquer de façon efficace. Lire sur une habileté en particulier ne nous immunise toutefois pas contre les erreurs lors de sa mise en pratique. Comme pour toute autre habileté, la route qui mène à la compétence en communication est longue. L'apprentissage et l'application des habiletés de communication décrites dans les pages suivantes supposent diverses étapes[47], lesquelles sont illustrées à la figure 1.4.

La complexité cognitive

complexité cognitive: capacité d'un individu à envisager différents scénarios afin d'examiner une question sous tous ses angles.

empathie: capacité qu'une personne a de se mettre à la place d'une autre personne, de saisir son point de vue.

auto-observation : processus qui consiste à surveiller attentivement son propre comportement et à le modifier en conséquence.

Certains spécialistes des sciences sociales utilisent l'expression **complexité cognitive** pour décrire la capacité qu'a un individu d'envisager différents scénarios afin d'examiner une question sous tous ses angles. Selon les chercheurs, la complexité cognitive augmente les chances d'aider les personnes en détresse[48], d'être persuasif[49] et de faire progresser sa carrière[50], pour ne donner que quelques exemples. Pour comprendre comment la complexité cognitive peut augmenter nos compétences, voyons un exemple: vous avez l'impression qu'un ami de longue date est fâché contre vous. Une des explications possibles est que vous avez agi d'une façon qui l'a offensé. Il est aussi possible que quelque chose se soit produit dans sa vie et que cela le contrarie. Ou encore, tout va bien, et c'est vous qui êtes hypersensible. En examinant le problème sous différents angles, on peut éviter de réagir de façon excessive ou de mal interpréter la situation, et ainsi augmenter nos chances de résoudre le problème de façon constructive.

L'empathie

Bien qu'il soit important d'envisager la situation sous des angles différents, une des plus grandes qualités qu'un communicateur puisse développer est l'**empathie**. Être empathique, c'est avoir la capacité de se mettre à la place d'une autre personne, de saisir son point de vue. Pour certains chercheurs, il s'agit de la compétence la plus importante en communication[51]. Les chapitres 3 et 7 présentent une série d'habiletés qui peuvent améliorer notre capacité à comprendre ce que les autres ressentent. Pour le moment, contentons-nous de souligner que, pour améliorer sa communication, il est utile d'avoir une idée de la façon dont les autres voient le monde.

L'auto-observation

Alors que la complexité cognitive et l'empathie aident à mieux comprendre les autres, l'auto-observation est l'un des outils qui permettent de mieux se comprendre soi-même. Les psychologues utilisent le terme **auto-observation** pour décrire le processus qui consiste à surveiller attentivement son propre comportement et à le modifier en conséquence. Les personnes qui s'auto-observent sont capables de porter un regard détaché sur leur comportement et de se dire, par exemple: « J'ai l'air ridicule », « Il vaudrait mieux que je parle franchement maintenant », « Cette approche donne de bons résultats, je vais m'y tenir».

Bien que trop d'auto-observation puisse poser un problème (voir le chapitre 2), les personnes conscientes de leur comportement et de l'impression qu'il suscite sont de meilleures communicatrices que celles qui s'auto-observent peu[52]. Ainsi, leur jugement sur l'état affectif des autres est plus juste, elles se souviennent mieux des informations concernant les autres, elles sont moins timides et davantage affirmées. En revanche, les personnes qui sont peu portées sur l'auto-observation sont incapables de reconnaître leur incompétence. Une étude révèle que les mauvais communicateurs ignorent leurs défauts et qu'ils sont plus portés à surestimer leurs compétences que les bons communicateurs[53]. Les personnes qui s'auto-observent peu avancent à l'aveuglette dans la vie, connaissant parfois le succès, mais souvent l'échec, sans jamais en comprendre les raisons. Celles qui s'observent beaucoup sont assez détachées pour se demander : « Est-ce que je fais la bonne chose ? » et modifier leur comportement en conséquence.

> *Il faut accepter de mal paraître pour s'améliorer.*
>
> Jack Canfield, conférencier américain

L'engagement

Une caractéristique essentielle d'une communication réussie dans les relations interpersonnelles est l'**engagement**. En d'autres mots, les personnes qui prennent à cœur une relation communiquent mieux que les autres[54]. Ce souci se manifeste principalement de deux façons. La première est l'engagement envers l'autre personne.

engagement : fait de s'investir dans une relation.

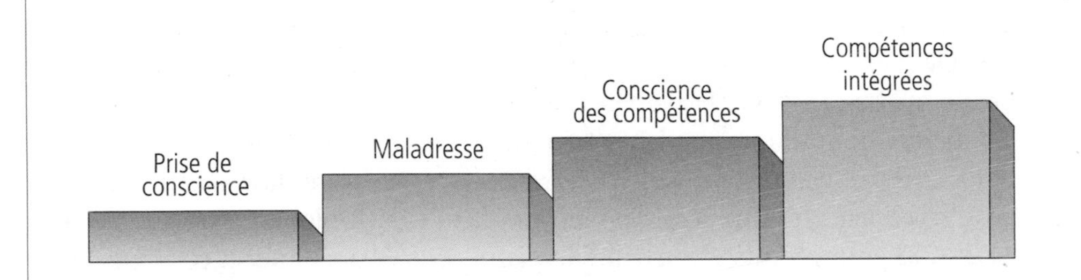

La prise de conscience L'apprentissage de toute nouvelle compétence commence par la prise de conscience. C'est le moment où l'on réalise qu'il existe une meilleure manière de communiquer. Cette prise de conscience peut être soudaine (par exemple, en assistant à un atelier d'un conférencier doué, vous vous dites que vous pourriez améliorer vos compétences de communicateur) ou progressive (par exemple, en suivant ce cours de communication).

La maladresse Évidemment, les premières fois que l'on essaie de communiquer d'une façon nouvelle, on commet certaines maladresses, mais il faut garder en tête que ces erreurs font partie du processus d'apprentissage. Cela ne signifie pas que la méthode employée est mauvaise, mais bien qu'il faut persévérer pour s'améliorer.

La conscience des compétences Avec la volonté de surmonter la maladresse inhérente aux premières tentatives, on arrive ultimement à acquérir une habileté. On est alors capable de se débrouiller, même si on a encore besoin de penser à ce que l'on fait. Comme dans l'apprentissage d'une nouvelle langue, on peut converser en respectant la grammaire et en utilisant les mots appropriés, mais des efforts sont encore nécessaires pour bien s'exprimer. En tant que communicateur dans une situation interpersonnelle, on doit savoir que cette étape exige beaucoup de réflexion et de planification, mais qu'elle produit de bons résultats.

L'intégration Après avoir investi temps et énergie pendant un moment pour développer l'habileté arrive enfin la dernière étape, celle de l'intégration. On est alors capable d'appliquer des notions sans y penser. Le comportement devient un automatisme, il fait partie de nous. À cette étape, les locuteurs qui ont intégré une langue étrangère discutent sans traduire mentalement leur pensée à partir de leur langue maternelle. Les golfeurs qui ont intégré ce sport frappent la balle avec puissance et précision, comme si le bâton était le prolongement de leur corps. Les communicateurs qui ont intégré les habiletés de communication s'expriment aisément parce qu'ils ont acquis les compétences nécessaires à travers l'effort et la pratique. Il est important de garder ces étapes en tête lorsqu'on tente de mettre en pratique les idées exprimées dans ce livre. Il faut se préparer à passer par une étape de maladresse inévitable que l'on surmontera grâce à la volonté de pratiquer ces nouvelles habiletés. L'effort en vaut la peine : une fois qu'on est en mesure d'appliquer de nouvelles méthodes de communication, nos relations deviennent plus satisfaisantes.[55]

FIGURE 1.4 **Les étapes d'apprentissage des habiletés de communication.**

Cet engagement s'exprime de plusieurs manières : le désir de passer du temps ensemble, la volonté d'écouter attentivement au lieu de mobiliser la parole, l'emploi de mots compréhensibles pour l'interlocuteur, et l'ouverture au changement après avoir entendu les idées de l'autre. En plus de l'engagement, les communicateurs efficaces se soucient du message. Ils semblent sincères, savent de quoi ils parlent et montrent par leur discours et leurs actions qu'ils font attention à ce qu'ils disent.

LA COMPÉTENCE EN COMMUNICATION INTERCULTURELLE

Tout au long de l'histoire et jusqu'à tout récemment, la plupart des gens ont vécu et sont morts à quelques kilomètres de leur lieu de naissance. Ils avaient rarement à interagir avec des personnes d'origine différente, ce qui n'est plus le cas aujourd'hui. Pour employer une métaphore connue, nous habitons dans un village planétaire. Le coût relativement peu élevé des transports a modifié la notion de distance et il est plus facile que jamais de voyager à l'étranger, ce qui favorise les nouvelles rencontres. De plus, Internet permet à ses utilisateurs de rester en contact à partir de n'importe quel endroit sur la planète. Ainsi, notre vie est inextricablement liée à celle de personnes qui ont une histoire et des styles de communication différents des nôtres. Cette réalité, avec la globalisation des marchés et la migration des individus, gagne en ampleur d'année en année. Par exemple, en 1996, le Québec a reçu 29 772 immigrants et on y a enregistré 85 130 naissances (un rapport de 2,86 naissances pour chaque immigrant). Dix ans plus tard, en 2006, il recevait 44 686 immigrants et voyait sa population s'accroître avec 82 100 naissances (un

INVITATION À L'INTROSPECTION

Évaluez vos compétences

Les autres sont souvent d'excellents juges de nos compétences de communicateur. Ils peuvent aussi fournir des informations utiles sur notre façon d'améliorer notre communication. Évaluez vos compétences en suivant ces étapes :

1. Choisissez quelqu'un avec qui vous entretenez une relation importante.
2. En collaboration avec cette personne, déterminez plusieurs contextes de communication. Par exemple, vous pouvez choisir différentes situations : la gestion des conflits, le soutien des amis ou l'expression des sentiments.
3. Pour chaque situation, demandez à votre ami d'évaluer vos compétences en répondant aux questions suivantes :
   a) Votre répertoire de styles de réponses pour une situation donnée est-il varié ou répondez-vous toujours de la même façon ?
   b) Êtes-vous capable de choisir le comportement le plus efficace dans une situation donnée ?
   c) Êtes-vous habile lorsqu'il s'agit d'adopter des comportements ? (Remarquez qu'il y a une différence entre *vouloir* se comporter d'une certaine façon et y *parvenir*.)
   d) Votre façon de communiquer satisfait-elle les autres ?
4. Après avoir examiné les réponses de votre partenaire, déterminez les situations dans lesquelles vous communiquez plus efficacement.
5. Choisissez une situation où vous aimeriez communiquer plus efficacement et, avec l'aide de votre partenaire, faites ce qui suit :
   a) Déterminez si vous avez besoin d'élargir votre répertoire de comportements.
   b) Déterminez les façons d'améliorer vos compétences en communication.
   c) Trouvez des moyens de surveiller votre comportement dans la situation clé afin d'obtenir de la rétroaction sur votre efficacité.

rapport de 1,86 naissance pour chaque immigrant). C'est dire que l'immigration contribue à changer la composition ethnique du Québec.

Étant donné que notre monde devient plus multiculturel, la probabilité de travailler avec des personnes de toutes provenances est plus élevée que jamais. Ce phénomène ne se limite d'ailleurs pas au Québec ni au Canada, mais touche également les États-Unis. Plus de 10 000 compagnies étrangères et leurs filiales[56] opèrent aux États-Unis. En contrepartie, huit des dix principales compagnies chimiques de la planète, neuf des dix banques les plus importantes et toutes les compagnies de construction de premier plan sont basées à l'extérieur de ce pays[57]. En même temps, l'économie nord-américaine devient de plus en plus mondiale et les Américains sont plus nombreux qu'auparavant à travailler à l'étranger. En 2003, ils étaient plus de huit millions dans cette situation, soit près de 8 % de la population active[58].

Les disparités nationales et ethniques ne sont pas les seules dimensions de la culture. Au sein d'une même société, les différentes sous-cultures n'ont pas les mêmes pratiques de communication. Ces sous-cultures peuvent être liées à l'âge (les adolescents, les personnes âgées), à la race, à l'appartenance ethnique (les Québécois d'origine francophone ou d'origine asiatique, les Français immigrés), au métier (mannequin, routier), à l'orientation sexuelle (homosexuelle, bisexuelle), à la déficience physique (personnes en fauteuil roulant), à la religion (chrétien évangélique, musulman), à l'activité (motard, amateur de jeux vidéo). Certains spécialistes pensent que les hommes et les femmes appartiennent à des sous-cultures différentes, soutenant ainsi que le style de communication de chaque sexe ne serait pas le même.

La communication efficace avec les personnes de différentes origines culturelles fait appel aux mêmes compétences que celles que nous venons de décrire. Toutefois, au-delà de ces qualités de base, les chercheurs ont cerné d'autres éléments particulièrement importants pour une communication interculturelle efficace[59].

Bien évidemment, la connaissance des règles d'une culture particulière facilite les choses. Par exemple, le type d'humour reposant sur l'autodérision que les Québécois pratiquent avec entrain tombera probablement à plat chez les Arabes du Moyen-Orient[60]. Cependant, au-delà de la connaissance d'une culture donnée, il y a des attitudes et des compétences qui relèvent d'une approche que les Anglo-Saxons appellent *culture-general* («approche générale de la culture» qui s'oppose à l'approche *culture-specific*, qui s'attache à une culture en particulier), lesquelles aident les communicateurs à établir des relations avec les personnes d'autres origines[61].

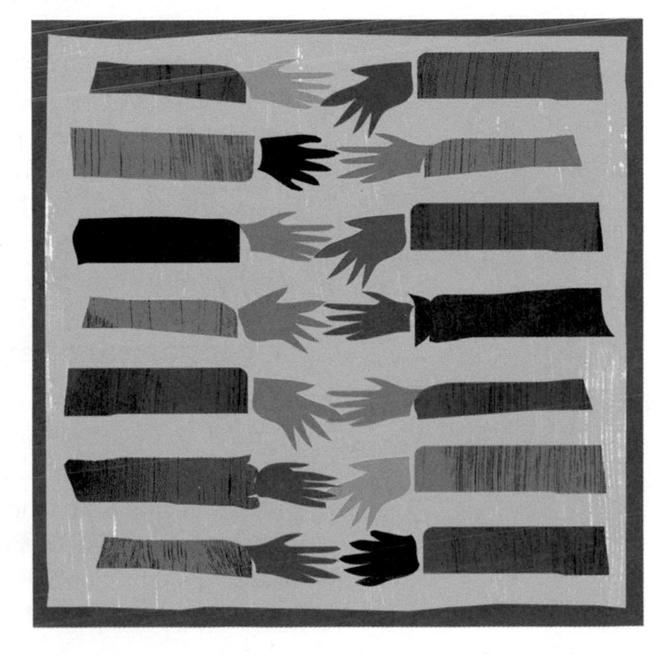

Pour illustrer cette approche, imaginez que vous êtes nouvellement embauché dans une compagnie appartenant à des Japonais. Cette entreprise, située au Canada, a des usines au Mexique et des clients dans le monde entier. Vos collègues, vos superviseurs et les clients sont issus de cultures et de sous-cultures différentes de la vôtre. Puisque votre nouvel emploi vous amène à voyager, comment allez-vous gérer les exigences relatives à la communication ? Idéalement, vous devriez posséder, ou tenter de développer, les habiletés suivantes.

La motivation

Le désir de communiquer efficacement avec des étrangers est un élément important. La recherche a révélé que les personnes ayant une grande volonté de communiquer avec les gens d'autres cultures ont un plus grand nombre d'amis de différentes origines que ceux qui sont moins désireux d'établir ce type de contact[62]. Bien que la motivation soit un élément clé dans tout processus de communication, elle joue un rôle majeur lorsqu'il s'agit d'interactions interculturelles, celles-ci se révélant parfois assez difficiles. Dans vos nouvelles fonctions au sein de l'entreprise multinationale, il vous faudra être motivé pour nouer des relations avec les personnes dont le style de communication est différent du vôtre. Par exemple, lors d'une visite en Chine, l'enchantement du début pourrait faire place à l'épuisement attribuable aux grandes quantités d'alcool consommé lors de fêtes et de banquets, une pratique commerciale courante dans ce pays.

La tolérance à l'égard de l'ambiguïté

Savoir tolérer une certaine ambiguïté permet d'accepter et de saisir – souvent avec un décalage dans le temps – les messages équivoques et parfois totalement incompréhensibles de la communication interculturelle. Par exemple, les personnes qui ont grandi dans un milieu autochtone traditionnel peuvent nous sembler plus silencieuses et moins extraverties que les gens que l'on côtoie habituellement. On pourrait alors être tenté de mettre cette réserve sur le compte d'un manque de gentillesse. Cependant, c'est peut-être tout simplement le reflet d'une sous-culture qui valorise plus la réserve que l'extroversion, et le silence davantage que la loquacité. Dans ce type de situations interculturelles, l'ambiguïté est inévitable et elle représente un défi.

L'ouverture d'esprit

Tolérer l'ambiguïté est une chose, s'ouvrir aux différences culturelles en est une autre. On a naturellement tendance à considérer que les autres ne communiquent pas « correctement » lorsqu'ils ne suivent pas les règles qui nous ont été inculquées ou qui nous sont familières. Par exemple, dans certaines parties du monde, on peut être dérangé par le fait que la femme n'est pas considérée comme l'égale de l'homme. Dans d'autres cultures, on peut être atterré par la tolérance à l'égard de la pauvreté qui dépasse tout ce que l'on connaît chez soi, ou encore par des pratiques de corruption qui ne cadrent pas avec nos valeurs morales. Dans ces situations, les communicateurs ayant peu d'ouverture d'esprit (et de tolérance) sont peu susceptibles de modifier leurs conceptions par rapport à ce qui est bien. Pour être compétents, ils doivent pourtant reconnaître que les personnes se conduisant différemment suivent des règles qui ont régi toute leur vie.

La connaissance et les compétences

Les règles et les coutumes adéquates peuvent grandement varier selon le groupe culturel. Par exemple, lorsqu'on voyage en Amérique latine ou en Afrique, on découvre que les réunions ne commencent et ne finissent généralement pas à l'heure prévue, et que les participants mettent un certain temps à « s'atteler au travail ». Plutôt que de considérer ces hôtes comme des gens irresponsables et improductifs, il vaut mieux reconnaître que le temps n'a pas la même signification dans toutes les cultures.

RÉSUMÉ

La communication est essentielle à plusieurs niveaux. En plus de satisfaire des besoins pratiques, une communication efficace peut améliorer la santé physique et le bien-être affectif. L'enfant forge son identité par les messages que lui envoient les autres; une fois devenu adulte, c'est l'interaction sociale qui façonne et précise son identité. La communication répond également à des besoins sociaux: l'engagement envers les autres, le contrôle de l'environnement et le fait de donner et de recevoir de l'affection. Le processus de la communication n'est pas linéaire. Il s'agit plutôt d'un processus transactionnel dans lequel les participants établissent une relation en envoyant et en recevant simultanément des messages, dont plusieurs sont déformés par divers types de bruits.

La communication interpersonnelle peut être définie à partir d'une approche quantitative (qui considère le nombre de personnes impliquées) ou à partir d'une approche qualitative (s'attachant plutôt à la nature de l'interaction entre les protagonistes — personnelle ou impersonnelle). Dans l'approche qualitative, les relations interpersonnelles sont uniques, irremplaçables, interdépendantes et comportent une récompense intrinsèque. La communication interpersonnelle d'ordre qualitatif peut être assistée par ordinateur ou se produire de façon traditionnelle. Les communications personnelles et impersonnelles sont utiles, et la plupart des relations comportent des éléments qui appartiennent aux deux.

Toute communication, qu'elle soit personnelle ou impersonnelle, repose sur les mêmes principes de base. Les messages peuvent être intentionnels ou non. Il est impossible de ne pas communiquer. La communication est irréversible et ne peut être répétée. Les messages comportent une dimension « relation » et une dimension « contenu ». On devrait éviter certaines méprises courantes liées à la communication : la signification ne se situe pas dans les mots mais plutôt dans les personnes. Un surcroît de communication n'arrange pas toujours les choses. La communication ne résout pas tous les problèmes. Enfin, la communication, du moins celle qui est efficace, n'est pas une habileté naturelle.

La compétence en communication est la capacité d'obtenir ce que l'on veut des autres tout en maintenant une relation satisfaisante pour les deux parties. La compétence ne veut pas dire qu'il faut se comporter de la même façon dans toutes les situations et avec tout le monde, mais plutôt de façon différente selon les situations. Les communicateurs les plus compétents ont un plus grand éventail de comportements que les autres, ils sont capables de choisir le meilleur comportement dans une situation donnée et de l'appliquer efficacement. Ils sont en mesure de comprendre le point de vue de l'autre et de réagir avec empathie. Ils surveillent aussi leur propre comportement et sont désireux de communiquer efficacement.

En matière de communication interculturelle, la compétence exige d'avoir la motivation appropriée, de tolérer l'ambiguïté, d'être ouvert d'esprit et de posséder les connaissances et les habiletés nécessaires pour communiquer efficacement.

Mots clés

asynchrone (16)
auto-observation (22)
bruit (externe, physiologique, psychologique) (7 et 9)
canal (9)
communication (10)
communication assistée par ordinateur (CAO) (15)
communication impersonnelle quantitative, qualitative (14)
complexité cognitive (22)
culture dominante (9)
décoder (7)
dimension « contenu » (12)
dimension « relation » (12)
dyade (14)
émetteur (7)
empathie (22)
encoder (7)
engagement (23)
environnement (8)
habileté de communication (18)
message (7)
modèle de communication linéaire (7)
modèle de communication transactionnelle (8)
objectif instrumental (6)
récepteur (7)
sous-culture (19)

AUTRES RESSOURCES

La lecture de ce chapitre vous a permis de mieux comprendre les liens existant entre la communication et les principaux besoins de la personne humaine. Les modèles et principes de la communication présentés vous aideront sans doute à devenir un communicateur plus compétent et auront une influence favorable sur la qualité de vos relations interpersonnelles. Afin de vous permettre de parfaire vos connaissances ou d'approfondir davantage certains sujets exposés tout au long de ce chapitre, voici une liste de documents complémentaires. Faites-en bon usage!

Livres

BASTIEN, D. *Le Couple ou le dialogue inconscient*, Paris, Imago, 2005.

CABANA, G. *Attention ! vos gestes vous trahissent*, Québec, Quebecor, 2006.

CORNETTE de SAINT CYR, X. *Pratiquer la bienveillance : par l'écoute active et l'empathie*, Genève, Jouvence, 2007.

MARTIN, J.-C. *Communiquer : mode d'emploi*, Paris, Marabout, 2002.

STONE, D., S. HEEN et B. PATTON. *Comment mener les discussions difficiles*, Paris, Seuil, 2001.

Films

The Office, série télévisée créée par Ricky Gervais et Stephen Merchant (2005).

Cette série télévisée se déroule dans les bureaux d'une société de vente de papier, Dunder Mifflin, à Scranton, en Pennsylvanie. Le gérant local, Michael Scott, qui se croit très amusant, est en réalité l'exemple parfait du mauvais communicateur qui a une perception de lui-même très erronée.

Monsieur Schmidt, réalisé par Alexander Payne (2002).

Warren Schmidt, dans la soixantaine, voit en quelques semaines sa vie profondément transformée : il part à la retraite, commence à se demander s'il aime sa femme, qui meurt peu de temps après, se fait du souci pour sa fille unique qui va épouser un homme qu'il déteste et méprise.

L'Auberge espagnole, réalisé par Cédric Klapisch (2002).

Xavier part à Barcelone pour terminer ses études en économie et apprendre l'espagnol. Cette langue est nécessaire pour occuper un poste, que lui promet un ami de son père, au ministère des Finances. Mais pour ce faire, il doit quitter sa petite amie, avec qui il vit depuis quatre ans. Il trouve un appartement dans le centre de Barcelone qu'il compte partager avec sept autres personnes. Chacun de ses colocataires est originaire d'un pays différent.

Le Destin de Will Hunting, réalisé par Gus Van Sant (1997).

Will Hunting est un génie mais également un rebelle aux élans imprévisibles. Il est né dans le quartier populaire de South Boston et a arrêté très tôt ses études, refusant le brillant avenir que pouvait lui ouvrir son intelligence. Il passe son temps dans les bars à chercher la bagarre et à commettre des petits délits qui risquent de l'envoyer en prison. C'est alors que ses dons prodigieux en mathématiques attirent l'attention du professeur Lambeau, du Massachusetts Institute of Technology.

Chapitre 2

LA COMMUNICATION ET LE CONCEPT DE SOI

CONTENU

Qui êtes-vous ? Cette question, qui peut sembler simple à première vue, est plus complexe qu'elle ne paraît l'être. Prenez quelques minutes pour établir la liste des caractéristiques qui vous décrivent. Comme vous aurez besoin de cette liste tout au long de ce chapitre, assurez-vous de la dresser maintenant en vous aidant des catégories suivantes :

- votre humeur ou vos sentiments (heureux, en colère, nerveux…) ;
- votre apparence (attirant, petit…) ;
- vos caractéristiques sociales (amical, timide…) ;
- vos talents ou votre absence de talents (doué pour la musique, les sports…) ;
- vos capacités intellectuelles (intelligent, lent à apprendre…) ;
- vos convictions profondes (religieuses, environnementales…) ;
- vos rôles sociaux (parent, petit ami…) ;
- votre condition physique (bonne santé, surpoids…).

Maintenant, relisez ce que vous avez écrit. Comment vous êtes-vous défini ? Comme un étudiant ? Un homme ou une femme ? En fonction de votre âge ? De votre religion ? De votre métier ? Il y a plusieurs façons de se définir. Toutefois, vous vous rendrez probablement compte que les mots que vous avez choisis représentent les caractéristiques les plus importantes à vos yeux.

OBJECTIFS

- Différencier vos différents « soi » et savoir reconnaître leurs caractéristiques propres.
- Décrire les liens entre vos différentes identités et votre communication interpersonnelle.
- Savoir gérer vos différentes identités afin de faire de vous un meilleur communicateur.

LE CONCEPT DE SOI

concept de soi : ensemble des perceptions et croyances relativement stables qu'une personne a d'elle-même.

En élaborant cette liste, vous venez de décrire partiellement votre **concept de soi**, c'est-à-dire l'ensemble des perceptions relativement stables qu'une personne a d'elle-même. Si un miroir reflétait non seulement votre apparence physique mais aussi tous les autres aspects de votre personne – vos états d'âme, vos qualités, vos préférences et aversions, vos valeurs, vos rôles, etc. – l'image que vous seriez en train de contempler serait votre concept de soi.

Vous conviendrez que la liste du concept de soi que vous venez de dresser est partielle. Pour obtenir une description complète, il vous faudrait y ajouter près d'une centaine de mots.

Bien entendu, les éléments de cette liste n'ont pas tous la même importance. Il se peut, par exemple, que l'élément fondamental pour une personne soit son rôle social ; pour une autre, il peut s'agir de son aspect physique, de sa santé, de ses amitiés, de ses réalisations ou de ses aptitudes.

Pour découvrir la valeur que vous attachez à chaque composante de votre concept de soi, classez les éléments de la liste par ordre d'importance. Attribuez le chiffre 1 à l'élément que vous jugez le plus fondamental, le chiffre 2 au suivant, et ainsi de suite jusqu'à la fin de votre liste. Le concept de soi que vous venez de décrire est très important. Pour savoir à quel point il l'est, faites l'exercice proposé dans l'encadré au bas de la page.

Cet exercice illustre combien le concept de soi est fondamental puisque la plupart des gens ont même de la difficulté à abandonner un élément qui arrive loin dans la liste. « Je ne serais pas *moi* sans ça », disent-ils. Cela prouve une chose : le concept de soi est notre bien le plus fondamental. Il est en effet essentiel de savoir qui on est pour pouvoir établir un rapport avec les autres.

INVITATION À L'INTROSPECTION

Laissez tomber...

1. Examinez la liste de mots que vous venez d'utiliser pour vous décrire. Si ce n'est pas déjà fait, choisissez les dix termes qui représentent vos caractéristiques les plus fondamentales. Assurez-vous de classer ces mots par ordre d'importance, celui qui a la plus grande valeur en première position et le moins important en dixième position.
2. Trouvez maintenant un endroit où vous pouvez vous installer et réfléchir sans être interrompu.
3. Fermez les yeux, puis essayez de créer une image mentale de votre personne. En plus de votre apparence, visualisez des caractéristiques moins observables : votre caractère, vos espoirs, vos préoccupations et tous les éléments que vous avez classés à l'étape 1.
4. Gardez cette image à l'esprit et imaginez maintenant ce qui se passerait si le dixième élément de la liste ne faisait plus partie de vous. En quoi vous sentiriez-vous différent ? Vous sentez-vous mieux à l'idée de laisser tomber cet élément ou est-ce l'inverse ? À quel point cela a-t-il été difficile de vous en défaire ?
5. Maintenant, sans reprendre l'élément que vous venez d'abandonner, laissez tomber le neuvième de la liste et voyez l'effet que cela produit sur vous. Attardez-vous aux émotions que vous ressentez. Poursuivez de la sorte avec chacun des éléments de votre liste, toujours en imaginant l'effet que crée son abandon.
6. Après avoir laissé tomber l'élément numéro un de votre personnalité, prenez quelques minutes pour rajouter tous ceux que vous avez abandonnés, puis poursuivez votre lecture.

L'**estime de soi** peut être définie comme l'appréciation personnelle des caractéristiques du concept de soi. Dans une situation de communication, un individu peut se qualifier de calme, de paresseux ou de sérieux. Son estime de soi, élevée ou faible, sera déterminée par sa façon de percevoir ses attributs : « Je suis content d'être calme » ou « Ça me gêne d'être aussi calme », par exemple.

estime de soi : appréciation personnelle des caractéristiques du concept de soi.

La figure 2.1 illustre la relation entre l'estime de soi et les aptitudes de communication. Les personnes qui ont une bonne opinion d'elles-mêmes pensent qu'elles vont bien communiquer. De fait, ces attentes positives augmentent la probabilité d'une communication efficace, et le succès contribue à des évaluations positives de soi, ce qui renforce l'estime de soi. Bien entendu, ce principe s'applique aussi de façon négative aux communicateurs qui ont une faible estime de soi.

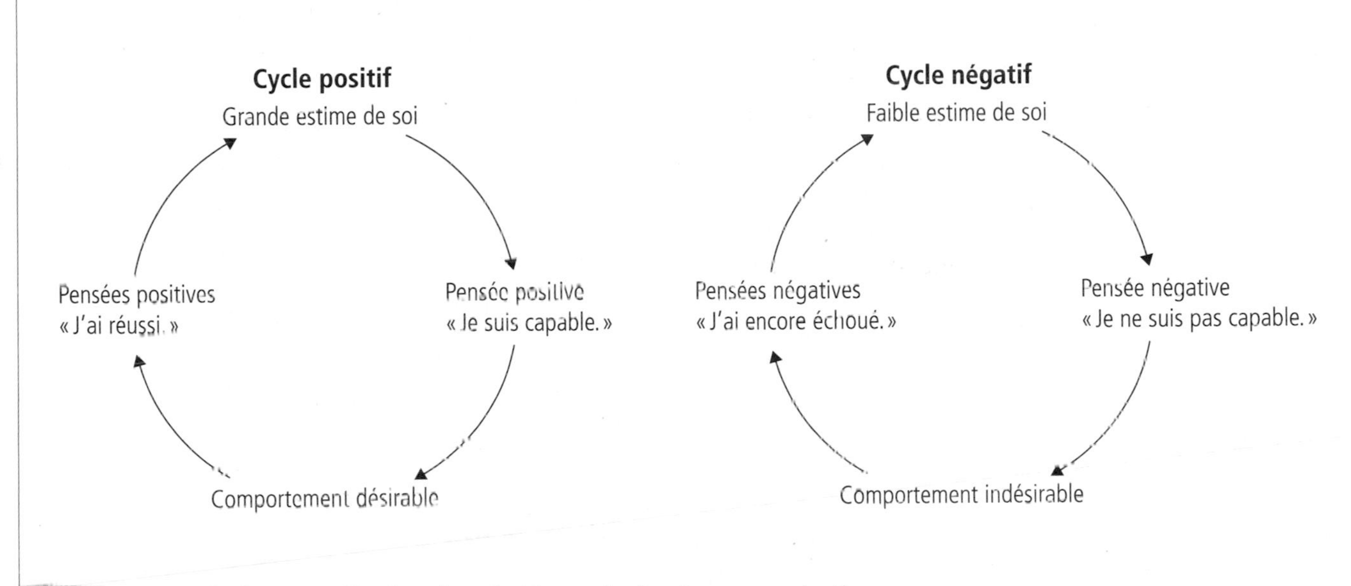

FIGURE 2.1 **La relation entre l'estime de soi et les aptitudes de communication.**

LES RACINES BIOLOGIQUES ET SOCIALES DU SOI

Comment êtes-vous devenu le type de communicateur que vous êtes ? Êtes-vous né ainsi ? Êtes-vous le produit de votre environnement ? Dans les pages qui suivent, vous trouverez des réponses à ces questions.

La biologie et le soi

Regardez de nouveau la liste que vous avez élaborée. Vous y trouverez probablement des termes qui décrivent votre **personnalité**, votre façon caractéristique de réfléchir et de vous comporter dans diverses situations. Notre personnalité tend à être stable tout au long de notre vie, et elle s'affirme souvent avec le temps[1].

personnalité : façon caractéristique propre à chacun de réfléchir et de se comporter dans diverses situations.

La recherche suggère que la personnalité fait partie, dans une large mesure, du bagage génétique[2]. Elle nous apprend en effet que les personnes considérées comme timides lorsqu'elles étaient enfants présentent une activité cérébrale particulière quand elles doivent affronter des situations nouvelles à l'âge adulte[3].

En réalité, on peut mettre sur le compte de la biologie la moitié des traits de personnalité liés à la communication, dont l'extroversion[4], la timidité[5], l'assurance[6], l'agressivité verbale[7] et le désir général de communiquer[8]. En d'autres mots, nous sommes « préprogrammés », jusqu'à un certain degré, pour communiquer de telle ou telle façon.

Les scientifiques ont regroupé les traits de personnalité en cinq grandes catégories, lesquelles sont présentées dans le tableau 2.1.[9] Ces catégories semblent universelles, étant reconnues dans des pays aux cultures aussi différentes que l'Allemagne et la Chine[10]. Regardez le tableau 2.1 et choisissez les termes qui décrivent le mieux votre personnalité. Bien qu'il soit difficile d'admettre que l'on est « névrosé » ou « antipathique », les qualificatifs associés à ces termes vous caractérisent peut-être mieux que ceux se trouvant aux mots « stable » ou « agréable ». Vous remarquerez que plusieurs dimensions de ces types de personnalité ont un rapport avec la communication. À quel point votre communication révèle-t-elle votre personnalité ?

À la lecture du tableau 2.1, il faut tenir compte de deux éléments importants. Premièrement, ces adjectifs sont relatifs. En effet, personne n'est tout l'un ou tout l'autre. Penser que l'on est réservé *ou* sociable, antipathique *ou* agréable, maître de soi *ou* spontané est une grossière simplification. Il serait plus juste de dire que pour chaque caractéristique, la personnalité se situe à un certain point d'un continuum. Deuxièmement, une personne qui a des prédispositions timides ou agressives peut faire beaucoup pour maîtriser sa façon de communiquer. Même les plus timides peuvent apprendre à aller vers les autres, et ceux qui ont des tendances agressives peuvent apprendre à communiquer de façon plus sociable.

Enfin, il faut se rappeler ceci : bien que la personnalité façonne jusqu'à un certain point la manière de communiquer, le concept de soi détermine ce que l'on pense de la façon dont on entre en relation avec les autres.

La socialisation et le concept de soi

À quel point les autres influencent-ils votre concept de soi ? Pour répondre à cette question, imaginez que vous avez toujours vécu sur une île déserte sans avoir quelqu'un à qui parler ou avec qui partager. Comment pourriez-vous savoir si vous êtes intelligent ou idiot ? Comment évalueriez-vous votre charme ? Comment détermineriez-vous

TABLEAU 2.1 **Les cinq catégories des traits de personnalité.**

1	**Extraverti**	Sociable	Jovial	Bavard	Spontané
	Introverti	Réservé	Sobre	Silencieux	Maître de soi
2	**Agréable**	Courtois	Altruiste	Confiant	Coopératif
	Antipathique	Impoli	Égoïste	Méfiant	Peu coopératif
3	**Ouvert**	Imaginatif	Indépendant	Curieux	Intérêts divers
	Fermé	Sans imagination	Conformiste	Sans curiosité	Intérêts restreints
4	**Stable**	Calme	Robuste	Content de soi	Patient
	Névrosé	Soucieux	Vulnérable	S'apitoie sur son propre sort	Impatient
5	**Consciencieux**	Prudent	Fiable	Persévérant	Ambitieux
	Insouciant	Imprudent	Peu fiable	Négligent	Sans but

INVITATION À L'INTROSPECTION

Stimulateur ou détracteur de l'estime de soi ?

1. Pensez à une personne de votre vie présente ou de votre passé qui a stimulé votre estime personnelle, c'est-à-dire qui vous a aidé à vous sentir accepté, compétent, utile, important, apprécié et aimé.

2. Il n'est pas nécessaire qu'elle ait joué un rôle de premier plan dans votre vie, pour autant que ce rôle ait été positif. Le concept de soi est influencé tant par des événements anodins que par des expériences de vie marquantes. Un membre de votre famille avec qui vous avez passé la plus grande partie de votre vie peut être un stimulateur, tout comme l'étranger croisé dans la rue, qui vous a fait un compliment inattendu.

3. Souvenez-vous ensuite d'une personne qui a été un détracteur, c'est-à-dire qui a contribué à diminuer votre estime personnelle, en partie ou largement. Comme dans le cas d'un stimulateur, les messages envoyés par un détracteur ne sont pas toujours intentionnels. La personne qui oublie votre nom deux minutes après que vous lui avez été présenté ou l'ami qui bâille pendant que vous lui parlez d'un problème important peuvent diminuer votre confiance en vous et votre estime personnelle.

4. Maintenant que vous avez réfléchi au fait que les autres peuvent contribuer à façonner votre concept de soi, rappelez-vous une occasion où vous avez été vous-même un stimulateur. Ne vous contentez pas d'un exemple illustrant que vous avez fait preuve d'amabilité, pensez plutôt à un moment où vous avez vraiment valorisé une personne, où vous lui avez fait sentir qu'elle était importante.

5. Finalement, rappelez-vous une situation récente dans laquelle vous avez été un détracteur. Qu'avez-vous fait pour rabaisser l'estime de soi de l'autre ? Étiez-vous pleinement conscient de l'effet que votre comportement allait produire ? Votre réponse pourrait montrer que certains événements que vous pensiez stimulants ont eu l'effet contraire. Vous avez pu, par exemple, plaisanter amicalement avec quelqu'un qui vous était cher, puis vous rendre compte que vos remarques avaient été perçues comme des critiques. ■

si vous êtes petit ou grand, gentil ou méchant, maigre ou gros ? Même si vous pouviez voir votre reflet dans un miroir, vous ne sauriez toujours pas comment juger votre apparence sans l'évaluation des autres ou sans personne à qui vous comparer. En réalité, ce sont les messages qu'une personne reçoit des autres qui jouent le rôle le plus important dans l'édification de sa propre image. Pour comprendre ce rôle, faites l'exercice ci-dessus.

« Regarde ce que tu as fait ! »

Vous devriez maintenant être en mesure de constater que le concept de soi est façonné par ceux qui vous entourent. Cela implique deux processus : le jugement réfléchi et la comparaison sociale.

Dès 1912, le psychologue Charles Cooley s'est servi de la métaphore du miroir pour définir le processus du **jugement réfléchi**. On développe un concept de soi et une estime personnelle qui correspondent à la façon dont on croit être perçu par les autres[11]. En d'autres termes, on a tendance à se sentir moins sûr de sa valeur et de ses aptitudes si on estime que les autres nous envoient des signaux négatifs. En contrepartie, on a une meilleure opinion de soi-même dans la mesure où on pense que les autres nous envoient des signaux positifs. Ainsi, dans la perspective du jugement réfléchi, le concept de soi est le résultat des messages négatifs et positifs qu'on a reçus tout au long de sa vie.

jugement réfléchi : processus par lequel une personne développe son concept de soi à partir de la façon dont elle croit être perçue par les autres.

Pour bien comprendre cette notion, pensez à des nouveau-nés. Ceux-ci n'ont aucune notion de leur identité : ils apprennent à se connaître uniquement par la façon

dont les autres les traitent et les considèrent. Lorsque les enfants se mettent à comprendre le langage et à parler, les messages verbaux qu'ils reçoivent contribuent au développement de leur concept de soi. Chaque jour, les enfants sont assaillis par une foule de messages, la plupart du temps transmis par leurs parents. Ces messages peuvent les valoriser (« Comme tu es gentille ! ») ou avoir l'effet contraire (« Laisse-moi seule, tu me rends folle ! »). Des messages comme ceux-ci sont le miroir à travers lequel on apprend à se connaître. En effet, comme les enfants sont des êtres naïfs, ils acceptent sans se questionner les évaluations négatives ou positives des adultes qui les entourent, qui savent apparemment tout et qui semblent dotés de tous les pouvoirs.

Les principes contribuant à la formation du concept de soi continuent à s'appliquer plus tard dans la vie, surtout quand les messages proviennent de ce que les sociologues appellent les **personnes déterminantes**, c'est-à-dire les personnes dont les opinions nous influencent particulièrement.

personne déterminante : personne dont les opinions influencent particulièrement une autre personne.

Un regard sur vos stimulateurs ou vos détracteurs décrits à l'exercice précédent vous montrera que les évaluations venant de quelques personnes particulièrement déterminantes peuvent être marquantes. Les membres de la famille forment le groupe le plus évident de personnes déterminantes[12]. D'autres gens peuvent également jouer ce rôle : un ami, un enseignant ou une connaissance dont l'opinion importe. Ces individus peuvent teinter la vision que vous avez de vous-même. Pour comprendre l'importance des personnes déterminantes, demandez-vous comment vous êtes parvenu à considérer que vous êtes un étudiant brillant, une personne attirante ou un employé compétent. Vous constaterez alors que ces autoévaluations ont été influencées par le regard des autres.

L'impact des personnes déterminantes sur l'estime de soi ne disparaît pas avec l'enfance. Il reste particulièrement important durant l'adolescence. Le fait d'être accepté dans un groupe de pairs (ou d'en être exclu) est un facteur essentiel pour le développement du concept de soi chez les adolescents[13]. Les parents qui comprennent cette réalité ont généralement une meilleure communication avec leurs enfants et peuvent les aider à construire un concept de soi solide[14].

Le concept de soi chez le jeune adulte demeure souple, mais l'influence des personnes déterminantes perd de l'importance avec l'âge. De fait, le concept de soi des personnes approchant la trentaine ne change pas radicalement, à moins qu'elles ne fassent un effort conscient[15].

comparaison sociale : processus par lequel une personne bâtit son image de soi en se comparant à ceux qui l'entourent.

Outre les messages des autres qui façonnent le concept de soi, chacun bâtit sa propre image de soi par le processus de la **comparaison sociale**, c'est-à-dire en se comparant à ceux qui l'entourent.

Examinons deux types de comparaison sociale. Le premier nous permet d'évaluer notre *supériorité* ou notre *infériorité* par rapport aux autres. « Est-ce que je suis beau ou laid, intelligent ou lent ? Est-ce que j'incarne le succès ou l'échec ? » Tout dépend du point de comparaison que l'on choisit[16]. Les recherches montrent que les jeunes femmes qui se comparent régulièrement à des mannequins ultraminces se forgent une opinion négative de leur propre corps qui peut les conduire, dans certains cas, à des troubles alimentaires[17]. À ce sujet, une recherche a révélé que les jeunes filles développent une moins bonne opinion de leur corps après avoir vu à la télévision, pendant 30 minutes à peine, des femmes aux formes « idéales »[18]. Lorsqu'ils se comparent au physique idéalisé par les médias, les hommes évaluent aussi leur corps de façon négative[19]. Nous ne serons probablement jamais aussi beaux qu'une vedette d'Hollywood, aussi agiles qu'un athlète professionnel, ni aussi riches qu'un millionnaire. Toutefois, si l'on considère les choses froidement, cela ne veut pas dire que l'on ne vaut rien. Malheureusement, bien des personnes se mesurent à des modèles qui ne sont pas à leur portée et en souffrent[20]. Soulignons que ces images de soi déformées peuvent entraîner de graves troubles comportementaux, comme la dépression, l'anorexie mentale et la boulimie.

En plus des sentiments de supériorité ou d'infériorité, la comparaison sociale consiste à savoir si nous sommes *semblables* aux autres ou *différents* d'eux. Un enfant qui s'intéresse à la danse country et qui vit dans un milieu qui trouve cette activité dépassée en viendra probablement à adopter ce point de vue si son entourage ne l'appuie pas. De la même façon, les adultes qui souhaitent améliorer la qualité de leurs relations, mais dont l'entourage (amis, membres de la famille) ne reconnaît pas la pertinence de cette démarche peuvent penser qu'ils sont excentriques. Les **groupes de référence** à partir desquels une personne établit des comparaisons jouent donc un rôle important dans l'élaboration de sa propre image.

groupe de référence: groupe auquel une personne se compare et s'identifie.

Vous pourriez avancer, avec raison, que les autres ne façonnent pas entièrement notre concept de soi et qu'on peut relever soi-même certains éléments grâce à l'auto-observation. Par exemple, il n'est pas nécessaire que quelqu'un nous dise qu'on est très grand ou qu'on a de l'acné. Ces caractéristiques sont évidentes. Cependant, l'importance qu'on accorde à ces caractéristiques, l'interprétation que l'on en fait, ainsi que le rang qu'on leur assigne dans la hiérarchie de la liste de notre concept de soi dépend en grande partie de l'opinion des autres.

Une dame de 80 ans a bien illustré ce principe en disant: « Quand j'étais petite, on ne se souciait pas de son poids. Certaines personnes étaient maigres et d'autres, grassouillettes. On acceptait plus ou moins le corps que Dieu nous avait donné. » Dans ces années-là, le poids n'aurait probablement pas fait partie de la liste du concept de soi que vous auriez dressée parce qu'il n'était pas considéré comme important. Comparez cette attitude avec ce que l'on constate aujourd'hui: rares sont les personnes qui ne se plaignent pas d'avoir à « perdre quelques kilos ».

Nous pensons généralement qu'il est souhaitable d'être mince parce que les autres nous le disent. Dans une société où l'obésité serait la norme, une très grosse personne serait sans doute perçue comme une beauté. De la même façon, le fait d'être célibataire ou marié, solitaire ou sociable, agressif ou passif a une signification qui dépend de la façon dont la société interprète ces caractéristiques.

Vous vous dites peut-être: « Ce n'est pas de ma faute si j'ai toujours été timide ou peu confiant. L'image que j'ai de moi découle de la façon dont les autres m'ont traité, je ne peux donc pas m'empêcher d'être ce que je suis. » Bien que chacun de nous soit, jusqu'à un certain point, le produit de son environnement, il est faux de croire que l'on est condamné à avoir éternellement un concept de soi négatif. Ce n'est pas parce qu'une image de soi a été mauvaise qu'elle doit le demeurer. Tout le monde peut changer ses attitudes et ses comportements, comme nous le verrons bientôt.

LES CARACTÉRISTIQUES DU CONCEPT DE SOI

Le concept de soi est subjectif

On a tendance à penser que notre concept de soi est juste, que l'évaluation que l'on fait de nous-mêmes correspond à la réalité. Dans les faits, il y a souvent un décalage entre le concept de soi et la réalité. Certaines personnes ont une opinion d'elles-mêmes déraisonnablement positive. Par exemple, une recherche effectuée auprès de collégiens révèle qu'il n'y a pas de corrélation entre l'autoévaluation des compétences en communication interpersonnelle et l'évaluation systématique des ces mêmes compétences par des chercheurs[21]. Dans tous les cas, les collégiens ont surestimé leurs habiletés de communication.

Cependant, le décalage entre le concept de soi et la réalité ne va pas toujours dans un sens favorable. De nombreuses personnes se jugent plus sévèrement qu'elles ne le devraient. Il nous est tous arrivé de nous sentir « moches » et d'être convaincus que notre apparence était bien pire que ce que nous laissaient croire les autres. La recherche confirme ce que le bon sens suggère : les gens sont plus critiques envers eux-mêmes lorsqu'ils sont d'humeur négative que lorsqu'ils sont de bonne humeur[22]. Nous connaissons tous des périodes de doute qui affectent la façon de communiquer. Certaines personnes, toutefois, doutent trop souvent d'elles-mêmes et sont constamment autocritiques[23]. Il est facile de comprendre que cette condition chronique influe négativement sur la façon dont elles approchent les autres et interagissent avec eux.

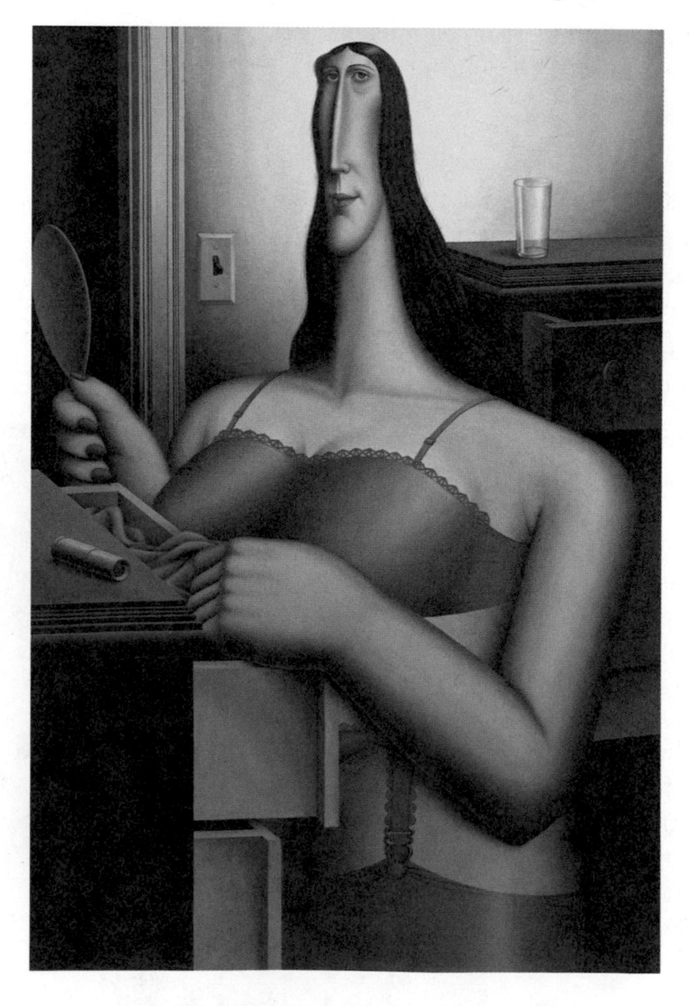

Plusieurs raisons peuvent expliquer ces autoévaluations déformées. L'une d'entre elles est l'information périmée. Les effets des échecs (ou des réussites) antérieurs, que ce soit à l'école ou dans les relations sociales, peuvent se faire sentir longtemps après qu'ils se sont produits. Même si ces événements ne permettent pas de prédire le succès ou l'échec dans les situations à venir, il n'en reste pas moins que ceux-ci influent sur le concept de soi de nombreux individus. La rétroaction déformée peut aussi améliorer ou empirer une image de soi plus que ne le justifient les faits. Des parents trop critiques sont l'une des causes les plus courantes d'une image de soi négative. Dans d'autres cas, les remarques d'amis insensibles, d'enseignants maladroits, d'employeurs excessivement exigeants ou même d'étrangers peuvent avoir des effets durables. Certains messages déformés sont exagérément positifs. Une patronne peut penser qu'elle est une excellente gestionnaire parce que ses adjoints l'inondent de compliments mensongers afin de conserver leur poste ou d'obtenir une promotion.

Une autre cause à l'origine d'un concept de soi extrêmement négatif est l'importance accordée à la perfection, un phénomène courant dans la société nord-américaine. Dès l'instant où l'on commence à socialiser, on est confronté à des modèles qui symbolisent la perfection.

Les histoires destinées aux enfants et les publicités laissent entendre que pour être un héros, pour être aimé et admiré, il ne faut pas avoir de défauts. Malheureusement, de nombreux parents perpétuent le mythe de la perfection en refusant d'admettre qu'ils sont parfois injustes ou qu'ils se trompent. Bien entendu, les enfants acceptent cette façade perfectionniste, parce qu'ils ne sont pas cognitivement en mesure de mettre en doute la sagesse d'êtres aussi « puissants ». De plus, le comportement de leurs parents et des autres adultes qui les entourent véhicule un message clair : « Une personne bien adaptée et qui a du succès n'a pas de défauts. » Croyant naïvement que tous les autres sont parfaits sauf eux, les enfants s'accordent peu de valeur. Il n'y a rien de mauvais en soi à viser un idéal de perfection. Il faut cependant garder à l'esprit que cette perfection est impossible à atteindre et que si on pense le contraire, notre estime de soi sera nécessairement déformée et inutilement affectée.

La dernière raison pour laquelle les gens ne se rendent souvent pas justice est liée aux attentes de la société. Curieusement, la société perfectionniste dans laquelle nous vivons valorise les personnes qui minimisent les forces qu'elle leur demande par ailleurs de posséder. Ces personnes sont alors considérées comme modestes et dignes d'admiration. Par contre, nous qualifions de vantardes ou de narcissiques celles qui évaluent honnêtement leurs forces, et nous les mettons souvent dans le même panier que les gens qui se glorifient de talents qu'ils ne possèdent pas[24]. Ces règles tacites conduisent la plupart d'entre nous à parler ouvertement de leurs défauts et à minimiser l'importance de leurs talents. Une personne qui révèle sa déception d'avoir mal travaillé est généralement bien vue, celle qui exprime sa fierté du travail bien fait commet un acte de vantardise.

À la longue, les gens en viennent à croire les énoncés qu'ils répètent constamment. Les remarques désobligeantes qu'ils s'adressent à eux-mêmes passent pour de la modestie et elles deviennent partie intégrante de leur concept de soi, tandis que leurs points forts et leurs talents, qui ne sont jamais mentionnés, tombent peu à peu dans l'oubli. Ces gens en viennent ainsi à se croire moins valables qu'ils ne le sont en réalité. Même si l'estime de soi repose alors sur des réflexions inexactes, son effet sur la façon d'entrer en relation avec les autres n'en est pas moins important.

Le concept de soi et sa résistance au changement

Tout le monde change, mais nous avons tendance à nous accrocher à notre concept de soi, même s'il ne correspond plus à ce que nous sommes devenus. Que ce soit à tort ou à raison, la plupart des gens cherchent de l'information qui confirme leur concept de soi existant et y prêtent attention ; cela s'appelle le **conservatisme cognitif**. Cette tendance les pousse à fréquenter des personnes qui confirment « ce qu'ils croient être ». Par exemple, les collégiens qui jouissent d'une bonne estime personnelle recherchent des partenaires qui savent les apprécier, alors que ceux qui se mésestiment sont portés à interagir avec des personnes qui ont une opinion défavorable d'eux[25]. Nous serions ainsi moins préoccupés par le besoin de savoir la « vérité » à notre sujet que par le désir de renforcer un concept de soi qui nous est familier.

conservatisme cognitif : tendance d'une personne à privilégier l'information qui confirme son concept de soi.

On peut comprendre la réticence d'une personne à réviser un concept de soi qui lui était auparavant favorable. Un étudiant qui n'obtient pas des résultats aussi bons que ceux des années précédentes n'est probablement pas disposé à admettre que la mention « bon étudiant » ne s'applique plus à lui. De la même façon, un travailleur qui se croit assidu sera certainement contrarié d'entendre son superviseur lui reprocher ses nombreuses absences et sa faible productivité. Ces personnes ne mentent pas quand elles affirment avec insistance qu'elles continuent à bien faire les choses, même si les faits les contredisent. Si elles croient sincèrement que les anciennes vérités demeurent, c'est que le concept de soi est très résistant au changement.

Étonnamment, cette tendance à s'accrocher à une perception de soi dépassée s'observe même lorsque la nouvelle image est plus favorable que l'ancienne. Par exemple, une étudiante que tout le monde ou presque trouvait très belle a avoué, pendant un exercice fait en classe, qu'elle se trouvait « ordinaire » et même « peu attrayante ». Quand ses camarades lui ont demandé pourquoi, elle a expliqué que, pour corriger ses dents « toutes croches », elle avait dû porter un appareil orthodontique pendant l'adolescence. Ses amis la taquinaient si souvent à l'époque qu'elle n'a jamais pu oublier « sa bouche en métal », comme elle l'appelait. Même si cela faisait deux ans qu'elle ne portait plus son appareil, cette étudiante se sentait toujours laide et repoussait les compliments. Elle disait qu'elle savait très bien de quoi elle avait « vraiment » l'air.

Des exemples comme celui-ci illustrent le problème qui se pose lorsque les individus refusent de modifier un concept de soi inexact. L'étudiante s'empêchait d'être plus heureuse en s'accrochant à une image de soi dépassée. De la même façon, certaines personnes insistent sur le fait qu'elles sont moins talentueuses ou moins dignes d'amitié que les gens ne le pensent, et se fabriquent ainsi inutilement un univers désolant. Elles résistent habituellement au changement pour éviter de subir la désorientation qu'entraîne une redéfinition du concept de soi, sachant bien qu'elles devront faire des efforts pour se voir autrement.

Le deuxième problème qu'entraîne la persistance d'un concept de soi inexact est l'aveuglement et l'absence d'évolution. Une personne ayant une image de soi exagérément favorable ne percevra pas la nécessité de changer. Au lieu d'acquérir de nouvelles habiletés, de s'efforcer de modifier une relation ou d'améliorer son état physique, elle conservera l'illusion familière et rassurante que tout va bien. Au fil du temps, il lui sera de plus en plus facile de conserver cette illusion, ce qui conduit à un troisième type de problème : l'attitude défensive.

Pour comprendre ce problème, il faut savoir qu'en présence d'information qui contredit leur perception d'eux-mêmes, les gens ont deux choix : accepter les nouvelles données et modifier leur perception

TABLEAU 2.2 Les différences entre les personnes ayant une haute et une faible estime de soi.

Les personnes qui ont une haute estime de soi :

1. ont tendance à avoir une opinion favorable des autres ;
2. s'attendent à ce que les autres les acceptent ;
3. évaluent leur propre rendement plus favorablement que celles qui ont une faible estime de soi ;
4. fonctionnent bien quand on les observe, car elles ne craignent pas la réaction des autres ;
5. travaillent plus fort pour des personnes qui exigent un rendement élevé ;
6. ont tendance à se sentir à l'aise avec des gens qu'elles considèrent d'une certaine façon comme supérieurs ;
7. sont capables de se défendre contre les commentaires négatifs des autres.

Les personnes qui ont une faible estime de soi :

1. ont tendance à désapprouver les autres ;
2. s'attendent à être rejetées par les autres ;
3. évaluent leur rendement moins favorablement que les personnes qui ont une haute estime de soi ;
4. fonctionnent mal quand on les observe, car elles redoutent les réactions négatives de la part des autres ;
5. travaillent fort pour des personnes peu exigeantes et moins critiques ;
6. se sentent menacées par les personnes qu'elles considèrent d'une certaine façon comme supérieures ;
7. ont de la difficulté à se défendre contre les commentaires négatifs des autres ; sont plus influençables.

Source : HAMACHEK, Don E. *Encounters with the Self*, Reproduit avec l'autorisation de Holt McDougall, une division de Mifflin Harcourt Publishing Company.

INVITATION À L'INTROSPECTION

Reconnaissez vos forces

Cet exercice peut se faire seul ou en groupe. Si vous le faites avec d'autres personnes, asseyez-vous en cercle de façon à ce que tous puissent se voir.

1. Chaque personne doit indiquer trois forces ou trois réalisations. Vous n'avez pas à chercher des domaines dans lesquels vous êtes expert ni des exploits momentanés. Au contraire, il est parfaitement acceptable de parler d'un aspect de vous qui vous plaît ou dont vous êtes fier. Par exemple, vous pourriez dire qu'au lieu de procrastiner, vous avez terminé un travail bien avant la date de remise, que vous avez parlé franchement à un ami même si vous craigniez sa désapprobation, ou encore que vous cuisinez un fantastique gâteau au chocolat.

2. Si vous êtes à court d'éléments, posez-vous les questions suivantes:

   a) De quelle façon avez-vous évolué au cours de l'année précédente ? Êtes-vous plus doué, plus sage ou une meilleure personne qu'avant ?

   b) Pourquoi vos amis ou les membres de votre famille vous aiment ils ? Quelles sont les caractéristiques qui font en sorte qu'ils vous apprécient ?

3. Quand vous avez terminé, réfléchissez à cette expérience. Avez-vous éprouvé des difficultés à penser aux éléments à partager ? Est-ce qu'il vous aurait été plus facile d'énumérer vos défauts ? Si c'est le cas, est-ce parce que vous êtes une personne réellement dépourvue de qualités ou parce que vous avez l'habitude de souligner vos faiblesses et d'ignorer vos forces ? Pensez aux répercussions d'une telle habitude sur votre concept de soi et demandez-vous si vous n'auriez pas avantage à trouver un meilleur équilibre entre vos forces et vos faiblesses.

en conséquence, ou conserver leur perception originale et réfuter la nouvelle information. Étant donné que la plupart sont réticents à renoncer à une image favorable d'eux-mêmes, ils ont tendance à opter pour la réfutation, soit en ne tenant pas compte de l'information et en justifiant son rejet, soit en contre-attaquant la personne qui l'a transmise.

LA CULTURE, LE GENRE ET L'IDENTITÉ

On a vu précédemment comment les expériences familiales, surtout durant l'enfance, modèlent l'identité. Parmi les autres facteurs qui façonnent l'identité, et donc la manière de communiquer, on retrouve l'âge, la capacité physique, l'orientation sexuelle et le statut socioéconomique. La culture et le genre sont aussi des forces puissantes qui modifient notre regard sur nous-mêmes et sur les autres. Examinons maintenant chacune de ces forces.

La culture

Bien que ce soit un aspect que l'on a généralement tendance à négliger, l'idée que l'on a de soi est façonnée par la culture dans laquelle on a grandi[26]. La plupart des cultures occidentales sont fortement individualistes, alors que d'autres cultures traditionnelles — la plupart des cultures asiatiques, par exemple — valorisent une plus grande conscience collective. Si on demande à des Américains, à des Canadiens ou à des Européens de donner leur identité, ils déclineront d'abord leurs prénom et nom, puis le nom de leur rue, de leur ville et de leur pays. Beaucoup d'Asiatiques procéderont à l'inverse[27]. La formule sanscrite utilisée indique d'abord la lignée, puis la famille, l'adresse et enfin le nom de la personne[28].

Ces conventions engendrent une vision très différente de soi et des types de relations qui sont privilégiés. Dans les cultures axées sur la collectivité, l'identité d'une personne découle de son appartenance au groupe. L'interdépendance entre les membres de la société et ses sous-groupes est donc forte. Les sentiments de fierté et de valeur personnelle sont façonnés non seulement par les actes des individus, mais aussi par le comportement des membres de la communauté. Ce lien avec les autres explique l'attitude effacée de l'individu dans la tradition asiatique, laquelle contraste fortement avec la mise en valeur personnelle qui caractérise les cultures occidentales[29].

De telles différences culturelles aident à comprendre l'aisance ou l'anxiété que ressentent les gens dans les situations de communication. Par exemple, les Chinois, les Coréens et les Japonais, lorsqu'ils doivent s'exprimer ouvertement, affichent un degré d'anxiété considérablement plus élevé que les personnes de cultures individualistes comme les Américains et les Australiens[30]. La différence entre les cultures individualistes et collectives transparaît dans les interactions quotidiennes. La chercheuse en communication Stella Ting-Toomey a élaboré une théorie qui explique les différences culturelles par rapport à des normes importantes, notamment la sincérité et la franchise[31]. Selon elle, dans les cultures occidentales individualistes fortement axées sur le « je », la manière franche est valorisée, tandis que dans les sociétés collectives où l'on cherche avant tout à établir des liens entre l'individu et le groupe, on privilégie les approches détournées qui favorisent l'harmonie. « Je dois être moi-même » pourrait être le mot d'ordre de l'Occidental, alors que celui de l'Asiatique serait plutôt « Si je te blesse, je me blesse aussi ».

Le genre

Une bonne façon de comprendre l'influence du genre sur votre identité est d'imaginer à quel point vous seriez différent si vous apparteniez au sexe opposé. Exprimeriez-vous vos émotions, régleriez-vous vos conflits de la même façon ? Auriez-vous les mêmes rapports avec vos amis et les étrangers ? Votre réponse est probablement un « non » retentissant.

Dès les premiers mois de la vie, le sexe façonne la manière dont les autres s'adressent à nous. Pensez aux premières questions que la plupart des gens posent à la naissance d'un enfant. Une d'entre elles est presque toujours : « Est-ce un garçon ou une

fille ? » Lorsqu'ils connaissent le sexe du bébé, ils se comportent différemment selon qu'il s'agit d'une fille ou d'un garçon[32]. Ils utilisent également différents surnoms en fonction du genre. Avec les garçons, les commentaires ont souvent trait à la taille, à la force et à l'activité, alors que pour des filles, on parle plus souvent de beauté, de douceur et de réaction faciale. Il n'est pas surprenant que ces messages façonnent le sens de l'identité de l'enfant ainsi que sa façon de communiquer. Le message implicite est que certains comportements sont masculins et d'autres, féminins. Par exemple, les gens sont plus susceptibles de renforcer le comportement doux chez les petites filles que chez les garçons. Le même principe s'applique à l'âge adulte : l'homme qui défend ses croyances suscite de l'approbation pour sa « ténacité » ou sa « persévérance », alors qu'une femme agissant de la même manière pourrait être qualifiée de « harcelante » ou d'« entêtée »[33]. On voit facilement l'effet que peuvent avoir les rôles relatifs au genre et les étiquettes comme celles-ci sur la vision que les hommes et les femmes ont d'eux-mêmes et sur leur façon de communiquer.

Le genre influe également sur l'estime de soi. Dans une société qui valorise davantage la compétitivité chez l'homme que chez la femme, il n'est pas surprenant que l'estime de soi des jeunes adolescents est étroitement liée au fait d'être plus habiles que leurs pairs, alors que la confiance en soi des adolescentes repose sur la réussite de leurs relations sociales et leurs habiletés verbales[34].

L'AUTORÉALISATION DES PROPHÉTIES ET LA COMMUNICATION

Le concept de soi est très puissant : en plus de déterminer l'opinion que nous avons de nous-même, il influe sur notre comportement futur et même sur les réactions de notre entourage. Cette influence s'explique par un processus appelé *autoréalisation des prophéties*.

L'**autoréalisation des prophéties** peut être décrite de la façon suivante : lorsqu'une personne a des attentes élevées à propos d'un événement, ou se comporte en fonction de ces attentes, les chances que celui-ci se produise s'en trouvent augmentées. Ce processus comporte quatre étapes :

autoréalisation des prophéties : processus par lequel le fait d'avoir confiance en une prédiction agit positivement sur la capacité à la faire se réaliser.

1. La personne a une attente (envers soi ou les autres) ;
2. Elle se comporte en fonction de cette attente ;
3. L'attente se concrétise ;
4. L'attente originale est renforcée.

L'exemple suivant illustre ce processus. Imaginez que vous avez une entrevue pour un poste auquel vous tenez beaucoup. Vous êtes nerveux à l'idée de passer l'entrevue et vous n'êtes pas du tout certain d'avoir les qualifications requises. Vous en parlez à un enseignant qui vous connaît bien et à un ami qui travaille pour l'entreprise qui embauche. Tous deux vous disent que vous êtes parfait pour ce poste et que l'entreprise serait chanceuse de vous compter parmi ses employés. Grâce à ces commentaires, vous vous sentez rassuré. Pendant l'entrevue, vous vous exprimez avec compétence et vous vendez vos talents avec confiance. L'employeur est manifestement impressionné et vous fait une offre. Vous en concluez que votre ami et votre professeur avaient raison : vous êtes le type de personne qu'un employeur voudrait embaucher. Examinons les quatre étapes du processus. Fort de l'opinion de votre professeur et de votre ami, vous aviez une grande attente par rapport à l'entrevue (étape 1). Votre attitude positive vous a amené à communiquer avec confiance durant l'entrevue (étape 2). Votre comportement confiant et vos qualifications vous ont valu le poste (étape 3). Enfin, ce résultat positif a renforcé votre autoévaluation positive, et vous aborderez les prochaines entrevues avec plus de confiance (étape 4).

L'autoréalisation des prophéties est un avantage important en communication, mais elle ne garantit en rien les comportements subséquents et leurs résultats. Autrement dit, l'attente d'un dénouement ne provoquera pas pour autant ce dernier. L'espoir de tirer un as dans un jeu de cartes n'aura aucune influence sur la possibilité de faire apparaître cette carte, et le fait de croire que le beau temps s'en vient n'arrêtera pas la pluie. De la même façon, penser qu'une personne réussira son entrevue d'emploi alors qu'elle ne possède pas les qualifications requises est totalement irréaliste. Il se trouvera toujours des gens que nous n'aimons pas et des situations qui nous déplairont, peu importe l'attitude que nous adoptons. Relier l'autoréalisation des prophéties au pouvoir « mystique de la pensée positive » n'est jamais qu'une grossière simplification.

Les types d'autoréalisation des prophéties

Il existe deux catégories d'autoréalisation des prophéties : celle que nous nous imposons et celle qui nous est imposée. La première se produit lorsque nos propres attentes influencent notre comportement. Dans la pratique d'un sport par exemple, une personne peut se préparer psychologiquement à jouer mieux qu'à l'ordinaire et réaliser une performance remarquable. Elle réagira en se disant que la seule explication de sa performance est son attitude. De la même façon, la personne qui entretient la crainte de se retrouver devant un auditoire oubliera probablement son discours le moment venu, non par manque de préparation, mais parce qu'elle s'est dit : « Je sais bien que j'échouerai. »

« Je ne chante pas parce que je suis heureux. Je suis heureux parce que je chante ! »

La recherche a montré le pouvoir des prophéties auto-imposées. Par exemple, une étude réalisée auprès de communicateurs qui se trouvaient incompétents a révélé que ceux-ci étaient moins susceptibles de conserver des relations enrichissantes et avaient tendance à saboter leurs relations existantes que ceux qui étaient moins autocritiques[35]. D'autres recherches ciblant les étudiants révèlent que ceux qui avaient confiance en leurs capacités avaient de meilleurs résultats scolaires[36]. Dans une autre étude, les sujets qui étaient sensibles au rejet social avaient tendance à s'attendre à être rejetés ; ils se sentaient exclus alors que ce n'était pas le cas et ils dramatisaient leurs perceptions au point de compromettre la qualité de leurs relations[37].

Les prophéties auto-imposées ont diverses répercussions sur la communication au quotidien. Une personne qui se réveille en colère se dira : « Ça va être une mauvaise journée. » Par la suite, elle agit d'une façon qui confirme sa prédiction : elle bougonne, est davantage impatiente et un rien suffit à la rendre de mauvaise humeur. Dans le même ordre d'idées, un étudiant qui arrive à un cours en s'attendant à s'ennuyer cessera probablement de s'intéresser à la matière, en partie par manque d'attention. Également, celui qui évite la compagnie des autres sous prétexte qu'ils n'ont rien d'intéressant à lui offrir verra ses attentes confirmées : il ne lui arrivera effectivement rien de nouveau ni d'enthousiasmant. Par ailleurs, la personne qui se réveille en se disant que ce sera une belle journée va probablement voir sa prédiction se réaliser, cette prédisposition positive s'appliquant aussi à l'ensemble des situations décrites précédemment. De fait, les chercheurs ont découvert que le fait de sourire, même quand on est de mauvaise humeur, peut nous mettre dans de meilleures dispositions[38]. De la même façon, si vous abordez un cours et que vous êtes déterminé à apprendre quelque chose, vous y parviendrez probablement. Dans ce genre de cas, l'attitude exerce une grande influence sur la façon dont on se perçoit et sur la façon dont on agira.

La deuxième catégorie d'autoréalisation des prophéties est celle qui nous est imposée par une personne : les attentes et les comportements de celle-ci gouvernent nos actions. L'exemple classique de ce phénomène provient d'une étude décrite dans le livre *Pygmalion à l'école* de Robert Rosenthal et Lenore Jacobson[39]. Les chercheurs ont fait croire à des enseignants que 20 % des enfants de leur école élémentaire montraient un potentiel de développement intellectuel très élevé. Les élèves à fort potentiel avaient été sélectionnés au hasard, à partir d'une liste aléatoire de numéros. Huit mois après le début de l'expérience, lors d'un test de QI, ces enfants « extrêmement doués » ont obtenu des résultats supérieurs à ceux qui n'avaient pas été sélectionnés et portés à l'attention des professeurs. Le changement de comportement des enseignants envers des élèves soi-disant « spéciaux », choisis au hasard, a modifié le rendement intellectuel de ces derniers.

Une des raisons expliquant ces résultats est que les professeurs ont accordé plus de temps aux élèves « doués », leur ont fait plus de commentaires et les ont davantage félicités que les autres. En d'autres mots, les enfants sélectionnés ont mieux réussi, non pas parce qu'ils étaient plus intelligents que leurs camarades de classe, mais parce que leurs professeurs avaient de plus grandes attentes envers eux et les traitaient en conséquence.

Pour faire un lien entre ce phénomène et le concept de soi, disons que lorsqu'un professeur communique à un élève le message « Je pense que tu es brillant », celui-ci accepte cette évaluation et modifie son concept de soi pour l'intégrer. Malheureusement, nous pouvons supposer que le même principe s'applique à l'élève à qui le professeur envoie le message « Je pense que tu es stupide ».

Ce genre d'autoréalisation des prophéties est un facteur important qui façonne le concept de soi et donc le comportement des personnes en dehors du contexte scolaire[40]. Par exemple, les patients qui suivent une psychothérapie et qui pensent que le traitement leur sera bénéfique en tirent souvent profit, peu importe le type de traitement reçu.

L'autoréalisation des prophéties imposée par une personne à une autre est autant un phénomène de communication qu'un phénomène psychologique.

LA MODIFICATION DU CONCEPT DE SOI

Vous savez maintenant ce qu'est le concept de soi, comment il se forme et à quel point il influe sur la communication. Cependant, nous n'avons pas encore abordé la question la plus importante de toutes : comment modifier les éléments du concept de soi que l'on désire changer ? Comme nous l'avons vu antérieurement, une bonne part de notre style de communication est déterminée par notre bagage génétique, sur lequel notre influence est plutôt limitée. Cependant, nous avons bel et bien le pouvoir de modifier plusieurs de nos caractéristiques relatives à la communication[41].

Une perception réaliste de soi

On sait que les perceptions irréalistes sont parfois attribuables au fait que l'on se pense meilleur qu'on ne l'est réellement. Parfois, c'est plutôt parce que l'on est trop autocritique. En montrant à d'autres la liste que vous avez établie à la page 41, vous pouvez savoir si vous vous sous-estimez ou non. S'astreindre de temps en temps à reconnaître ses points forts et ses faiblesses, comme vous l'avez fait au début de ce chapitre, est une bonne façon de se voir sous un jour plus réaliste.

Un concept de soi exagérément faible peut aussi provenir de rétroactions désobligeantes. C'est le cas des personnes qui évoluent dans un milieu où elles reçoivent un nombre excessif de messages négatifs. Ainsi, de nombreuses femmes sont retournées aux études après plusieurs années passées à s'occuper de leur famille, sans que leurs capacités intellectuelles soient valorisées. Il est admirable qu'elles aient eu la volonté de faire cette démarche alors que leur concept de soi était faible. Ce faisant, la plupart ont pu constater qu'elles étaient beaucoup plus brillantes et compétentes qu'elles ne le pensaient. De la même façon, les employés dont le superviseur est exagérément critique, les enfants qui ont des amis cruels et les étudiants qui ne reçoivent pas d'encouragements de la part de leurs enseignants sont tous enclins à avoir une faible estime personnelle en raison des commentaires excessivement négatifs.

Des attentes réalistes

Il est important de comprendre que des attentes trop élevées envers soi peuvent entraîner l'insatisfaction. Si l'on exige que tout acte de communication soit parfaitement réussi, on va au-devant d'inévitables déceptions. Personne en effet n'est en mesure de gérer parfaitement tous les conflits, de se sentir totalement détendu et maître de ses capacités dans toutes les conversations. Penser que l'on peut atteindre des buts irréalistes, c'est se condamner à être malheureux dès le départ.

Même quand tout le monde semble plus compétent que vous, il vaut mieux vous juger en fonction de votre propre évolution que selon les comportements des autres. Plutôt que de vous sentir malheureux parce que vous n'êtes pas aussi doué qu'un expert, dites-vous que vous êtes probablement meilleur, plus sage, plus doué qu'auparavant; il s'agit là d'une source de satisfaction légitime.

«TU ES UN TYPE FORMIDABLE!»
ECHO POINT

La volonté de changer

Nombreuses sont les personnes qui affirment vouloir changer, mais rares sont celles qui y parviennent. Devant leur incapacité à devenir la personne qu'elles aimeraient être, un constat s'impose: elles ne veulent tout simplement pas faire le nécessaire pour y arriver. Il est possible de changer de plusieurs façons, mais seulement si on est prêt à en faire l'effort.

Posséder les compétences pour changer

Il est vrai qu'essayer ne suffit pas toujours. Dans certaines situations, il serait possible de changer si on savait comment faire. Pour savoir si vous disposez ou non des aptitudes nécessaires, faites l'exercice proposé dans l'encadré ci-dessous. En reprenant votre liste des « Je ne peux pas » et des « Je ne veux pas », vous verrez si certains éléments ne sont pas plutôt des « Je ne sais pas comment ». Le cas échéant, la solution réside dans l'acquisition de ces aptitudes. Voici deux suggestions, l'une théorique, l'autre pratique.

Sur le plan théorique, vous pouvez trouver de l'information dans des ouvrages comme celui-ci et dans ceux présentés à la fin du chapitre. Vous pouvez aussi demander conseil à des enseignants, à des experts et à des spécialistes, sans pour autant négliger l'opinion des amis.

En ce qui concerne l'aspect pratique, la meilleure stratégie consiste à observer des modèles, des personnes qui maîtrisent bien le comportement que vous aimeriez maîtriser. Vous vous apercevrez alors que le monde est rempli d'enseignants dont vous pouvez vous inspirer pour communiquer plus habilement. Devenez un observateur attentif. Regardez ce que les personnes que vous admirez font et disent, non pas tant pour copier leur comportement, mais plutôt pour l'adapter à votre style personnel.

Il se peut que vous vous sentiez dépassé par la difficulté de modifier votre opinion de vous-même et votre comportement. Dites-vous que personne n'a jamais qualifié ce processus de facile, mais que vous n'êtes pas tenu non plus d'atteindre la perfection.

TRAVAILLEZ VOS HABILETÉS

Réévaluez vos « Je ne peux pas »

1. Choisissez un partenaire. À tour de rôle, pendant environ cinq minutes, faites des phrases qui commencent par « Je ne peux pas… », puis dressez-en la liste. Essayez d'axer ces énoncés sur vos relations avec la famille, les amis, des étudiants, des collègues et même des étrangers. Voici des exemples :

   « Je ne peux pas être moi-même avec certaines personnes dont j'aimerais pourtant faire la connaissance dans des soirées » ;

   « Je ne peux pas dire à mon amie combien elle m'est chère » ;

   « Je ne peux pas me décider à demander une augmentation de salaire à mon patron alors que je pense bien la mériter » ;

   « Je ne peux pas poser de questions en classe ».

2. Notez les émotions que vous ressentez lorsque vous faites ces réflexions : regret, inquiétude, frustration, etc., et faites-en part à votre partenaire.

3. Répétez maintenant chaque phrase que vous venez d'exprimer en remplaçant « Je ne peux pas » par « Je ne veux pas ». Après chaque affirmation, faites part de vos pensées à votre partenaire sur ce que vous venez de dire.

4. Décidez ensuite laquelle des deux formulations est la plus appropriée pour chaque affirmation avant d'expliquer votre choix à votre partenaire.

5. Y a-t-il des exemples d'autoréalisation des prophéties sur votre liste, des cas où le fait d'avoir décidé que vous ne « pouviez pas » faire quelque chose était la seule raison qui vous a empêché d'agir ?

LA PRÉSENTATION DU SOI : COMMUNICATION ET GESTION DE L'IDENTITÉ

gestion de l'identité : ensemble des stratégies de communication que les individus utilisent pour influencer la perception des autres à leur égard.

soi perçu : image que l'on a de soi-même, représentation mentale de ce que croit être une personne.

Examinons maintenant la **gestion de l'identité**, c'est-à-dire les différentes stratégies de communication que les individus utilisent pour influencer la perception des autres à leur égard. Dans les pages qui suivent, nous verrons que bon nombre de nos messages ont pour but véritable d'amener les autres à nous percevoir sous l'identité que nous souhaitons leur montrer.

LES DIFFÉRENTS « SOI »

Pour comprendre comment fonctionne la gestion de l'identité, on doit approfondir la notion du soi. Jusqu'à présent, on a discuté du « soi » comme si chacun de nous n'avait qu'une seule identité. En réalité, nous avons tous plusieurs « soi », certains privés, d'autres publics. Ils sont souvent très différents.

Le **soi perçu** est le reflet de votre concept de soi. Il est la représentation de la personne que vous croyez être lorsque vous vous évaluez en toute honnêteté. On qualifie le soi perçu de privé parce qu'on est peu susceptible de le révéler totalement à une autre personne. Vous pouvez en vérifier la nature privée en réexaminant la liste du concept de soi que vous avez élaborée au début du chapitre. Vous y trouverez probablement certains éléments que vous ne dévoileriez qu'à quelques personnes et d'autres que vous ne divulgueriez jamais. Vous pourriez, par exemple, être réticent à révéler certains sentiments concernant votre apparence (« Je me trouve plutôt moche »), votre intelligence (« Je ne suis pas aussi intelligente que j'aimerais l'être »), vos objectifs (« La chose la plus importante pour moi, c'est de devenir riche ») ou vos motifs (« Je me soucie davantage de moi-même que des autres »).

Le soi idéal reflète ce qu'une personne souhaite être. Certains éléments du soi idéal correspondent au soi perçu. Par exemple, il se peut que vous ayez la personnalité ou la carrière que vous désiriez avoir. Toutefois, dans d'autres domaines, votre soi idéal peut être complètement différent de votre soi personnel. Plusieurs auteurs expliquent que plus l'écart entre le soi perçu et le soi idéal est important, plus notre estime de soi est faible. Une personne ayant des objectifs et des attentes trop élevés risque plus facilement de se décourager, de se dévaloriser ou de se sentir incompétente.

Contrairement au soi perçu, le **soi présenté** est l'**image** publique, la façon dont on veut être perçu par les autres. Dans la plupart des cas, le soi présenté est une image socialement approuvée: celle d'un étudiant appliqué, d'un partenaire amoureux, d'un employé consciencieux, d'un ami fidèle, etc. Les normes sociales amènent souvent chez l'individu une profonde divergence entre le soi perçu et le soi présenté.

soi présenté: façon d'être d'une personne telle qu'elle veut être perçue par les autres.

image: rôle dans lequel quelqu'un ou quelque chose apparaît à quelqu'un.

LES CARACTÉRISTIQUES DE LA GESTION DE L'IDENTITÉ

Maintenant que vous avez une idée de ce qu'est la gestion de l'identité, examinons certaines caractéristiques propres à ce processus.

Nous nous efforçons de construire des identités multiples

Il serait simpliste de dire que l'on recourt aux stratégies de gestion de l'identité pour ne créer qu'une seule identité. Au cours d'une même journée, la plupart des gens vont jouer plusieurs rôles: celui de l'étudiant respectueux, du copain blagueur, du voisin amical, de l'employé serviable, etc. La capacité de construire des identités multiples fait partie des habiletés de communication. Par exemple, le style de discours (agressif ou détendu) et même le langage employé (recherché ou familier) peuvent refléter un choix concernant la façon de présenter une identité.

Le fait d'avoir différentes identités n'a rien d'extraordinaire. Il nous arrive même de présenter une identité différente à la même personne. Par exemple, en grandissant, vous avez certainement montré plusieurs facettes de votre personnalité dans le cadre de vos interactions avec vos parents. Dans un contexte donné, vous avez agi comme un adulte responsable (« Tu peux me confier ta voiture sans aucune crainte ! ») et dans un autre, comme un enfant démuni (« Maman, je n'arrive pas à trouver mes souliers bruns ! »). À certains moments, peut-être lors des anniversaires ou pendant les vacances, vous avez incarné une personne attentionnée, et à d'autres moments, vous avez agi en rebelle.

La gestion de l'identité est collaborative

Pour décrire la gestion de l'identité, le sociologue Erving Goffman fait un rapprochement avec le monde du théâtre[42]. Il suggère que chacun de nous est comme un dramaturge qui crée des rôles reflétant la façon dont il veut que les autres le perçoivent, ou encore comme un comédien qui incarne un personnage. Cependant, contrairement au public d'un théâtre, notre public est composé d'autres comédiens qui tentent eux-mêmes de créer leurs propres personnages. La communication liée à l'identité ressemble à un processus théâtral: nous collaborons avec d'autres acteurs pour improviser des scènes dans lesquelles nos personnages sont à l'aise.

Pour comprendre la nature collaborative de la gestion de l'identité, imaginez que vous êtes très en colère contre un ami ou un membre de votre famille qui a oublié de vous transmettre un message téléphonique important.

INVITATION À L'INTROSPECTION

Vos nombreuses identités

Vous pouvez avoir une idée des nombreux rôles que vous tentez de jouer en notant, pendant un jour ou deux, des situations dans lesquelles vous communiquez. Pour chacune, choisissez un titre frappant pour représenter l'image que vous essayez de créer. Voici quelques exemples: « roi des fêtards », « frère plus âgé et plus sage », « critique de films d'horreur ».

Supposons que vous tentiez d'aborder le problème avec tact, afin d'éviter de passer pour un frustré (le rôle que vous désirez projeter est celui d'un « gentil ») et de ne pas offusquer l'autre (en espérant ne pas suggérer qu'il est distrait). Si votre approche diplomatique était acceptée, le dialogue ressemblerait à ce qui suit :

Vous : … Au fait, Jenny m'a dit qu'elle m'avait appelé hier. Si tu as écrit un message, je ne l'ai probablement pas vu.

L'autre : Oh, désolé. Je voulais te laisser le message, mais dès que j'ai raccroché, on a sonné à la porte et j'ai dû partir en classe.

Vous : (sur un ton amical) Ce n'est pas grave, mais j'aimerais que tu me laisses un message la prochaine fois.

L'autre : Pas de problème.

Au cours de cette conversation, vous avez tous deux accepté la demande de l'autre relative à l'identité. Conséquemment, la conversation s'est déroulée en douceur. Toutefois, le résultat aurait été bien différent si l'autre personne n'avait pas accepté votre rôle de « gentil » :

Vous : … Au fait, Jenny m'a dit qu'elle m'avait appelé hier. Si tu as écrit un message, je pense que je ne l'ai pas vu.

L'autre : (sur la défensive) OK, j'ai oublié. Ce n'est pas si grave que ça. Toi non plus, tu n'es pas parfait, tu sais !

Votre demande de tenir le rôle de la « personne gentille » qui vous permet de sauver la face a été rejetée. Vous avez maintenant le choix entre persister à jouer ce rôle en répliquant : « Hé, je ne suis pas fâché contre toi, et je sais que je ne suis pas parfait ! », ou passer au rôle de « la personne injustement accusée » et répondre avec contrariété : « Je n'ai jamais dit que j'étais parfait, mais ce n'est pas de moi qu'il s'agit ici… »

Comme l'illustre cet exemple, en matière de gestion de l'identité, *collaborer* ne signifie pas *être d'accord*[43]. Le petit différend au sujet du message téléphonique peut se transformer en bagarre si les deux individus adoptent le rôle de combattant. En fait, pratiquement toutes les conversations sont un ring dans lequel les communicateurs construisent leurs identités en réaction au comportement des autres. Comme nous l'avons vu au chapitre 1, la communication n'est pas composée d'événements séparés les uns des autres. Au contraire, ce qui se produit à un moment donné est influencé par ce que chaque acteur de la situation apporte à l'interaction et par la somme de ce qui s'est produit dans leur relation jusqu'au moment présent.

La gestion de l'identité peut être délibérée ou inconsciente

Il ne fait aucun doute que nous gérons parfois nos impressions de façon très consciente. La plupart des entrevues d'embauche et des premiers rendez-vous amoureux illustrent bien cette gestion délibérée de l'identité. Dans d'autres situations toutefois, certains comportements inconscients tiennent en quelque sorte du théâtre[44]. Par exemple, au cours d'une expérience, les sujets à qui l'on faisait manger un sandwich beaucoup trop salé ne faisaient une grimace exprimant leur dégoût qu'en présence d'une autre personne ; lorsqu'ils étaient seuls, ils ne faisaient aucune mimique en mangeant le même sandwich[45].

Une autre étude révèle que les communicateurs ne montrent un visage expressif (un sourire ou un air sympathique en réaction au message de l'autre) que dans les échanges directs. Au téléphone et dans d'autres contextes où leurs réactions ne peuvent pas être vues, ils ne font pas les mêmes mimiques[46]. De telles études suggèrent que la plupart de nos comportements sont destinés à envoyer des messages aux autres, en d'autres termes, à gérer l'identité.

Dans les exemples précédents, les gens ne se sont pas consciemment dit: « On me regarde manger ce sandwich trop salé, alors je vais grimacer » ou encore: « Comme mon interlocuteur est en face de moi, je vais me montrer sympathique et je vais imiter ses expressions faciales ». De telles décisions, la plupart du temps spontanées, échappent à notre conscience. De la même façon, plusieurs de nos choix sur l'attitude à adopter au cours des nombreuses interactions reposent sur des scénarios que nous avons vécus et élaborés avec le temps. Vous disposez probablement d'un vaste choix de rôles dans les situations qui vous sont familières, comme interagir avec les étrangers, avec les clients au travail, avec les membres de la famille, etc. Quand vous vous retrouvez dans ces situations connues, vous vous glissez dans ces rôles.

Même si plusieurs situations impliquent une certaine gestion de l'identité, il semble exagéré de conclure que tous les comportements visent à produire une impression. De toute évidence, les jeunes enfants ne sont pas des communicateurs stratégiques. Un bébé rit spontanément lorsqu'il est heureux et pleure lorsqu'il est triste ou souffre d'un inconfort sans même savoir qu'il crée une impression chez les autres. En tant qu'adulte, il nous arrive aussi parfois d'agir spontanément.

La gestion de l'identité varie selon la situation

Toute personne qui a déjà passé une entrevue au cours de laquelle elle a essayé d'impressionner un patron éventuel sait à quel point elle a pris soin de bien se présenter[47]. Les gens qui cherchent à obtenir l'approbation de personnes dont l'opinion leur importe s'efforcent davantage de créer l'impression désirée. Le même principe s'applique dans une situation de séduction. À ce propos, une étude a révélé que les collégiens modifiaient davantage leur présentation d'eux-mêmes quand ils s'adressaient à des femmes qu'ils trouvaient attirantes que lorsqu'ils parlaient à des femmes moins séduisantes[48]. Cependant, cette tendance à présenter un soi plus attirant, à gérer les impressions produites, diminue au fur et à mesure que l'on connaît l'autre.[49]

« Pas vraiment vous ? Évidemment ! Le vrai vous est chauve ! »

POURQUOI GÉRER SON IDENTITÉ ?

Pourquoi se donner la peine d'influencer l'opinion des autres à notre sujet ? Les chercheurs en sciences sociales ont découvert plusieurs raisons qui se recoupent[50].

Pour établir des relations et les gérer

Pensez aux situations où vous avez consciencieusement planifié la façon dont vous aborderiez une personne que vous désiriez mieux connaître. Vous avez sûrement cherché à paraître charmant et spirituel, ou encore décontracté et avenant. Cela ne signifie pas pour autant que vous êtes superficiel ou manipulateur : vous tentez simplement de montrer vos meilleurs côtés. Comme la plupart des gens, une fois que les relations sont établies, vous continuez à gérer vos identités mais avec moins d'assiduité.

Pour que les autres se conforment à nos désirs

Souvent, nous gérons notre identité pour amener les autres, autant ceux que nous connaissons que les étrangers, à agir selon notre volonté. Par exemple, une personne se met sur son trente-et-un pour contester une contravention en cour dans l'espoir que son image convaincra le juge de la traiter avec clémence. Au travail, un jeune homme bavarde avec des collègues qu'il ne trouve pas particulièrement intéressants afin de pouvoir échanger des informations utiles ou de résoudre les problèmes au fur et à mesure qu'ils se présentent.

Pour permettre à l'autre de sauver la face

On peut aussi modifier la façon de se présenter pour se conformer à l'image que les autres veulent donner. Par exemple, plusieurs masquent leur malaise lorsqu'ils rencontrent un handicapé en manifestant de la nonchalance ou en soulignant leurs points communs[51]. Les jeunes enfants qui n'ont pas appris les règles de la politesse embarrassent souvent leurs parents en se comportant de façon inappropriée (« Maman, pourquoi le monsieur est gros ? »).

COMMENT GÉRER SON IDENTITÉ ?

Comment construisons-nous notre image publique ? Dans un monde où la technologie offre un large éventail de moyens de communication, la réponse dépend beaucoup du moyen choisi.

LA GESTION DES IMPRESSIONS DANS LA COMMUNICATION DIRECTE

Lors des interactions face à face, les communicateurs peuvent gérer les impressions qu'ils produisent de trois façons : par la manière, l'apparence et le contexte[52].

On entend par *manière* les paroles et le comportement non verbal du communicateur. Les médecins, par exemple, ont plusieurs façons de faire lorsqu'ils procèdent à des examens. Certains sont polis et communicatifs, alors que d'autres se montrent plus brusques et impersonnels. Les paroles du communicateur déterminent en grande partie la manière qu'il utilise. Un médecin qui discute avec ses clients de leurs passe-temps se démarque de celui qui s'en tient aux questions cliniques. Celui qui explique un acte médical produit une impression différente de celui qui ne révèle rien au patient.

Dans la même veine, le comportement non verbal joue un grand rôle dans les impressions produites. Le médecin qui accueille le patient avec un sourire amical et

une poignée de main crée une impression bien différente de celui qui se contente d'un bref hochement de tête. La manière diffère énormément selon les professionnels, les milieux et les types de relations. Par exemple, les enseignants n'agissent pas de la même manière que les coiffeurs, et les impressions créées varient en conséquence. C'est également vrai pour nos relations personnelles. Nos manières conditionnent la façon dont les autres nous perçoivent. Étant donné que nous parlons et que nous agissons, la question n'est pas tant de savoir si notre manière envoie un message, mais plutôt quel message elle envoie.

La deuxième dimension de la gestion de l'identité est l'*apparence*, l'élément visuel que les personnes utilisent pour présenter leur image. L'apparence sert parfois à projeter une image professionnelle. Par exemple, le sarrau de l'infirmière ou l'uniforme du policier distinguent l'individu. De même, un complet taillé sur mesure ou des vêtements froissés et sales produiront une impression bien différente dans le monde des affaires. Même hors du contexte professionnel, la tenue vestimentaire conserve toute son importance parce qu'elle transmet un message. Certaines personnes veulent paraître à la mode et d'autres, plus classiques; certaines s'habillent de manière à souligner leur sexualité, d'autres la cachent. Les vêtements peuvent signifier: « Je suis un athlète », « Je suis riche » ou « Je suis un environnementaliste ». En outre, d'autres aspects de l'apparence remplissent une fonction importante dans la gestion de l'identité. Vous maquillez-vous? Quel est votre style de coiffure? Faites-vous un effort pour paraître amical et sûr de vous?

L'exemple des tatouages illustre bien que l'apparence contribue à créer l'identité. L'acte de décorer sa propre peau est une affirmation en soi, et le dessin ou les mots choisis sont encore plus révélateurs.

Le *contexte,* troisième dimension de la gestion de l'identité, désigne l'ensemble des objets dont nous nous entourons pour influencer la perception que les autres ont de nous. Par exemple, dans notre société occidentale, la voiture est un symbole de statut social; c'est souvent par elle que l'on fait savoir qui on est, ou qui on voudrait être. Cela explique pourquoi tant de gens convoitent des voitures qui sont beaucoup plus luxueuses et beaucoup plus puissantes que ce dont ils ont réellement besoin. Une voiture sport décapotable ou une somptueuse berline importée en dit long sur son propriétaire. Le type d'habitation que l'on choisit et la manière dont on l'aménage contribuent également à façonner l'image que l'on veut présenter aux autres. Quelles teintes avez-vous choisies pour votre chambre? Quels sont les objets qui la décorent? Bien entendu, on choisit un environnement qui nous plaît, mais souvent, on crée un décor qui enverra aux autres l'image désirée. Si vous en doutez, rappelez-vous la dernière fois où vous avez fait du ménage avant l'arrivée d'invités. En privé, vous êtes peut-être à l'aise dans le désordre, mais lorsqu'il s'agit de votre image, il est probable qu'il en est tout autrement.

« Sur Internet, personne ne sait que tu es un chien. »

LA GESTION DES IMPRESSIONS DANS LA COMMUNICATION ASSISTÉE PAR ORDINATEUR

La plupart des exemples précédents concernent la communication directe, celle de personne à personne. Toutefois, la gestion des impressions est tout aussi importante dans d'autres modes de communication. Prenons, par exemple, un curriculum vitæ destiné à un employeur éventuel, une carte de remerciement ou encore une lettre d'amour. Non seulement vous choisirez vos mots avec soin, mais vous prendrez aussi des décisions réfléchies quant à leur présentation. Opterez-vous pour une simple feuille blanche ou pour un papier plus distinctif? Taperez-vous votre texte ou l'écrirez-vous à la main ? Ces questions revêtent une importance capitale, puisque la présentation du message est aussi révélatrice que les mots qui le composent.

À première vue, la technologie de la communication assistée par ordinateur (CAO) semble limiter le potentiel de gestion de l'impression produite. La messagerie instantanée et les courriels, par exemple, ne semblent pas offrir autant de possibilités que d'autres formes de communication. C'est vrai qu'ils ne révèlent pas le ton de la voix, ni l'attitude, pas plus que les gestes et la physionomie. Toutefois, les experts en communication remarquent que cette lacune devient un avantage pour les personnes soucieuses de faire bonne impression[53].

La CAO permet en fait d'exercer un plus grand contrôle sur la gestion des impressions que la communication directe. Les formes de CAO asynchrones comme les courriels, les blogues et les pages Web donnent la possibilité de corriger les messages jusqu'à ce qu'on ait produit l'impression désirée. Avec le courriel, par exemple, on peut transmettre des messages lourds de signification sans obliger le destinataire à y répondre immédiatement. Ce moyen offre également la possibilité d'ignorer des messages plutôt que d'y répondre de façon désagréable. Encore plus important avec la CAO, l'interlocuteur n'a pas à craindre de bégayer ni de rougir, pas plus qu'il n'a à se soucier de son habillement, de son apparence ou de tout autre facteur visible qui aurait pu nuire à l'impression qu'il souhaite produire.

À ce titre, la recherche offre plusieurs exemples éloquents : un quart des adolescents prétendent être quelqu'un d'autre en ligne et un tiers avouent avoir fourni des renseignements personnels erronés quand ils envoyaient des courriels ou des messages instantanés. Un sondage auprès de membres d'un site de rencontres a révélé que 86 % des participants pensaient que les autres donnaient une fausse description de leur apparence physique[54]. Au même titre que le courriel et la messagerie instantanée, la diffusion d'information dans Internet est aussi un outil de gestion d'identité. Les blogues, les pages Web personnelles et les profils sur les sites de réseaux sociaux permettent aux communicateurs de se construire une identité[55].

> *Je me contredis? Très bien, alors... Je me contredis; je suis vaste et je contiens des multitudes.*
>
> Walt Whitman, écrivain américain

LA GESTION DE L'IDENTITÉ ET L'HONNÊTETÉ

A priori, on pourrait avoir l'impression que la gestion de l'identité n'est qu'une expression savante déguisant un désir de manipulation ou de malhonnêteté. Une personne qui se montre amoureuse dans le but d'obtenir des faveurs sexuelles adopte une attitude immorale et trompeuse, tout comme les candidats à un poste qui mentent au sujet de leur curriculum vitæ, ou les vendeurs qui prétendent se dévouer à leur clientèle alors qu'ils ne cherchent qu'à s'enrichir. Cependant, l'individu qui gère les impressions qu'il produit n'est pas nécessairement un menteur. En fait, il est pratiquement impossible d'imaginer comment nous pourrions communiquer efficacement si nous ne prenions pas la décision de présenter telle ou telle facette dans telle ou telle situation, manipulant ainsi l'image que nous voulons présenter.

De plus, affirmer qu'une seule voie d'action est honnête pour toutes les circonstances et que toutes les autres sont fausses revient à simplifier outre mesure. Au contraire, gérer son identité, c'est sélectionner la partie de soi que l'on veut dévoiler. Par exemple, une personne qui enseigne la guitare peut décider de montrer son côté patient plutôt que son côté perfectionniste. De la même façon, on a le choix, au travail, d'agir avec hostilité ou non dans des situations délicates. Choisir la facette que l'on montre aux autres est certes une décision importante, mais il reste que cette facette fait réellement partie de soi. On ne se révèle pas entièrement, mais, d'un autre côté, l'ouverture totale est rarement souhaitable.

RÉSUMÉ

Le concept de soi est un ensemble de perceptions relativement stables que les individus entretiennent au sujet d'eux-mêmes. Certaines caractéristiques du soi sont attribuables aux traits de personnalité héréditaires. De plus, le concept de soi est façonné par les messages qui proviennent de personnes déterminantes, par le jugement réfléchi et par la comparaison sociale avec des groupes de référence.

Le concept de soi est subjectif, c'est-à-dire qu'il est différent de la façon dont les autres nous perçoivent. Bien que le soi évolue avec le temps, le concept de soi résiste au changement. Les autres facteurs qui influent sur le concept de soi sont la culture et le genre.

Il y a autoréalisation des prophéties lorsque les attentes d'une personne envers un certain événement en influencent le dénouement. Il y a deux catégories d'autoréalisation des prophéties: celle que nous nous imposons et celle qui nous est imposée. Elles peuvent être positives et négatives.

Il est possible de modifier son concept de soi afin de mieux communiquer. Toutefois, il est nécessaire d'avoir des attentes réalistes quant aux changements possibles et de faire une autoévaluation juste de sa personne. Il faut avoir la volonté de changer, connaître les moyens d'y parvenir et acquérir de nouvelles compétences.

La gestion de l'identité consiste à utiliser la communication stratégique afin d'influencer la perception que les personnes ont de nous. L'objectif est de présenter une ou plusieurs images, qui sont différentes du comportement privé et spontané que nous adoptons en l'absence des autres. On a recours à la gestion de l'identité pour deux raisons : souvent pour se conformer aux règles et aux conventions sociales, et parfois pour réaliser des objectifs relationnels. Quel que soit le cas, les communicateurs se créent une identité en gérant leur manière, leur apparence et le contexte dans lequel ils interagissent avec les autres.

La gestion de l'identité se produit dans la communication directe et aussi dans la communication assistée par ordinateur. Bien qu'elle puisse être assimilée à de la manipulation, c'est une forme de communication authentique. Étant donné qu'une personne peut révéler une variété de facettes d'elle-même, celle qu'elle choisit de montrer n'est pas nécessairement malhonnête.

Mots clés

AUTRES RESSOURCES

Comme vous le savez maintenant, le concept de soi est la clé de la communication. La vision que nous avons de nous-mêmes est primordiale, car elle influence la nature et la qualité de nos relations interpersonnelles. Si vous désirez en connaître davantage sur le concept de soi ou sur l'estime de soi, voici une liste de documents complémentaires. Vous pouvez également vous laisser par un bon film ayant comme trame de fond la communication et le concept de soi…

Livres

CHALVIN, M.-J. *L'Estime de soi : apprendre à s'aimer avec ou sans les autres*, 2e éd., Paris, Eyrolles, 2007.

DUGUAY, B. *Consommation et image de soi : dis-moi ce que tu achètes*, Montréal, Liber, 2005.

FANGET, F. et B. ROUCHOUSE. *L'Affirmation de soi : une méthode de thérapie*, Paris, Odile Jacob, 2007.

NAZARE-AGA, I. *Je suis comme je suis : connaissez-vous vraiment vos valeurs personnelles ?*, Montréal, Éditions de l'Homme, 2008.

ZAVALLONI, M. *Ego-écologie et identité : une approche naturaliste*, Paris, Presses universitaires de France, 2007.

Films

Souvenirs de Brokeback Mountain, réalisé par Ang Lee (2005).

Pendant l'été 1963, Ennis Del Mar et Jack Twist sont embauchés pour prendre soin des moutons sur les pentes de Brokeback Mountain, au Montana. Dans leur campement éloigné, ils se surprennent à devenir amants. À la fin de l'été, ils retournent vivre leur vie chacun de leur côté. Les deux hommes se marient, font des enfants et tentent d'ignorer leurs sentiments réciproques avant de se rencontrer de nouveau. Cette histoire tragique de déni montre à quel point les gens sont prêts à cacher une partie de leur identité pour éviter la désapprobation sociale.

Arrête-moi si tu peux, réalisé par Steven Spielberg (2003).

Frank Abagnale apprend à fuir les déboires financiers et interpersonnels de sa famille en inventant de fausses identités. Il se fait passer pour un enseignant, un pilote, un médecin et un avocat. Ces fausses images lui permettent de devenir riche, d'être admiré et respecté, mais le laissent aussi très seul. Plus il construit des images et des façades, plus il perd le sens de son identité. De plus, son refus de révéler son identité réelle l'isole des personnes déterminantes, y compris de sa fiancée. Celui qui connaît le mieux Frank est l'agent spécial du FBI Carl Hanratty, qui tente de le capturer et de l'arrêter. À la fin de l'histoire, Carl devient une sorte de figure paternelle pour Frank et l'aide à rétablir son identité légitime.

Le Journal de Bridget Jones, réalisé par Sharon Maguire (2001).

Bridget Jones est une célibataire au début de la trentaine qui évalue sa propre valeur en fonction de l'attention que les hommes lui portent. Elle craint de mourir « grosse et seule ». Son obsession de perdre du poids et de trouver un partenaire vient en partie du fait qu'elle se compare aux femmes que l'on voit dans les médias. Après des années passées à se dégoûter d'elle-même, un prétendant appelé Mark lui dit des paroles qui lui font l'effet de l'eau dans le désert en ce qui a trait à son concept de soi : « Je t'aime bien comme tu es. »

Chapitre 3

LA PERCEPTION : UNE QUESTION DE POINT DE VUE

CONTENU

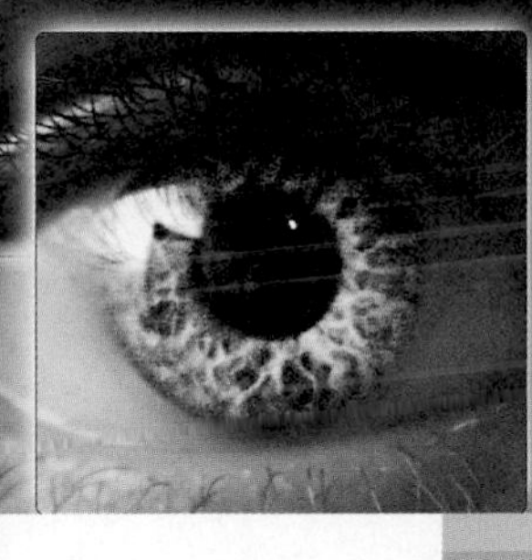

Chacun de nous a sa propre vision de la réalité, et l'incapacité de comprendre le point de vue des autres peut entraîner des problèmes à la fois pratiques et relationnels. Regarder le monde avec les yeux des autres permet en effet d'avoir une perspective différente, et souvent plus juste, que celle qui repose uniquement sur l'expérience personnelle.

Ce chapitre vous aidera à comprendre les différences de perception qui peuvent nuire à la communication et vous proposera des outils pour surmonter ces difficultés. On verra d'abord pourquoi chacun de nous voit le monde d'une façon différente. On explorera ensuite ce qui est susceptible d'influer sur la perception, soit les facteurs physiologiques et psychologiques, le rôle de la culture et, enfin, les rôles sociaux. Une fois que l'on aura abordé les facteurs qui divisent les gens sur le plan de la perception, on examinera les deux compétences à développer pour combler ce fossé.

OBJECTIFS

- Décrire les processus de la perception.
- Reconnaître les facteurs et les tendances qui influencent les perceptions.
- Être en mesure de vérifier adéquatement ses perceptions.
- Décrire l'empathie et être capable d'utiliser la méthode de l'oreiller.

LE PROCESSUS DE LA PERCEPTION

L'idée que l'on se fait de la réalité n'est que partielle. Pour bien comprendre cet énoncé, vous n'avez qu'à penser aux milliers d'espèces microscopiques, autrefois inconnues, que l'on peut aujourd'hui observer grâce au microscope. On sait aussi que certains animaux sont capables d'entendre des sons et de sentir des odeurs que les humains ne peuvent percevoir. Cela illustre bien que les sens de l'être humain sont limités et qu'il ne perçoit qu'une partie de ce qui l'entoure.

Par ailleurs, on passe parfois à côté de certaines informations parce que l'on n'y prête tout simplement pas attention. Par exemple, il nous est tous arrivé de ne pas remarquer la nouvelle coiffure d'un ami ou encore une expression de tristesse inhabituelle. Cependant, dans d'autres cas, il est carrément impossible d'être conscient de tout, peu importe notre niveau d'attention. Il se passe tout simplement trop de choses.

Compte tenu de l'importance de savoir gérer une multitude de stimuli pour bien fonctionner, examinons les quatre étapes du processus de la perception : la sélection, l'organisation, l'interprétation et la négociation des informations sensorielles.

LA SÉLECTION

sélectionner : choisir certaines informations parmi toutes celles qu'on a reçues.

Comme on reçoit plus d'informations sensorielles que l'on ne peut en traiter, la première étape de la perception consiste à **sélectionner** celles auxquelles on prêtera attention. Plusieurs facteurs amènent les gens à prendre conscience de certaines choses et à en ignorer d'autres.

Les stimuli qui sont *intenses* attirent généralement l'attention. Ce qui est le plus bruyant, le plus grand ou le plus voyant se démarque. Cela explique pourquoi on a plus tendance à se souvenir des personnes très grandes ou très petites, ou encore pourquoi on remarque l'individu qui rit ou qui parle très fort dans une fête.

Les stimuli répétés, les stimuli répétés, les stimuli répétés, les stimuli répétés, les stimuli répétés, les stimuli répétés attirent aussi l'attention[1]. Vous est-il déjà arrivé de ne pouvoir vous concentrer à cause d'un robinet mal fermé ? Êtes-vous capable de dire quelle compagnie utilisait ce slogan : « Des tonnes de copies, pis ça, ça énerve » ? Même si cette publicité télé ne joue plus depuis plusieurs années, la plupart des gens s'en souviennent puisque la phrase était répétée plusieurs fois. La technique de répétition des stimuli est d'ailleurs grandement exploitée par les spécialistes en marketing pour capter l'attention des consommateurs. L'attention est également fréquemment associée au contraste ou au changement de stimulation. En d'autres mots, les gens et les choses qui ne changent pas deviennent moins visibles. Ce principe explique d'ailleurs pourquoi on tient parfois pour acquises les personnes avec lesquelles on interagit fréquemment.

Les motivations et les besoins déterminent également l'information qu'on sélectionne dans son environnement. Une personne qui craint d'être en retard à un rendez-vous verra toutes les horloges sur son passage tandis que celle qui a faim apercevra tous les restaurants, marchés et panneaux publicitaires montrant des aliments. Les motivations et les besoins des gens influent aussi sur leur perception des autres. Par exemple, une personne à la recherche d'une aventure amoureuse remarquera tous les partenaires potentiels, alors qu'une autre qui se trouve en situation d'urgence ne prêtera attention qu'à des policiers ou qu'aux personnes susceptibles de l'aider.

Sélectionner des informations permet non seulement de prêter attention à des stimuli, mais aussi d'en ignorer d'autres. Ainsi, si vous décidez qu'une personne est formidable, vous fermerez les yeux sur ses défauts. De la même façon, un étudiant qui se prépare pour un examen de mi-session pourra faire abstraction de tous les bruits ambiants afin de mieux se concentrer.

L'ORGANISATION

Une fois que l'on a trié les stimuli, les informations retenues doivent être ordonnées de façon cohérente. La figure 3.1 aide à comprendre comment fonctionne le principe de l'**organisation**. Cette image représente soit un vase, soit des jumeaux, selon que l'on se concentre sur les zones claires ou sombres.

organisation : action de disposer et d'ordonner les informations recueillies de façon cohérente.

schéma perceptif : schéma propre à un individu, influencé par sa perception.

Le dessin « vase-figures » suggère qu'il n'y a que deux manières d'organiser les impressions. En réalité, il y en a généralement beaucoup plus. Faites ce petit exercice : de combien de façons pouvez-vous voir les boîtes de la figure 3.2 ? Une ? deux ? trois ? Continuez à les regarder. Si vous ne parvenez pas à répondre, la figure 3.3 vous y aidera. Tout comme on a tendance à voir ces boîtes sous un certain angle, on organise généralement nos impressions concernant un interlocuteur en adoptant des points de vue particuliers, que les spécialistes des sciences sociales appellent **schémas perceptifs**.

On classe parfois les gens selon leur sexe, leur apparence, leurs rôles sociaux, leur style d'interaction, leurs caractéristiques psychologiques. Pour organiser les informations, on se demande donc si c'est un homme ou une femme, si la personne agit de façon amicale ou distante, si elle semble nerveuse ou calme, etc.

Les schémas perceptifs que l'on utilise façonnent ce que l'on pense des autres et la manière de communiquer avec eux. L'étudiant qui perçoit un professeur comme une personne sympathique abordera les questions et les problèmes d'une certaine façon ; s'il le trouve « méchant », il aura un comportement totalement différent. Voyons quelques exemples de ce qui peut parfois déterminer notre façon de classer les personnes que l'on rencontre ou d'organiser des informations relatives aux interactions.

Les stéréotypes

Après avoir catégorisé des gens selon des schémas perceptifs, on effectue des généralisations et on formule des prédictions sur les membres du groupe qui entrent dans ces catégories. Par exemple, les personnes qui sont préoccupées par les rôles sexuels observeront les comportements différents des hommes et des femmes.

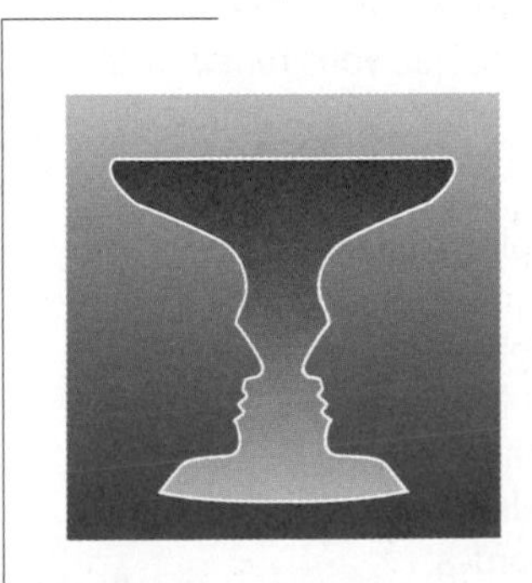

FIGURE 3.1

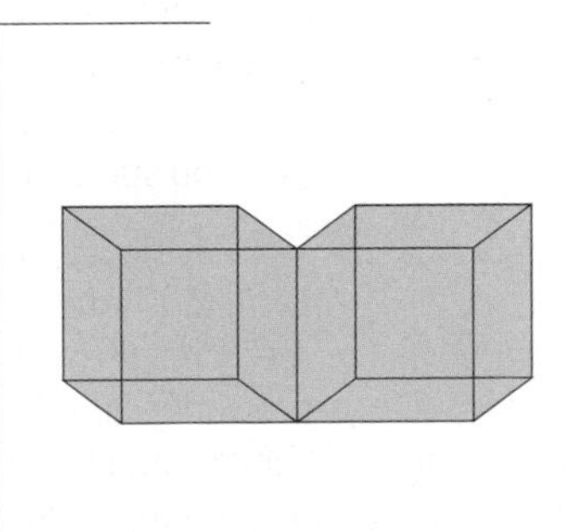

FIGURE 3.2

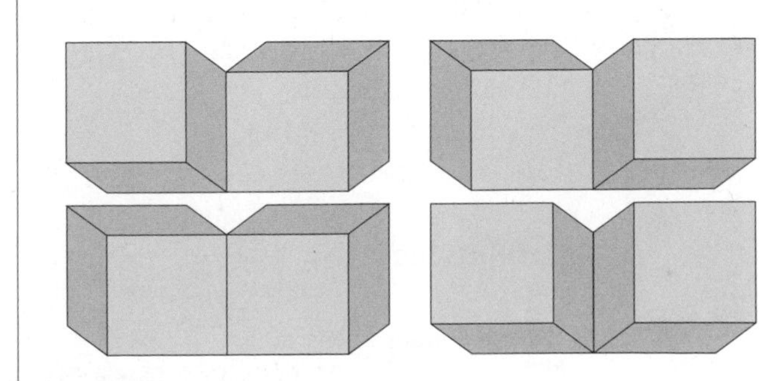

FIGURE 3.3

Les gens qui attachent beaucoup d'importance à la religion peuvent considérer de façon différente ceux qui appartiennent à leur confession et ceux qui n'y appartiennent pas. Si c'est l'ethnicité qui est importante, ce seront les différences entre les membres de divers groupes ethniques qui retiendront l'attention.

Il n'y a pas de mal à faire des généralisations si elles correspondent à la réalité. En fait, on ne pourrait pas vivre sans généraliser. Cependant, lorsque les généralisations faites à partir de schémas perceptifs sont exagérées et qu'elles dépassent la réalité, elles deviennent des **stéréotypes**. Bien que les stéréotypes reflètent parfois une certaine réalité, ils vont plus loin que les faits et conduisent à des affirmations qui n'ont pas de fondements solides.

stéréotype : opinion formée d'idées figées, conventionnelles, souvent exagérées, au sujet d'un groupe d'individus.

ponctuation : action de mettre l'accent sur un aspect plutôt que sur un autre dans la lecture d'une situation.

Les personnes qui croient en ces stéréotypes recherchent des comportements qui viennent confirmer leurs croyances erronées. Par exemple, un homme et une femme qui se disputent ne s'attardent souvent qu'aux comportements qui correspondent à leurs stéréotypes à l'égard de l'autre sexe[2]. Ils relèvent ces comportements — lesquels ne sont pas nécessairement représentatifs du comportement général de l'autre personne — et s'en servent pour appuyer leurs idées préconçues mais fausses : « Regarde, tu me critiques encore. C'est bien les femmes ! » Une façon d'éviter les problèmes de communication causés par les stéréotypes est de ne pas catégoriser les autres, de les traiter comme des individus uniques plutôt que de présumer qu'ils possèdent les mêmes caractéristiques que tous les autres membres du groupe dans lequel vous les avez classés.

La ponctuation

Le processus d'organisation va au-delà de la généralisation des perceptions ; on s'en sert aussi dans nos interactions avec les autres. Les diverses façons d'organiser l'information dans nos interactions peuvent avoir un grand impact sur nos relations. Les théoriciens de la communication utilisent le terme **ponctuation** (en anglais,

INVITATION À L'INTROSPECTION

Les stéréotypes et vous

1. Vous pouvez vous faire une idée de votre tendance à généraliser et à perpétuer des stéréotypes en complétant les phrases suivantes. Écrivez le premier mot qui vous vient à l'esprit.

   Les femmes sont ______________.

   Les hommes sont ______________.

   Les Hispaniques sont ______________.

   Les Anglais sont ______________.

   Les Noirs sont ______________.

   Les personnes âgées sont ______________.

2. Selon vous, avez-vous fourni des réponses stéréotypées ? Avez-vous tendance à classer les gens en fonction de stéréotypes ? Pour le savoir, déterminez si vos généralisations correspondent aux deux caractéristiques des stéréotypes :

   - Vous catégorisez souvent les gens selon une caractéristique évidente. Par exemple, lors d'un premier rendez-vous, ce que vous remarquez d'abord chez une personne est sa couleur de peau ou son apparence physique.
   - Vous attribuez et appliquez une série de caractéristiques à la majorité ou à tous les membres d'une catégorie. Par exemple, vous présumez que toutes les personnes âgées sont séniles, que tous les hommes sont insensibles aux préoccupations des femmes ou que toutes les femmes sont bavardes.

le verbe *to punctuate* a aussi le sens de « mettre l'accent sur », de « souligner ») pour décrire comment chacun détermine les causes et les effets dans des interactions[3].

Pour comprendre comment la ponctuation fonctionne, imaginez une querelle entre mari et femme. L'homme accuse son épouse d'être trop critique. Elle se plaint qu'il s'éloigne d'elle. Notons l'ordre dans lequel chaque partenaire présente les faits en mettant l'accent sur un point différent. Puisque leurs schémas sont organisés différemment, ils affirment, pour une même situation, que c'est l'autre qui est à l'origine du conflit. Le mari commence par accuser sa femme : « Je m'éloigne parce que tu n'arrêtes pas de me critiquer. » La femme organise la situation différemment, en commençant par son mari : « Je te critique parce que tu t'éloignes. » Une fois que le cycle a commencé, il est impossible de déterminer quelle accusation est exacte. Voici d'autres exemples :

> « Je n'aime pas ton ami parce qu'il n'a jamais rien à dire. »
> « Il ne te parle pas parce que tu agis comme si tu ne l'aimais pas. »
>
> « Je continue à parler parce que tu m'interromps tout le temps. »
> « Je t'interromps parce que tu ne me laisses pas dire ce que je pense. »

Ce genre de discussion où chacun s'accroche à son interprétation des faits n'arrange généralement pas les choses. Il est bien plus productif de reconnaître que chaque partie a sa propre vision du litige, puis de passer à la question la plus importante : « Comment pouvons-nous améliorer les choses ? »

interprétation : action de donner un sens à quelque chose, de prêter une signification aux éléments perçus.

L'INTERPRÉTATION

Après avoir choisi et organisé ses perceptions, on doit les interpréter pour leur donner un sens. L'**interprétation** joue un rôle dans pratiquement tout acte interpersonnel. La personne qui vous sourit de l'autre côté d'une pièce bondée vous fait-elle la cour ou est-elle simplement polie ? Les blagues d'un ami à votre endroit sont-elles perçues comme un signe d'affection ou d'irritation ? L'invitation « Passe quand tu veux ! » doit-elle être prise au sens littéral ?

Plusieurs facteurs expliquent que l'on interprète un événement d'une façon plutôt qu'une autre.

L'expérience personnelle. La signification que l'on donne aux événements est liée à nos expériences antérieures. Par exemple, celui qui s'est déjà fait arnaquer par un propriétaire d'immeuble sera probablement sceptique face aux promesses verbales de son nouveau propriétaire.

Les présomptions concernant le comportement humain. « Les gens en font généralement le moins possible pour s'en sortir. » « Bien qu'ils fassent des erreurs, les gens font de leur mieux. » De telles croyances façonnent la manière dont on interprète les actions des autres.

homophobie : rejet de l'homosexualité, hostilité à l'égard des homosexuels.

négociation : action d'influencer la perception de l'autre afin de parvenir à une perspective commune.

Les attitudes. Celles-ci conditionnent le sens que l'on donne aux comportements des autres. Par exemple, que penseriez-vous si vous entendiez un homme dire « Je t'aime » à un autre homme ? Une étude révèle que les personnes dont le degré d'**homophobie** est très élevé sont plus portées à penser que le locuteur est homosexuel. Celles dont le degré d'homophobie est plus faible peuvent voir en cette déclaration un témoignage d'amitié plutôt qu'une marque d'amour[4].

Les attentes. L'anticipation façonne les interprétations. Celui qui imagine que son patron n'est pas satisfait de son travail se sent probablement menacé lorsque ce dernier lui déclare : « Je veux vous voir dans mon bureau dès votre arrivée lundi matin. » Par ailleurs, celui qui pense être récompensé parce qu'il a bien travaillé passera probablement une bonne fin de semaine.

La connaissance des faits. Le fait de savoir ou non qu'un ami vient de se faire plaquer ou de perdre son emploi modifie l'interprétation que l'on peut faire de son attitude distante. De la même façon, celui qui remarque qu'un professeur utilise un ton sarcastique avec tous les étudiants aura moins tendance à se sentir personnellement attaqué.

Le degré d'engagement envers l'autre personne. On a souvent une opinion plus favorable des gens avec qui on entretient une relation, ou avec qui on aimerait en établir une, que de ceux que l'on observe avec détachement[5]. Une étude récente révèle comment ce principe s'actualise dans la vie de tous les jours. Les chercheurs ont demandé à un groupe de sujets de sexe masculin de critiquer les présentations culinaires de femmes soi-disant propriétaires de restaurants. La moitié de ces présentations ont été conçues pour paraître satisfaisantes et l'autre moitié, pour ne pas l'être. Les hommes à qui les chercheurs ont dit qu'ils auraient ensuite un rendez-vous informel avec ces femmes ont jugé que leurs présentations étaient meilleures — qu'elles soient satisfaisantes ou pas — que les sujets qui ne s'attendaient pas à revoir ces femmes[6].

La satisfaction par rapport à la relation. Un comportement qui semble bien quand une personne est heureuse avec son partenaire peut être perçu bien différemment les jours où il y a plus de tension entre eux.

Nous ne voyons pas les choses comme elles sont, mais plutôt comme nous sommes.

Anaïs Nin, auteure américaine

Pour comprendre comment ce principe fonctionne, il suffit de repenser à la querelle entre mari et femme présentée plus tôt. Supposons que la femme suggère de partir en week-end. Si le couple éprouve des difficultés, l'homme peut interpréter cette suggestion comme une critique de plus (« Tu ne m'accordes jamais d'attention ! »), et la querelle reprendra. En revanche, si le couple va bien, le mari est plus porté à penser que son épouse lui propose une escapade romantique. Ce n'est pas l'événement qui façonne la réaction, mais plutôt comment le mari l'interprète.

LA NÉGOCIATION

Les composantes de la perception présentées jusqu'à maintenant — la sélection, l'organisation et l'interprétation — relèvent de chaque individu. Toutefois, la perception ne se résume pas à une activité solitaire : le sens que l'on donne à un événement est lié en grande partie au fait que chacun influence la perception de l'autre pour tenter de parvenir à une perspective commune. Ce processus porte le nom de **négociation**.

Pour mieux comprendre cette composante de la perception, on peut se représenter la communication interpersonnelle comme un échange d'histoires. Ces histoires, que les experts appellent **récits**, servent à décrire notre monde intérieur[7]. On peut utiliser plus d'un récit pour décrire pratiquement toute situation interpersonnelle. Ces récits diffèrent souvent : quand on demande à deux enfants ou deux conjoints pourquoi ils se disputent, chacun donne sa propre version et décrit en quoi l'autre est à l'origine du conflit. De la même façon, les policiers obtiendront plusieurs récits différents de témoins d'une même scène de crime.

récit : discours que l'on utilise pour décrire ce que l'on perçoit, raconter une situation.

Quand le récit d'une personne s'oppose à ceux des autres, elle peut s'accrocher à son opinion et refuser de prendre les autres en compte (ce qui se révèle généralement improductif), ou tenter de parvenir à un récit qui crée au moins un fond commun.

Les récits communs n'ont pas besoin d'être exacts pour être efficaces. Les couples mariés qui déclarent être heureux en ménage après 50 ans de vie commune semblent s'entendre sur un récit relationnel qui ne correspond pas aux faits[8]. Ils s'accordent à dire qu'ils ont rarement des conflits, alors qu'une analyse objective révèle qu'ils ont eu leur part de luttes.

LES FACTEURS QUI INFLUENT SUR LA PERCEPTION

Maintenant que l'on connaît le processus de la perception, examinons certaines influences qui nous incitent à choisir, à organiser, à interpréter et à négocier l'information.

LES INFLUENCES PHYSIOLOGIQUES

La première série d'influences relève de la constitution physique. Même si tous les humains se ressemblent, chacun perçoit le monde d'une façon unique en raison de facteurs physiologiques. Voici la liste des facteurs qui jouent sur notre vision du monde.

Les sens

Les différentes façons de voir, d'entendre, de goûter, de toucher et de sentir les stimuli peuvent affecter les relations interpersonnelles. Pensez aux situations quotidiennes suivantes :

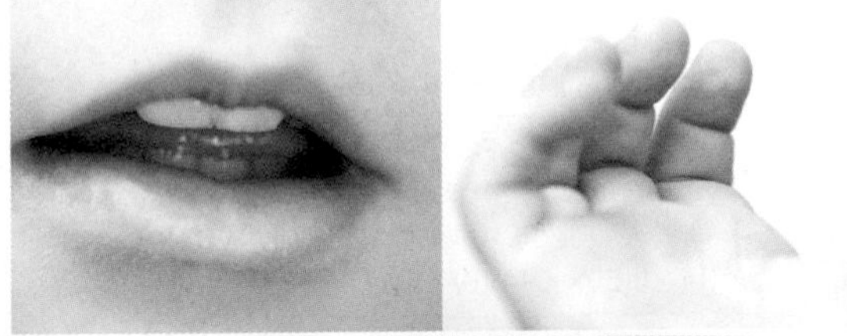

« Baisse la radio, tu vas me rendre sourd ! »
« Ce n'est pas trop fort. Si je la baisse, je ne l'entendrai pas. »

« On gèle ici. »
« Tu plaisantes ? On va étouffer si tu montes le chauffage ! »

« Pourquoi ne dépasses-tu pas ce camion ? La voie est libre sur plus d'un kilomètre. »
« Je ne peux pas voir aussi loin, je ne veux pas nous faire tuer. »

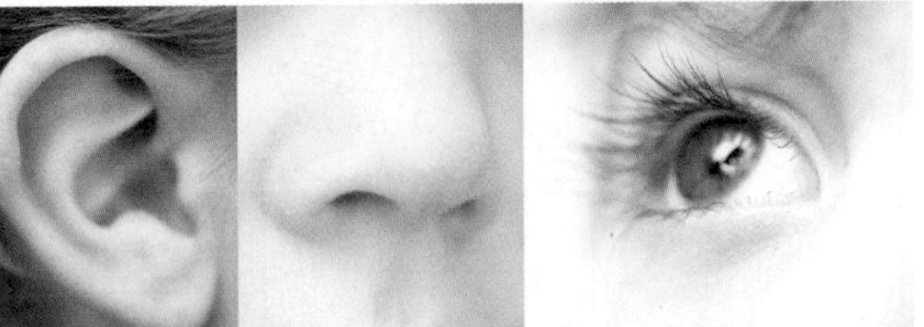

On ne se dispute pas seulement parce qu'on a des opinions divergentes, mais aussi parce que les données sensorielles reçues ne sont pas perçues de la même façon par tout le monde. Les différences en matière de vision et d'audition sont les plus évidentes, mais il y en a d'autres. On sait, par exemple, que des aliments identiques ont un goût différent selon les individus qui les consomment[9]. Les odeurs qui plaisent à certains en rebutent d'autres. De la même façon, les variations de température qui incommodent des personnes en laissent plusieurs indifférentes. Reconnaître ces différences ne les élimine pas, mais cela aide à comprendre que les préférences d'autrui ne sont pas insensées ; elles sont juste différentes.

L'âge

Les personnes âgées voient souvent le monde autrement que les jeunes parce que leur cadre d'analyse est plus large et que leurs expériences sont plus nombreuses. Les différences liées au développement cognitif façonnent aussi les perceptions. Le psychologue suisse Jean Piaget a décrit une série de stades que les enfants franchissent avant de parvenir à l'âge adulte[10]. Selon lui, les jeunes enfants ne peuvent accomplir les prouesses mentales qui sont naturelles pour les plus âgés. Par exemple, jusqu'à l'âge de sept ans environ, les enfants sont incapables de considérer le point de vue de l'autre. Cela explique pourquoi ils semblent souvent **égocentriques** et peu coopératifs. L'argument « Tu ne vois pas que je suis trop fatigué pour jouer ? » que peut employer un parent exaspéré n'a en fait aucun sens pour un enfant de quatre ans plein d'énergie qui s'imagine que tout le monde se sent comme lui.

égocentrique : caractéristique d'une personne qui a tendance à tout centrer sur elle-même, à juger par rapport à elle ou en fonction de son propre intérêt.

La santé

Rappelez-vous la dernière fois que vous avez eu un rhume ou une grippe. Vous souvenez-vous à quel point vous vous sentiez différent ? Vous aviez probablement beaucoup moins d'énergie. Vous étiez moins sociable, et votre pensée était moins vive que d'habitude. De tels changements ont des répercussions sur la façon dont on interagit avec les autres. Une personne peut se comporter différemment tout simplement parce qu'elle est malade.

La fatigue

Tout comme la maladie, la fatigue, particulièrement lorsqu'elle est prononcée, déteint sur les relations interpersonnelles. Encore une fois, il est important de reconnaître que la fatigue amène les gens à se comporter différemment. Vouloir résoudre des conflits ou régler des questions importantes dans les moments de fatigue peut entraîner des problèmes.

La faim

La recherche confirme que la faim peut influer sur la perception et modifier la façon d'interagir avec les autres. La faim peut en effet accroître l'impatience ou l'agressivité, et trop manger peut provoquer l'envie de dormir. Une étude a d'ailleurs révélé que les adolescents n'étant pas suffisamment nourris dans leur famille présentaient trois fois plus de risques d'être expulsés de l'école que les autres, au moins deux fois plus de risques d'éprouver des difficultés à s'entendre avec les autres, et quatre fois plus de risques de ne pas avoir d'amis[11].

Les cycles biologiques

L'être humain est grandement influencé par différents cycles. Par exemple, certaines personnes sont plus fonctionnelles le matin et d'autres, le soir. Plusieurs femmes se sentent fatiguées ou irritables avant leurs règles en raison des changements hormonaux, tandis qu'un grand nombre d'individus se sentent plus déprimés à la fin de l'hiver à cause du manque de luminosité qui a perduré plusieurs mois. Le fait de savoir que vos cycles et ceux des autres gouvernent vos sentiments et vos comportements pourra vous amener à reporter et à traiter les questions importantes aux moments où vous êtes le plus efficace.

Pour un Esquimau, une température de 14 °C, c'est chaud. Pour un Africain, c'est froid. L'affirmation « Il fait chaud (ou froid) » décrit ce qui se produit à l'intérieur du corps. La phrase « La température est maintenant de 32 °C (ou de 14 °C) » décrit ce qui se produit à l'extérieur du corps. Cette distinction n'est pas du tout banale. Je ne pourrai jamais prouver à un Esquimau que 14 °C, c'est froid, mais je peux lui prouver qu'il fait 14 °C. En d'autres termes, il n'est pas paradoxal que deux personnes concluent en même temps qu'il fait « chaud » et qu'il fait « froid ». Tant que chacun sait que l'autre parle d'une réalité différente, la conversation peut se poursuivre de façon disciplinée. »

Source : Postman N. *Crazy Talk, Stupid Talk*, 1976.
Reproduit avec autorisation.

Les défis psychologiques

Certaines différences de perception ont des origines neurologiques. Par exemple, les personnes atteintes du trouble de déficit d'attention avec hyperactivité (TDAH) ont de la difficulté à se concentrer et à rester assises. Il est facile de s'imaginer à quel point ces personnes trouvent un cours magistral ennuyeux et assommant, alors que le même cours peut fasciner d'autres étudiants. L'Agence canadienne des médicaments et des technologies de la santé rapporte que de 3 % à 5 % des enfants d'âge scolaire présentent un TDAH[12]. Pour leur part, les personnes souffrant d'un trouble bipolaire subissent des changements d'humeur importants au cours desquels leur perception des événements, des amis et même des membres de leur famille change considérablement[13]. Puisque plusieurs autres états psychologiques influent sur la perception, il est important de se souvenir que chacun de nous voit le monde différemment et qu'il réagit autrement qu'un autre pour des raisons qu'on ne connaît pas de prime abord.

INVITATION À L'INTROSPECTION

Nouveaux corps, nouvelles perspectives

Pour avoir une meilleure idée des influences physiologiques sur la perception, faites l'exercice suivant.

1 Choisissez une de ces situations:
- une soirée dans un bar de célibataires;
- un match de volley-ball;
- un examen médical.

2 À quel point la situation que vous avez choisie vous semblerait différente si:
- votre vue était nettement moins bonne (ou meilleure);
- vous étiez malentendant;
- vous mesuriez 20 cm de plus;
- vous aviez un gros rhume;
- vous étiez du sexe opposé;
- vous aviez 10 ans de plus (ou de moins);
- vous étiez atteint de TDAH.

LES DIFFÉRENCES CULTURELLES

D'autres différences de perception faisant souvent obstacle à la communication relèvent de l'environnement culturel. Chaque culture possède sa propre vision du monde, son propre regard sur les événements. Tenir compte de ces différentes perspectives permet souvent d'en apprendre beaucoup sur soi et sur les autres. Cependant, il est facile d'oublier que les gens de par le monde ne voient pas les choses de la même façon que nous.

La gamme des différences culturelles est grande. Dans les pays du Moyen-Orient, les odeurs personnelles jouent un rôle important dans les relations interpersonnelles. Par exemple, les Arabes soufflent constamment leur haleine au visage de leur interlocuteur. Comme l'explique l'anthropologue Edward Hall: « Respirer l'odeur d'un ami est non seulement agréable, mais souhaitable; refuser de laisser respirer son haleine est perçu comme un signe de honte[14]. » De ce fait, le mouvement de recul d'un Nord-Américain, qui a appris à ne pas laisser sentir son haleine par politesse, pourrait être mal interprété par un Arabe.

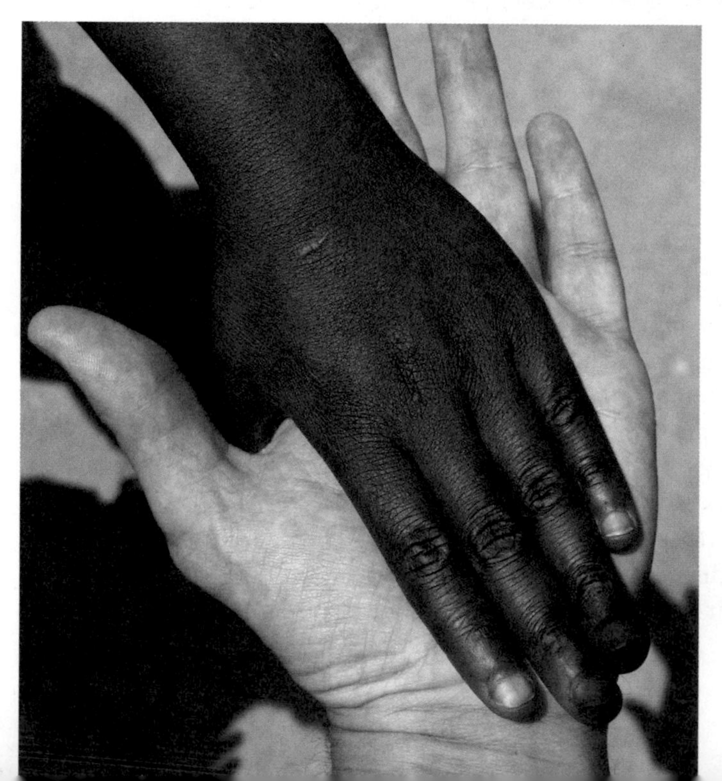

Les croyances sur l'utilité même du discours diffèrent aussi d'une culture à l'autre[15]. Les cultures occidentales pensent que la parole est souhaitable et l'utilisent à des fins sociales ainsi que pour réaliser des tâches. Le silence y a une valeur négative. On a tendance à l'interpréter comme un manque d'intérêt, une réticence à communiquer, de l'hostilité, de l'anxiété, de la timidité ou comme un signe d'incompatibilité interpersonnelle. Les Occidentaux sont mal à l'aise avec le silence, qu'ils trouvent embarrassant et gênant. Les cultures asiatiques ont une tout autre opinion du discours. Pendant des millénaires, ces cultures ont découragé l'expression des pensées et des sentiments. Le silence est valorisé, comme le disent ces dictons taoïstes: *Trop de paroles lassent* ou *Celui qui parle ne sait pas, celui qui sait se tait.* Contrairement à la plupart des Nord-Américains, les Japonais et les Chinois pensent que se taire est la bonne attitude à adopter quand on n'a rien à dire. Dans les cultures asiatiques, une personne bavarde est souvent considérée comme frimeuse, voire hypocrite.

Il est facile d'imaginer que ces visions différentes de la parole et du silence peuvent entraîner des problèmes de communication. Les Américains bavards et les Asiatiques silencieux se comportent d'une façon qu'ils jugent adéquate ; pourtant, les uns désapprouvent les autres et s'en méfient. Cela peut les amener à reconnaître leur **ethnocentrisme** et à y remédier. Une personne ethnocentrique croit que tous les gens à l'extérieur de son groupe culturel sont un peu étranges, ou même inférieurs à elle. Le chroniqueur de tourisme Rick Steves décrit la façon dont un point de vue ethnocentrique peut affecter le respect des pratiques culturelles des autres :

ethnocentrisme : attitude qui consiste à penser que sa propre culture est supérieure à celle des autres.

> … Nous [Les Nord-Américains] nous considérons comme des gens très propres et nous critiquons souvent l'hygiène de personnes appartenant à d'autres cultures. Nous faisons trempette dans la baignoire, nous nous lavons et nous nous rinçons dans la même eau. (Il ne nous viendrait jamais à l'esprit de laver les assiettes de cette façon.) Le visiteur japonais qui utilise de l'eau propre pour chacune de ces étapes pourrait trouver notre façon de prendre un bain étrange, voire dégoûtante. Les gens de plusieurs cultures crachent en public et se mouchent directement dans la rue. Il ne leur viendrait pas à l'esprit de le faire dans un petit bout de tissu appelé *mouchoir*, qu'ils rangeraient ensuite dans leur poche pour le réutiliser plusieurs fois[16].

INVITATION À L'INTROSPECTION

Des pratiques bien différentes

La façon dont on communique avec les étrangers peut refléter une pensée ethnocentrique. Par exemple, les immigrants hmong venant des montagnes du Laos préfèrent recourir à leurs chamans guérisseurs traditionnels, appelés *txiv neebs*, plutôt qu'aux médecins américains. L'un d'eux explique pourquoi :

> Un *txiv neeb* peut rester jusqu'à huit heures au domicile de la personne malade ; les médecins ont forcé leurs patients, quel que soit leur niveau de faiblesse, à aller à l'hôpital et n'ont passé que 20 minutes à leur chevet. Les *txiv neeb* ont été polis et n'ont jamais eu besoin de poser des questions ; les médecins ont interrogé les malades à propos de leurs habitudes sexuelles et excrétoires. Les *txiv neeb* ont pu poser un diagnostic immédiatement alors que les médecins ont demandé des tests sanguins (et même des tests d'urine et de fèces, qu'ils ont voulu conserver dans des petites fioles), ont fait faire des radios et ont attendu pendant des jours que le laboratoire leur fournisse les résultats. Ensuite, même après tout ça, il leur est arrivé de ne pas pouvoir déterminer la cause du problème. Les *txiv neeb* n'ont jamais déshabillé leurs patients ; les médecins ont demandé aux malades d'enlever tous leurs vêtements, et ils ont même osé mettre leur doigt dans le vagin des femmes. Les *txiv neeb* savaient que traiter le corps sans traiter l'âme était un acte insensé ; les médecins n'ont jamais mentionné l'âme[17].

À l'inverse, si l'on demandait à un Nord-Américain de se faire traiter par un *txiv neeb*, il trouverait probablement insensé de se faire dire que son mal est causé par un mauvais esprit qui a été offensé[18]. Cela dit, devant une pratique différente de la leur, la plupart des individus ont de la difficulté à voir au-delà de leurs perceptions habituelles et à considérer le point de vue de l'autre.

Il n'est pas nécessaire de voyager à l'étranger pour être confronté à des perspectives culturelles différentes. Dans notre pays, il y a de nombreuses sous-cultures qui jettent un regard autre sur les choses en raison de leurs origines. Ne pas reconnaître ces différences peut entraîner des malentendus fâcheux et inutiles. Par exemple, un professeur ou un agent de police pourrait interpréter le fait qu'une jeune femme d'origine latine garde les yeux baissés comme un signe d'évitement ou même de malhonnêteté, alors que, dans sa culture, c'est ainsi qu'une femme doit se comporter devant un homme plus âgé.

LES RÔLES SOCIAUX

rôle lié au genre : comportement socialement accepté que les hommes et les femmes sont censés adopter.

Comme les caractéristiques culturelles et physiologiques, les rôles sociaux peuvent influer sur la communication. Pratiquement dès la naissance, on nous enseigne indirectement une série de rôles que l'on s'attend à nous voir jouer (**rôles liés au genre**, rôles professionnels, etc.). Dans un sens, ces rôles sont nécessaires, parce qu'ils permettent à la société de bien fonctionner. De plus, il est sécurisant de savoir ce qu'on attend de nous. Cependant, quand ces rôles prédéterminés semblent immuables, ils peuvent occasionner de profondes incompréhensions. Le cas de l'Américain Thomas Beatie[19] illustre bien cet aspect. Cet homme transgenre qui est tombé enceinte[20] a déstabilisé plusieurs personnes quant aux rôles sociaux. Plus il y a d'incompréhension des rôles sociaux, plus les qualités relationnelles et la communication risquent d'en souffrir.

Le type d'emploi que l'on occupe est un autre rôle social important. Ce que l'on fait a une influence sur la façon dont on voit le monde. Imaginez cinq personnes qui se promènent dans un parc. L'une d'entre elles est botaniste ; elle est fascinée par la variété de végétaux qui s'y trouve. Une autre, zoologue, cherche des animaux intéressants. La troisième, météorologue, surveille le ciel et remarque les changements de temps. La quatrième, psychologue, se concentre plutôt sur les interactions entre les gens dans le parc. La cinquième, un voleur à la tire, profite du fait que chacun est absorbé par son observation pour leur faire les poches.

À l'intérieur d'un même milieu professionnel, les différents rôles des participants peuvent aussi influer sur leurs perceptions. Prenons une classe typique dans un collège. Les expériences du professeur sont souvent différentes de celles des étudiants. Les professeurs ont consacré une grande partie de leur vie à leur travail et la plupart d'entre eux considèrent que leur matière est d'une importance capitale, qu'il s'agisse de littérature française, de physique ou de psychologie de la communication. Les étudiants qui suivent un cours parce qu'il est obligatoire peuvent avoir une opinion différente et penser que c'est l'un des nombreux obstacles à surmonter avant d'obtenir un diplôme, ou encore que c'est une occasion de rencontrer de nouvelles personnes. Une autre différence a trait à la somme de connaissances de chacun. Aux yeux d'un professeur qui a enseigné sa matière à de nombreuses reprises, les documents sont probablement très simples, mais pour les étudiants qui les voient pour la première fois, ils peuvent sembler complexes et difficiles à saisir.

L'expérience de Philip Zimbardo

L'illustration la plus dramatique de la façon dont la profession modifie la perception s'est produite en 1971[21]. Le psychologue Philip Zimbardo de l'Université Stanford a recruté 21 jeunes hommes cultivés appartenant à la classe moyenne. Il en a choisi 11 au hasard pour servir de « gardiens » dans une fausse prison installée au sous-sol de l'immeuble où est enseignée la psychologie, à Stanford. Il leur a donné des uniformes, des menottes, des sifflets et des matraques. Les dix autres sujets sont devenus des « prisonniers » et ont été enfermés dans des pièces comportant des barreaux de métal, un seau hygiénique et un lit de camp.

Zimbardo a laissé les gardiens établir leurs propres règlements pour cette expérience. Ces derniers étaient durs : interdiction de parler pendant les repas, les périodes de repos et lorsque les lumières étaient éteintes. Comptage des prisonniers à 2 h 30 du matin. Les fauteurs de troubles recevaient des rations moins importantes.

Les prisonniers ont commencé à résister à ces conditions. Certains ont barricadé leur porte avec leur lit. D'autres ont fait une grève de la faim. Plusieurs ont arraché leur plaque d'identité. Les gardiens ont réagi à la rébellion en serrant la vis aux protestataires. Certains sont devenus sadiques, physiquement et verbalement violents envers les prisonniers. Ils ont mis ces derniers en isolement cellulaire. D'autres les ont forcés à s'insulter mutuellement et à nettoyer les toilettes à mains nues.

En un court laps de temps, l'expérience était devenue une réalité pour les prisonniers et pour les gardiens. Plusieurs détenus souffraient de crampes d'estomac et se sont mis à pleurer de manière irrépressible. D'autres ont eu des maux de tête et l'un d'entre eux a eu une éruption cutanée sur tout le corps quand les gardes ont rejeté sa demande de « libération conditionnelle ».

L'expérience devait durer deux semaines, mais après six jours, Zimbardo s'est rendu compte que ce qui était au départ une simulation était devenu trop intense. « À ce moment-là, je savais qu'ils pensaient comme des prisonniers et non comme des personnes, a-t-il déclaré. Si nous avons pu montrer qu'on pouvait adopter un comportement pathologique en si peu de temps, pensez aux dommages dans les "vraies" prisons... »

Cet exercice dramatique, au cours duquel 21 citoyens cultivés appartenant à la classe moyenne se sont transformés presque du jour au lendemain en brutes sadiques et en victimes démoralisées, montre que la façon de penser d'une personne dépend du rôle qu'elle tient dans la société ; son identité semble largement déterminée par ce que la société lui demande d'être. Heureusement, plusieurs représentants du maintien de l'ordre sont conscients de l'aveuglement perceptuel qui les menace dans leur travail. Ces professionnels ont élaboré des programmes pour surmonter ce problème, comme l'illustre le texte de l'encadré intitulé « Opération Empathie : se préparer au nouveau rôle de la police » (à la page suivante).

Source : Zimbardo, P.G., C. Haney, W.C. Banks. « A Pirandellian Prison », *New York Times Magazine*, 8 avril 1973.

LE CONCEPT DE SOI

Autre facteur qui exerce une influence sur la façon de se percevoir et d'interagir avec les autres : le concept de soi. Comme on l'a vu au chapitre 2, le concept de soi renvoie à l'ensemble des caractéristiques qu'une personne s'attribue à elle-même. Une personne se disant anxieuse en avion ne percevra pas la turbulence de la même façon que celle qui s'y sent en sécurité. Des chercheurs ont étudié les réactions de gens qui se faisaient taquiner. Les résultats ont montré que plus une personne considérait les taquineries comme un signe d'hostilité et adoptait une attitude défensive, plus elle se faisait taquiner[22].

Une personne ayant une haute estime d'elle-même aura probablement une bonne opinion des autres, alors que celle ayant une piètre opinion d'elle-même aura tendance à avoir une mauvaise opinion des autres[23]. Votre propre expérience vous permet probablement de vérifier ceci : les personnes qui s'estiment peu sont sou-

Opération Empathie : se préparer au nouveau rôle de la police

À Covina, des policiers ont accepté de se mettre dans la peau d'un clochard l'espace de quelques jours. Ils ont été soigneusement sélectionnés et conditionnés à jouer ce rôle. Chacun a reçu trois dollars pour s'acheter une tenue dans une œuvre de charité. Parmi les accessoires figuraient un sac à provisions rempli de bric-à-brac et une bouteille de vin cachée dans un sac de papier brun.

Bien préparés, les policiers, deux par deux, ont emménagé dans le quartier de clochards de Los Angeles. Lorsqu'ils tentaient de quitter cette zone et de parcourir quelques coins de rue dans les parties commerciales légitimes, on leur disait : « Retourne d'où tu viens ! » De fait, les autres citoyens les catégorisaient rapidement et les traitaient en conséquence.

Au cours de leur expérience dans ce quartier, les policiers ont mangé dans des refuges et ont participé au service religieux avec les autres « exclus » vivant dans la pauvreté. Ils ont erré dans les rues et les ruelles, et ont vécu plusieurs situations édifiantes. La plus révélatrice est probablement celle de Tom Courtney, un jeune policier-éducateur possédant cinq ans d'expérience.

C'était à la tombée de la nuit. Tom et son partenaire flânaient en retournant à un lieu de rassemblement prédéterminé. Se sentant plutôt en forme, ils ont décidé de vider la bouteille de vin. Ils se sont arrêtés dans un stationnement bien placé, et Tom a fini la bouteille. Deux policiers en uniforme ont surgi de nulle part devant les deux acolytes surpris. Tom et son partenaire se sont retrouvés plaqués contre le mur, bras et jambes écartés, et les policiers les ont fouillés. Oubliant la consigne de ne pas révéler son identité ni l'objectif poursuivi à moins d'une absolue nécessité, Tom a paniqué et a décliné la sienne. Plus tard, il a eu du mal à expliquer pourquoi il avait si rapidement fait ces révélations. « Tu ne peux pas comprendre, a-t-il dit. Puis il a rajouté : « J'ai cru que j'allais me faire tuer. »

J'ai eu de la difficulté à accepter cette explication, surtout parce que Tom a déclaré que les policiers avaient étaient fermes mais courtois tout au long de l'interaction. Comme je l'ai poussé un peu plus, il a avoué que pendant qu'on le fouillait, il s'était mis à penser à toutes les choses négatives qu'il avait entendues au sujet des policiers. Il avait même imaginé le titre du journal : « Un policier tué par erreur pendant une expérience sur le terrain. »

Avec Tom, j'ai tenté de trouver une explication logique à la peur qu'il a ressentie. Je lui ai demandé s'il était certain que les policiers avaient été courtois. Il a répondu que oui, mais a ajouté : « Ils ne souriaient pas, ils ne me disaient pas ce qu'ils allaient faire ensuite. » Tom a découvert une nouvelle réaction émotive chez lui, et cela lui a laissé une impression révélatrice.

Aujourd'hui, Tom Courtney continue à dire au personnel de notre service : « Pour l'amour de Dieu, souriez quand vous pouvez. Et surtout, expliquez au gars que vous plaquez à terre ce que vous allez faire. Faites en sorte de ne pas être menaçants si vous le pouvez. »

Je pense que l'autre chose importante dans l'expérience de Tom est la leçon que nous avons apprise sur les jugements personnels. Les hommes qui ont participé à « l'opération Empathie » trouvaient que la population soi-disant normale les jugeait comme s'ils étaient de véritables habitants du quartier de clochards, simplement à cause de leur apparence.

Nous ferions peut-être bien de tenir compte de la leçon, parce que de nos jours, plus que jamais, les policiers doivent lutter contre la tendance naturelle à catégoriser les gens en bloc simplement parce qu'ils se ressemblent.

Source : FERGUSON F. *Field Experiment : Preparation for the Changing Police Role.*

vent cyniques et prêtent facilement les pires intentions aux autres, alors que celles qui s'apprécient ont une attitude d'ouverture vis-à-vis des autres. Ce qu'on trouve autour de soi, c'est ce qu'on projette inconsciemment. Quand on pense qu'on regarde par la fenêtre, le plus souvent, on regarde en fait dans un miroir[24].

LES TENDANCES COURANTES EN MATIÈRE DE PERCEPTION

Il apparaît maintenant que de nombreux facteurs modifient notre façon d'interpréter le monde. Les spécialistes des sciences sociales utilisent le terme **attribution** pour décrire le processus par lequel on donne une signification au comportement. Tout le monde attribue une signification à ses propres actions comme à celles des autres, mais souvent en utilisant des critères très différents. De nombreuses études ont révélé que des erreurs de perception peuvent conduire à des attributions inexactes[25].

attribution : processus psychologique qui consiste à imputer un comportement ou un événement à quelqu'un ou à quelque chose.

biais de complaisance : tendance d'une personne à attribuer ses échecs à des causes externes et ses réussites à des causes internes.

attribution interne : supposition que le comportement d'une personne découle de facteurs internes.

attribution externe : supposition que le comportement d'une personne découle de facteurs externes.

ON EST PLUS CHARITABLE ENVERS SOI QU'ENVERS LES AUTRES

Pour se convaincre et convaincre les autres que le visage positif que l'on montre au monde est bien réel, on a tendance à se juger avec indulgence. Les spécialistes des sciences sociales appellent cette tendance **biais de complaisance**[26]. Lorsque les autres échouent dans une tentative, on attribue souvent le problème à leurs défauts personnels (**attribution interne**), mais quand il s'agit d'un échec personnel, on l'attribue à des forces extérieures (**attribution externe**). Voyons quelques exemples :

- Lorsque des collègues bâclent un travail, on a tendance à présumer qu'ils n'ont pas bien écouté ou qu'ils n'ont pas fourni assez d'efforts. Par contre, quand il s'agit de son propre travail, on croit que c'est parce que les directives n'étaient pas suffisamment claires ou qu'on n'avait pas assez de temps.
- Quand l'autre est en colère et qu'il tient des propos cinglants, on l'accuse d'être de mauvaise humeur ou trop sensible ; quand c'est de soi dont il s'agit, on attribue le même comportement à la pression que l'on subit. Lorsqu'une personne se fait arrêter pour excès de vitesse, on pense qu'elle aurait dû être plus prudente. À l'inverse, lorsqu'on se fait prendre en faute par un policier, on refuse d'admettre que l'on conduisait trop vite ou on utilise des arguments comme « Tout le monde le fait[27]. »

ON ACCORDE DAVANTAGE D'ATTENTION AUX CARACTÉRISTIQUES NÉGATIVES DES AUTRES

Dans un de vos cours, on vous demande si vous acceptez de travailler en équipe avec un étudiant que vous ne connaissez pas. On dit de lui qu'il est intelligent, sympathique, drôle, honnête, mais qu'il est paresseux. Est-ce que la dernière caractéristique influencera votre jugement ? Si c'est le cas, vous n'êtes pas le seul. Les recherches montrent que lorsqu'on connaît les caractéristiques positives et

« La vérité est, Cauldwell, que nous ne nous voyons jamais comme les autres nous voient. »

négatives de quelqu'un, on a tendance à être influencé par les plus négatives. Par exemple, une étude révèle que dans les entrevues d'embauche, les employeurs sont plus enclins à rejeter les candidats qui font état d'informations négatives, même si l'ensemble des renseignements est positif.

ON EST INFLUENCÉ PAR CE QUI PARAÎT LE PLUS ÉVIDENT

L'erreur qui consiste à être influencé par ce qui est le plus évident est compréhensible. Au début de ce chapitre, on a vu que l'on sélectionne les stimuli qui ressortent dans l'environnement: ceux qui sont intenses, répétitifs, inhabituels ou qui captent l'attention d'une façon ou d'une autre. Le problème est que le facteur le plus évident n'est pas nécessairement le seul, ou le plus important, à considérer. Par exemple:

- Quand deux enfants ou deux adultes se disputent, ce serait une erreur de blâmer le premier qui fait une remarque cinglante. L'autre est peut-être aussi coupable parce qu'il a taquiné l'autre le premier ou a refusé de collaborer avec lui.
- Un employé peut attribuer une situation de travail insatisfaisante aux seuls comportements de son patron et négliger ainsi d'autres facteurs indépendants de la volonté de ce dernier, comme un brusque changement dans l'économie, de nouvelles politiques de gestion émanant de la direction ou encore des demandes de clients ou d'autres employés.

ON S'ACCROCHE AUX PREMIÈRES IMPRESSIONS

effet de halo: tendance à se forger une impression générale favorable d'une personne à partir d'une caractéristique positive.

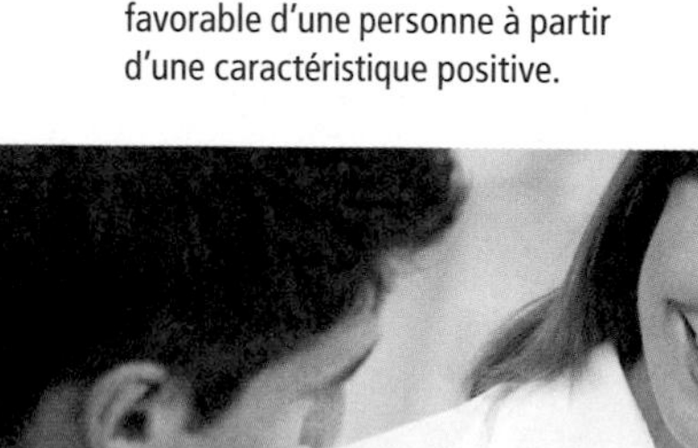

Attribuer une étiquette aux gens selon ses premières impressions est une partie inévitable du processus de la perception. Ces étiquettes sont une façon d'interpréter l'apparence des autres ou leur comportement: « Il a l'air joyeux », « Elle semble sincère », « Ils ont l'air terriblement prétentieux ».

Si ces premières impressions sont exactes, elles peuvent se révéler fort utiles pour savoir comment réagir efficacement avec ces personnes à l'avenir. Cependant, les problèmes surviennent lorsque les étiquettes que l'on attribue sont fausses. Une fois qu'on s'est forgé une première impression, on a tendance à s'y accrocher, quitte à déformer l'information qui la contredit.

Les experts en sciences sociales utilisent l'expression **effet de halo** pour décrire la tendance à se forger une impression générale favorable d'une personne à partir d'une caractéristique positive. La plupart du temps, cette impression provient de l'attirance physique qui peut conduire les gens à attribuer toutes sortes de vertus à celui ou celle qui a une belle apparence[28]. Par exemple, les personnes qui font passer des entrevues pour un emploi attribuent une meilleure cote aux candidats physiquement attirants qu'à ceux qui le sont moins[29]. Voilà pourquoi il est si important de soigner son apparence pour une entrevue d'emploi. De même, les candidats qui ont produit une première impression négative se retrouvent sous un nuage impossible à dissiper — un phénomène parfois appelé *effet de halo négatif*[30].

Compte tenu qu'on ne peut s'empêcher d'avoir une première impression, le meilleur conseil à suivre est de garder l'esprit ouvert et d'accepter de modifier son opinion si les événements prouvent qu'elle est erronée.

ON SUPPOSE QUE LES AUTRES NOUS RESSEMBLENT

Le chapitre 2 a illustré ce principe : les personnes qui ont une piètre estime d'elles-mêmes s'imaginent que les autres ont une opinion défavorable à leur endroit, alors que celles qui ont une image positive d'elles-mêmes pensent le contraire. L'hypothèse, souvent fausse, selon laquelle les opinions des autres sont identiques aux nôtres s'applique à de nombreuses situations.

- Vous avez entendu une blague grivoise que vous trouvez très drôle. Vous supposez qu'elle n'offensera pas un ami plus « réservé » que vous. Vous faites erreur.
- Un de vos professeurs à tendance à s'éloigner du sujet pendant les cours, et cela vous ennuie. Si vous étiez à sa place, vous aimeriez savoir si votre méthode d'enseignement convient aux étudiants. Vous pensez que votre professeur vous sera reconnaissant si vous lui adressez une critique constructive. Malheureusement, vous vous êtes trompé !
- Il y a une semaine, vous vous êtes emporté et avez dit à votre ami des paroles que vous regrettez maintenant. D'ailleurs, si quelqu'un vous avait tenu des propos semblables, vous auriez probablement mis fin à la relation. Puisque vous imaginez que votre ami réagit de la même façon que vous, vous évitez de le rencontrer. En réalité, celui-ci se sent en partie responsable de ce qui est arrivé et c'est lui qui vous a évité, de peur que vous vouliez mettre fin à votre relation d'amitié.

Des situations comme celles-ci montrent que les autres ne pensent pas et ne réagissent pas nécessairement comme nous. Supposer le contraire peut conduire à plusieurs malentendus. Pour les éviter, voici donc quelques techniques qui vous aideront à valider vos perceptions.

LA VÉRIFICATION DES PERCEPTIONS

De graves problèmes risquent de survenir lorsqu'une personne traite des interprétations comme des faits réels. Comme la plupart des gens, vous avez probablement tendance à vous indigner quand les autres sautent aux conclusions concernant vos comportements en vous lançant des phrases comme celles-ci :

> « Pourquoi es-tu en colère ? » (Qui a dit que vous étiez fâché ?)
>
> « Qu'est-ce qui ne va pas ? » (Qui a dit que ça n'allait pas ?)
>
> « Allez, dis la vérité maintenant. » (Qui a dit que vous mentiez ?)

Même dans les cas où l'interprétation se révèle juste, tirer des conclusions hâtives risque d'engendrer un comportement défensif chez l'autre. La capacité de vérifier les perceptions permet de mieux gérer les interprétations que l'on fait[31].

La vérification complète des perceptions comporte trois étapes :

- décrire le comportement perçu (le comportement doit être observable, basé sur des faits) ;

TRAVAILLEZ VOS HABILETÉS

Apprenez à vérifier vos perceptions

Développez votre habileté à vérifier vos perceptions en appliquant la méthode en trois étapes aux situations qui suivent.

1. Vous avez fait une suggestion que vous pensiez excellente à un enseignant. Il n'a pas semblé intéressé et vous a dit qu'il allait faire immédiatement des recherches sur le sujet. Trois semaines plus tard, rien n'a changé.
2. À trois reprises, votre voisin et ami n'a pas répondu à vos salutations. Cette personne se montre pourtant habituellement très amicale.
3. Cela fait plus d'un mois que vous n'avez pas reçu de nouvelles de votre ami. Habituellement, il vous téléphone chaque semaine. La dernière fois que vous lui avez parlé, vous n'étiez pas d'accord sur l'endroit où passer les vacances.

- essayer de trouver au moins deux interprétations possibles du comportement ;
- demander des éclaircissements.

Reprenons les exemples précédents pour voir comment on peut vérifier les perceptions.

« Lorsque tu as quitté précipitamment la pièce et que tu as claqué la porte (*comportement*), je ne savais pas si tu étais en colère contre moi (*première interprétation*) ou si tu étais seulement pressé (*seconde interprétation*). Quels étaient tes sentiments à ce moment-là ? » (*demande d'éclaircissement*) ;

« Tu n'as pas beaucoup ri ces deux derniers jours (*comportement*). Je me demande donc si quelque chose te tracasse (*première interprétation*) ou si tu es seulement fatigué (*seconde interprétation*). Qu'en est-il au juste ? » (*demande d'éclaircissement*).

Vérifier la validité de vos perceptions vous aidera à mieux comprendre les autres au lieu de présumer que votre première interprétation est la bonne. L'objectif est de parvenir à une compréhension mutuelle et, en ce sens, la vérification des perceptions se révèle un outil efficace de communication. En plus de conduire à une perception plus exacte des événements, cette démarche évite à l'autre de se sentir sur la défensive. Au lieu de dire « Je sais ce que tu penses… », on laisse entendre à l'autre personne qu'elle est la mieux placée pour expliquer ses propres pensées et comportements. Cette approche est donc beaucoup plus respectueuse de l'autre.

Il faut préciser qu'on n'est pas toujours tenu d'employer tous les éléments décrits plus haut pour que la vérification des perceptions soit efficace, comme l'illustrent ces exemples :

> « Nous ne t'avons pas vu hier soir au bar comme d'habitude. Y a-t-il quelque chose qui ne va pas ? » (*une seule interprétation combinée à une demande d'éclaircissement*)

« Comment te sentirais-tu si la souris t'avait fait ça ? »

> « Je ne peux pas vraiment dire si tu me fais marcher ou si tu es réellement sérieux quand tu me traites de radin. » (*comportement combiné à une interprétation*)

> « Es-tu certain de bien vouloir me conduire en voiture ? Si cela ne te pose pas de problème, j'accepte volontiers, mais je ne veux surtout pas t'éloigner de ton trajet. » (*aucun besoin de décrire le comportement*)

La vérification des perceptions ne peut réussir que si le comportement non verbal reflète l'ouverture d'esprit exprimée par les mots. Un ton de voix accusateur ou un regard hostile viendra contredire une demande d'éclaircissement formulée avec sincérité et suggérera que l'on a déjà décidé quelles étaient les intentions de l'autre.

L'EMPATHIE ET LA COMMUNICATION

La vérification des perceptions est un outil précieux pour clarifier les messages ambigus. Cependant, l'ambiguïté n'est pas l'unique cause des problèmes de perception. Parfois, on comprend ce que les personnes veulent dire, mais on a du mal à saisir pourquoi elles pensent de cette façon-là. Dans ces situations, c'est la capacité de faire preuve d'empathie qui fait défaut.

LA DÉFINITION DE L'EMPATHIE

L'**empathie** est la capacité de se mettre à la place d'une autre personne, de saisir son point de vue, de percevoir ce qu'elle ressent. Bien qu'il soit impossible de se glisser complètement dans la peau de l'autre pour mieux le connaître, on peut parvenir, avec suffisamment d'efforts, à avoir une meilleure idée de la façon dont il voit le monde. Le terme *empathie* utilisé ici comporte trois dimensions[32].

empathie : capacité qu'une personne a de se mettre à la place d'une autre personne, de saisir son point de vue.

Dans la première dimension, *être empathique* signifie « voir les choses sous un angle différent », c'est-à-dire tenter d'adopter le point de vue d'autrui. Pour ce faire, il est nécessaire de mettre ses propres opinions en veilleuse et d'essayer de comprendre l'autre.

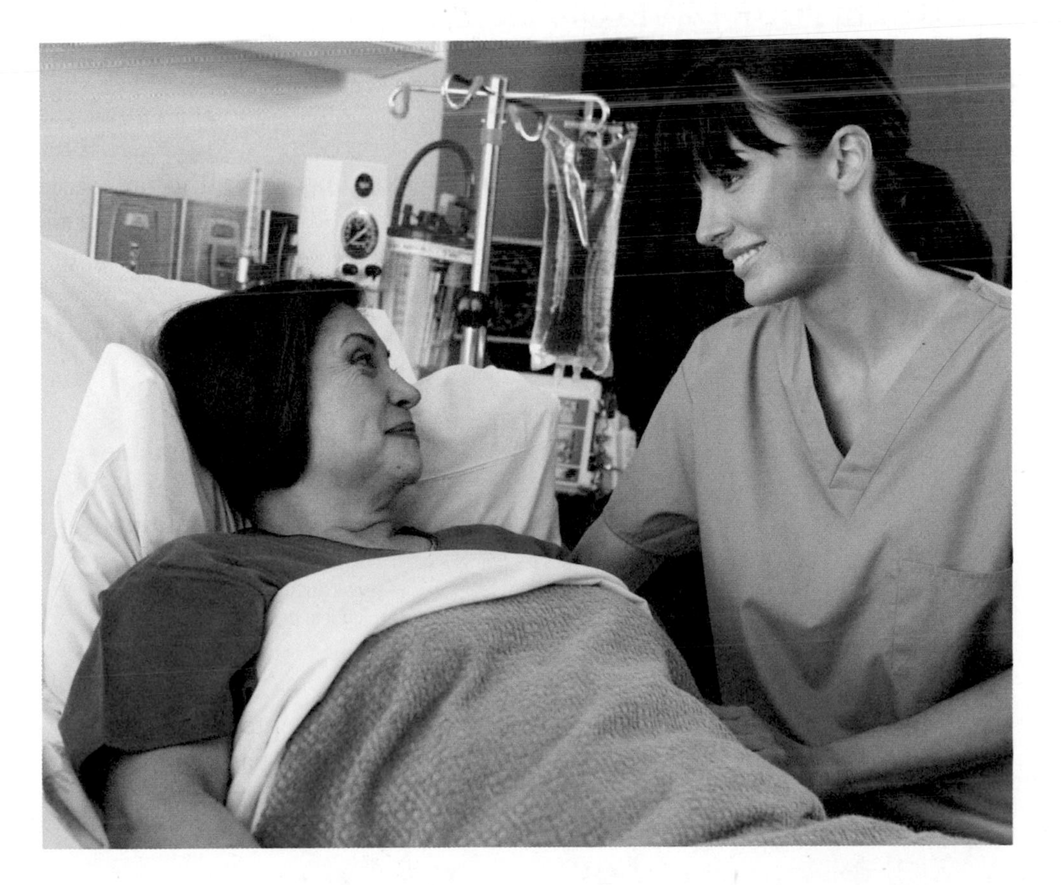

Le terme *empathie* comporte également une dimension de nature émotionnelle qui consiste à reconnaître l'émotion chez l'autre et ainsi comprendre ses peurs, ses joies, sa tristesse, etc.

La troisième dimension de l'empathie est le souci sincère du bien-être de l'autre. Faire preuve d'empathie ne signifie pas uniquement vouloir penser « comme si » on était l'autre, c'est aussi se soucier réellement de son bien-être.

sympathie : compassion, participation aux sentiments d'autrui.

Il est facile de confondre l'empathie avec la **sympathie**. Au sens premier, ce terme désigne un penchant naturel, spontané et chaleureux de quelqu'un vers une autre personne, Ici, *sympathie* prend plutôt le sens de « compassion », de « participation aux sentiments d'autrui ». Lorsqu'on sympathise à la douleur de quelqu'un, on partage ses émotions, on les ressent. Par exemple, on peut sympathiser avec un collègue qui vient d'obtenir une promotion et vivre sa joie, ou encore, ressentir la peine d'un ami en deuil et même pleurer avec lui.

Dans plusieurs situations, il vaut mieux être empathique que de sympathiser pour éviter d'être envahi par les émotions des gens, tant sur le plan personnel que professionnel. Imaginez seulement un psychologue qui ressentirait toutes les émotions de ses clients.

Il n'est pas nécessaire d'ère en accord avec l'autre pour être empathique. On peut faire preuve d'empathie à l'égard d'un membre de la famille qui traverse des moments difficiles ou à l'égard d'un voleur poussé au crime par la pauvreté sans pour autant approuver leurs comportements.

LA MÉTHODE DE L'OREILLER : UN OUTIL POUR DÉVELOPPER L'EMPATHIE

On a vu que la vérification des perceptions est une approche à utiliser pour éviter ou clarifier des malentendus. Cependant, certains problèmes sont trop complexes et graves pour être réglés à l'aide de cette méthode. L'écrivain Paul Reps décrit un outil qui permet de stimuler l'empathie lorsqu'il semble impossible d'accorder une valeur au point de vue de l'autre[33]. Cette méthode permet de considérer une question de cinq points de vue différents (voir la figure 3.4) et en donne presque toujours un aperçu permettant de mieux saisir la situation.

De toutes les illusions, la plus périlleuse consiste à penser qu'il n'existe qu'une seule réalité.

Paul Watzlawick, théoricien américain

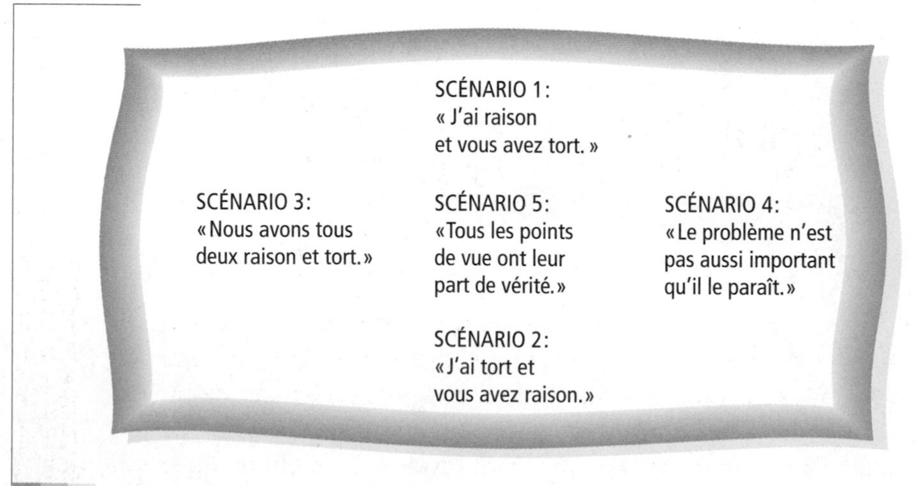

FIGURE 3.4 **La méthode de l'oreiller.**

Scénario 1 : *J'ai raison et vous avez tort.*

C'est le point de vue que l'on adopte généralement dès que l'on aborde un problème. On voit immédiatement les avantages de la position qu'on défend et on critique toute personne qui s'y oppose. Exposer cette position en détail demande peu d'efforts et apporte peu d'information nouvelle.

Scénario 2 : *J'ai tort et vous avez raison.*

Ce scénario propose un changement de point de vue visant à trouver les meilleurs arguments à l'appui de la vision de l'autre. En plus de reconnaître les points forts de la position de l'autre, on doit se faire l'avocat du diable et trouver des failles dans sa propre vision des choses.

Cette étape est plus difficile, mais en inversant ainsi les points de vue, la plupart des gens comprennent que la position de l'autre n'est pas sans valeur.

Scénario 3 : *Nous avons tous deux raison et tort.*

Dans ce scénario, chaque personne reconnaît les forces et les faiblesses de l'argument de l'autre. Comme le fait voir le scénario 2, chaque vision comporte des forces et des faiblesses. Le fait de jeter un regard moins arbitraire sur la question peut conduire chaque partie à se montrer moins critique et plus compréhensive envers les opinions de l'autre. Quant au scénario 3, il peut les aider à trouver des points communs entre leurs positions. Ces personnes ont peut-être toutes deux raison de se soucier autant de ce problème, mais elles auraient tort de ne pas reconnaître les préoccupations de l'autre. Elles ont probablement des valeurs ou même des erreurs en commun. Dans tous les cas, ce que le troisième scénario met en évidence, c'est que l'objectif n'est pas de savoir qui a tort et qui a raison, comme c'est le cas dans les deux premiers scénarios.

Scénario 4 : *Le problème n'est pas aussi important qu'il le paraît.*

Ce scénario aide à prendre conscience que l'objet de la controverse n'est peut-être pas aussi essentiel qu'on le pensait. Même s'il est difficile d'admettre que certains problèmes sont moins importants que d'autres, un peu de réflexion permet souvent de faire la part des choses. L'importance d'une dispute peut s'estomper quand on comprend le point de vue de l'autre.

Scénario 5 : *Conclusion (Tous les points de vue ont leur part de vérité.)*

Lorsque les quatre premiers scénarios ont été envisagés, l'étape finale consiste à reconnaître que chacun d'eux est valable. Si la logique nous empêche d'admettre qu'on peut à la fois avoir raison et tort, qu'une situation peut à la fois être importante et futile, l'expérience personnelle nous enseigne que chaque situation comporte sa part de vérité. Le cinquième scénario est très différent de l'attitude de départ (« J'ai raison et tu as tort ») que la plupart des gens adoptent quand il y a un problème.

Une fois que vous aurez considéré une question à partir de ces cinq perspectives, vous verrez probablement les choses sous un nouveau jour. Cette nouvelle vision ne vous fera pas forcément changer d'opinion et ne réglera pas nécessairement le problème. Cependant, elle vous amènera à mieux tolérer l'opinion des autres et à améliorer ainsi le climat de la communication.

APPLICATION

Application de la méthode de l'oreiller

Exemple 1 : Planifier un mariage

Contexte

Qui aurait pensé que la planification d'un mariage serait un tel cauchemar ? Mon fiancé et moi, on se dispute pour savoir si on fera une grande fête ou un petit mariage intime. J'aimerais un grand mariage chic et onéreux. Il veut un mariage plus modeste, plus abordable.

Scénario 1 : « J'ai raison et il a tort. »

J'ai une grande famille et je me sentirais coupable de ne pas inviter tout le monde. Nous avons aussi beaucoup d'amis qui n'aimeraient pas manquer cette journée spéciale. Qu'il s'agisse des amis ou des membres de la famille, je suggère de tous les inviter pour éviter de leur faire de la peine. Sinon, où établir la limite ? Pour ce qui est de l'argent, on ne se marie qu'une fois, ce n'est pas le moment de lésiner. Mes parents sont d'accord pour nous aider financièrement parce qu'ils veulent que toute notre famille assiste au mariage.

Scénario 2 : « Il a raison et j'ai tort. »

Mon fiancé a raison de dire que nous n'avons pas vraiment les moyens de nous offrir un mariage dispendieux. Chaque dollar consacré à cet événement sera un dollar de moins à mettre sur l'achat de notre première maison, ce que nous espérons bientôt faire. Mon fiancé a raison de dire qu'une grande noce retarderait cet achat d'un an ou deux, voire plus si les prix de l'immobilier continuent à augmenter. Même si mes parents aident à payer ce mariage, notre part sera tout de même supérieure à nos moyens. Il a aussi raison de dire que peu importe le nombre d'invités, on en laissera toujours un de côté. La question est de savoir où établir la limite. Enfin, il a raison de dire que c'est stressant de planifier un grand mariage.

Scénario 3 : « Nous avons tous deux raison et tort. »

J'ai raison de vouloir être entourée de nos familles élargies et de nos amis, et j'ai aussi raison de dire qu'un mariage spécial sera un souvenir que nous conserverons toute notre vie. Il a raison de dire que si l'on faisait ce choix, certaines personnes pourraient tout de même être vexées, et que toutes ces dépenses retarderont l'achat de notre maison. Il a aussi raison de dire que la planification de l'événement nous rendra fous et nous distraira de ce qui est réellement important, à savoir l'union de nos vies.

Scénario 4 : « Le problème n'est pas si important. »

En y repensant, je me rends compte de la différence entre *se marier* et *être marié*. Le choix du type de cérémonie n'affectera pas notre couple. La façon de se comporter après le mariage sera bien plus importante. Nous allons devoir prendre de nombreuses décisions ensemble, concernant les enfants et le travail, par exemple, et ces décisions auront des conséquences bien plus grandes que cette cérémonie.

Conclusion

Avant d'utiliser la méthode de l'oreiller pour penser à tous les aspects de ce problème, je me concentrais sur la façon de parvenir à mes fins. Cette attitude entraînait des émotions que mon fiancé et moi n'aurions pas dû ressentir avant cet événement très important. J'ai compris que si l'un de nous gagnait, mais faisait de la peine à l'autre, ce n'était pas vraiment une victoire. Je ne sais pas quel type de cérémonie nous allons finalement avoir, mais j'ai la ferme intention de me concentrer sur l'objectif qui compte vraiment : faire en sorte que notre relation soit saine et respectueuse.

Exemple 2 : La danse exotique

Contexte

Ma meilleure amie est une danseuse exotique. J'ai tenté de la persuader de trouver une façon moins dégradante de gagner sa vie, mais elle ne voit pas encore la nécessité de cesser de faire ce métier. Elle sait que je ne suis pas d'accord avec sa décision de se faire payer pour danser, mais elle me dit que c'est la seule façon de bien gagner sa vie pour le moment.

Scénario 1 : « J'ai raison et elle a tort. »

Mon amie exagère quand elle dit que cet emploi est le seul qui lui permette de gagner assez d'argent pour continuer ses études. Elle pourrait obtenir un emploi moins bien rémunéré et s'en sortir jusqu'à ce qu'elle obtienne son diplôme. Cela ne serait pas parfait, mais d'autres personnes y arrivent, elle peut donc y parvenir aussi. Mon amie a tort de dire que son emploi n'interfère pas avec sa vie en dehors de son travail. Quand nous habitions ensemble, elle se disputait parfois avec son amoureux à propos d'un homme bizarre qui lui envoyait des cadeaux au club où elle travaille. Cela avait des répercussions sur leur relation. De plus, elle rentre parfois à quatre heures du matin après avoir dansé pendant huit heures. Je ne vois pas comment elle peut continuer ainsi.

Scénario 2 : « Elle a raison et j'ai tort. »

Elle a raison de dire qu'aucun autre emploi ne lui procurerait autant d'argent en si peu de temps à son âge et compte tenu de ses diplômes. Personne ne lui vient en aide financièrement. Elle gagne suffisamment d'argent pour payer son loyer, sa nourriture et rembourser certains prêts. Elle est encore en bonne forme physique. Ses notes sont excellentes, c'est donc vrai que son travail n'a pas de répercussions négatives sur ses études. Le club où elle travaille est propre et sécuritaire.

Scénario 3 : « Nous avons tous deux raison et tort. »
J'ai raison de me soucier d'elle et de l'encourager à envisager d'autres possibilités pour gagner sa vie. Elle a raison quand elle dit qu'aucun autre emploi ne paye autant. Elle a aussi raison quand elle dit que sa famille ne l'aide pas du tout, ce qui lui fait subir une pression supplémentaire que je ne peux pas comprendre.

Scénario 4 : « Le problème n'est pas si important. »
Mon amie et moi, nous nous aimons et nous ne laisserons pas ce désaccord perturber notre relation. La danse n'affecte pas sa confiance en elle. Il s'agit juste d'un chapitre dans sa vie, et cela prendra bientôt fin.

Conclusion
Je comprends maintenant que cette dispute comporte plusieurs aspects. Je souhaite encore que mon amie laisse tomber son travail de danseuse, et je veux toujours la persuader d'arrêter. La méthode de l'oreiller facilite toutefois notre dialogue et nous empêche de nous renfermer ou de rejeter l'autre.

Dialogue sur l'oreiller

Essayez d'appliquer la méthode de l'oreiller dans votre vie. Même si cela vous semble difficile les premières fois, persévérez. Dans peu de temps, vos efforts seront récompensés : vous parviendrez à mieux comprendre l'autre.

1. Choisissez une question qui entraîne un profond désaccord entre une personne de votre entourage et vous. S'il est impossible que cette personne soit avec vous, vous pouvez tout de même faire cet exercice seul.
2. Quel désaccord choisir ? Pensez aux problèmes qui opposent des parents et leurs enfants, des amis, un enseignant et un étudiant, un patron et un employé, un frère et une sœur...
3. Pour chaque désaccord retenu, adoptez tour à tour chacun des scénarios : a) vous avez raison et l'autre a tort ; b) l'autre a raison et vous avez tort ; c) vous avez tous deux raison et tort ; d) ce n'est pas si important de savoir qui a raison et qui a tort ; e) enfin, affirmez le fait que les quatre scénarios comportent tous une part de vérité.
4. Plus vous êtes en désaccord, plus il sera difficile d'admettre que les scénarios 2 et 5 sont valables. Cependant, l'exercice ne fonctionnera que si vous arrivez à laisser votre opinion de côté et à vous imaginer ce que cela donnerait d'adopter celles de l'autre.
5. Comment savoir si vous avez bien appliqué la méthode de l'oreiller ? C'est simple : si après avoir franchi toutes les étapes, vous parvenez à comprendre — pas nécessairement à accepter, juste à comprendre — le point de vue de l'autre, vous avez réussi. Maintenant que vous le comprenez, remarquez-vous que votre opinion de l'autre a changé ?

RÉSUMÉ

Chacun de nous est entouré de beaucoup plus d'éléments d'information qu'il ne peut en percevoir. On parvient à comprendre le monde dans lequel on évolue grâce à un processus en quatre temps. Ce processus consiste à sélectionner certains stimuli, à les organiser pour en faire des modèles significatifs, à les interpréter d'une façon qui est modelée par divers facteurs et, enfin, à les négocier grâce à des récits que l'on partage avec les autres.

Plusieurs facteurs influent sur les étapes de ce processus. Des influences physiologiques comme les sens, l'âge et la santé jouent un rôle important. L'origine culturelle d'une personne influence aussi sa vision du monde, tout comme les rôles sociaux et le concept de soi. À ces facteurs, il faut ajouter un certain nombre de tendances communes qui affectent la manière dont on interprète le comportement des autres.

La vérification des perceptions se révèle utile pour évaluer les interprétations possibles d'un comportement au lieu de s'en tenir aux premières impressions. Une vérification complète comprend la description du comportement de l'autre, au moins deux interprétations plausibles de ce que l'autre peut vouloir dire, et une demande d'éclaircissement sur la signification réelle de son comportement.

L'empathie est l'habileté à se mettre à la place d'une autre personne. Il ne faut pas confondre l'empathie et la sympathie. Faire preuve d'empathie, c'est examiner la situation du point de vue de l'autre. Pour accroître l'empathie, on peut utiliser la « méthode de l'oreiller », laquelle consiste à considérer un problème à partir de cinq perspectives différentes.

Mots clés

attribution (73)
attribution externe (73)
attribution interne (73)
biais de complaisance (73)
effet de halo (74)
égocentrique (66)
empathie (77)
ethnocentrisme (69)
homophobie (64)
interprétation (63)
négociation (64)
organisation (61)
ponctuation (62)
récit (65)
rôle lié au genre (70)
schéma perceptif (61)
sélectionner (60)
stéréotype (62)
sympathie (78)

AUTRES RESSOURCES

La perception est un processus multifactoriel d'une complexité étonnante. Plusieurs facteurs endogènes et exogènes sont susceptibles d'influencer la façon avec laquelle nous sélectionnons, organisons et interprétons les multiples informations qui assaillent nos sens. Si vous désirez parfaire vos connaissances sur le sujet ou voulez simplement vous divertir en vous régalant d'un bon film ayant comme trame de fond la perception, voici une courte liste de documents pertinents.

Livres

BERTHOZ, A. et G. JORLAND. *L'Empathie*, Paris, Odile Jacob, 2004.

DELORME, A. et M. FLÜCKIGER. *Perception et réalité : une introduction à la psychologie des perceptions*, Boucherville, Gaëtan Morin, 2003.

GRIMALDI, N. *Préjugés et paradoxes*, Paris, Presses universitaires de France, 2007.

GUÉGUEN, N. *100 petites expériences en psychologie du consommateur : pour mieux comprendre comment on vous influence*, Paris, Dunod, 2005.

HUFFMAN, K. *Psychologie en direct*, 3e éd., Mont-Royal, Modulo/Thompson, 2007.

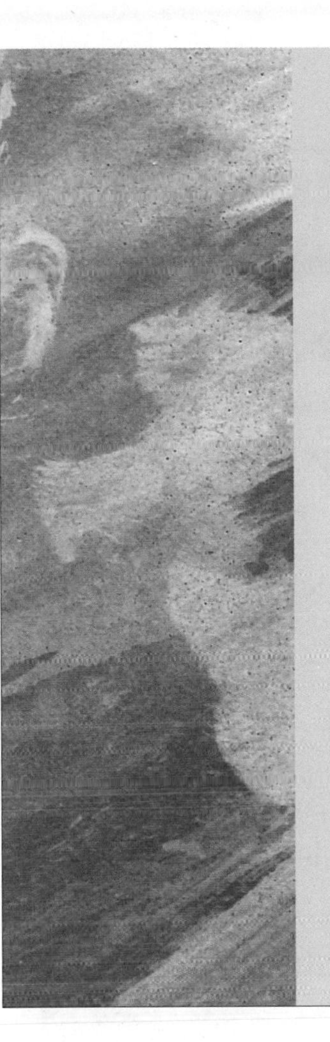

Films

Crash, réalisé par David Cronenberg (2004).

Pendant trente-six heures, les vies de plusieurs personnes entrent en collision. Parce qu'ils viennent de milieux très différents, ces gens s'appuient sur des stéréotypes, généralement d'ordre racial, pour se situer les uns par rapport aux autres. Ces jugements les empêchent de voir qui sont vraiment les personnes qu'ils ont devant eux. On dit toujours que l'habit ne fait pas le moine. Ce film nous donne un exemple spectaculaire de ce que le fait d'ignorer cette maxime peut provoquer.

Lost, série télévisée créée par J.J. Abrams, Damon Lindelof et Jeffrey Lieber (2004).

Cette série télévisée raconte l'histoire des rescapés de l'écrasement d'un avion sur une île du Pacifique. Parmi les survivants, un médecin, une « rock star », un bagnard, et toute une collection de personnages issus de d'horizons divers. Cette série illustre les problèmes que peut provoquer un jugement trop hâtif sur un étranger. À l'instant où un personnage – ou le téléspectateur – est sur le point de diaboliser l'un des survivants, un retour en arrière nous aide à comprendre les motivations de cette personne et nous amène à éprouver plus d'empathie envers elle. Inversement, d'autres personnages qui nous semblaient héroïques au début le deviennent de moins en moins à mesure que la série avance.

The Doctor, réalisé par Randa Haines (1991).

Jack MacKee est un chirurgien talentueux qui traite ses patients avec cynisme et indifférence. Il ne les voit que comme des objets sur lesquels il peut mettre à l'épreuve sa virtuosité. Mais voilà qu'un jour, il découvre qu'il est atteint d'un cancer de la gorge et constate que son chirurgien le traite avec le même manque d'empathie. La découverte de l'univers médical vu de l'autre côté de la barrière lui révélera les failles de sa vie. Ce film nous montre comment le fait de chausser les souliers d'un autre peut nous amener à beaucoup plus de tolérance et de compréhension.

Chapitre 4

LES ÉMOTIONS : RÉFLÉCHIR, RESSENTIR ET COMMUNIQUER

CONTENU

OBJECTIFS

- Reconnaître les différentes composantes de l'émotion et comprendre leurs apports respectifs dans le ressenti de celle-ci.
- Identifier les facteurs influençant l'expression des émotions.
- Comprendre comment exprimer adéquatement ses émotions.
- Savoir comment maîtriser les émotions difficiles.

Il est impossible de parler de communication sans reconnaître l'importance des émotions, de ce que l'on ressent. On sait que la confiance en soi peut faire la différence entre la réussite et l'échec, qu'il s'agisse de prononcer un discours ou de proposer un rendez-vous amoureux. À l'inverse, la colère ou le fait d'être sur la défensive peut nuire à la qualité d'une relation, alors qu'en étant calme, on facilite le dialogue, prévenant ainsi certains problèmes.

Il est clair que la communication façonne les émotions, tout comme les émotions influent sur la communication. Si une personne s'adresse à vous sur un ton injurieux, vous risquez de vous sentir blessé (communication influant sur les émotions) et de lui répondre de façon plutôt cavalière (émotions influant sur la communication). Le rôle des émotions chez les humains est évident pour les spécialistes en sciences sociales comme pour les profanes. Lorsque Robert Sternberg, psychologue à l'Université Yale, a demandé à des personnes de décrire une « personne intelligente », l'une des habiletés citées était la capacité à comprendre les autres et à s'entendre avec eux[1].

« Chéri, jouons à "vivez vos émotions". Cela te donnera un avantage au travail. »

Les émotions jouent un rôle crucial dans pratiquement tous les types de relations. Ce chapitre vous propose d'en faire une analyse et d'étudier la façon dont les gens les expriment. Après avoir expliqué ce qu'elles sont et comment les reconnaître, on donnera des lignes directrices pour déterminer les meilleurs moments et les façons les plus adéquates de partager les émotions avec les autres. Enfin, on s'intéressera aux facteurs susceptibles de provoquer des émotions. On verra notamment comment stimuler les émotions qui favorisent une communication plus efficace et minimiser celles qui y font obstacle.

LES COMPOSANTES DES ÉMOTIONS

Si vous rencontriez un extraterrestre et qu'il vous demandait d'expliquer ce que sont les émotions, que lui répondriez-vous? Vous pourriez d'abord dire que les émotions sont des choses que les gens ressentent. Bien qu'intéressante, cette explication très générale aurait bien peu de signification. Dans les faits, définir les émotions se révèle une entreprise complexe. Les spécialistes des sciences sociales s'accordent à dire que les émotions comprennent plusieurs composantes, dont les facteurs physiologiques.

LES FACTEURS PHYSIOLOGIQUES

Les émotions, quel que soit leur niveau d'intensité, entraînent de nombreux changements physiologiques. Par exemple, les sentiments de peur sont associés à une augmentation du rythme cardiaque et de la pression artérielle, à une sécrétion accrue d'adrénaline, à une élévation des taux glycémiques, à un ralentissement de la digestion et à une dilatation des pupilles. John Gottman, chercheur renommé pour ses travaux auprès d'individus en couple, remarque que des symptômes s'apparentant aux manifestations physiologiques de la peur peuvent apparaître lorsqu'un couple vit de graves conflits[2]. Il appelle cette condition l'*inondation* et a montré qu'elle entrave la résolution efficace des problèmes.

Certains changements physiologiques sont reconnaissables; par exemple, vous pouvez vous rendre compte qu'une boule se forme dans votre estomac ou encore que vos mâchoires se contractent. De telles réactions sont de bons indices sur les émotions que l'on ressent dans la mesure où l'on en prend conscience.

LES RÉACTIONS NON VERBALES

Les changements qui accompagnent les émotions ne sont pas tous internes et plusieurs peuvent être observés directement. Certains concernent l'apparence de la personne (elle rougit, transpire, devient pâle), alors que d'autres ont trait au comportement (une expression faciale ou une posture particulière, des gestes saccadés, un ton de voix et un débit différents, etc.).

Il est assez facile de se rendre compte qu'une personne est en proie à une vive émotion, mais il en est tout autrement lorsqu'on cherche à savoir de quelle émotion il s'agit. Une

posture avachie et de longs soupirs peuvent tous deux traduire de la tristesse ou de la fatigue. De même, le tremblement des mains peut indiquer de l'agitation ou de la crainte. Comme on le verra au chapitre 6, le comportement non verbal est souvent ambigu, et il serait bien hasardeux de présumer qu'on peut le décoder avec précision.

Même si l'on considère généralement le comportement non verbal comme une réaction à une émotion, il arrive aussi qu'il en soit la cause. Une étude a d'ailleurs montré qu'il est possible de ressentir certaines émotions à la suite d'une modification volontaire des expressions du visage[3]. Ce principe est appelé *rétroaction faciale*. Ainsi, lorsqu'on enseigna spécifiquement à des sujets comment bouger les muscles faciaux de façon à exprimer la peur, la colère, le dégoût, la joie, la tristesse, la surprise et le mépris, leurs corps répondirent comme s'ils ressentaient réellement ces émotions. Des résultats analogues ont été obtenus dans le cadre d'une autre étude : les sujets à qui on avait appris à sourire déclarèrent se sentir réellement mieux ; lorsqu'on leur avait demandé de modifier leur expression pour avoir l'air malheureux, les mêmes sujets dirent qu'ils se sentaient beaucoup moins bien qu'auparavant[4].

LES INTERPRÉTATIONS COGNITIVES

Dans la majorité des situations, l'esprit joue un rôle important dans la détermination des états émotionnels. Comme on l'a vu précédemment, la peur entraîne plusieurs changements physiologiques (battement accéléré du cœur, transpiration, tension musculaire et élévation de la pression artérielle). Par ailleurs, ces symptômes sont identiques à ceux qui accompagnent l'excitation ou la joie, entre autres émotions. Autrement dit, si l'on se fiait aux seuls symptômes physiologiques, on aurait beaucoup de mal à évaluer si une personne en proie à une forte émotion tremble de peur ou d'excitation.

La similitude des composantes physiologiques et non verbales de la plupart des émotions a conduit certains psychologues à conclure que le fait de ressentir une émotion provient principalement de l'étiquette que l'on attribue à des symptômes physiques en fonction du contexte dans lequel ils se manifestent[5]. Le psychologue Philip Zimbardo donne un exemple illustrant ce principe :

> Je remarque que je transpire en donnant ma conférence. J'en déduis que je me sens nerveux. Si cela arrivait fréquemment, je pourrais même me qualifier de « personne nerveuse ». Une fois cette étiquette attribuée, je dois répondre à la question : « Pourquoi suis-je si nerveux ? » Puis je commence à chercher une explication appropriée. Il se peut que je remarque que certains auditeurs quittent la pièce ou ne sont pas attentifs. Je suis nerveux parce que ma conférence n'est pas suffisamment bien préparée. Cela me rend nerveux. Comment puis-je savoir que ma présentation manque de préparation ? Parce que j'ennuie mon auditoire. Je suis nerveux parce que je ne donne pas une bonne conférence. Cela me rend d'autant plus nerveux. Comment je sais qu'elle n'est pas bonne ?

> Parce que j'ennuie les gens. Je suis nerveux parce que je suis un conférencier ennuyeux et que je veux être un bon conférencier. Je ne me sens pas à ma place. Je ferais peut-être mieux d'ouvrir une épicerie fine. C'est à ce moment qu'un participant s'écrie : « Il fait très chaud ici, je transpire et j'ai beaucoup de mal à me concentrer sur ce que vous dites. » Instantanément, je ne me sens plus du tout « nerveux » ou « ennuyant »[6].

Dans son livre intitulé *Comprendre la timidité,* Zimbardo expose les conséquences des attributions inexactes ou exagérées. Une étude portant sur plus de 5000 personnes, dont 40 % se sont décrites comme étant timides, a révélé que les sujets se disant « non timides » avaient un comportement pratiquement semblable à celui des gens qui se considéraient « timides ». Dans certaines situations sociales, ils rougissent, transpirent et sentent leur cœur battre plus vite. La différence majeure entre les deux groupes est l'étiquette qu'utilisent les personnes pour se décrire[7].

L'EXPRESSION VERBALE

Comme on le verra au chapitre 6, le comportement non verbal est un moyen hors pair pour communiquer des émotions, mais il se révèle beaucoup moins efficace pour véhiculer des idées. C'est pourquoi les mots sont parfois nécessaires pour exprimer adéquatement ce que l'on ressent. Par exemple, le comportement emporté de votre ami, qui est si inhabituel, signifie-t-il que ce dernier est en colère contre vous ou est-il en lien avec quelque chose de moins personnel ? La réponse peu enthousiaste d'un amoureux traduit-elle son ennui ou est-elle le résultat d'une longue journée de travail ? Il est quelquefois impossible de se fier uniquement aux processus perceptuels pour déterminer si un message est transmis et compris de façon adéquate. Un échange de quelques mots permet alors de clarifier le sentiment exprimé par le comportement de l'autre.

Certains chercheurs pensent qu'il y a plusieurs émotions « de base » ou « primaires »[8]. Cependant, ils ne s'entendent pas sur ce qu'elles sont, ni sur ce qui les rend « primaires »[9]. De plus, des émotions peuvent être primaires dans une culture, mais pas dans une autre, alors que certaines n'ont aucun équivalent direct dans les différentes cultures[10]. Par exemple, la « honte » est une émotion primaire chez les Chinois[11], alors qu'elle est beaucoup moins habituelle chez la plupart des Occidentaux. Malgré les divergences d'opinions, la plupart des spécialistes reconnaissent que la colère, la joie, la peur et la tristesse sont des émotions humaines courantes et habituelles.

Furieux	**Éploré**	**Extasié**	**Terrifié**	**Épris**
En colère	**Triste**	**Heureux**	**Apeuré**	**Amoureux**
Ennuyé	Pensif	Satisfait	Anxieux	Attaché (à)

FIGURE 4.1 **L'intensité des émotions.**

La plupart des émotions ont plusieurs degrés d'intensité, et il est important d'utiliser un langage qui reflète bien ces différences. La figure 4.1 illustre ce point. Par exemple, dire que vous êtes « contrarié » lorsqu'un de vos amis rompt une promesse très importante, c'est utiliser un langage qui minimise les émotions. Dans d'autres cas, les gens surestiment l'intensité de leurs émotions. Pour certains, tout est « fantastique » ou « terrible ». Le problème avec ce type d'exagération est que ceux qui y recourent n'ont plus de mots pour exprimer correctement une émotion vraiment intense lorsqu'elle se produit. Si les gâteaux au chocolat de la boulangerie locale sont « merveilleux », comment qualifier le fait de tomber amoureux ?

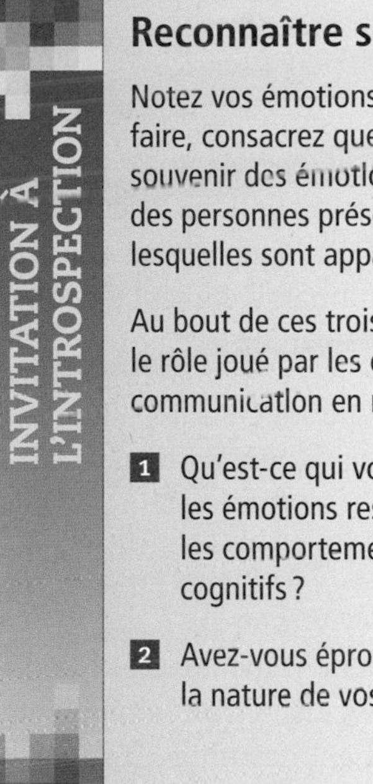

Reconnaître ses émotions

Notez vos émotions pendant trois jours. Pour ce faire, consacrez quelques minutes chaque soir à vous souvenir des émotions ressenties pendant la journée, des personnes présentes et des circonstances dans lesquelles sont apparues ces émotions.

Au bout de ces trois jours, vous pourrez comprendre le rôle joué par les émotions dans votre communication en répondant aux questions suivantes :

1. Qu'est-ce qui vous a permis de reconnaître les émotions ressenties : les stimuli physiologiques, les comportements non verbaux ou les processus cognitifs ?
2. Avez-vous éprouvé de la difficulté à déterminer la nature de vos émotions ?
3. Quelles émotions reviennent le plus souvent ? Sont-elles simples ou complexes ? tempérées ou intenses ?
4. Dans quelles circonstances exprimez-vous ou taisez-vous vos sentiments ? Quels facteurs influencent votre décision de montrer vos sentiments ou de les cacher ? Est-ce la nature du sentiment ? Est-ce la ou les personnes concernées ? Est-ce le contexte (moment, lieu) ? Est-ce le sujet sur lequel porte le sentiment (argent, sexualité ou autre) ?
5. Quelles sont les conséquences du type de communication que vous venez de décrire en répondant à la question 4 ? En êtes-vous satisfait ? Sinon, que pouvez-vous faire pour accroître votre satisfaction ?

LES FACTEURS QUI INFLUENT SUR L'EXPRESSION DES ÉMOTIONS

La plupart des gens expriment rarement leurs émotions, du moins verbalement. Ils sont généralement à l'aise pour énoncer des faits et exprimer leur opinion, mais ils dévoilent rarement leurs sentiments. Pourquoi en est-il ainsi ? Examinons quelques raisons.

LA PERSONNALITÉ

Grâce aux différentes recherches effectuées, la relation entre la personnalité et la manière dont on ressent et communique les émotions est de plus en plus claire[12]. Par exemple, les personnes extraverties — celles qui ont tendance à être enjouées et à apprécier les contacts sociaux — déclarent éprouver davantage d'émotions positives dans la vie courante que les individus moins extravertis[13]. De même, les personnes qui ont une personnalité névrotique (celles qui ont tendance à se faire du souci, à être anxieuses et inquiètes) mentionnent ressentir davantage d'émotions négatives dans la vie courante.

Ces traits de personnalité sont de nature biologique, du moins partiellement. Les psychologues ont eu recours à l'imagerie par résonnance magnétique pour vérifier la concordance entre le niveau d'activité cérébrale et les différents types de personnalité[14]. Ainsi, les personnes dont le niveau d'extraversion était plus élevé ont réagi plus fortement aux stimuli positifs que les individus moins extravertis. Pour leur part, les sujets ayant obtenu un résultat élevé lorsqu'on a mesuré le degré de névrosisme ont eu plus de réactions cérébrales aux stimuli négatifs. Bien qu'une telle étude confirme la force du bagage biologique, ce dernier ne doit pas dicter ce qui est satisfaisant en matière de communication.

LA CULTURE

Même si les êtres humains de par le monde ressentent les mêmes émotions, des événements identiques peuvent susciter des sentiments très différents selon les cultures[15]. Par exemple, une étude révèle que les personnes vivant aux États-Unis et en Europe sont plus susceptibles de craindre les étrangers et les situations dangereuses que celles vivant au Japon[16]. Cette étude indique également que les Japonais craignent davantage la communication relationnelle que les Américains et les Européens.

La culture fait également sentir son effet sur la valeur que les gens accordent aux émotions. D'après une étude, les Américains d'origine asiatique accordent une plus grande valeur aux « affects positifs de faible intensité » (comme le calme) que les Américains d'origine européenne, lesquels ont tendance à préférer les « affects positifs de forte intensité » (comme l'excitation)[17].

La manière dont les sentiments sont exprimés est également influencée par l'origine culturelle. Les spécialistes en sciences sociales ont pu étayer la notion selon laquelle les gens qui vivent sous des climats plus chauds expriment davantage leurs émotions que ceux qui habitent des régions plus froides[18].

Parmi les facteurs qui exercent une influence sur l'expression des émotions, l'un des plus significatifs est le positionnement d'une culture dans le spectre de l'individualisme et du collectivisme. Les membres de cultures collectivistes (comme celles du Japon et de l'Inde) privilégient l'harmonie entre les membres de leur propre groupe et découragent l'expression de toute émotion négative qui pourrait perturber les relations entre eux. Au contraire, les membres de cultures plus individualistes (comme celles du Canada et des États-Unis) se sentent plus à l'aise de dévoiler leurs sentiments à leurs proches[19]. De même, les individualistes et les collectivistes gèrent différemment l'expression de leurs émotions avec des gens extérieurs à leurs groupes. Alors que les collectivistes expriment avec franchise les émotions négatives qu'ils ressentent envers des personnes de l'extérieur, les individualistes ont tendance à dissimuler des émotions telles que l'antipathie[20]. On comprend facilement que les différentes règles d'extériorisation puissent entraîner des problèmes de communication.

L'utilisation des mots « Je t'aime » illustre bien les différences culturelles relatives à l'expression des émotions. Les chercheurs ont constaté que les Nord-Américains disent « Je t'aime » plus souvent (et à davantage de personnes) que ne le font les membres des autres cultures[21]. Par ailleurs, les personnes du Moyen-Orient qui ont été interrogées ont souligné que l'expression « Je t'aime » devrait être réservée aux époux et précisé que les Nord-Américains qui disent cette phrase à des femmes du Moyen-Orient de façon désinvolte risquent qu'elle soit interprétée comme une demande en mariage. D'autres participants d'origines diverses (de l'Europe de l'Est, de l'Inde, de Corée) ont eux aussi dit qu'ils utilisaient l'expression avec parcimonie, car ils pensaient qu'elle perdrait de sa valeur et de sa signification si elle était employée trop fréquemment.

LE GENRE

Au sein d'une même culture, le sexe biologique et les rôles sexuels modèlent la façon dont les hommes et les femmes vivent et expriment leurs émotions[22]. En fait, le sexe d'une personne est le meilleur prédicteur de la capacité à reconnaître et à interpréter l'expression des émotions — meilleur encore que le niveau de scolarité, le nombre de voyages à l'étranger, les similitudes culturelles ou l'appartenance ethnique[23]. La recherche suggère en effet que les femmes sont plus sensibles aux émotions que les hommes[24], aussi bien à l'intérieur d'une même culture que d'une culture à l'autre[25]. Une équipe de psychologues qui a vérifié la capacité d'hommes et de femmes à se rappeler d'images suscitant d'intenses émotions (par exemple, la photo d'un enfant amputé) a conclu que les souvenirs des femmes étaient de 10 % à 15 % plus précis que ceux des hommes. De plus, les réactions de ces dernières face à ces photos étaient significativement plus intenses que celles des participants masculins.

La recherche sur l'expression émotionnelle suggère qu'il y a une part de vérité dans le stéréotype culturel de l'homme inexpressif et de la femme plus expressive[26]. Les femmes sont en effet plus enclines à exprimer aussi bien des émotions positives (comme l'amour, l'amitié, la joie et la satisfaction) que celles traduisant une certaine vulnérabilité (comme la peur, la tristesse, la solitude et la gêne). Par ailleurs, les hommes sont moins timides quand il s'agit de parler de leurs forces[27]. On observe les mêmes différences quant à l'expression des émotions sur Internet. Les femmes, par exemple, recourent davantage aux émoticônes que les hommes pour exprimer leurs sentiments[28].

Dernier facteur lié au genre qui est susceptible d'influer sur le processus émotionnel : le rapport de force entre les deux personnes en présence. Celle qui se trouve en position d'infériorité apprend à reconnaître — probablement par nécessité — les signaux de la personne en position de supériorité. D'ailleurs, une expérience a conclu qu'il faudrait remplacer l'expression « intuition féminine » par « intuition de subordination ».

« C'était une époque où les hommes réalisaient régulièrement de grands exploits de bravoure, mais n'étaient pas souvent en contact avec leurs émotions. »

En effet, l'expérience a montré que dans les dyades composées de personnes de sexe différent, celle qui se trouvait en position d'infériorité interprétait mieux les signaux non verbaux du meneur que l'inverse[29].

LES CONVENTIONS SOCIALES

Les communicateurs sont réticents à transmettre des messages qui gênent les autres ou qui menacent de leur faire « perdre la face »[30]. Les historiens donnent une description détaillée des façons dont la société contemporaine décourage l'expression de la colère[31]. Comparativement aux siècles passés, les Nord-Américains d'aujourd'hui s'efforcent de réprimer cette émotion dans pratiquement toutes les situations, qu'il s'agisse de l'éducation des enfants, du milieu professionnel ou des relations interpersonnelles. Cette analyse est appuyée par une étude réalisée auprès de couples mariés qui a révélé que les partenaires échangent souvent des mots affectueux (« Je t'aime ») ou qui permettent de sauver les apparences (« Je suis désolé de t'avoir crié après »). De plus, les partenaires dévoilent volontiers leurs sentiments positifs ou négatifs à l'égard de tierces personnes (« J'aime bien Bruno », « Je ne me sens pas à l'aise avec Stéphanie ») lorsque celles-ci sont absentes. Par ailleurs, maris et femmes verbalisent rarement les sentiments qui menacent de leur faire perdre la face ou de nuire au fonctionnement du couple (« Tu me déçois », « Je suis folle de rage contre toi »)[32].

Les règles sociales découragent les trop grandes démonstrations d'émotions positives[33]. Un jeune homme peut serrer sa mère dans ses bras ou l'embrasser, mais il devrait se contenter de serrer la main de son père. Les marques d'affection envers les amis se font plus rares à mesure que l'on grandit, si bien que les adultes se disent rarement : « Je t'aime bien. » Le fait de ne pas verbaliser ses sentiments ne signifie pas qu'on n'en transmet aucun. En effet, de toutes les informations qui sont véhiculées par la communication non verbale, un grand nombre comporte des messages relationnels (un salut de la main), des sentiments d'affinité (un clin d'œil complice) ou l'absence d'affinité (un regard froid) avec les autres.

L'expression des émotions est également modelée par les exigences d'une multitude de rôles sociaux. Les vendeurs doivent toujours sourire aux clients, aussi odieux soient-ils. Les enseignants et les gestionnaires sont censés se comporter de manière rationnelle et maîtriser leurs émotions. Les étudiants sont récompensés quand ils posent des questions « acceptables » ou lorsqu'ils sont disciplinés et respectueux.

LA CRAINTE DE SE RÉVÉLER

Comme notre société décourage l'expression des sentiments, dévoiler ceux-ci peut s'avérer un pari risqué[34]. Un parent, un patron ou un enseignant qui a bâti sa vie sur l'image de confiance et de certitude qu'il dégage peut avoir peur de dire : « Je suis désolé, j'ai eu tort. » Pour sa part, une personne qui s'est efforcée toute sa vie de ne pas faire confiance aux autres aura du mal à avouer : « Je me sens seule. Tu voudrais bien être mon ami ? » Ceux qui osent partager de telles émotions s'exposent à subir des conséquences désagréables. Les autres pourraient mal les interpréter : reconnaître un tort et s'en montrer désolé risque d'être perçu comme un signe de faiblesse alors que montrer son affection pourrait être interprété comme une avance amoureuse[35]. L'autre danger insidieux de l'honnêteté émotionnelle est qu'elle risque de mettre les autres mal à l'aise et de rendre plus complexe une situation que l'on cherche à clarifier. Enfin, il existe toujours le risque que cette honnêteté se retourne contre soi, par méchanceté ou par manque de considération.

« Je ne suis pas dans l'une de mes humeurs habituelles… Je suis dans l'une des tiennes ! »

LA CONTAGION ÉMOTIONNELLE

Les règles culturelles et les rôles sociaux ne sont pas les seuls facteurs qui ont un effet sur les émotions que l'on éprouve. Celles-ci sont également influencées par les sentiments des autres. Cette influence, appelée **contagion émotionnelle**, est un processus par lequel les émotions se propagent d'une personne à l'autre[36]. Comme l'a observé un commentateur: « Nous nous transmettons nos sentiments comme s'ils étaient une sorte de virus social[37]. » Il est assez évident que les étudiants « attrapent » l'humeur de leurs professeurs[38], et que les conjoints influent directement et réciproquement sur leurs émotions[39].

contagion émotionnelle: processus par lequel les émotions se propagent d'une personne à l'autre.

La plupart d'entre nous reconnaissent que les émotions sont « contagieuses ». Il vous est certainement arrivé de vous retrouver à proximité d'une personne calme et d'avoir eu l'impression d'être beaucoup plus détendu à votre tour, ou encore de vous être mis à rire sans savoir pourquoi alors que les gens qui vous entouraient étaient pris d'un fou rire. Les chercheurs ont montré que ce processus se produit rapidement et ne nécessite que peu ou pas de communication verbale[40].

LES LIGNES DIRECTRICES DE L'EXPRESSION DES ÉMOTIONS

Il n'y a pas de règles universelles pour communiquer les émotions de la meilleure façon qui soit. La personnalité, la culture, les rôles attribués au genre et les conventions sociales contribuent à déterminer l'approche qui semble juste et ce qui est le plus susceptible de fonctionner dans une situation donnée.

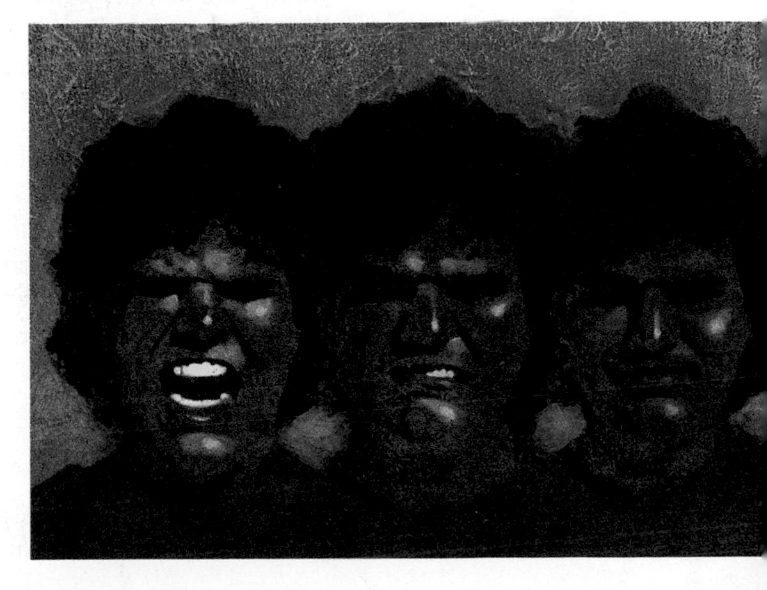

Vous pouvez sûrement imaginer des moments où il ne serait pas judicieux d'exprimer vos émotions clairement et directement. Évidemment, il n'est pas recommandé de se mettre en colère contre des figures d'autorité comme des policiers ou des professeurs, tout comme il n'est pas prudent d'affronter des étrangers qui ont l'air dangereux. En dépit de ces restrictions, la plupart des gens peuvent tirer profit d'une communication directe et claire de leurs émotions, même s'ils ne sont pas habituellement expressifs. Les recommandations contenues dans les pages suivantes vous aideront à déterminer quand et comment exprimer vos émotions.

TABLEAU 4.1 **Les communicateurs et leurs émotions.**

Par rapport aux communicateurs « peu axés sur les émotions », les communicateurs « très axés sur les émotions » sont :

- plus heureux ;
- plus sûrs d'eux ;
- plus à l'aise avec la proximité interpersonnelle ;
- moins portés à être déprimés ;
- moins stressés ;
- en meilleure santé mentale ;
- plus à même d'entreprendre une activité sociale régulière ;
- moins à risque de vivre l'isolement social ;
- plus susceptibles de recevoir de l'affection de la part des autres ;
- plus à même de vivre des relations amoureuses satisfaisantes.

Source : FLOYD, K. « Human Affection Exchange V : Attributes of the Highly Affectionate », *Communication Quarterly*, 50, 2002, p. 135–152.

De nombreuses recherches soutiennent l'importance d'exprimer adéquatement des émotions (voir le tableau 4.1 pour avoir une liste détaillée des avantages). Sur le plan purement physiologique, les personnes qui savent bien exprimer leurs émotions sont en meilleure santé que les gens moins habiles à communiquer ce qu'ils ressentent. Conséquemment, le fait de ne pas suffisamment exprimer ses sentiments peut conduire à des maladies graves. Les personnes inexpressives, qui mettent en avant la rationalité, la maîtrise de soi et qui refusent d'admettre leur détresse, sont plus susceptibles de développer plusieurs maladies comme le cancer, l'asthme et les maladies cardiaques[41].

Les communicateurs qui expriment outre mesure leurs affects négatifs (colère, frustration, etc.) souffrent également sur le plan physiologique. Lorsqu'ils ripostent verbalement de façon très vive, leur pression sanguine augmente en moyenne de 20 points, et même de 100 points dans certains cas[42]. Pour rester en bonne santé, il faut donc apprendre à exprimer ses émotions de façon constructive. Et cela exige un certain travail. Il est évident qu'une personne qui manifesterait chaque sentiment d'ennui, de peur, de colère ou de frustration s'attirerait quelques ennuis.

Les suggestions qui suivent peuvent vous aider à choisir les moments opportuns pour exprimer vos émotions et les façons adéquates d'y parvenir. Conjuguées aux recommandations concernant la révélation de soi qui sont présentées au chapitre 9, elles peuvent améliorer votre efficacité à communiquer vos émotions.

RECONNAÎTRE SES ÉMOTIONS

Répondre à la question « Comment vous sentez-vous ? » est parfois plus difficile qu'il n'y paraît. Certaines personnes, que les chercheurs disent « axées sur les émotions », sont davantage conscientes de leurs états émotionnels et en tiennent compte lorsqu'elles prennent des décisions importantes[43]. En revanche, celles « peu axées sur leurs émotions » ont tendance à considérer les sentiments comme des informations futiles et sans grand intérêt.

La recherche montre qu'il faut non seulement être conscient de ses émotions, mais aussi être en mesure de les reconnaître. Selon les chercheurs, les étudiants qui peuvent reconnaître les émotions négatives ont également de meilleures stratégies pour les gérer[44]. Cela explique pourquoi la capacité à différencier et à cataloguer les émotions est une composante vitale de l'intelligence émotionnelle, aussi bien au sein d'une culture que d'une culture à l'autre[45].

Une émotion qui n'est pas encadrée par des règles sociales de retenue et d'expression, c'est comme un œuf sans coquille : ça fait tout un dégât !

Carol Tavris, auteur américain

RECONNAÎTRE LA DIFFÉRENCE ENTRE RESSENTIR, PARLER ET AGIR

Il n'est pas toujours nécessaire d'exprimer ce que l'on ressent, et parler de ses sentiments n'implique pas toujours une extériorisation physique. Selon plusieurs recherches, les personnes qui tentent d'évacuer physiquement leur colère, en frappant dans un sac de sable par exemple, n'y trouvent pas l'exutoire tant recherché[46].

Si vous parvenez à faire la distinction entre ressentir et agir, vous pourrez alors vous exprimer de manière constructive dans des situations difficiles. Par exemple, si vous prenez conscience de votre irritation envers un ami, vous serez en mesure d'examiner ce sentiment et de découvrir ainsi ce qui vous dérange.

En partageant vos sentiments avec votre ami (en lui disant, par exemple, sur un ton posé: « Je suis tellement en colère contre toi que je pourrais hurler »), vous vous donnez la possibilité de régler le conflit. Faire semblant que tout va bien ou crier stérilement contre l'autre n'atténuera pas votre ressentiment. Au contraire, celui-ci finira par empoisonner votre relation.

ÉLARGIR SON VOCABULAIRE ÉMOTIONNEL

La plupart des gens sont à court de vocabulaire pour exprimer leurs émotions. Demandez-leur de dire comment ils se sentent, et leur réponse comportera presque toujours les mêmes termes: *bien*, *mal*, *vraiment mal* ou *vraiment bien*.

Prenez maintenant un instant pour réfléchir au nombre d'adjectifs reflétant des sentiments que vous pouvez énumérer. Consultez ensuite le tableau 4.2 pour voir ceux que vous avez omis.

TABLEAU 4.2 **Les termes exprimant quelques sentiments.**

à l'aise	déprimé	flatté	intéressé	paresseux	sentimental
affectueux	désolé	fort	intimidé	passionné	sexy
agité	détaché	fou	irascible	perdu	solitaire
agacé	ébahi	froid	irritable	perplexe	soulagé
ambivalent	effrayé	frustré	jaloux	perturbé	stressé
amer	effronté	furieux	laid	pessimiste	subjugué
amical	en colère	gai	lassé	peu sûr de soi	sur la défensive
anéanti	en forme	gêné	libre	piégé	surexcité
anxieux	enchanté	harcelé	mal à l'aise	plein d'entrain	surpris
apathique	enjoué	heureux	malheureux	plein de regrets	tendre
blessé	ennuyé	honteux	malveillant	plein de ressentiment	tendu
bouleversé	enragé	hostile	maussade	possessif	terrifié
calme	enthousiaste	humilié	méfiant	pressé	tiède
chaleureux	envieux	idiot	merveilleux	protecteur	timide
confiant	épouvanté	impatient	mesquin	ravi	transporté de joie
contrarié	épuisé	impressionné	mortifié	rêveur	tremblant
courageux	euphorique	impuissant	négligé	reconnaissant	triste
craintif	exaspéré	indécis	nerveux	rempli d'espoir	triste et délaissé
crispé	excité	inhibé	optimiste	revigoré	troublé
déconcerté	extatique	inquiet	paisible	ridicule	vaincu
déçu	faible	insolent	paralysé	romantique	vidé
dégoûté	fatigué	insouciant	paranoïaque	satisfait	vulnérable

Nombreux sont les communicateurs qui croient exprimer des émotions alors que leurs déclarations sont vides de contenu émotionnel. Contrairement à ce que l'on pourrait croire, des phrases comme « J'aimerais aller à un spectacle » ou « Je crois que nous nous sommes assez vus » ne révèlent aucune émotion. Dans la première phrase, le verbe « aimerais » exprime une intention alors que dans la seconde, l'expression « Je crois » renvoie à une pensée : « Je *pense* que… » On peut combler cette lacune en ajoutant dans chaque phrase un mot qui indique véritablement un sentiment comme : « Je *m'ennuie* et je veux aller à un spectacle » et « Je crois que nous nous sommes assez vus, car je me sens *prisonnier* ».

N'avoir que quelques mots pour exprimer des émotions équivaut à réduire la possibilité d'être bien compris par les autres. Dire que l'océan, avec toutes ses nuances, que le ciel, qui varie d'un jour à l'autre, et que les yeux de votre bien-aimé sont « bleus » revient à limiter la perception et la compréhension de votre environnement. De même, des termes comme « bien » ou « super » sont trop vagues et ne décrivent que partiellement les émotions ressenties par une personne dans des situations aussi différentes qu'obtenir un doctorat, terminer un marathon ou faire l'amour pour la première fois.

Il existe plusieurs façons d'exprimer verbalement une émotion[47]. On peut :

- employer des mots simples tels que « Je suis en colère » (ou nerveux, déprimé, curieux, etc.) ;
- décrire simplement la situation que l'on vit : « J'ai l'estomac complètement noué » ou « Je suis aux anges » ;
- décrire ce que l'on souhaiterait faire : « J'aimerais m'enfuir le plus loin possible », « J'aimerais te serrer dans mes bras » ou « Je voudrais tout lâcher ».

Parfois, les émotions sont exprimées d'une manière codée. Cela se produit souvent lorsque l'émetteur se sent gêné de révéler ce qu'il ressent. Certains codes sont verbaux, comme lorsque la personne qui émet le message fait des allusions plus ou moins subtiles. Par exemple, une façon détournée de dire « Je me sens seul » pourrait être : « Je ne fais pas grand-chose de spécial en fin de semaine, veux-tu qu'on fasse quelque chose ensemble ? » Quand le message est indirect, le sentiment réel que l'on désire exprimer risque de ne pas être correctement compris. C'est pourquoi les gens qui envoient des messages codés ont peu de chances de voir leurs besoins comblés.

Lorsqu'on veut exprimer une émotion, il est préférable d'être très explicite et de faire comprendre à l'autre que cette émotion concerne des circonstances bien précises, et non la relation dans son entièreté. Ainsi, au lieu de lancer : « Je t'en veux », il vaut mieux dire : « Je t'en veux lorsque tu ne tiens pas tes promesses » ; de même, plutôt que de déclarer : « Je m'ennuie avec toi », il est préférable de dire : « Je m'ennuie lorsque tu parles d'argent ».

PARTAGER LES ÉMOTIONS COMBINÉES

Bien souvent, l'émotion exprimée n'est pas la seule ressentie. Par exemple, une personne pourrait fréquemment extérioriser sa colère, mais oublier la confusion, la déception, la frustration, la tristesse ou l'embarras qui l'ont précédée. Pour comprendre pourquoi, lisez les mises en situation qui suivent et posez-vous, pour chacune d'elles, ces deux questions : « Comment me sentirais-je ? » et « Quelles émotions pourrais-je exprimer ? »

> Jean-Philippe attend Bruno, qui habite à l'extérieur de la ville, pour aller prendre un verre. Ils se sont donné rendez-vous à 20 h chez Jean-Philippe. Comme Bruno n'est toujours pas là à 22 h, Jean-Philippe est convaincu qu'il lui est arrivé un grave accident. Au moment où il s'apprête à téléphoner à la police et aux hôpitaux de la région, Bruno entre en coup de vent en lui disant, avec désinvolture, qu'il est parti en retard de chez lui.
>
> Yan et Marie-Ève se sont disputés juste avant de partir à une soirée. Marie-Ève sait fort bien que c'est elle qui a tort, même si elle ne veut pas l'admettre. Lorsque le couple arrive à la soirée, Yan la délaisse pour aller flirter avec des invitées.

Dans de telles situations, les émotions que l'on ressent sont souvent partagées. Si la première réaction de Jean-Philippe a probablement été le soulagement (« Heureusement, il est sain et sauf! »), il a pu également ressentir une certaine colère (« Pourquoi ne m'a-t-il pas téléphoné pour me dire qu'il serait en retard? »). La seconde situation suscite davantage d'émotions combinées que la première : culpabilité au sujet de la dispute, chagrin, possible embarras devant le comportement équivoque de l'autre et colère face à ce genre de vengeance.

Même s'il est fréquent d'éprouver plusieurs émotions à la fois, on n'en exprime souvent qu'une seule — généralement celle qui est ressentie avec le plus d'intensité. Dans les deux exemples précédents, Jean-Philippe et Marie-Ève pourraient donc montrer uniquement leur colère et taire leurs autres émotions. Évidemment, les réactions alors suscitées seraient bien différentes de celles qu'entraînerait le dévoilement de toutes leurs émotions.

CHOISIR LE BON MOMENT ET LE BON ENDROIT

Bien souvent, l'instant précis où l'on ressent une émotion vive n'est pas le moment idéal pour l'exprimer. Par exemple, si une personne se fait réveiller au milieu de la nuit par un voisin bruyant, elle risque de prononcer des paroles regrettables si elle se précipite chez ce dernier pour lui exprimer son insatisfaction. Dans un cas semblable, mieux vaut se calmer et bien réfléchir à la façon d'exprimer ses émotions, afin que celles-ci soient mieux reçues et mieux comprises. D'après la recherche, les « interactions imaginées » avant les conversations réelles permettent de renforcer les relations puisque les communicateurs peuvent réfléchir à ce qu'ils diront et envisager la réaction des autres[48].

Une fois qu'on a laissé passer la première vague d'émotions intenses, il est important de choisir le meilleur moment pour transmettre son message. Faire part de ses émotions exige généralement temps et effort, et il est préférable de ne pas se livrer à cet exercice à des moments où l'on est envahi par le stress, la fatigue ou lorsqu'on est préoccupé par d'autres problèmes. Pour les mêmes raisons, on doit s'assurer que l'autre est dans de bonnes dispositions.

Il y a également des situations dans lesquelles on peut choisir de ne pas révéler ses sentiments. Par exemple, même si vous êtes irrité par l'attitude d'un policier qui vous a interpellé pour excès de vitesse, vous aurez sûrement avantage à garder vos émotions pour vous. Par ailleurs, des études révèlent que le fait d'écrire ses émotions

DÉFI ÉTHIQUE

Le juste milieu d'Aristote

Il y a près de 2500 ans, le philosophe Aristote a abordé des questions qui sont encore aussi importantes aujourd'hui qu'elles l'étaient dans la Grèce antique. Dans l'*Éthique de Nicomaque*, Aristote examine la question de la « vertu morale » : quels sont les comportements et les façons d'agir qui nous permettent de fonctionner efficacement dans notre environnement ? Une part importante de son questionnement porte sur la gestion et l'expression des émotions, qu'il définit comme les « passions et actions ».

Selon lui, une dimension importante d'un comportement vertueux est la modération, qu'il définit comme « l'intermédiaire entre l'excès et le manque… à équidistance des extrêmes… ni trop, ni trop peu ». Aristote présente le concept de modération en utilisant une analogie mathématique : si le chiffre dix représente une quantité élevée, et le chiffre deux, une faible quantité, alors six sera l'intermédiaire entre les deux.

Cependant, Aristote fait remarquer que la méthode servant au calcul « mathématique » du juste milieu ne peut être appliquée aux questions humaines. Il illustre les défauts de son analogie mathématique à l'aide de l'exemple suivant : « Ce n'est pas parce que dix livres de nourriture constituent une trop grande quantité et deux livres une trop petite ration pour une personne que l'entraîneur en prescrira six, car ce serait peut-être excessif pour cette personne. » En d'autres termes, Aristote constate que les gens ont des personnalités différentes et il reconnaît qu'il n'est ni réaliste ni souhaitable pour un passionné de tout faire pour adopter le style de comportement de quelqu'un qui ne l'est pas.

N'importe qui peut se mettre en colère. C'est facile. Par contre, se mettre en colère contre la bonne personne avec la bonne intensité, au bon moment pour la bonne raison, et de la bonne façon : voilà qui n'est pas facile.

Aristote,
philosophe grec

et ses pensées se révèle bénéfique tant au point de vue psychologique que sur le plan physique ou émotionnel. Cette approche est particulièrement efficace dans le cas d'émotions intenses que l'on ne veut pas exprimer verbalement[49].

ASSUMER LA RESPONSABILITÉ DE SES ÉMOTIONS

Le langage utilisé pour exprimer nos émotions doit rendre compte du fait que l'on assume la responsabilité de celles-ci. Ainsi, au lieu de lancer : « Tu m'énerves », il vaut mieux dire : « Je suis en train de me mettre en colère » ; au lieu de déclarer : « Tu m'as blessé », il faudrait plutôt expliquer : « Je me sens blessé lorsque tu agis de la sorte ». Comme nous le verrons, ce ne sont pas les autres qui font en sorte qu'on les aime ou non, et croire le contraire revient à nier que nous sommes responsables de nos propres émotions.

SAVOIR MAÎTRISER LES ÉMOTIONS DIFFICILES

Les émotions ne sont pas toutes bénéfiques à éprouver ni à exprimer. En effet, la rage, le découragement, la terreur et la jalousie n'améliorent pas vraiment l'humeur ni les relations. Les pages suivantes décrivent plusieurs outils visant à minimiser l'impact ou la quantité de ces émotions improductives.

LES ÉMOTIONS CONSTRUCTIVES ET LES ÉMOTIONS NÉGATIVES

émotion constructive : émotion qui aide un individu à fonctionner de manière efficace.

émotion négative : émotion qui handicape le fonctionnement d'un individu.

Il faut tout d'abord distinguer les **émotions constructives**, celles qui aident un individu à fonctionner de manière efficace, des **émotions négatives** (ou affaiblissantes), celles qui handicapent son fonctionnement.

L'une des grandes différences entre ces deux types d'émotions est leur niveau d'intensité. Par exemple, une certaine dose de colère peut être constructive si elle amène la personne à vouloir se surpasser. La rage, par contre, ne fait généralement qu'envenimer les choses, en particulier lorsqu'on conduit, ainsi que le prouvent les problèmes liés à la « rage au volant »[50]. Le même scénario se vérifie concernant la peur: un peu de nervosité avant une entrevue peut donner le coup de fouet nécessaire pour améliorer sa performance alors qu'un état de terreur absolue n'arrangera rien. Il est même reconnu qu'une petite dose de méfiance peut contribuer à rendre un communicateur plus efficace. Une étude a en effet révélé que les individus qui mettent en doute la véracité des propos de leur interlocuteur détectent mieux la tromperie que ceux qui leur font impunément confiance[51]. Bien entendu, un cas extrême de paranoïa aurait l'effet inverse et diminuerait par le fait même la capacité à interpréter correctement le comportement de l'autre.

Ainsi, il n'est pas surprenant que les émotions négatives, comme la crainte de la communication, entraînent divers problèmes dans les milieux personnels, professionnels et scolaires[52]. Une personne qui se sent anxieuse parle moins et s'exprime de façon moins efficace, ce qui implique que ses besoins sont généralement moins comblés[53].

La seconde caractéristique distinguant les émotions négatives des émotions constructives est leur durée respective. Il est tout à fait normal de se sentir déprimé pendant quelque temps lorsqu'on vient de mettre un terme à une relation amoureuse ou de perdre son travail, mais passer le reste de sa vie à se morfondre n'est en rien constructif. De la même façon, une personne qui continue à en vouloir à quelqu'un pour le tort qu'il lui a causé il y a très longtemps se porte préjudice à elle-même autant qu'au fautif.

LES ORIGINES DES ÉMOTIONS NÉGATIVES

Pour la majorité des gens, les émotions semblent incontrôlables. Votre ami voudrait rester calme lorsqu'il s'adresse à des étrangers, mais sa voix qui tremble le trahit. Pour sa part, celui qui demande une augmentation de salaire essaie de paraître sûr de lui, et pourtant il cligne nerveusement des yeux. D'où proviennent de telles émotions ?

L'une des réponses se trouve à même le patrimoine génétique. Le tempérament est en grande partie héréditaire, et cela inclut des traits qui influent sur la communication, tels que la timidité, l'agressivité verbale et l'assurance. Fort heureusement, la biologie ne détermine pas comment chacun de nous vit ses émotions.

Au-delà de l'hérédité, les spécialistes montrent que la cause de certaines émotions négatives — en particulier celles qui entraînent des réactions de combat ou de fuite — est profondément enfouie dans le cerveau, précisément dans l'amygdale. Celle-ci joue le rôle d'une sentinelle qui passe au crible chaque expérience, à la recherche de menaces potentielles. En une fraction de seconde, elle peut déclencher une alarme qui provoquera un flot de réactions physiologiques: rythme cardiaque accéléré, pression artérielle élevée, sens en alerte et muscles prêts à réagir[54].

Ce système de défense est évidemment utile lorsqu'on doit affronter des dangers physiques réels. Cependant, lors de situations sociales, l'amygdale peut déclencher des émotions comme la peur ou la colère alors qu'il n'y a pas de menace réelle. Par exemple, vous pourriez vous sentir mal à l'aise si une personne se tient trop près de vous ou ressentir de la colère si quelqu'un passe devant vous dans une file d'attente. Comme on le verra plus loin, réfléchir avec soin est le meilleur moyen d'éviter les réactions exagérées à des menaces qui ne sont pas réelles...

LE DIALOGUE INTÉRIEUR

Ce que l'on pense peut avoir un effet important sur les émotions que l'on éprouve. Beaucoup de gens disent, par exemple, que leur patron les rend nerveux tout comme ils diraient qu'une piqûre d'abeille leur inflige de la douleur. Selon les psychologues d'approche cognitive, ce ne sont pas les événements (être observé attentivement par son patron) qui provoquent le malaise, mais plutôt l'interprétation que l'on fait de la situation.

Pour comprendre ce qu'il en est, imaginez une personne marchant dans la rue et qui, passant près d'une maison, voit le propriétaire sortir sa tête par la fenêtre et l'entend l'injurier sans retenue. On peut facilement concevoir qu'elle se sentira surprise ou choquée. Maintenant, imaginez que cette même personne passe devant un établissement psychiatrique et qu'un homme, de toute évidence un des patients, l'injurie de la même façon. Dans ce cas-ci, les sentiments du promeneur seraient sans doute fort différents : il ressentirait probablement de la pitié ou de la compassion.

Ces deux situations dont l'événement déclencheur (le fait de se faire insulter) est identique ont pourtant des conséquences très différentes sur le plan émotionnel, en raison de l'interprétation qui en est faite. Dans le premier cas, le promeneur pourrait penser (à juste titre) que l'homme est vraiment furieux contre lui. Il pourrait même s'imaginer qu'il a fait quelque chose de mal et ressentir une certaine culpabilité. Dans le second cas, il supposerait sans doute que l'homme est aux prises avec de sérieux problèmes psychologiques et se montrerait plus compréhensif.

dialogue intérieur : processus de réflexion menant à interpréter les événements.

rumination : ressassement incessant d'idées négatives.

Ces mises en situation illustrent bien que ce sont les interprétations que l'on fait d'un événement, au cours du processus de **dialogue intérieur**, qui provoquent les réactions émotionnelles[55].

Une des formes de dialogue intérieur négatif est la **rumination**, c'est-à-dire le ressassement incessant d'idées négatives qui, à leur tour, intensifient les émotions négatives. Un grand nombre de recherches confirment que la rumination centrée sur soi accroît les sentiments de tristesse, d'anxiété et de dépression[56].

LA PENSÉE IRRATIONNELLE ET LES ÉMOTIONS NÉGATIVES

Beaucoup d'émotions négatives proviennent de la croyance en un certain nombre de pensées irrationnelles — communément appelées *illusions* — qui mènent à des conclusions illogiques et ensuite à des émotions négatives. Ces illusions sont pour la plupart inconscientes, ce qui les rend particulièrement fortes et difficiles à contrer[57]. Le fait de mieux les connaître et de pouvoir les reconnaître vous aidera cependant à en diminuer l'impact sur vos émotions. Voici les illusions les plus communes.

L'illusion de perfection

L'**illusion de perfection** repose sur la croyance qu'un communicateur digne de ce nom devrait être capable de bien faire les choses, de toujours réussir et d'être parfait en tout. Croire qu'il est souhaitable et possible d'atteindre cette perfection, c'est supposer que l'on ne sera apprécié par les autres que si l'on est parfait. Comme tout le monde souhaite être estimé et admiré, il est tentant d'essayer de paraître parfait, mais le coût d'une telle tromperie est élevé. D'une part, si les autres découvrent qui on est réellement, on passe alors pour un imposteur. Et même si on n'est pas découvert, agir ainsi demande une telle quantité d'énergie que cela rend moins agréable la gratification tirée de l'approbation des autres.

illusion de perfection : croyance selon laquelle il faut toujours réussir et être parfait en tout.

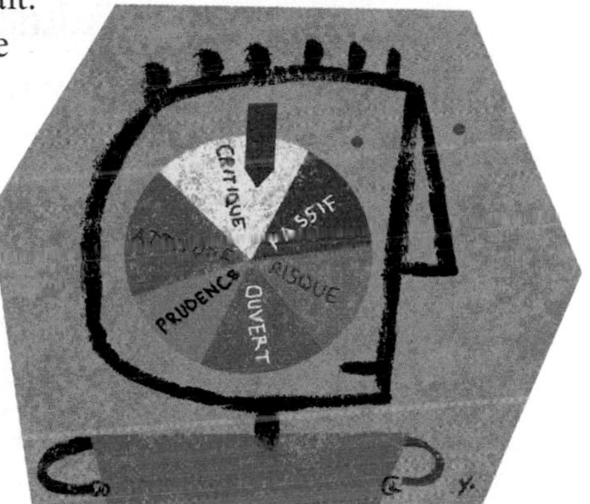

Ainsi, une personne qui souscrit volontairement au mythe de la perfection empêche non seulement les autres de l'apprécier à sa juste valeur, mais risque fort de voir diminuer son estime personnelle : comment peut-elle s'aimer si ses exigences sont inatteignables ?

INVITATION À L'INTROSPECTION

Se parler à soi-même

Pour mieux comprendre comment vos pensées modèlent vos émotions, suivez les étapes suivantes :

1. Prenez quelques minutes pour écouter la voix intérieure, celle qui vous parle quand vous réfléchissez. Fermez les yeux et écoutez-la... L'avez-vous entendue ? Peut-être disait-elle : « Quelle voix ? Je n'ai aucune voix intérieure... » Recommencez et soyez attentif.
2. Maintenant, réfléchissez aux situations suivantes et imaginez quelle serait votre réaction dans chacune d'elles. Comment votre voix intérieure les interpréterait-elle ? Quels sentiments découleraient de chaque interprétation ?
   a) Vous êtes dans un autobus, en classe ou dans la rue et vous remarquez une personne attirante qui vous jette des coups d'œil.
   b) Pendant un cours, votre professeur demande à la classe : « Qu'en pensez-vous ? » et se tourne vers vous.
   c) Vous êtes en train de raconter vos vacances à des amis, et l'un d'eux bâille.
   d) Vous rencontrez une amie par hasard et vous lui demandez comment elle va. « Bien », répond-elle, et elle se sauve en courant.
3. À présent, rappelez-vous trois situations récentes dans lesquelles vous avez ressenti une émotion intense. Pour chacune d'elles, souvenez-vous de l'événement déclencheur, puis de l'interprétation qui a engendré votre réaction émotionnelle.

illusion d'approbation : conviction qu'il faut à tout prix recevoir l'approbation des personnes de son entourage.

illusion des impératifs : incapacité de faire la distinction entre ce qui est et ce qui devrait être.

L'illusion d'approbation

L'**illusion d'approbation** repose sur l'idée qu'il est non seulement souhaitable, mais également vital, de recevoir l'approbation des personnes de son entourage. Souvent, les gens sont prêts à aller très loin pour obtenir cette approbation, même aux dépens de leurs propres principes. Ceux qui pensent ainsi peuvent vivre des situations aussi absurdes que celles-ci :

- Ressentir de la nervosité parce des gens qu'ils n'apprécient pas véritablement semblent les désapprouver.
- Vouloir s'excuser alors qu'ils n'ont rien à se reprocher.

Il ne faut pas se méprendre : rejeter le principe de l'illusion d'approbation ne signifie pas pour autant qu'il est préférable d'être égocentrique. Il est essentiel, dans la mesure du possible, de tenir compte des besoins des autres et d'y répondre. Il est également agréable — voire nécessaire — de gagner le respect des gens que l'on estime importants.

L'illusion des impératifs

L'**illusion des impératifs** est l'incapacité de faire la distinction entre ce qui *est* et ce qui *devrait être*. Pour comprendre la différence, imaginez une personne qui formule constamment des revendications au monde entier, telles que celles-ci :

« Il ne devrait pas pleuvoir pendant les fins de semaine. »
« On devrait pouvoir vivre éternellement. »
« L'argent devrait pousser dans les arbres. »
« Nous devrions tous être capables de voler dans les airs. »

Des illusions comme celles-ci sont non seulement simplistes, mais ne modifient en rien la réalité. Pourtant, de nombreuses personnes se tourmentent en se plongeant dans ce genre de croyances irrationnelles qui les amènent à confondre *est* et *devrait être,* et donc à parler et à penser en ces termes :

« Mon ami devrait être plus compréhensif. »
« Elle ne devrait pas être si irréfléchie. »
« Ils devraient se montrer plus gentils. »
« Ils devraient travailler davantage. »

Le message véhiculé dans ces phrases est que l'on préférerait que les gens aient un comportement différent. Vouloir que les choses soient meilleures est tout à fait légitime, et essayer de les changer est, bien sûr, une excellente idée. Il n'est toutefois pas raisonnable d'exiger que le monde fonctionne toujours comme on l'entend, ou de se sentir trahi lorsque les situations ne sont pas telles qu'on le désire. Le psychologue Aaron Beck donne quelques exemples des impératifs irréalistes que les gens s'imposent[58] :

« Je devrais être capable de trouver une solution rapide à chaque problème. »

« Je ne devrais jamais me sentir blessé ; je devrais toujours être heureux et serein. »

Le fait d'être constamment préoccupé par ce qui « devrait être » mène à trois impasses tout aussi désagréables les unes que les autres. Premièrement, cela conduit à se sentir inutilement malheureux, car les gens qui sont constamment en train de rêver à un idéal sont rarement satisfaits de ce qu'ils ont ou de ce qu'ils sont. Deuxièmement, se plaindre passivement empêche d'agir sur son environnement dans le but de l'améliorer. Troisièmement, ce genre de plainte provoque une réaction défensive chez les autres, qui ne vont pas manquer de répliquer lorsque leur patience sera épuisée. Il est beaucoup plus efficace d'expliquer aux gens ce que l'on aimerait obtenir d'eux que de leur faire des reproches continuellement. Il est préférable, par exemple, de dire: « J'aimerais que tu sois plus ponctuel » plutôt que: « Tu devrais être à l'heure ».

L'illusion par généralisation excessive

L'**illusion par généralisation excessive** se divise en deux catégories. La première consiste à généraliser à partir d'une quantité limitée de preuves. Comme dans les exemples suivants, combien de fois vous est-il arrivé de vous dire:

> « Je suis tellement stupide que je ne suis même pas capable de passer mon cours d'éducation physique. »
>
> « Quelle sorte d'ami je suis ! J'ai complètement oublié l'anniversaire de mon meilleur ami » ?

illusion par généralisation excessive: croyance irrationnelle basée sur une quantité limitée de preuves ou sur une amplification des faits.

illusion de causalité: croyance selon laquelle les émotions qu'une personne vit sont causées par les autres plutôt que par sa propre réflexion intérieure.

Dans de tels cas, les gens se concentrent sur un défaut en particulier, comme s'il était représentatif de l'ensemble de leur personnalité. Ils oublient que, malgré quelques écueils, ils ont résolu des problèmes compliqués et que, s'ils sont parfois distraits, ils sont souvent présents et attentionnés.

La seconde catégorie de généralisation excessive consiste à amplifier certains faits:

> « Tu ne m'écoutes *jamais*. »
>
> « Il est *toujours* en retard. »
>
> « Je ne comprends *rien* dans ce cours. »

En y regardant de plus près, on constate que des affirmations catégoriques comme celles-ci sont presque toujours inexactes et qu'elles pavent souvent la voie au découragement ou à la colère. On se sent en effet beaucoup mieux lorsqu'on remplace ces généralisations excessives par des messages beaucoup plus justes envers soi et envers les autres.

L'illusion de causalité

L'**illusion de causalité** consiste à croire que les émotions sont causées par les autres plutôt que par sa propre réflexion intérieure. Cette illusion provoque des problèmes de deux façons. La première est qu'elle incite les individus à une prudence exagérée, pour éviter de « causer » de la peine ou des inconvénients aux autres. Cette attitude se rencontre dans des situations telles que:

- Rendre visite à des amis ou à de la parenté par obligation plutôt que par plaisir.
- S'empêcher de réagir lorsqu'on est dérangé par le comportement d'une personne.

Il est évident que le fait de dévoiler sa pensée dans le but de faire de la peine aux autres est pure bassesse. Ainsi, il y a des circonstances où l'on choisit de se taire pour

Personne ne peut vous donner un sentiment d'infériorité sans votre consentement.

Eleanor Roosevelt, épouse du président F. D. Roosevelt

« ménager » ceux qu'on aime. Cependant, il est essentiel de comprendre que l'on n'est pas responsable des émotions des autres. Il serait plus exact de dire que ceux-ci réagissent à un comportement avec les émotions qui leur sont propres. Par exemple, il serait grotesque de suggérer qu'une personne peut rendre les autres amoureux d'elle. Il serait plus juste de dire que ses actions, quelles qu'elles soient, font en sorte que certaines personnes tombent amoureuses d'elle. De la même façon, il est inexact d'affirmer que l'on rend les autres fâchés, contrariés ou heureux...

Autre façon d'entraîner des problèmes : l'illusion de causalité peut faire croire que ce sont les autres qui provoquent les émotions que l'on ressent. Si cela se révélait exact, une action qui a causé de la joie à un moment devrait produire la même émotion à un autre. Or, l'injure ou le compliment qui a pu vous affecter hier peut vous laisser indifférent aujourd'hui. Pourquoi ? Simplement parce que, dans le second cas, vous y attachez moins d'importance. Les émotions que l'on éprouve ne seraient certainement pas les mêmes en l'absence du comportement des autres, mais il reste que c'est la réaction de chaque personne, et non les actions des autres, qui détermine comment elle se sent.

L'illusion d'impuissance

illusion d'impuissance : croyance selon laquelle la satisfaction dans la vie est conditionnée par des facteurs incontrôlables.

illusion des prévisions catastrophiques : croyance voulant que si quelque chose de mauvais est susceptible de se produire, cela se produira.

L'**illusion d'impuissance** consiste à croire que la satisfaction dans la vie est conditionnée par des facteurs sur lesquels on n'a pas de contrôle. Les gens qui se considèrent comme d'éternelles victimes font des déclarations comme celles-ci :

> « Une femme ne peut pas grimper les échelons dans notre société. C'est un monde d'hommes. »
>
> « Je suis timide de naissance. J'aimerais être plus ouvert, mais je ne peux rien y faire. »
>
> « Je ne peux pas dire à ma patronne qu'elle est trop exigeante avec moi. Si je le fais, je risque de perdre mon emploi. »

Des déclarations du type « Je ne peux pas » ne relèvent pas toujours de l'impuissance. Beaucoup d'entre elles sont en réalité des rationalisations visant à justifier le refus d'apporter des changements à une situation donnée. Les personnes solitaires, par exemple, attribuent volontiers leur vie sociale très limitée à des causes incontrôlables. « C'est indépendant de ma volonté », pensent-elles. Notez dans cette attitude l'autoréalisation des prophéties : croire que les gens qu'elle va rencontrer sont bêtes peut effectivement amener une personne à être elle-même désagréable. Au contraire, reconnaître qu'il existe un moyen de changer les choses — même si l'entreprise se révèle difficile —, c'est assumer la responsabilité de ce que l'on vit. Une fois qu'on a pris conscience qu'on peut agir sur une situation, l'élément clé pour changer réside dans une indéfectible motivation doublée d'une approche positive.

L'illusion des prévisions catastrophiques

L'**illusion des prévisions catastrophiques** consiste à croire que si quelque chose de mauvais est susceptible de se produire, cela ne manquera pas d'arriver. Voici quelques prévisions catastrophiques typiques :

> « Si je les invite à la soirée, ils ne voudront probablement pas venir. »
>
> « Si j'essaie de résoudre ce conflit, les choses ne feront qu'empirer. »
>
> « Si je pose ma candidature à ce poste, je ne serai sûrement pas embauché. »

Lorsqu'une personne commence à s'attendre à des conséquences catastrophiques, elle risque de tomber dans le piège de l'autoréalisation des prophéties. À ce propos, une étude révèle que ceux qui croient que leur partenaire amoureux ne peut pas s'améliorer se comporteront probablement d'une façon qui contribuera à la rupture de leur relation[59].

S'il est naïf de penser que toutes les interactions doivent être couronnées de succès, il est tout aussi simpliste de penser qu'elles échoueront toutes. Une façon d'éviter ce type d'illusion est de penser aux conséquences possibles si les choses ne se déroulaient pas comme on le souhaite. Bien souvent, échouer dans une situation donnée n'est pas aussi dramatique qu'il y paraît. Prenons ces quelques exemples: « Et si les autres riaient de moi ? », « Et si je n'obtenais pas ce travail ? », « Et si les autres se mettaient en colère à cause des remarques que je leur fais ? ». Cela a-t-il vraiment tant d'importance, cela serait-il si terrible ?

MINIMISER LES CONSÉQUENCES DES ÉMOTIONS NÉGATIVES

Comment faire pour vaincre les croyances irrationnelles ? Les spécialistes des sciences sociales ont mis au point une méthode simple mais néanmoins efficace[60]. Si elle est mise en pratique consciencieusement, elle permet d'éviter plusieurs pièges liés aux croyances irrationnelles, lesquelles mènent souvent à des émotions négatives.

1. *Prendre conscience de ses réactions émotionnelles.* La première étape consiste à prendre conscience que l'on ressent des émotions négatives. Une façon de remarquer ces émotions est de prêter attention aux stimuli intéroceptifs (boule dans l'estomac, cœur qui bat la chamade, sueurs, etc.). Ces stimuli sont souvent les symptômes d'une émotion intense.

   Certains comportements peuvent aussi refléter des émotions: une démarche plus lourde et bruyante qu'à l'accoutumée, une tranquillité inhabituelle ou un ton sarcastique dans la voix, entre autres exemples.

   Il peut paraître étrange de demander de prêter attention à des émotions lorsque celles-ci sont pour le moins apparentes. Pourtant, on peut ressentir de telles émotions négatives pendant un certain temps sans s'en apercevoir. Il vous est sûrement déjà arrivé, par exemple, de vous entendre bougonner à la fin d'une dure journée, et de réaliser que vous maugréez depuis un bon moment sans en avoir eu conscience.

2. *Déterminer l'événement déclencheur.* Une fois qu'on a pris conscience de l'émotion, on doit déterminer l'événement qui l'a déclenchée. Celui-ci est parfois très clair. Par exemple, vous pourrez ressentir de la colère si vous êtes accusé à tort d'un quelconque comportement ou encore de la peine si vous vous sentez rejeté par une personne qui compte à vos yeux. Dans d'autres cas, l'événement déclencheur n'est pas aussi facile à cerner. Il arrive que ce ne soit pas un événement isolé, mais plutôt une suite de petits incidents qui s'accumulent pour atteindre un seuil critique et déclencher une émotion négative. Par exemple, lorsqu'une personne essaie de dormir et qu'elle est continuellement dérangée, ou qu'elle subit plusieurs petits désagréments dans un court laps de temps, la frustration risque de venir tôt ou tard.

   La meilleure façon d'apprendre à reconnaître les événements déclencheurs d'émotions négatives est de s'attarder aux circonstances dans lesquelles on les

La pensée se manifeste
par une parole,
la parole se traduit
par un acte,
l'acte devient une habitude,
et l'habitude se solidifie en
caractère.
Alors, observe avec soin
la pensée et ses méandres,
tel on pense, tel on
devient.

Tiré du *Dhammapada* (Les Dits du Bouddha)

« En fait, quand il dit : "Quel bon garçon je suis !", Jacques est vraiment en train de renforcer son estime de soi. »

a éprouvées. Était-ce en présence de certaines personnes en particulier ou de certaines catégories d'individus ? Leur âge, leur fonction, leur passé ou quelque autre facteur est-il en cause ? Certains environnements peuvent aussi stimuler des émotions désagréables : soirées, lieu de travail, école, etc. Enfin, c'est parfois le sujet de conversation qui agit comme déclencheur, qu'il s'agisse de sexualité, d'amitié, d'argent, etc.

3. *Reconnaître sa propre interprétation cognitive.* C'est l'étape au cours de laquelle on procède à l'analyse des pensées qui constituent le lien entre l'événement déclencheur et l'émotion que l'on ressent. Pour éliminer les émotions négatives, cette réflexion doit devenir une habitude. Un bon moyen d'y arriver est de commencer par la consigner par écrit. Écrire ses pensées permet de déterminer si elles sont réellement fondées.

   Cette interprétation cognitive peut paraître ardue au début. C'est une nouvelle compétence à acquérir et celle-ci peut en effet exiger beaucoup d'efforts. À force de persévérance, cependant, on en arrive à reconnaître facilement les pensées qui conduisent à des émotions négatives.

4. *Lutter contre les croyances irrationnelles.* Lutter contre les croyances irrationnelles est la clé de la réussite de l'approche rationnelle-émotive. Afin d'y parvenir efficacement, vous devez apprendre à maîtriser les trois étapes suivantes. La première consiste à déterminer, pour chaque croyance, son caractère rationnel ou irrationnel. En second lieu, il s'agit d'expliquer pourquoi. Enfin, il faut remplacer l'interprétation qui relève d'une croyance irrationnelle par une interprétation plus réaliste de façon à mieux faire face à la même situation dans le futur. Remplacer des interprétations cognitives défaitistes par des pensées plus constructives est un moyen efficace d'améliorer sa confiance en soi et la communication dans les relations[61].

TRAVAILLEZ VOS HABILETÉS

La pensée rationnelle

1 Reprenez le relevé quotidien des pensées irrationnelles que vous avez fait à la page 101. Luttez contre le dialogue intérieur et écrivez une interprétation plus rationnelle de chaque événement.

2 Maintenant, testez votre capacité à penser rationnellement. Pour ce faire, répétez les scènes de l'étape 4 de la méthode (voir ci-dessous). Pour chacune, vous aurez besoin de trois acteurs : le sujet, sa « petite voix » (ses pensées) et son interlocuteur.

3 Jouez chaque scène en faisant interagir le sujet et son interlocuteur pendant que la « petite voix » se tient juste derrière le premier et exprime ce que celui-ci pense probablement. Par exemple, dans une scène où le sujet demande à son professeur de revoir une mauvaise note, la petite voix pourrait dire : « J'espère qu'en parler ne va pas faire empirer les choses. Il baissera peut-être ma note quand il aura relu mon travail. Quel idiot je fais ! J'aurais dû me taire ! »

4 Chaque fois que la petite voix exprimera une pensée irrationnelle, les personnes qui regardent le sketch devront crier : « Faute ! » Il conviendra alors d'arrêter la scène pour que le groupe discute de la pensée irrationnelle et suggère une série d'interprétations plus rationnelles. Les acteurs rejoueront ensuite la scène et la petite voix intérieure s'exprimera de façon plus rationnelle.

Voici quelques sujets de scènes, bien entendu, vous pouvez aussi en inventer d'autres :

a) Deux amoureux ont leur premier rendez-vous ;

b) Un postulant à un poste vient de commencer son entrevue d'emploi ;

c) Un professeur ou un patron reproche à une personne son retard ;

d) Un élève et son professeur se rencontrent au marché.

APPLICATION

La pensée rationnelle en action

Les scénarios suivants illustrent comment la méthode de pensée rationnelle décrite aux pages 105-106 s'applique au quotidien. Notez que penser de façon rationnelle n'élimine pas les émotions négatives, mais permet plutôt de les maîtriser et d'accroître les possibilités de communication efficace.

Première situation : s'occuper de clients agaçants

Événement déclencheur

Je travaille dans un centre commercial fréquenté par des touristes et des gens de la région. La réputation de notre boutique est basée sur le service à la clientèle, mais récemment j'ai perdu patience avec des clients. La boutique ne désemplit pas depuis la seconde où elle ouvre jusqu'à la fermeture. Beaucoup de clients sont impolis, insistants et très exigeants. D'autres voudraient que je sois un guide pour touristes, un critique de restaurants ou même un gardien d'enfants. Je suis sur le point d'exploser !

Croyances et discours intérieur

1. J'en ai assez de travailler avec le public ! Les gens sont vraiment antipathiques !
2. Les clients devraient se montrer plus patients et plus polis au lieu de me traiter comme un domestique.
3. Ce travail me rend fou ! Si je continue à travailler ici, je vais devenir aussi grossier que les clients.
4. Je ne peux pas partir. Je ne trouverai jamais un emploi aussi bien rémunéré.

Lutte contre les croyances irrationnelles

1. Dire que *tous* les gens sont antipathiques est une généralisation excessive. En fait, la plupart des clients sont bien. Certains sont même très gentils. La majorité des ennuis vient d'environ 5 % des clients. Je serai moins amer dans mon travail si je reconnais que la plupart des gens sont corrects.
2. Il est vrai que les clients odieux devraient se montrer plus polis, mais il n'est pas réaliste de s'attendre à ce que tout le monde se comporte correctement. Dire que les clients me rendent fou, c'est sous-entendre que je ne maîtrise pas la situation. Je suis adulte, et donc capable de me maîtriser. Je peux ne pas aimer la façon dont certaines personnes se comportent, mais c'est moi qui choisis comment je réagis face à ces personnes.
3. Je ne suis pas démuni. Si l'emploi est trop pénible, je peux le quitter. Devant l'éventualité où je ne trouverais pas un autre poste aussi bien rémunéré, je dois choisir ce qui est le plus important : l'argent ou la tranquillité d'esprit. Et c'est mon choix.

Seconde situation : rencontrer la famille de sa petite amie

Événement déclencheur

Julie et moi parlons de nous marier — pas tout de suite, mais peut-être plus tard. Les membres de sa famille sont très unis et ils souhaitent faire ma connaissance. Je suis convaincu que je vais les aimer, mais en revanche, je ne suis pas certain de ce qu'ils penseront de moi. J'ai déjà été marié une fois, quand j'étais plus jeune. Ce fut une grosse erreur, et le mariage n'a pas duré. De plus, j'ai été licencié il y a deux mois et je suis au chômage. La famille vient en ville la semaine prochaine et je suis très anxieux à l'idée de ce qu'ils penseront de moi.

Croyances et discours intérieur

1. Ils *doivent* m'aimer ! C'est une famille unie et je suis cuit s'ils pensent que je ne suis pas la bonne personne pour Julie.
2. Peu importe comment je me comporte, tout ce qu'ils retiendront de moi, c'est mon divorce et le fait que je suis au chômage.
3. Peut-être sa famille a-t-elle raison ? Julie mérite ce qu'il y a de mieux, et ce n'est certainement pas moi !

Lutte contre les croyances irrationnelles

1. L'approbation de sa famille est extrêmement importante. Pourtant, ma relation avec Julie n'en dépend pas. Julie a déjà avoué qu'elle est très attachée à moi, peu importe ce que sa famille pense. L'approche sensée est de dire que je souhaite l'approbation des siens, mais non que j'en ai besoin.
2. J'envisage le pire si je pense que je suis condamné d'avance, avant même de les rencontrer. Il est possible qu'ils ne m'aiment pas, mais il est aussi possible que les choses se passent bien.
3. Le fait d'avoir un passé imparfait ne signifie pas que je ne suis pas l'homme qu'il faut à Julie. J'ai tiré des leçons de mes expériences, et je m'applique à mener une bonne vie. Je sais que je peux être le mari qu'elle mérite, même si je ne suis pas parfait.

RÉSUMÉ

Les émotions ont plusieurs dimensions. Elles se manifestent par des changements physiologiques et par des réactions non verbales. La plupart du temps, elles sont engendrées par des interprétations cognitives. On peut utiliser ces informations pour décider de verbaliser ou non ses émotions.

Plusieurs raisons expliquent pourquoi les gens ne verbalisent pas tout ce qu'ils ressentent. Certains individus sont, en raison de leur personnalité, moins enclins à l'expression émotionnelle. La culture et le genre ont aussi une influence sur les émotions que l'on partage avec les autres et celles qu'on tait. Les règles et les rôles sociaux découragent l'expression des émotions, surtout lorsque ces dernières sont négatives. La peur des conséquences conduit les gens à réprimer l'expression de certaines émotions. Enfin, la contagion peut amener une personne à ressentir des émotions qu'elle n'aurait pas éprouvées autrement.

L'expression incontrôlée des émotions n'étant pas de mise chez les adultes, plusieurs lignes directrices aident à choisir le moment et l'endroit appropriés pour exprimer efficacement les émotions. Il est important d'élargir son vocabulaire émotionnel, de faire une prise de conscience personnelle et d'exprimer des émotions combinées. Reconnaître la différence entre ressentir, parler et agir, et accepter que l'on est responsable de ses émotions (plutôt que de rejeter la responsabilité sur les autres) amènent de meilleures réactions.

Certaines émotions sont constructives; d'autres, par contre, sont négatives et empêchent de fonctionner efficacement. Beaucoup de ces émotions négatives sont des réactions biologiques, mais leur impact négatif peut être atténué grâce à la pensée rationnelle. Il est souvent possible de communiquer avec plus de confiance et d'efficacité lorsqu'on a pris conscience de ses émotions négatives, reconnu l'événement déclencheur et la réflexion intérieure qui les a provoquées, puis substitué une analyse plus logique de la situation à toutes les idées irrationnelles.

Mots clés

contagion émotionnelle (93)
dialogue intérieur (100)
émotion constructive (98)
émotion négative (98)
illusion d'approbation (102)
illusion d'impuissance (104)
illusion de causalité (103)
illusion de perfection (101)
illusion des impératifs (102)
illusion des prévisions catastrophiques (104)
illusion par généralisation excessive (103)
rumination (100)

AUTRES RESSOURCES

Les émotions sont au centre de notre vie. À chaque moment de notre existence, nous ressentons des émotions qui sont parfois positives, parfois négatives, parfois surprenantes, parfois intenses, parfois difficiles à maîtriser. Nous les percevons souvent comme étant intrinsèques et oublions à quel point la culture, le genre, les conventions sociales et la crainte de se révéler influencent leur expression. Ce point revêt pourtant une importance capitale, car la façon avec laquelle nous exprimons nos émotions influence directement la qualité de nos relations interpersonnelles. Les documents qui suivent pourront vous aider à parfaire vos connaissances en ce qui concerne les émotions. Ils vous aideront également à mieux les ressentir, les comprendre et les exprimer. Certains films traitent aussi de ce sujet.

Livres

BELZUNG, C. *Biologie des émotions*, Bruxelles, De Boeck, 2007.

BONIS, M. *Domestiquer les émotions*, Paris, Les Empêcheurs de penser en rond, 2006.

CHEVALIER, C. *Faire face aux émotions : pour gérer au quotidien conflits, stress, agressivité*, Paris, InterEditions, 2006.

DAMASIO, A. *L'Erreur de Descartes : la raison des émotions*, Paris, Odile Jacob, 2006.

STEINER, C. et P. PERRY. *L'A.B.C. des émotions : un guide pour développer son intelligence émotionnelle*, Paris, InterEditions, 2005.

Films

Les Bienfaits de la colère, réalisé par Mike Binder (2005).

Terry Ann Wolfmeyer devient aigrie lorsque son mari disparaît, apparemment en compagnie de sa secrétaire suédoise. Terry et ses quatre filles extériorisent leur colère de plusieurs manières non productives, comme l'abus d'alcool ou les désordres alimentaires, si bien qu'une grande partie de cette colère reste inexprimée ou est dite derrière des portes closes.

Au bout du compte, ces femmes s'aperçoivent que la rancœur les ronge, aussi bien sur le plan personnel que relationnel, et elles se mettent à trouver des réponses constructives plutôt que négatives face aux problèmes de leur vie. Avec l'aide de leur voisin Denny Davies, elles parviennent à un état de complétude et de rétablissement après plusieurs années de crise.

Garden State, réalisé par Zach Braff (2004).

Andrew Largeman a une vie affective sans éclat, en partie parce qu'il se croit responsable de l'accident qui a paralysé sa mère. À la mort de celle-ci, il retourne dans son New Jersey natal, après une absence de neuf ans et il affronte les fantômes de son passé. Andrew y fait la rencontre d'une jeune femme nommée Sam, qui le séduit par son charme et son originalité. Avec son aide et celle de quelques-uns de ses amis, il réalise qu'il doit prendre conscience de la douleur qu'il porte en lui et s'en débarrasser. Il comprend aussi que le chemin vers la stabilité affective passe par son père, qu'affronter la douleur peut conduire à la joie, et qu'il est plus facile de faire route vers la sérénité en étant accompagné par des gens qui nous aiment.

Gaz bar blues, réalisé par Louis Bélanger (2003).

Le propriétaire d'une station-service peine à gérer sa relation avec ses fils, la criminalité montante du quartier où est situé son commerce et la maladie de Parkinson qui l'afflige. La survie de son commerce, où les habitués du quartier viennent flâner quotidiennement, est menacée à cause du manque d'intérêt de ses fils pour l'entreprise familiale et par la concurrence des stations libre-service du coin. Devant cette situation, l'homme tente de se rapprocher de ses fils et de mieux les comprendre.

Écarts de conduite, réalisé par Penny Marshall (2001).

Beverly Donofrio, adolescente ambitieuse, tombe enceinte, au grand désespoir de ses parents. Son père, blessé et fâché, rompt toute relation avec elle. Beverly adopte le style émotionnel blessant de son père : elle blâme les autres et refuse toute responsabilité quand les choses ne se passent pas comme elle le souhaite. Son attitude a tôt fait d'exacerber les tensions entre elle et les personnes qui lui sont chères. La fin, relativement heureuse, suggère qu'il y a un espoir de changement en faisant quelques efforts et en adoptant de nouveaux modèles de communication.

Chapitre 5

LE LANGAGE : BARRIÈRE ET PASSERELLE

CONTENU

OBJECTIFS

- Comprendre pourquoi le langage est symbolique.
- Décrire les différentes règles qui régissent le langage.
- Déterminer les facteurs influençant le langage et leur impact sur celui-ci.
- Adopter des habitudes adéquates et un langage responsable permettant d'améliorer l'harmonie dans les relations interpersonnelles.

Selon la Bible, les êtres humains ne parlaient à l'origine qu'une seule langue et ne formaient qu'un seul peuple. Un jour, l'idée leur vint de construire une tour qui atteindrait les cieux par sa hauteur et leur permettrait d'accéder directement au Paradis. On lui donna le nom de *Babel*, mot qui signifie « porte du ciel ». Mais Dieu, trouvant les hommes trop orgueilleux, les punit en leur faisant parler des langues différentes, si bien que les humains ne se comprenaient plus. Ils furent alors contraints d'abandonner leur entreprise et se dispersèrent sur la Terre, formant ainsi des peuples étrangers les uns des autres. C'est en référence à ce récit de la Genèse que l'on utilise parfois le terme « tour de Babel » pour parler d'un lieu où règnent le brouhaha et la confusion[1].

Les problèmes qui ont pris naissance à Babel existent toujours. Il semble parfois que personne ne parle le même langage. Cependant, malgré les frustrations et les complications qu'il peut susciter, le langage est incontestablement un outil merveilleux. Sans lui, les humains que nous sommes seraient plus ignorants, moins efficaces et davantage isolés.

Ce chapitre propose d'explorer la nature du langage de façon à pouvoir en exploiter les forces et en atténuer les faiblesses. Après une explication de sa nature symbolique, on s'intéressera aux causes de la plupart des incompréhensions liées au langage.

On étudiera ensuite comment ce dernier peut influer sur les relations interpersonnelles. Enfin, on verra que les pratiques linguistiques modèlent les attitudes de différentes cultures.

LE LANGAGE EST SYMBOLIQUE

Le langage est symbolique : il n'y a qu'un lien arbitraire entre les mots et les idées ou les choses auxquelles ils renvoient. Autrement dit, les mots sont des symboles qui représentent les choses en fonction de la signification que les individus leur donnent. Par exemple, le chiffre cinq à lui seul n'induit pas la valeur cinq. Si le terme représente le nombre de doigts d'une main, c'est uniquement parce que les locuteurs francophones en ont convenu. Pour un locuteur anglophone, le symbole « *five* » a la même signification ; pour un programmeur informatique, la même valeur serait représentée par le symbole codé « 00110101 ».

C'est grâce à la nature symbolique du langage que l'on parvient à communiquer sur des sujets autrement impossibles à aborder : les idées, les raisons, le passé, l'avenir, les choses abstraites ou celles qu'on ne voit pas. Sans le langage symbolique, rien de cela ne serait possible.

Si tout le monde donnait la même signification aux symboles, le langage serait beaucoup plus facile à maîtriser et à comprendre. Malheureusement, comme vous avez sûrement eu l'occasion de le constater, des messages qui semblent parfaitement clairs pour les uns peuvent se révéler confus pour les autres. Par exemple, vous demandez à votre coiffeur « d'en enlever un peu sur le dessus » et vous découvrez avec stupéfaction que sa définition de « un peu » correspond à « beaucoup » pour vous. De même, deux personnes peuvent avoir une vive discussion à propos du féminisme sans se rendre compte qu'elles utilisent ce mot pour développer sur des idées complètement différentes. De tels malentendus rappellent qu'un mot n'a pas de signification en soi : ce sont les gens qui lui en donnent une.

« Quel passage entre le faucon, la double plume et l'épi as-tu du mal à comprendre ? »

LA COMPRÉHENSION ET LES MALENTENDUS

Le langage ressemble un peu à la plomberie : c'est lorsque quelque chose ne fonctionne pas que l'on s'y intéresse. Les malentendus constituant l'une des préoccupations majeures des spécialistes dans le domaine du langage, voyons quelles sont les règles utilisées pour comprendre le discours de l'autre ainsi que les obstacles qui risquent de nous en empêcher.

COMPRENDRE LES MOTS : LES RÈGLES SÉMANTIQUES

règles sémantiques : règles qui régissent la signification des symboles du langage.

langage équivoque : langage comportant des énoncés pouvant avoir plusieurs sens.

Les **règles sémantiques** reflètent la façon dont les utilisateurs d'une langue attribuent une signification à un symbole linguistique (habituellement un mot). Par ces règles, on convient que les « vélos » sont faits pour faire de la bicyclette et que les « livres » sont des objets destinés à la lecture. Sans les règles sémantiques, la communication serait impossible, car chacun de nous utiliserait des symboles à sa façon, sans en partager le sens.

Les malentendus sémantiques surviennent lorsque les gens attribuent différentes significations aux mêmes mots. Comme le soulignent J.A.M Meerloo, l'expression « je t'aime » peut être dite sans être ressentie ou encore pour exprimer le désir, l'amour, l'amitié, etc. Ce n'est pas les mots eux-mêmes qui révèlent leur véritable sens, mais bien les personnes qui les emploient.

Voyons quelques-uns des problèmes sémantiques les plus courants.

L'ambiguïté

Un **langage équivoque** est fait d'énoncés comportant plus d'une définition communément acceptée. Ces mots à double sens peuvent créer des malentendus qui mènent parfois à des situations embarrassantes, cocasses ou inquiétantes.

Un titre de journal comme « Les pompiers n'y ont vu que du feu » a de bonnes chances de faire sourire tandis que des locutions familières comme « avoir un chat dans la gorge » ou « jeter le bébé avec l'eau du bain » peuvent inquiéter un enfant qui n'en connaît pas la signification

Une femme se rappelle : « En quatrième année, le professeur a demandé à notre classe ce qu'étaient les règles. J'ai levé la main pour répondre et j'ai dit tout ce que je savais sur l'arrivée des menstruations chez les jeunes filles. Cependant, lui voulait parler des règles de notre langue. Oups[2] ! »

Une infirmière a effrayé un de ses malades quand elle lui a dit qu'il « n'aurait plus besoin » du tout de sa robe de chambre, ni de ses livres ni de son nécessaire de rasage. L'homme s'est tu et est devenu sombre. Lorsqu'elle lui a demandé les raisons de cette attitude bizarre, elle s'est aperçue que le pauvre homme avait compris qu'il allait bientôt mourir. En réalité, l'infirmière lui avait annoncé qu'il allait rentrer chez lui.

Il n'est pas facile de comprendre la signification précise de mots ou d'énoncés ambigus, car celle-ci dépend de plusieurs facteurs, dont le contexte de la communication et du langage non verbal[3]. Dans de telles situations, c'est à la personne qui reçoit le message que revient la responsabilité de vérifier si son interprétation correspond bien à l'énoncé de l'émetteur, soit à l'aide de la technique de la vérification des perceptions (voir le chapitre 3) ou de la reformulation (voir le chapitre 7).

En dépit de ses problèmes inhérents, le langage équivoque est néanmoins utile. Comme on le verra plus en détail au chapitre 9, il peut être avantageux à certains moments de recourir à un langage qui peut mener à plusieurs interprétations. Par exemple, si un ami vous montre fièrement un tableau qu'il vient de peindre en vous demandant votre avis, vous pouvez répondre de façon équivoque en disant : « Eh bien, c'est très inhabituel ! Je n'ai jamais rien vu de tel » plutôt que de lui faire une réponse moins ambiguë mais plus blessante comme : « C'est la chose la plus laide que j'ai jamais vue ! »

mot à valeur relative: mot qui ne peut réellement être compris que s'il fait l'objet d'une comparaison.

affirmation statique: énoncé contenant le verbe *être* et portant à croire que le comportement des gens est régulier et immuable.

langage abstrait: langage qui renvoie à de larges catégories, à des concepts, à des généralisations.

Les mots à valeur relative

Les **mots à valeur relative** ne prennent pleinement leur sens que par comparaison. Par exemple, fréquentons-nous une grande ou une petite école? Tout dépend de l'objet de comparaison. Un cégep ne paraîtra pas grand à côté d'un immense campus comme celui du l'Université de Montréal, mais il semblera gigantesque comparé à une petite école secondaire. Des mots tels que *rapide* et *lent*, *intelligent* et *stupide*, *court* et *long* sont des mots à valeur relative.

Certains mots à valeur relative sont si courants que l'on présume, souvent à tort, qu'ils ont une signification très précise. Par exemple, si une amie vous dit qu'elle viendra « probablement » à la fête que vous organisez, quelle est la probabilité qu'elle y soit ? Dans une étude, des étudiants ont eu à évaluer en pourcentage les probabilités qu'un événement se produise lorsqu'on en parlait en ces termes : *douteux*, *pile ou face*, *possible*, *probable*, *ayant de bonnes chances de* et *peu probable*[4]. La plupart de ces termes ont été interprétés de façons considérablement différentes. Ainsi, pour ces étudiants, « probable » représentait de 0 % à 99 % de certitude ; « ayant de bonnes chances de », de 35 % à 90 % de certitude ; « peu probable », de 0 % à 40 %.

Utiliser des mots à valeur relative sans les expliciter au préalable peut entraîner des problèmes de communication. À une question sur le temps qu'il faisait, n'avez-vous jamais répondu qu'il faisait assez chaud? Or, que signifie « assez chaud » ? Assez chaud pour se baigner ou assez chaud pour ne pas porter une veste ? Qui n'a jamais suivi les conseils d'un ami qui recommandait un restaurant « pas trop cher » et qui s'est aperçu qu'il était deux fois plus cher qu'il le croyait ? L'examen dont on vous avait dit qu'il était « relativement facile » s'est-il révélé aussi facile que vous le pensiez ? Dans chacun de ces cas, le problème résulte de l'absence de liens entre l'appréciation et un terme plus mesurable.

Les affirmations statiques

« Dominic est très nerveux. » « Karine est irascible. » « On peut toujours compter sur Marie-Claude. » Les énoncés qui contiennent ou sous-entendent le verbe *être* portent à croire que le comportement des gens est régulier et immuable — une idée inexacte appelée **affirmation statique**. Plutôt que de cataloguer Dominic comme étant toujours très nerveux, il serait plus juste de relever les situations dans lesquelles il se comporte comme tel. Ce pourrait être, par exemple : « La veille d'un examen de fin de session, Dominic devient très nerveux. »

« Sois honnête avec moi, Roger. Par "correction de trajectoire", tu veux dire "divorce", n'est-ce pas ? »

De même, plutôt que de dire : « Je suis timide », vous pourriez formuler un énoncé plus précis : « Je n'ai pas fait de nouvelles connaissances depuis que j'ai emménagé ici. » La première phrase sous-entend que votre timidité est une caractéristique immuable, comme votre taille, tandis que la seconde laisse entendre que vous êtes susceptible de changer.

Des termes précis plutôt que généraux

Lorsqu'il s'agit de décrire des problèmes, des objectifs, des évaluations et des demandes, certains types de langages sont plus précis que d'autres. Le **langage abstrait** — qui renvoie à de larges catégories, à des concepts, à des généralisations —

est vague par nature, tandis que le **langage concret**, comme son nom l'indique, renvoie à des choses bien précises que l'on a dites ou faites. On peut ainsi adopter un langage général ou spécifique. L'échelle de généralisation de la figure 5.1 illustre différents niveaux, du plus spécifique au plus abstrait, décrivant une même situation.

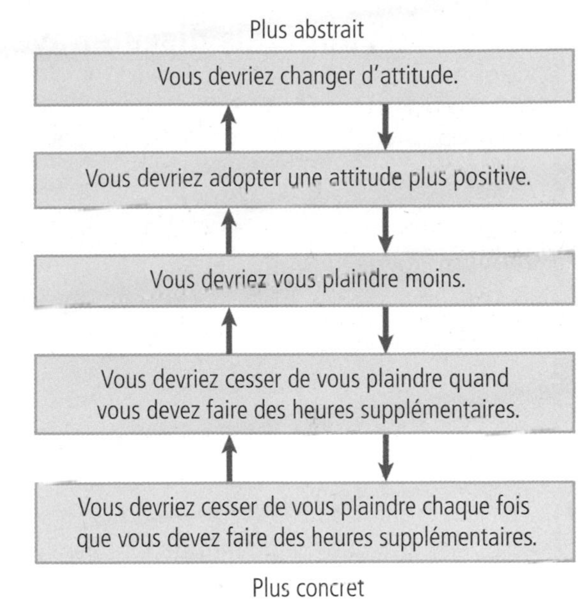
Plus abstrait
Vous devriez changer d'attitude.
Vous devriez adopter une attitude plus positive.
Vous devriez vous plaindre moins.
Vous devriez cesser de vous plaindre quand vous devez faire des heures supplémentaires.
Vous devriez cesser de vous plaindre chaque fois que vous devez faire des heures supplémentaires.
Plus concret

FIGURE 5.1 **L'échelle de généralisation.**

Dans des situations quotidiennes, les généralisations sont un raccourci verbal qui se révèle utile. Par exemple, au lieu de dire: « Merci d'avoir fait la vaisselle », « Merci d'avoir passé l'aspirateur » et « Merci d'avoir fait le lit », il est plus facile de dire: « Merci d'avoir fait le ménage ».

Malgré l'utilité des raccourcis verbaux de ce type, un langage très abstrait peut donner lieu à des jugements sans nuance et à des stéréotypes tels que « Les conseillers matrimoniaux sont inutiles », « Les jeunes sont des délinquants » ou « Les hommes ne valent rien ». L'emploi d'énoncés trop abstraits comme ceux-ci peut amener les gens à généraliser et à ne plus tenir compte du caractère unique des situations. Comme on l'a vu au chapitre 3, les stéréotypes risquent de nuire aux relations interpersonnelles en nous faisant cataloguer et évaluer les personnes inadéquatement.

COMPRENDRE LA STRUCTURE: LES RÈGLES SYNTAXIQUES

langage concret: langage qui renvoie à des choses bien précises que l'on a dites ou faites.

règles syntaxiques: règles qui régissent la façon dont les symboles doivent être placés, ordonnés dans une langue donnée.

Les **règles syntaxiques** régissent la grammaire d'une langue. Voici deux versions d'une lettre qui permettent d'apprécier le rôle de la syntaxe dans la compréhension d'un énoncé:

- **Première version**

  Cher Jean,

  Je sais que tu es celui qui m'aime et que j'aime un autre. N'espère pas me retenir comme tu le fais. Loin de toi, je me sens bien. Malheureuse, je le suis avec toi.

  Marie

- **Seconde version**

  Cher Jean,

  Je sais que tu es celui qui m'aime et que j'aime. Un autre n'espère pas me retenir comme tu le fais. Loin de toi, je me sens bien mal. Heureuse, je le suis avec toi.

  Marie

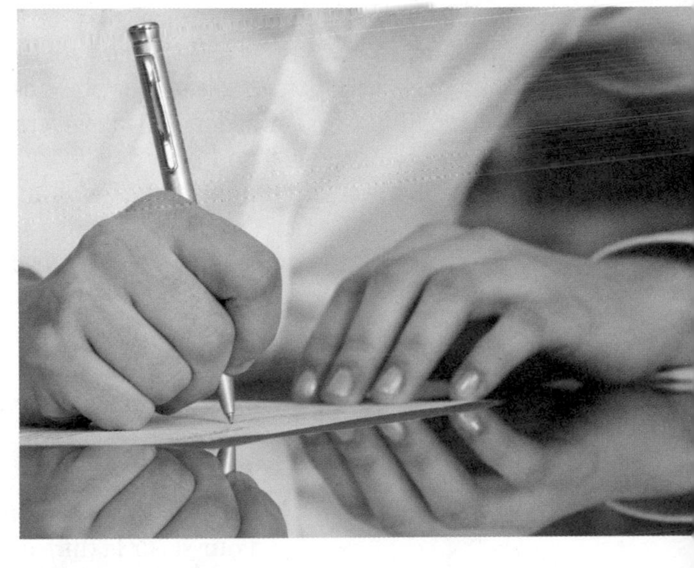

Les règles sémantiques n'expliquent pas les messages radicalement opposés véhiculés dans ces lettres. En effet, il n'y a aucune ambiguïté dans la signification des mots contenus: *aime, retenir, malheureuse*… Les significations opposées proviennent de leur syntaxe différente.

T la? ou j'aimerais discuter avec toi sur Internet

La conversation commence sur l'ordinateur, rien de très inhabituel pour deux adolescents qui s'ennuient un vendredi soir:

Nicolas: slt
Yan: koi de 9
Nicolas: j'relax
Yan: mm chose
Nicolas: tu fais koi à soir
Yan: pgc
Nicolas: k

Besoin d'une traduction? Pas si vous êtes un jeune de treize ans branché sur Internet depuis la naissance. Pour tous les autres, bienvenue dans le monde du jargon du Net, cadeau de la génération du clavier! Traduction: «koi de 9» correspond à la question «quoi de neuf?» et «pgc» signifie «pas grand-chose».

De tout temps, les adolescents ont adapté la langue française à leurs besoins d'expression libre. Cependant aujourd'hui, cela se passe en ligne et à la vitesse de la lumière. Pour certains, il s'agit d'une réinterprétation créative du dialogue et d'une nouvelle version inoffensive de l'argot adolescent. Or, pour les grammairiens anxieux et les professeurs stressés, cela représente la ruine linguistique de la génération de la MI (messagerie instantanée). «C'est vraiment la continuité de ce que les adolescents ont toujours fait: recréer la langue selon leur propre image. Mais ce nouveau jargon mêle l'écriture à la parole dans une proportion encore jamais vue», déclare Neil Randall, professeur de langue à l'Université de Waterloo et auteur de *Lingo Online: A Report on the Language of the Keyboard Generation*. Selon lui, le résultat en est l'utilisation de l'écriture pour stimuler le discours — une compétence qui n'est pas officiellement enseignée. De nouveaux acronymes, abréviations et émoticônes — ces caractères du clavier alignés pour imiter des gestes ou des expressions humaines, tel le sourire:) — sont inventés tous les jours. Cependant, l'aspect négatif est que la grammaire de ces jeunes devient atroce et que le jargon du Net commence à apparaître dans leurs travaux scolaires. «Ils utilisent ces abréviations et des phrases en continu et sans ponctuation quand ils parlent. J'appelle ça les discussions à la chaîne, et cela commence à se répercuter dans leurs devoirs.»

C'est un problème auquel se sont heurtés récemment les professeurs dans tout le pays. Nicolas raconte qu'il va sur la MI quand il fait ses devoirs et qu'il mène près de huit taches différentes de front. Avec une incroyable concentration, ou frénésie, il saute d'un écran à l'autre, envoie très vite des messages pendant qu'il navigue sur le Net et qu'il bavarde au téléphone. Cet étudiant en première année à l'université dit que la plupart de ses amis étaient déjà sur la MI quand ils étaient à l'école secondaire et qu'il a acquis le jargon au fur et à mesure.

Les amis s'échangent les nouveaux termes, et différents groupes et régions du pays ont leurs propres lexiques de MI, composés d'acronymes spécifiques, d'abréviations et d'émoticônes qui reflètent leurs plaisanteries et leurs histoires locales.

Ce soir, Nicolas dit à une amie qu'il est «j/r». Elle demande: «c'est quoi j/r?»

«j'relaxe», tape-t-il, certain qu'elle emploiera l'expression à l'avenir.

Source: AXTMAN, Kris. «r u online? The Evolving Lexicon of Wired Teens», *Christian Science Monitor*, 12 décembre 2002. © The Christian Science Monitor.

COMPRENDRE LE CONTEXTE: LES RÈGLES PRAGMATIQUES

Les problèmes sémantiques et syntaxiques n'expliquent pas tous les malentendus[5]. Pour saisir la difficulté d'un type de communication différent, imaginons l'embarras d'une jeune employée qui cherche à comprendre le sens de la phrase de son patron plus âgé qui lui dit: «Vous êtes bien jolie aujourd'hui.» Elle comprend probablement la signification des mots, la syntaxe étant parfaitement claire. Néanmoins, ce message peut être interprété de plusieurs façons. La remarque est-elle un simple compliment ? une avance ? Laisse-t-elle plutôt sous-entendre qu'elle n'est pas toujours jolie ? Si le patron et son employée font la même interprétation du message, leur communication sera bonne ; sinon, il risque d'y avoir un problème.

Dans de telles situations, ce sont sur les **règles pragmatiques** que l'on s'appuie pour décider de l'interprétation à donner aux messages dans un contexte donné. Ces règles régissent la manière dont le discours fonctionne dans les interactions quotidiennes. Vous ne les trouverez pas dans un dictionnaire. Elles ne sont pratiquement jamais explicites, mais sont tout aussi importantes que les règles sémantiques et syntaxiques pour comprendre le sens des messages de l'autre.

règles pragmatiques : règles qui permettent d'interpréter un message en tenant compte d'un contexte donné.

La meilleure façon de rendre compte du fonctionnement des règles pragmatiques est de considérer la communication comme un jeu coopératif. Comme dans tous les jeux, le succès repose sur le fait que tous les participants comprennent la même série de règles et les suivent. C'est pourquoi les experts en communication utilisent le terme *coordination* pour désigner le fonctionnement des conversations dans lesquelles toutes les personnes utilisent le même ensemble de règles pragmatiques[6].

« J'ai jamais dit : "Je t'aime", j'ai dit : "J't'aime". C'est pas la même chose ! »

Dans une même culture, la plupart des personnes partagent certaines règles pragmatiques. Par exemple, aux États-Unis et au Canada, les communicateurs compétents savent que la question « Comment vas-tu ? » n'est généralement pas une réelle demande d'information. Toute personne habituée aux règles de conversation sait que la réponse adéquate ressemble à : « Très bien. Et toi ? ». De même, la plupart des gens comprennent la règle pragmatique selon laquelle la question « Veux-tu boire un verre ? » signifie « Veux-tu boire une boisson alcoolisée ? », tandis que « Veux-tu boire quelque chose ? » est une question plus ouverte. Dans leurs relations interpersonnelles, les gens suivent des règles culturelles tout en créant leurs propres séries de règles pragmatiques.

L'IMPACT DU LANGAGE

Jusqu'à maintenant, on s'est intéressé au langage en tant que moyen permettant aux communicateurs de se comprendre mutuellement, mais au-delà de cette importante fonction, le langage peut aussi modeler notre vision du monde et refléter nos attitudes les uns envers les autres.

LE NOM ET L'IDENTITÉ

« Qu'y a-t-il dans un nom ? » a demandé Juliette à Roméo. Si ce dernier avait été spécialiste des sciences sociales, il lui aurait répondu : « Énormément de choses ». La recherche montre en effet qu'un prénom ne sert pas uniquement à identifier une personne : il façonne aussi l'idée que les autres se font d'elle, ainsi que sa perception d'elle-même et ses agissements.

L'importance des noms dans la définition de l'identité s'applique à l'appartenance aux groupes. Par exemple, le terme « Afro-Canadiens » est devenu l'étiquette de choix pour des gens qui, auparavant, auraient probablement été appelés « personnes de couleur », « nègres » ou « Noirs »[7]. Chaque étiquette a ses propres connotations, ce qui rend le nom si important.

Le choix d'un prénom : pensez-y bien !

La plupart des parents qui donnent des prénoms exotiques à leurs enfants recherchent l'individualité. Il y a des avantages certains à être la seule Ying Ying Ariane, Ymen ou le seul Wojciech[8] d'une école ou d'une entreprise. Vous ne serez comparé ou confondu avec qui que ce soit.

Danelle Duran a appelé son fils Ukiah en partie parce que c'était le seul prénom sur lequel tout le monde était d'accord : personne ne l'associait à celui d'un sportif ou d'un pauvre type, selon elle.

Certains cas inusités font sourire. On se rappelle des parents québécois qui, en 1996, avaient voulu inscrire sur l'acte de naissance de leur bébé le prénom Spatule — l'oiseau et non l'ustensile, disaient-ils —, ce qui avait été refusé par le Directeur de l'état civil. Toujours au Québec, un homme de Rimouski, fervent amateur de hockey, a nommé ses garçons Bobby-Orr et Bobby-Hull. Cela s'apparente à l'histoire médiatisée d'un couple français qui aimait la voile et qui avait prénommé ses jumeaux Bâbord et Tribord. Enfin, la palme de l'inusité revient à un Américain qui, en 2002, voulait se faire appeler Dieu. Devant le refus de l'État, Charles Haffey a alors changé son nom pour « Je suis Celui qui est », « Je suis » étant son prénom[9].

Cependant, les prénoms uniques en leur genre ont potentiellement de graves conséquences. Ils sont plus difficiles à prononcer, ce qui peut être frustrant, surtout pour les enfants plus jeunes et les professeurs rencontrant de nouveaux élèves au début de chaque année scolaire ! Plus sérieusement, des études ont montré que les gens ont tendance à juger les personnes qui portent un prénom inhabituel de façon négative en se basant uniquement sur ce critère.

« On constate très souvent que les gens ne réagissent pas bien aux choses nouvelles et inhabituelles. Elles les mettent mal à l'aise, et cela s'applique aussi aux prénoms », explique Albert Mehrabian, auteur de *The Name Game* et de *The Baby Name Report Card*. Pendant plus de dix ans, le Dr Mehrabian a étudié la façon dont un nom modifie les perceptions de la moralité, de la gaieté, de la réussite et même de la masculinité ou de la féminité d'une personne. Comparés aux prénoms répandus dans notre culture, les prénoms inhabituels sont classés considérablement plus bas dans toutes les catégories — même le changement d'orthographe d'un prénom courant fera baisser les scores de quelqu'un, selon lui. « Je connais beaucoup de gens qui n'aiment pas entendre cela parce qu'ils pensent faire preuve de créativité. Mais est-ce souhaitable ? »

Même les personnes portant des prénoms inhabituels mettent en garde les parents contre l'attribution de noms « tirés par les cheveux » à leurs enfants, parce que cela pourrait facilement attirer des taquineries dans la cour d'école. Regina Koske, professeure dans une école privée en Californie, se souvient de deux de ses élèves, Fraise et Justice, qui ont connu des moments particulièrement difficiles. « Les autres élèves riaient et se moquaient tout le temps de Fraise. Ils lui disaient des choses comme : "Je vais te manger". Chaque fois que nous récitions le serment d'allégeance au drapeau et arrivions à la phrase "et justice pour tous", beaucoup d'élèves répétaient : "Et Justice ?" et se mettaient à rire. Cependant, ils ont fini par s'habituer à ces prénoms peu communs qui ont perdu leur caractère inhabituel. » Toutefois, chaque fois que ces enfants entreront dans un nouveau groupe de pairs, ils devront faire face aux railleries.

Même à l'âge adulte, un prénom peu courant peut mener au ridicule. Contrairement à l'idée selon laquelle un nom hors norme transformera l'enfant en adulte fort, Mehrabian affirme avoir constaté que plus le prénom d'une personne est inhabituel, plus elle aura de mal à s'adapter.

Source : FABIAN, Karina L. « On Naming Baby »
Reproduit avec la permission de l'auteure.

L'APPARTENANCE

Non seulement le discours façonne l'identité d'un individu, mais il peut aussi établir et exprimer des liens de solidarité avec les autres. La recherche a montré que les communicateurs sont attirés par ceux dont la façon de parler est semblable à la leur[10].

Dans un même ordre d'idées, les communicateurs qui veulent exprimer leur attachement mutuel adaptent leur discours d'une multitude de façons, notamment par le choix du vocabulaire, du débit, de la fréquence et du moment des pauses et, enfin, par le degré de politesse[11]. Le jargon propre aux adolescents illustre bien le principe de la solidarité linguistique. Le même phénomène se manifeste dans d'autres groupes, qui vont des gangs de rue au personnel militaire. Les chercheurs en communication appellent **convergence** ce processus d'adaptation du discours à celui des autres.

convergence : le fait d'aller dans une même direction, vers un même but. En communication, on parle de convergence quand un individu tend à adapter son discours à celui de l'autre.

divergence : mouvement de deux ou plusieurs éléments s'écartant les uns des autres. En communication, on parle de stratégie de la divergence quand un individu ou un groupe veut mettre en relief sa différence.

Lorsque deux ou plusieurs personnes se sentent bien ensemble, leur convergence linguistique est réciproque. Toutefois, quand les communicateurs recherchent l'approbation, ils adaptent souvent leur discours pour se conformer au style de l'autre, en essayant de dire la « bonne chose » ou de parler d'une façon qui les aidera à bien s'intégrer. C'est le processus observé chez les immigrants qui recherchent la réussite matérielle au sein d'une nouvelle culture en s'efforçant de maîtriser le langage du pays qui les accueille. De même, les employés qui désirent une promotion ont tendance à utiliser un langage semblable à celui de leurs supérieurs.

« Ma mère est noire, mon père est afro-américain et mon grand-père est nègre. J'ai hâte de savoir pour moi. »

Le principe d'accommodation du discours opère également dans le sens contraire. Les communicateurs qui veulent se distinguer des autres recourent à la stratégie de la **divergence** en adoptant un discours qui fait ressortir leurs différences. Ainsi, les membres d'un groupe ethnique, même s'ils s'expriment couramment dans la langue dominante de leur pays d'accueil, peuvent employer leur dialecte pour montrer leur solidarité et exprimer en quelque sorte la distinction entre eux et les autres. Les adolescents adoptent l'argot de sous-cultures particulières pour montrer leur divergence d'avec les adultes et leur convergence avec leurs pairs[12].

LE POUVOIR D'INFLUENCE

Les chercheurs en communication ont déterminé un certain nombre de modèles de langage qui augmentent ou diminuent le pouvoir d'influence d'un locuteur sur les autres.

Notez les différences entre ces deux approches entre un élève et son professeur :

> « Excusez-moi, monsieur. Je suis désolé de devoir vous dire ceci, mais je... euh, je pense que je ne pourrai pas vous rendre mon travail à temps. J'ai dû m'occuper d'une affaire personnelle urgente et... et bien... c'était simplement impossible pour moi de le finir pour aujourd'hui. Vous l'aurez en main lundi, d'accord ? »

> « Je suis incapable de vous rendre mon travail à temps. J'ai dû m'occuper d'une affaire personnelle urgente, et il m'a été impossible de terminer le travail pour aujourd'hui. Vous l'aurez en main lundi. »

Que l'enseignant accepte cette excuse ou non, il est clair que la deuxième approche dénote une plus grande assurance que la première, laquelle est hésitante et pleine d'excuses. Le tableau 5.1 décrit plusieurs tics de langage qui réduisent le pouvoir d'influence du langage. Plusieurs études ont prouvé que les personnes dont le discours ne contient pas ce genre de tics sont jugées plus compétentes, plus dynamiques et plus attirantes que celles qui donnent une impression d'impuissance[13]. Le fait de s'exprimer avec assurance aide les candidats lors des entrevues d'embauche. Une étude a d'ailleurs révélé que la présence d'un seul de ces tics de langage peut suffire à faire paraître une personne moins autoritaire ou moins attirante sur le plan social[14].

Par contre, un discours empreint de trop d'assurance peut parfois intimider ou irriter les autres. Voyons deux façons différentes d'aborder une même situation :

> « Excusez-moi. Mon bébé a de la difficulté à s'endormir. Est-ce que cela vous dérangerait de baisser un peu la musique ? »

> « Mon bébé n'arrive pas à dormir parce que votre musique est trop forte. Baissez le volume, s'il vous plaît ! »

La première approche, plus polie que la seconde, à défaut d'être moins assurée, produira probablement de meilleurs résultats. Un énoncé exprimé sur un ton trop assuré traduira peut-être, sur le plan relationnel, un manque de respect et un sentiment de supériorité. Dans une telle situation, une personne est aussi susceptible d'obtenir gain de cause que de se mettre les autres à dos.

TABLEAU 5.1 **Des exemples de tics qui réduisent le pouvoir d'influence du langage.**

Les détours

« Je suis *un peu* déçu... »

« Je *pense que* nous devrions... »

« Je *crois que* j'aimerais... »

Les hésitations

« *Euh*, je peux vous déranger une minute ? »

« *Et bien*, nous pourrions essayer cette idée... »

« J'aimerais que tu... *euh*... essaies d'être à l'heure. »

Les renforcements

« Je suis *vraiment* heureuse de te voir. »

« Je n'ai pas *très* faim. »

Les formes de politesse

« Excusez-moi, *monsieur*... »

Les questions qui demandent l'approbation

« Il est bientôt l'heure que nous commencions, *n'est-ce pas ?* »

« *Ne crois-tu pas* que nous deviendrons essayer encore ? »

Les démentis

« *Je ne dirais probablement pas cela, mais...* »

« *Je n'en suis pas certaine, mais...* »

Dans certaines situations, des formules polies et en apparence moins assurées permettent d'accroître l'efficacité du locuteur[15].

Par exemple, un patron peut demander à sa secrétaire: «Cela vous dérangerait-il de retaper cette lettre?» De toute évidence, le patron et la secrétaire savent qu'il s'agit d'un ordre, mais la forme interrogative est plus prévenante, de sorte que la secrétaire a une meilleure opinion de son patron[16]. L'atteinte de buts concrets et de buts relationnels explique qu'une combinaison de politesse et d'assurance est habituellement plus efficace[17].

LE LANGAGE PERTURBATEUR

Les problèmes liés au langage ne découlent pas tous de malentendus. Parfois, les gens se comprennent parfaitement bien et entrent tout de même en conflit. Bien entendu, il n'est pas possible, pas plus que nécessaire, d'éviter tous les désaccords. Cependant, en éliminant de son répertoire de communication les trois habitudes linguistiques suivantes, chacun peut éviter nombre de petits désaccords et ainsi consacrer plus d'énergie à ceux qui sont inévitables et importants.

La confusion des faits et des opinions

Les **énoncés factuels** sont des allégations dont l'exactitude ou l'inexactitude peuvent être vérifiées. En revanche, les **énoncés d'opinion** sont basés sur les croyances du locuteur. Contrairement aux énoncés factuels, ils ne peuvent jamais être prouvés ni réfutés. Voyons-en quelques exemples:

énoncé factuel: énoncé dont l'exactitude peut être vérifiée.

énoncé d'opinion: énoncé basé sur les croyances du locuteur.

Faits	Opinions
«Tu as oublié mon anniversaire.»	«Tu ne penses pas à moi.»
«Tu n'arrêtes pas de me couper la parole.»	«Tu veux tout contrôler.»
«Tu fais beaucoup de blagues ethniques.»	«Tu es raciste.»

La différence entre les deux types d'énoncés est claire lorsqu'on les place côte à côte. Cependant, dans les conversations de tous les jours, plusieurs d'entre nous présentent souvent leurs opinions comme des faits, ce qui entraîne des discussions inutiles. Par exemple:

«Quelle chose stupide à dire!»

«Dépenser autant pour une paire de chaussures, c'est du gaspillage!»

«Vous ne serez pas traités équitablement dans ce pays si vous n'êtes pas un homme de race blanche.»

Remarquez combien chaque énoncé serait moins hostile s'il était précédé d'une expression qui atteste qu'il s'agit d'une opinion, comme «Je crois que...», «Selon moi...» ou «Il me semble que...».

La confusion des faits et des déductions

Les disputes résultent souvent d'un manque de distinction entre les faits et les déductions. Voyez comment la discussion ci-dessous, basée sur de simples déductions, amène de la confusion et de l'incompréhension:

Laurianne : Pourquoi es-tu fâché contre moi ?

Charles : Je ne suis pas en colère contre toi. Pourquoi es-tu si inquiète depuis quelque temps ?

Laurianne : Je ne suis pas inquiète. C'est seulement que tu trouves toujours tellement à redire.

Charles : Que veux-tu dire par « trouver à redire ? » Je ne me suis pas montré critique...

Plutôt que d'essayer de deviner la pensée de l'autre, il est plus efficace de vérifier nos propres perceptions (voir le chapitre 3), c'est-à-dire de relever les comportements observables (faits) qui ont retenu notre attention et de faire état des interprétations que nous en avons tirées. Autrement dit, après avoir expliqué cet enchaînement d'idées à l'autre, il suffit de vérifier auprès de lui l'exactitude de l'interprétation. Regardez comment les exemples précédents deviennent plus clairs lorsqu'ils s'appuient sur des faits :

Laurianne : Comme tu ne m'as pas téléphoné (*fait*), j'ai eu l'impression que tu étais fâché contre moi (*déduction*). Est-ce que j'ai raison de penser cela (*question*) ?

Charles : Ces derniers temps, tu n'as pas cessé de me demander si je t'aimais (*fait*). J'ai pensé alors que tu devais être inquiète par rapport à notre relation (*déduction*). Ou peut-être est-ce que je me comporte différemment ? Est-ce le cas (*question*) ?

L'utilisation des termes à connotation

connotation : signification affective d'un mot qui s'ajoute à son sens objectif.

Les termes à **connotation** semblent décrire quelque chose alors que, en réalité, ils révèlent l'état d'esprit du locuteur envers la situation. Par exemple, si vous aimez la façon dont une personne aborde un sujet délicat à l'aide de sous-entendus, vous pourriez dire qu'elle a du tact, tandis que si vous n'aimez pas son approche, vous pourriez l'accuser de tourner autour du pot. Que vous trouviez que l'approche de la personne qui aborde une question délicate soit bonne ou mauvaise est plus une question d'opinion que de fait. Toutefois, le langage à connotation peut décrire un même comportement en termes favorables et défavorables, selon les termes utilisés.

Il est facile de se rendre compte à quel point les termes émotifs comportent des jugements subjectifs en examinant ces exemples.

Si on est d'accord, on dit :	Si on n'est pas d'accord, on dit :
■ économe	■ avare
■ classique	■ démodé
■ extraverti	■ grande gueule
■ prudent	■ poltron
■ progressiste	■ radical
■ information	■ propagande
■ victoire militaire	■ massacre
■ excentrique	■ fou

Le meilleur moyen d'éviter des disputes contenant des mots émotifs est de décrire la personne, la chose ou l'idée dont il est question dans des termes neutres, et d'exprimer ses opinions de la même manière. Plutôt que de dire : « J'aimerais que vous arrêtiez de faire ces remarques sexistes », une femme devrait dire : « Je n'apprécie vraiment pas lorsque vous nous traitez de "bonnes femmes" au lieu de simplement dire "femmes". » Les énoncés neutres sont non seulement plus exacts, mais ont également plus de chances d'être bien acceptés par les autres.

INVITATION À L'INTROSPECTION

Un langage plus neutre : un bon allié

Cet exercice vous aidera à comprendre à quel point il est facile de décrire une même situation en termes favorables ou non. La technique est facile à appliquer : il s'agit de choisir une action ou un trait de personnalité et de montrer qu'ils peuvent être considérés favorablement ou défavorablement selon l'étiquette qui leur est donnée.

1 Reprenez les énoncés suivants qui décrivent avantageusement des comportements et transformez-les en énoncés qui présentent de façon défavorable ces mêmes comportements. Par exemple, s'il est écrit : « Cette personne connaît la valeur de l'argent et sait faire de bons placements » (énoncé favorable), vous pourriez la décrire de façon défavorable en disant : « Cette personne est avare, c'est un séraphin. »

Énoncés favorables	Énoncés défavorables
a) Il est diplomate.	____________
b) Il est prévoyant.	____________
c) Il est calme.	____________
d) Son enfant est plein d'entrain.	____________
e) J'ai une bonne opinion de moi-même.	____________

2 Maintenant, rappelez-vous au moins deux situations dans lesquelles vous avez utilisé un langage à connotation négative et repensez à ces situations comme si vous décriviez un fait et non une opinion. Vous verrez à quel point un terme semble moins émotif lorsqu'il décrit un fait.

Les descriptions que vous faites varient en fonction de vos humeurs, de vos sentiments et de vos perceptions. Décrire les comportements des gens en fonction des faits avec des énoncés neutres permet de clarifier plusieurs malentendus liés au langage.

LE LANGAGE RESPONSABLE

Le langage reflète aussi la volonté des locuteurs d'assumer leurs croyances et leurs sentiments. Le fait d'accepter ou de refuser cette responsabilité en dit long au sujet du locuteur et contribue à donner le ton d'une relation. Nous allons voir comment.

Les énoncés impersonnels

Notez les différences entre chaque groupe de phrases :

« C'est désagréable quand tu es en retard. »	« Je suis inquiet quand tu es en retard. »
« C'est agréable de te voir. »	« Je suis content de te voir. »
« C'est un cours ennuyeux. »	« Je m'ennuie dans ce cours. »

Dans les **énoncés impersonnels**, où le pronom personnel « je » est remplacé par un pronom démonstratif, les communicateurs semblent ne pas vouloir assumer leur message en attribuant celui-ci à un sujet indéfini. En plus d'être imprécis, ce type d'énoncés trahit une façon inconsciente d'éviter de prendre position. En revanche,

énoncé impersonnel : énoncé qui permet au locuteur d'éviter d'assumer son message en attribuant celui-ci à un sujet indéfini.

langage à la première personne : langage dans lequel l'émetteur assume son message et décrit ses sentiments.

énoncé avec un « mais » : énoncé qui permet d'enrober un message désagréable pour le rendre plus agréable.

langage à la deuxième personne : langage employant le « tu » ou le « vous », souvent utilisé pour exprimer un jugement, une critique à une autre personne.

le **langage à la première personne** indique clairement que le locuteur est à l'origine du message.

Les énoncés avec un « mais »

Les énoncés du type « oui, mais » peuvent prêter à confusion. L'examen attentif des **énoncés avec un « mais »** permet de comprendre pourquoi.

Dans chaque phrase, le mot « mais » annule l'idée qui précède :

> « Tu es vraiment quelqu'un de très bien, mais je crois que nous devrions arrêter de sortir ensemble. »
>
> « Vous êtes un bon employé, mais nous allons devoir nous séparer de vous. »
>
> « Ce devoir contient quelques bonnes idées, mais je lui donne un D parce qu'il a été rendu en retard. »

Ces « mais » constituent souvent une stratégie pour faire passer un message désagréable en l'enrobant d'un élément plus agréable. Cette approche visant à sauver les apparences vaut la peine d'être utilisée par moments. Cependant, lorsque l'objectif est d'être parfaitement clair, l'approche la plus responsable est d'exprimer les messages positifs et négatifs séparément, de façon à ce que chacun soit entendu.

Les questions

Certaines questions sont posées afin de recueillir des informations. D'autres, par contre, relèvent d'une tournure linguistique utilisée pour éviter de faire une déclaration ou de donner une opinion.

« Combien y a-t-il de livres à lire pour ce cours ? » peut cacher l'énoncé « J'ai peur de suivre un cours dans lequel il y a trop de livres à lire ». « Fais-tu quelque chose ce soir ? » peut être une façon moins risquée de dire : « J'aimerais sortir avec toi ce soir ». « Est-ce que tu m'aimes ? » remplace en toute sécurité l'énoncé « Je t'aime », qui peut paraître trop gênant, trop intime ou trop menaçant pour être formulé directement. Dans certaines circonstances, la manière indirecte est un moyen diplomatique d'aborder un sujet difficile à attaquer de front. Cependant, si la situation ne justifie pas son utilisation, cette façon de faire devient une échappatoire pour éviter de donner une opinion. Le chapitre 9 présente l'utilité et les risques de la communication indirecte.

Les pronoms « je » et « tu »

Nous avons vu que le langage à la première personne est une façon d'assumer la responsabilité d'un message. En revanche, le **langage à la deuxième personne** exprime un jugement porté sur l'autre. Les énoncés positifs (« Tu as l'air très bien aujourd'hui ! ») posent rarement problème, mais voyez à quel point chacun des énoncés suivants formulés au « tu » sous-entendent que le sujet à qui s'adresse le reproche se comporte mal :

> « Tu as laissé cet endroit en désordre ! »
>
> « Tu n'as pas tenu ta promesse ! »
>
> « Tu es vraiment grossier parfois ! »

Malgré son nom, ce type de langage ne contient pas toujours explicitement le pronom « tu ». En effet, celui-ci est souvent sous-entendu plutôt que prononcé :

> « C'est une plaisanterie stupide ! » (Implicitement : « *Tu es stupide.* »)
> « Ne sois pas si critique ! » (Implicitement : « *Tu es trop négatif.* »)
> « Occupe-toi de tes affaires ! » (Implicitement : « *Tu es trop curieux.* »)

Que le jugement soit exprimé ouvertement ou qu'il soit sous-entendu, il est facile de comprendre pourquoi l'utilisation du « tu » provoque souvent une réaction défensive. Le « tu » implique que le locuteur se considère qualifié pour porter un jugement sur son interlocuteur, une position que la majorité des gens consentent difficilement à accepter, même si le jugement en question est juste.

Heureusement, le langage à la première personne permet d'exprimer des griefs de façon plus appropriée et moins provocatrice[18]. Ce type de langage montre que le locuteur assume la responsabilité de sa plainte en décrivant sa réaction au comportement de l'autre sans porter de jugement de valeur.

L'énoncé au « je », s'il est complet, comporte trois éléments. Il décrit :

- le comportement de l'autre personne (qui doit être basé sur des faits) ;
- nos propres sentiments ;
- les conséquences que le comportement de l'autre personne a sur nous.

Ces éléments peuvent apparaître dans n'importe quel ordre. Voici quelques exemples d'énoncés à la première personne qui illustrent leur utilisation dans les conversations quotidiennes :

> « Lorsque tu parles de mes mauvaises notes devant nos amis (*comportement*), je me sens mal à l'aise (*sentiment*). J'ai peur qu'ils pensent que je suis stupide (*conséquence*). »

Parfois, il est utile de communiquer à l'autre personne l'interprétation que l'on fait de la situation, comme dans les exemples suivants :

> « Tu n'es pas venu me chercher à l'heure ce matin (*comportement*), alors je suis arrivé en retard au cours et je me suis fait réprimander par le professeur (*conséquence*). J'ai eu l'impression que cela ne te semblait pas important que je sois à l'heure (*interprétation*). C'est pour cela que je me suis mis autant en colère (*sentiment*). »

> « Je ne me suis pas montré très affectueux (*conséquence*) parce que tu n'as pas passé beaucoup de temps avec moi au cours des dernières semaines (*comportement*). Je me demande si tu m'évites ou si tu es trop occupé (*interprétation*). Je ne sais plus à quoi m'en tenir (*sentiment*) sur tes sentiments pour moi et je veux tirer cela au clair. »

Dans certains cas, le sentiment est la conséquence directe du comportement de la personne :

> « Comme tu ne m'as pas appelée pour m'aviser que tu étais bien rendu chez toi après le souper, je me suis inquiétée (*sentiment et conséquence*). »

TRAVAILLEZ VOS HABILETÉS

La pratique du « je »

Vous pouvez développer votre habileté à exprimer des messages à la première personne en suivant ces étapes :

1. Visualisez des situations dans lesquelles vous auriez pu envoyer chacun des messages suivants :

   « Tu ne me dis pas la vérité ! »

   « Tu ne penses qu'à toi ! »

   « Ne sois pas si susceptible ! »

   « Arrête de faire des bêtises ! »

   « Tu ne comprends rien à ce que je dis ! »

2. Écrivez des variantes pour chaque énoncé en employant le « je ».

3. Imaginez trois messages au « tu » que vous pourriez adresser à des personnes de votre entourage. Transformez-les en utilisant la première personne et testez-les auprès d'un camarade de classe.

Quelques personnes expriment des réserves sur l'utilisation du « je » en dépit de ses qualités pratiques. Parmi les raisons invoquées pour ne pas y recourir, trois reviennent plus fréquemment.

- *« Je suis trop en colère pour me servir du "je". »* Il est vrai qu'on a tendance à riposter par un message catégorique à la deuxième personne lorsqu'on est en colère. Il serait cependant plus sage de se taire en pensant aux conséquences de ce que l'on s'apprête à dire que de proférer des mots que l'on pourrait regretter plus tard. Il est également important de noter qu'il existe de nombreuses possibilités d'exprimer la colère en parlant à la première personne, c'est-à-dire en exprimant ses propres sentiments (« Je suis réellement en colère contre toi ! ») au lieu de les transformer en attaque personnelle (« Tu es vraiment abruti quand tu agis comme cela ! » ou « C'était stupide de ta part de faire ça ! »).
- *« Même avec le langage au "je", l'autre a une réaction défensive. »* Comme cela arrive avec chaque habileté de communication, le langage à la première personne ne fonctionne pas toujours. Lorsque les gens sont trop contrariés ou irrités, leurs sentiments critiques contredisent leurs paroles. Même si vous exprimez parfaitement et en toute sincérité un message à la première personne, votre interlocuteur peut manifester une réaction tellement défensive ou si peu coopérative que rien de ce que vous direz n'arrangera la situation. Dans un tel cas, l'utilisation du « je » améliore les chances de communiquer sans envenimer les choses.

> *Lorsque vous pointez un doigt accusateur vers quelqu'un, trois de vos doigts pointent vers vous en retour.*
>
> Louis Nizer, avocat anglais

- *« Le langage au "je" paraît artificiel. »* « Ce n'est pas comme ça que je parle » est une objection fréquente. Une grande partie de la difficulté ou de la maladresse initiale liée à l'utilisation de la première personne vient du côté inhabituel de ce type de langage. Cependant, à force d'y avoir recours, il devient de plus en plus naturel et d'autant plus efficace.

L'un des meilleurs moyens de surmonter cette difficulté est de s'exercer à transmettre des messages à la première personne lorsque le risque de conflit est minime. Vous pouvez tester des messages concernant des sujets relativement simples en classe, écrire des courriels en employant le « je » et les transmettre à des personnes réceptives. Une fois que votre habileté et votre assurance auront augmenté, vous serez prêt à affronter des situations de plus en plus corsées d'une façon naturelle et sincère.

Malgré ses avantages évidents, même l'énoncé à la première personne le mieux construit et le mieux exprimé ne remportera pas toujours de succès. Thomas Gordon, auteur et partisan du « je », l'atteste : « Personne n'aime s'entendre dire que son comportement est préjudiciable à quelqu'un, peu importe comment le message est formulé. » En outre, utilisé à répétition, le « je » peut donner une impression d'égocentrisme. C'est pourquoi il faut faire preuve de modération dans l'emploi de ce type de formulation.

énoncé à la première personne du pluriel : énoncé qui implique que l'objet de la discussion concerne autant l'émetteur que le récepteur.

Le pronom « nous »

Le pronom « nous » permet d'éviter l'utilisation trop fréquente du « je ». Les **énoncés à la première personne du pluriel** sous-entendent que l'objet de discussion concerne autant l'émetteur que le récepteur du message, et que tous deux en sont responsables. En voici quelques exemples:

> « Nous devons faire un horaire qui nous permettra de remettre un travail de qualité à temps. »
>
> « Je pense que nous avons un problème. Nous semblons incapables de parler de nos relations antérieures sans nous disputer. »
>
> « Nous ne réussissons pas très bien à garder l'endroit propre, n'est-ce pas? »

APPLICATION

Le « je » et le « tu » au travail

Contexte

Depuis quelque temps, Rebecca est frustrée par les fréquentes absences au bureau de son collègue Christian. Elle ne lui en a pas encore parlé, parce qu'elle l'aime bien et qu'elle ne veut pas avoir l'air de se plaindre. Récemment, cependant, les absences de Christian sont devenues plus longues et plus fréquentes. Aujourd'hui, il a pris 45 minutes de plus pour sa pause de midi.

Scénario 1

Quand il revient au bureau, Rebecca lui adresse ses reproches en utilisant le « tu ».

Rebecca: Où étais-tu? Tu devais être revenu à 12 h 30, et il est presque 13 h 30.

Christian (*surpris par le ton agressif de Rebecca, qu'elle n'a jamais employé avec lui*): J'ai fait quelques courses. Où est le problème?

Rebecca: Nous avons tous des courses à faire, Christian. Mais c'est malhonnête de ta part de les faire sur le temps de travail.

Christian (*sur la défensive après avoir entendu l'accusation de Rebecca*): Je ne comprends pas pourquoi tu te préoccupes de ma façon de travailler. Le patron ne s'est pas plaint, alors pourquoi t'en soucierais-tu?

Rebecca: Le patron ne se plaint pas parce que nous te couvrons tous. Tu devrais être reconnaissant que nous formions une équipe soudée et que nous trouvions des excuses chaque fois que tu arrives en retard ou que tu pars plus tôt.

Une fois de plus, Rebecca a utilisé le « tu » pour dire à Christian comment il devrait penser et se comporter.

Christian (*maintenant trop sur la défensive pour réfléchir aux préoccupations de Rebecca*): Hé, je croyais que nous nous couvrions tous. Que fais-tu de la fois où j'ai travaillé tard toute une semaine l'année dernière pour que tu puisses aller au mariage de ton cousin à San Antonio?

Rebecca: C'est différent! Personne ne mentait alors. Quand tu t'en vas, je dois inventer des histoires sur l'endroit où tu te trouves. Tu me mets dans une situation très difficile, Christian, et ce n'est pas correct. Tu ne peux pas compter sur moi pour continuer à te couvrir.

Christian (*se sentant coupable, mais trop fâché par les critiques de Rebecca et sa menace pour reconnaître ses erreurs*): Bien. Je ne te demanderai plus jamais une faveur. Désolé de t'avoir importunée.

Rebecca aura probablement réussi à diminuer les retards de Christian, mais le fait d'avoir choisi d'utiliser le « tu » a mis celui-ci sur la défensive et en colère. Il est probable que l'ambiance sera moins décontractée au bureau, ce qui n'est certainement pas le résultat que Rebecca recherchait.

Scénario 2

Voyons comment elle aurait pu traiter la même question en utilisant le « je » pour décrire son problème au lieu de faire des reproches à Christian.

Rebecca: Je dois te parler d'un problème.

Notez la façon dont Rebecca présente le problème comme étant le sien plutôt que d'attaquer Christian.

Christian: Que se passe-t-il?

Rebecca: Tu sais que tu arrives parfois en retard au travail et que tu prends de longues pauses le midi?

Christian (*sur ses gardes, sentant venir les problèmes*): Ouais?

Rebecca: Et bien, je dois te dire que tu me mets dans une situation délicate. (*Rebecca décrit le problème en termes de comportement, puis continue en exprimant ses sentiments.*) Lorsque le patron demande où tu es, je ne veux pas dire que tu n'es pas là pour que tu n'aies pas d'ennuis. Alors, parfois, j'invente des excuses ou encore je mens. Mais il se méfie de mes excuses, et cela m'inquiète.

Christian (*sur la défensive, car il sait qu'il a tort, mais il comprend la position de Rebecca*) : Je ne veux pas que tu aies des ennuis. C'est juste que je dois régler pas mal d'affaires personnelles.

Rebecca : Je sais, Christian. Je veux simplement que tu comprennes que cela devient impossible pour moi de te couvrir.

Christian : Ouais, d'accord. Merci de m'avoir donné un coup de main.

Notez la façon dont la formulation à la première personne a permis à Rebecca de confronter Christian avec franchise sans le blâmer ni l'attaquer personnellement. Même si Christian ne change pas, Rebecca a dit ce qu'elle avait sur le cœur et elle peut être fière de l'avoir fait d'une façon qui n'était ni menaçante ni agaçante.

On voit bien ici comment le langage au « nous » peut favoriser un climat constructif. Il suggère une orientation de type « nous sommes dans cette situation ensemble » qui reflète la nature transactionnelle de la communication. Les personnes qui utilisent le « nous » signalent leur proximité, leurs points communs et leur cohésion avec les autres[19].

Cependant, les énoncés au « nous » ne sont pas toujours appropriés. Ils peuvent parfois paraître présomptueux en ce sens qu'ils donnent à penser qu'une personne parle non seulement en son nom, mais également au nom des autres. On imagine facilement qu'après nous avoir entendu affirmer : « Nous avons un problème », l'interlocuteur puisse répondre : « *Tu* as sans doute un problème, mais ne viens pas me dire que *moi*, j'en ai un ! »

Étant donné les pour et les contre de l'emploi des énoncés au « je » et au « nous », on peut se demander quels pronoms sont les plus efficaces dans le cadre de la communication interpersonnelle. Selon les chercheurs, les combinaisons d'énoncés des deux types (par exemple, « Je pense que nous [...] » ou « J'aimerais que nous [...] ») ont de grandes chances d'être accueillies plus favorablement[20].

De plus, puisqu'un emploi trop fréquent d'un même pronom risque fort de s'avérer inadéquat, il est conseillé de combiner l'utilisation des différents pronoms. Si votre emploi du « je » reflète votre position sans tomber dans l'égocentrisme, si votre emploi du « tu » illustre votre souci à l'égard des autres et votre absence de jugement, et si votre emploi du « nous » englobe les autres sans que vous parliez en leur nom, votre utilisation des pronoms personnels sera quasiment idéale. Le tableau 5.2 résume les avantages et les inconvénients de chaque type de langages et suggère des approches susceptibles de réussir.

LE GENRE ET LE LANGAGE

Jusqu'à présent, nous avons traité du langage comme s'il était utilisé de la même manière chez les deux sexes. Certains écrivains et chercheurs croient toutefois que les hommes et les femmes parlent de façon différente, comme s'ils appartenaient à des cultures distinctes[21]. D'autres spécialistes suggèrent que les différences sont peu nombreuses et peu significatives[22]. Qu'en est-il des similitudes et des différences en matière de langage entre l'homme et la femme ? Voyons quelques éléments de réponse.

TABLEAU 5.2 **L'utilisation des pronoms et leur effet.**

	Avantages	Inconvénients	Astuces
Le « je »	Assume la responsabilité des idées, des sentiments et des besoins. Risque moins de provoquer des réactions défensives que le « tu ».	Peut être perçu comme égotiste, narcissique et renfermé.	Utiliser le « je » quand les autres personnes n'ont pas conscience d'un problème. Combiner le « je » et le « nous.
Le « nous »	Signale l'inclusion, l'immédiateté, la cohésion et l'engagement.	Peut donner l'impression que l'on parle à tort pour les autres.	Combiner le « nous » avec le « je ». Utiliser le « nous » en groupe pour consolider l'harmonie. Éviter le « nous » pour exprimer des idées personnelles, des sentiments ou des besoins.
Le « tu »	Souligne l'orientation vers l'autre, en particulier quand le sujet traité lui est favorable.	Peut donner l'impression que l'on porte un jugement, en particulier dans les situations conflictuelles.	Utiliser le « je » dans les situations conflictuelles. Utiliser le « tu » pour féliciter ou inclure l'autre.

LE CONTENU

La première recherche sur les sujets de conversation et le genre a été realisée il y a environ 60 ans. Bien que les rôles masculins et féminins aient changé depuis, les résultats de plusieurs études sont remarquablement semblables[23]. Les hommes et les femmes de 17 à 80 ans qu'on a interrogés durant ces études y ont décrit l'éventail des sujets discutés avec leurs amis du même sexe. Certains sujets étaient communs aux deux sexes : le travail, le cinéma et télévision. Aussi bien les hommes que les femmes avaient tendance à réserver les discussions sur la sexualité, les rendez-vous amoureux et l'apparence physique aux personnes de leur sexe.

Dans ces recherches, les différences entre les hommes et les femmes étaient plus frappantes que les similitudes. Les femmes passaient beaucoup plus de temps à parler entre elles de sujets personnels et domestiques, de problèmes relationnels, de la famille, des questions de santé et de reproduction, de poids, de la nourriture, de l'habillement, des hommes et des autres femmes. De leur côté, les hommes parlaient plus volontiers de musique, de l'actualité, de sport, des affaires et des autres hommes.

Ces différences dans les intérêts peuvent mener à de la frustration lorsque les hommes et les femmes tentent de discuter entre eux. Les chercheurs rapportent que le mot *insignifiant* est utilisé aussi bien par les uns que par les autres pour désigner les sujets de conversation de l'autre sexe. Une femme pourrait dire : « Je veux discuter de choses importantes. Lui ne veut parler que de politique ou de ce que nous pourrions faire ce week-end ! » De même, certains hommes se plaignent que les femmes demandent et donnent plus de détails qu'il n'est nécessaire et se concentrent trop souvent sur les sentiments et les émotions.

LES BUTS DE LA COMMUNICATION

Indépendamment du sexe des individus, les objectifs de presques tous les communicateurs sont de rendre la conversation agréable en étant amicaux, de manifester de l'intérêt envers ce que l'autre personne dit et de parler de sujets qui l'intéressent[24]. Cependant, les buts recherchés dans la communication sont souvent différents. Les hommes recherchent la camaraderie, et leurs discussions incluent un plus grand nombre de plaisanteries et de taquineries amicales. En revanche, lorsque des femmes faisant partie d'un groupe ont été interrogées sur les types de satisfaction qu'elles retiraient des discussions avec leurs amies, le thème le plus couramment mentionné a été celui de l'empathie — « savoir que vous n'êtes pas seule »[25]. En fait, la chercheuse en communication Julia Wood affirme tout simplement que, « pour les femmes, la discussion est l'essence des relations »[26]. Si les hommes décrivaient les conversations entre personnes du même sexe comme quelque chose qu'ils aimaient, les femmes en parlaient comme d'un contact dont elles avaient besoin. La tendance caractéristique des femmes à pratiquer une communication relationnelle est appuyée par des études effectuées auprès de couples mariés montrant que les épouses passaient proportionnellement plus de temps que leurs maris à communiquer pour entretenir leur relation[27].

Lorsque les chercheurs ont demandé aux hommes ce qui leur plaisait le plus dans leurs conversations entre eux, la réponse la plus fréquente a été la facilité[28]. Ils ont aussi souvent relevé en apprécier l'aspect pratique, qui était pour eux une nouvelle façon de résoudre des problèmes. Ils ont également indiqué aimer l'humour et le rythme rapide qui caractérisent les conversations masculines.

LE STYLE DE CONVERSATION

Dans une conversation, les femmes se comportent différemment des hommes[29]. Par exemple, elles posent plus de questions que ces derniers lorsqu'elles discutent avec eux — près de trois fois plus —, et elles coupent moins souvent la parole, sauf pour offrir leur soutien. Autre différence : le discours des hommes est généralement plus direct, plus concis et plus centré sur les tâches.

À l'inverse, le discours des femmes est généralement plus indirect, plus élaboré et plus centré sur les relations.

Parce qu'elles se servent de la conversation pour combler leurs besoins sociaux, les femmes ont généralement recours à des énoncés montrant leur soutien envers l'autre personne, à des démonstrations d'égalité et font des efforts pour maintenir la conversation[30]. Avec de tels objectifs, il n'est pas surprenant que le discours traditionnellement féminin contienne souvent des énoncés exprimant de la sympathie et de l'empathie tels que « C'est exactement ce que j'ai ressenti », « Il m'est arrivé la même chose ! ». Les femmes ont aussi une propension à poser des questions qui invitent l'autre à partager des renseignements : « Comment t'es-tu sentie par rapport à cela ? », « Qu'as-tu fait ensuite ? » Il est important d'entretenir la relation, ce qui explique aussi pourquoi le discours féminin est souvent quelque peu hésitant. Une phrase comme « Ce n'est que mon opinion... » est moins susceptible de déplaire à un partenaire que l'affirmation typiquement plus masculine « Voilà ce que je pense ».

LES AUTRES VARIABLES POUVANT INFLUENCER LA COMMUNICATION

La recherche indique que des facteurs autres que le genre ont aussi une grande influence sur le langage[31]. Parmi ceux-ci, mentionnons la philosophie sociale — les épouses féministes parlent plus longtemps que leurs partenaires, tandis que c'est le contraire pour les épouses non féministes —, la tendance à la compétition ou à la collaboration des locuteurs[32], ou, bien sûr, la profession.

Un autre facteur qui exerce une forte influence sur la façon dont s'expriment les individus est le rôle lié au genre. Certains théoriciens ont suggéré que les comportements masculins et féminins stéréotypés ne sont pas les pôles opposés d'un continuum unique, mais plutôt d'une série de comportements distincts[33]. Selon cette vision, un individu peut agir de manière masculine ou féminine, ou encore manifester des caractéristiques masculines et féminines. La dichotomie mâle-femelle est donc remplacée par quatre types psychologiques sexuels : masculin, féminin, **androgyne** (une combinaison de traits masculins et féminins) et indifférencié (ni masculin ni féminin).

androgyne : caractère de ce qui possède des traits de personnalité masculins et féminins

Chacun des types psychologiques sexuels perçoit les relations interpersonnelles de façon différente. Par exemple, les hommes masculins sont susceptibles de considérer leurs relations interpersonnelles comme une occasion d'avoir des interactions compétitives ou de gagner quelque chose. Les femmes féminines les envisagent probablement comme des occasions d'être aimantes, d'exprimer leurs sentiments et leurs émotions. En revanche, on remarque peu de différences entre les hommes et les femmes androgynes quant à leurs relations interpersonnelles.

Écouter les conseils d'un homme ou conseiller à un homme d'écouter ?

Intéressons-nous à un couple dont le mari, avant de se marier, discutait essentiellement avec des hommes, alors que son épouse parlait principalement avec des femmes... Lui est habitué à des conversations rapides qui font peu de cas des émotions, qui lui permettent souvent d'apprendre des astuces pratiques ou d'en proposer aux autres, et qui sont habituellement pragmatiques ou drôles.

Elle a l'habitude des conversations qui, tout en étant pratiques et drôles également, lui apportent principalement un soutien affectif, l'aident à se comprendre et à comprendre les autres. En vivant intimement avec un homme, la femme est parvenue à lui exprimer ses soucis comme elle le ferait avec une amie proche. Cependant, elle s'est rendu compte, à sa grande déception, qu'il ne réagit pas de la bonne façon. Cela ne l'aide pas à se sentir mieux, au contraire.

Le problème est qu'il a tendance à être direct et pratique, tandis qu'elle veut par-dessus tout être écoutée avec empathie. Habituée à des années de réactions de ce type de la part de ses amies proches, cette femme sera probablement surprise et fâchée par la réaction immédiate de son mari qui lui dira : « Voilà ce que tu vas faire... »

Source : SHERMAN, Mark et Adelaide HAAS. *Psychology Today*, juin 1984.

« Parfois, j'ai l'impression qu'il comprend tous les mots que nous disons… »

Par ailleurs, les personnes androgynes ont tendance à mieux s'adapter à leur interlocuteur puisqu'elles vont considérer quels comportements doivent être adoptés en fonction de la nature de la relation et du contexte particulier. Les types homme masculin et femme féminine ignorent généralement ces variables, et leur répertoire de comportements est souvent plus restreint.

LA CULTURE ET LE LANGAGE

Quiconque a essayé de traduire des idées d'une langue à une autre sait qu'il n'est pas toujours facile d'en rendre adéquatement le sens[34]. Les traductions ratées sont parfois cocasses. Par exemple, la laiterie américaine Pet a lancé son produit sur des marchés francophones sans connaître le sens du mot *pet* en français[35]. De même, la représentante anglophone d'un fabricant américain de boissons gazeuses a involontairement fait rire ses clients mexicains en leur offrant des échantillons de sodas Fresca. En argot mexicain, le mot *fresca* signifie « lesbienne ».

Même quand on sait parler une langue étrangère, cela ne signifie pas qu'on maîtrise les subtilités du langage d'une culture dans certains contextes donnés. Par exemple, les assureurs japonais avertissent leurs clients en visite aux États-Unis d'éviter de s'excuser s'ils sont impliqués dans un accident de la route[36]. Au Japon, les excuses expriment traditionnellement la bienveillance et contribuent à l'harmonie sociale, même si la personne qui les présente n'est pas en tort. Par contre, aux États-Unis, les excuses peuvent être considérées comme un aveu de culpabilité, de sorte que les touristes japonais pourraient être tenus responsables d'accidents qu'ils n'ont pas causés.

Lorsque nous communiquons avec des gens d'une autre culture, il faut garder en tête que les subtilités de la traduction et du langage ainsi que les divergences en matière d'utilisation du langage font des communications interculturelles complexes un défi stimulant.

LES STYLES DE COMMUNICATION VERBALE

Choisir un langage ne consiste pas simplement à choisir un groupe de mots particuliers pour transmettre une idée. Chaque langage a son propre style qui le distingue des autres. L'aspect formel, la précision, la concision sont des éléments importants de la compétence relative au discours. Lorsqu'un communicateur essaye d'utiliser le style verbal d'une culture au sein d'une autre culture, il risque de rencontrer des problèmes[37].

culture peu contextuelle: culture où l'on utilise le langage pour exprimer les sentiments ou les idées le plus clairement possible.

Une des différences propres aux styles verbaux est le franc-parler. L'anthropologue Edward Hall a déterminé deux manières culturelles différentes d'utiliser le langage[38]. Les **cultures peu contextuelles** valorisent généralement l'utilisation du langage

TABLEAU 5.3 **Les styles de communication relatifs aux cultures peu contextuelles et très contextuelles.**

Peu contextuelles	Très contextuelles
La majorité de l'information est transmise par des signes explicites.	L'information importante est transmise par le contexte.
Les messages verbaux sont moins centrés sur le contexte situationnel.	On s'appuie moins sur les messages verbaux explicites que sur les moment, endroit et relation.
Valorisation de l'expression de soi. Les communicateurs expriment directement leurs opinions et leurs désirs et s'efforcent de persuader les autres d'accepter leur propre point de vue.	Valorisation de l'harmonie relationnelle qui est maintenue grâce à l'expression indirecte des opinions. Les communicateurs s'abstiennent de dire non directement.
Le discours clair et éloquent est considéré comme louable. L'influence verbale est admirée.	Les communicateurs tournent autour du pot et permettent aux autres de remplir les blancs. On admire l'ambiguïté et le recours au silence.

pour exprimer les pensées, les sentiments et les idées le plus clairement et le plus logiquement possible. Les communicateurs qui évoluent dans celles-ci cherchent la signification d'un énoncé dans les mots prononcés. En revanche, les **cultures très contextuelles** valorisent l'utilisation du langage dans le but de maintenir l'harmonie sociale. Plutôt que de contrarier les autres en s'exprimant clairement, les communicateurs qui vivent dans ces cultures apprennent à découvrir la signification à partir du contexte dans lequel un message est transmis: les comportements non verbaux du locuteur, l'histoire de la relation et les règles sociales globales qui gouvernent les interactions entre les gens. Le tableau 5.3 résume certaines différences fondamentales entre les façons dont les cultures peu contextuelles et très contextuelles utilisent le langage.

culture très contextuelle: culture où l'on évite le langage trop direct et où le sens du message dépend largement du contexte.

La culture nord-américaine fait partie des cultures peu contextuelles. Les habitants des États-Unis et du Canada valorisent le discours direct et s'impatientent lorsque quelqu'un «tourne autour du pot». À l'opposé, la plupart des cultures asiatiques et du Moyen-Orient sont très contextuelles. Dans plusieurs pays asiatiques par exemple, il est important de maintenir l'harmonie sociale, les communicateurs éviteront donc de parler clairement si cela risque d'embarrasser l'autre. C'est pourquoi les Japonais et les Coréens sont moins portés que les Américains à rejeter franchement une proposition indésirable. Ils utiliseront plutôt des expressions détournées comme: «Je suis d'accord avec vous sur le principe, mais...», ou «Je compatis...».

Le même type de choc entre la franchise et les façons détournées peut aggraver les problèmes entre les Israéliens qui sont directs, qui vivent dans des cultures peu contextuelles et qui valorisent le franc-parler, et les Arabes dont les cultures très contextuelles mettent l'accent sur les interactions harmonieuses. Il est facile d'imaginer à quel point le choc entre ces styles peut entraîner des malentendus et des conflits entre les Palestiniens et leurs voisins Israéliens. Ces derniers considèrent que les Palestiniens sont évasifs, alors que ceux-ci pensent que les Israéliens sont insensibles et brusques.

Par ailleurs, il est intéressant de constater que même les résidents des États-Unis, qui sont généralement directs et qui ont été élevés dans des cultures euro-américaines peu contextuelles, s'appuient souvent sur le contexte pour faire valoir leur point de vue. Lorsqu'une personne décline l'invitation non souhaitée d'une autre en disant: « Je ne peux pas y aller », elle sait probablement, tout comme celle qui l'a invitée, que le refus ne dépend pas vraiment d'éléments extérieurs. Si l'objectif était d'être parfaitement claire, elle aurait pu répondre: « Je ne veux pas me retrouver avec vous ». Comme l'explique en détail le chapitre 9, nous utilisons souvent des faux-fuyants parce que nous voulons cacher nos véritables pensées et sentiments.

Le fait que le langage soit concis ou élaboré constitue une autre distinction dans les styles. Les gens qui parlent arabe, par exemple, utilisent un langage beaucoup plus riche et beaucoup plus expressif que la plupart des francophones. Des affirmations et des exagérations qui paraîtraient ridicules en français sont courantes en arabe. Le contraste dans le style linguistique peut être à l'origine de malentendus entre gens issus de milieux différents. Voici les commentaires d'un observateur:

> « En premier lieu, l'Arabe se sent obligé de renchérir sur tout ce qu'il dit parce que les autres s'attendent à un tel comportement. S'il dit exactement ce qu'il pense sans exagération, les autres Arabes pourront croire qu'il pense le contraire de ce qu'il dit. Par exemple, le "non" tout simple d'un invité qui ne veut plus boire ni manger ne suffit pas. Pour exprimer sans équivoque qu'il est repu, ce dernier doit répéter "non" plusieurs fois, tout en jurant solennellement. En second lieu, il arrive souvent que l'Arabe n'arrive pas à accepter que l'autre, particulièrement un étranger, veut dire simplement ce qu'il dit, même s'il s'exprime clairement. Pour les Arabes, un simple refus peut signifier un consentement et un encouragement indirects de la part d'une femme. Par ailleurs, un consentement exprimé simplement peut signifier le refus d'un politicien hypocrite[39]. »

La concision atteint son sommet dans les cultures qui valorisent le silence. Ainsi, dans plusieurs sociétés amérindiennes, le comportement idéal en présence de situations sociales équivoques consiste à garder le silence[40]. Si on compare ce style taciturne à la volubilité qu'on voit souvent dans la culture québécoise, on peut facilement imaginer la gêne que peuvent ressentir les gens de ces différents groupes lorsqu'ils se rencontrent pour la première fois.

La troisième façon dont les langages diffèrent d'une culture à l'autre a trait à l'aspect formel et informel. L'approche informelle qui caractérise les relations dans des pays comme les États-Unis, le Canada, l'Australie et les pays scandinaves est très différente de la grande préoccupation d'une bonne partie de l'Asie et de l'Afrique concernant l'utilisation appropriée du langage. L'aspect formel ne tient pas tant à l'emploi correct de la grammaire, mais plutôt à la définition de la position sociale. Par exemple, en Corée, la langue reflète le système confucéen de la hiérarchie relationnelle[41]. Il y a un vocabulaire différent pour chaque sexe, pour les différents niveaux de statut social, pour différents degrés d'intimité et pour différents types d'occasions sociales. Par exemple, il y a divers degrés de formalité lorsqu'on parle avec de vieux amis, des personnes que l'on ne connaît pas, mais dont on connaît l'histoire, et les parfaits étrangers. Un des signes qui montre que l'on est bien éduqué est la capacité à utiliser un langage qui reconnaît ces distinctions relationnelles. Lorsqu'on compare ces distinctions à la convivialité désinvolte de nombreux Nord-Américains même lorsqu'ils parlent à de parfaits étrangers, il est facile de comprendre pourquoi les Coréens sont portés à trouver ces communicateurs rustres et pourquoi les Américains peuvent considérer les communicateurs coréens comme rigides et froids.

LE LANGAGE ET LA VISION DU MONDE

Il est important d'avoir divers styles linguistiques, mais il y a des différences plus importantes qui séparent les locuteurs de diverses langues. Pendant presque 150 ans, les théoriciens ont avancé la notion de relativisme linguistique : la vision du monde d'une culture est façonnée par le langage qu'emploient ses locuteurs ; et elle reflète ce langage[42]. L'exemple le plus connu de relativisme linguistique est la notion selon laquelle les Inuits disposent d'un grand nombre de mots (dont l'estimation varie entre 17 et 100) pour décrire ce que nous appelons simplement « la neige ». Ils utilisent différents termes pour décrire des conditions comme une tempête de neige, la glace croustillante et la poudreuse légère. Cet exemple illustre le fonctionnement du relativisme linguistique. La nécessité de survivre dans un environnement arctique a amené les Esquimaux à faire des distinctions qui ne seraient pas importantes pour les personnes qui habitent dans des milieux plus chauds, et lorsque la langue fait ces distinctions, les locuteurs sont plus susceptibles de voir le monde d'une façon qui correspond à leur vocabulaire élargi.

Même si on doute du fait que les Inuits aient réellement tant de mots pour décrire la neige[43], d'autres exemples appuieraient les principes du relativisme linguistique[44]. Par exemple, les locuteurs bilingues semblent penser différemment lorsqu'ils changent de langue. Dans une étude, les chercheurs ont demandé à des Français américains d'interpréter une série d'images. Lorsqu'ils ont décrit les images en français, leurs descriptions étaient beaucoup plus romantiques et émotives que lorsqu'ils les ont décrites en anglais. De la même façon, lorsqu'on a demandé à des étudiants de Hong Kong de passer un examen sur les valeurs, ils ont exprimé des valeurs chinoises plus traditionnelles lorsqu'ils ont répondu en cantonais que lorsqu'ils ont répondu en anglais. En Israël, les étudiants arabes et juifs ont vu plus de distinctions entre leur groupe et les « gens de l'extérieur » lorsqu'ils utilisaient leur langue maternelle que lorsqu'ils utilisaient l'anglais, une langue neutre à leurs yeux. Des exemples comme ceux-ci montrent la puissance du langage en ce qui a trait au façonnement de l'identité culturelle, parfois pour le meilleur ou pour le pire.

La théorie la plus connue sur le relativisme linguistique est l'**hypothèse Sapir-Whorf**[45]. Se basant sur la théorie d'Edward Sapir, Benjamin Whorf a observé que la langue parlée par les Hopis, un peuple amérindien, représente une vision de la réalité considérablement différente de celle d'autres langues plus familières. Par exemple, la langue hopi ne faisant pas de distinction entre les noms et les verbes, les gens qui la parlent décrivent le monde entier comme étant constamment en progression. Alors qu'en français, on utilise des noms pour caractériser des gens ou des objets considérés comme fixes ou constants, les Hopis les voient davantage comme des verbes toujours changeants. En ce sens, le français représente une grande partie du monde tel un appareil photo qui prendrait des instantanés alors que la langue hopi représente le monde davantage comme un film.

hypothèse Sapir-Whorf : théorie linguistique selon laquelle la langue influence la perception du réel.

Certaines langues contiennent des termes qui n'ont pas d'équivalents en français[46]. En voici quelques-uns :

nemawashi (japonais) : le processus qui consiste à sonder informellement toutes les personnes qui sont parties prenantes d'une question avant de prendre une décision.

lagniappe (créole) : un cadeau supplémentaire donné lors d'une transaction à laquelle on ne s'attendait pas compte tenu des modalités d'un contrat.

lao (mandarin) : un terme respectueux utilisé pour les personnes âgées, qui montre leur importance dans la famille et dans la société.

dharma (sanskrit) : la trajectoire unique et idéale de chaque personne dans la vie et la connaissance qui permet de la trouver.

koyaanisquatsi (hopi) : la nature qui a perdu l'équilibre ; une façon de vivre tellement folle qu'il faut la changer.

Lorsque des mots comme ceux-ci existent et deviennent un élément de la vie de tous les jours, les idées qu'ils expriment sont plus faciles à reconnaître. Toutefois, même sans ces mots, on peut tout de même imaginer chacune de ces idées. Ainsi, les locuteurs d'une langue qui inclut la notion de *lao* traiteront probablement les personnes âgées avec respect et ceux qui connaissent le mot *lagniappe* peuvent être plus généreux. Malgré ces différences, il est possible de suivre ces principes sans connaître ces mots et sans les utiliser. Bien que la langue façonne les pensées et les comportements, elle ne les domine pas entièrement.

RÉSUMÉ

Le langage est en même temps un merveilleux outil de communication et la source de bien des problèmes interpersonnels. Tout langage est un assemblage de symboles, régi par un certain nombre de règles : sémantiques, syntaxiques et pragmatiques.

En raison de sa nature symbolique, le langage n'est pas un véhicule précis : la signification des mots est donnée par les personnes, non par les mots eux-mêmes.

Le langage reflète et façonne les perceptions de ses utilisateurs. Les prénoms que l'on porte exercent même une influence sur la façon dont on est considéré par les autres et sur le regard qu'on jette sur soi. Le langage des locuteurs illustre leur degré d'appartenance aux autres. Les types de langages représentent et modèlent également la façon dont le locuteur perçoit son pouvoir.

S'il n'est pas utilisé avec précaution, le langage peut entraîner un certain nombre de problèmes interpersonnels. Le degré de précision ou le caractère vague des messages peut affecter la compréhension du récepteur. Certaines habitudes de langage — telles que confondre les faits et les opinions, confondre les faits et les déductions, utiliser des termes décrivant les émotions — risquent d'entraîner un manque d'harmonie dans les relations interpersonnelles.

Le langage permet au locuteur d'assumer la responsabilité de ses opinions ou d'éviter de le faire. Les communicateurs compétents savent comment utiliser le « je » et le « nous » pour assumer le degré optimal de responsabilité et assurer ainsi l'harmonie relationnelle.

La relation entre le genre et le langage est complexe. Les hommes et les femmes s'expriment de façon différente: le contenu de leur conversation, les raisons pour lesquelles ils communiquent et leurs styles de conversation varient. Cependant, les différentes façons d'utiliser le langage ne sont pas toutes attribuables au sexe du locuteur. Les rôles et liés au genre et la profession, la philosophie sociale exercent également leur influence. Des langages différents modèlent et reflètent souvent les visions d'une culture.

Mots clés

affirmation statique (114)
androgyne (131)
connotation (122)
convergence (119)
culture peu contextuelle (132)
culture très contextuelle (133)
divergence (119)
énoncé à la première personne du pluriel (126)
énoncé avec un « mais » (124)
énoncé d'opinion (121)
énoncé factuel (121)
énoncé impersonnel (123)
hypothèse Sapir-Whorf (135)
langage à la deuxième personne (124)
langage à la première personne (124)
langage abstrait (114)
langage concret (115)
langage équivoque (113)
mot à valeur relative (114)
règles pragmatiques (117)
règles sémantiques (113)
règles syntaxiques (115)

AUTRES RESSOURCES

La communication est tributaire du langage. Le langage nous permet de décrire notre vision du monde, d'échanger avec les gens de notre environnement. Afin de bien nous faire comprendre, il est essentiel de maîtriser certains principes communicationnels. Le chapitre que vous venez de lire vous a permis de prendre connaissance de ces principes, mais leur application efficace demande une certaine dose de persévérance. Avis à tous ceux qui désirent devenir des communicateurs efficaces, les documents et films qui suivent pourraient vous intéresser...

Livres

BULOT, T. *Les Parlers jeunes: pratiques urbaines et sociales*, Rennes, Presses universitaires de Rennes, 2004.

DESSALLES, J.-L., P.G. PICQ et B. VICTORRI. *Les Origines du langage*, Paris, Le Pommier, 2006.

ECKERT, P. et S. MCCONNELL-GINET. *Language and Gender*, Cambridge, Cambridge University Press, 2003.

PARÉ, J. *Le Code des tics: guide de la langue de bois, du jargon, des clichés et des tics tendance dans le monde du journalisme, de la politique et de la publicité*, Montréal, Boréal, 2005.

PASTINELLI, M. *Des souris, des hommes et des femmes au village global: parole, pratiques identitaires et lien social dans un espace de bavardage électronique*, Québec, Presses de l'Université Laval, 2007.

SPINELLI, E. et L. FERRAND. *Psychologie du langage: l'écrit et le parlé, du signal à la signification*, Paris, Armand Colin, 2005.

Films

L'importance du langage

Nell, réalisé par Michael Apted (1994).

Nell est l'histoire d'une jeune femme qui a été élevée loin des autres êtres humains dans les bois de Nell, en Caroline du Nord. À la mort de la mère de Nell, Jerry Lovell, médecin dans un petit village, la découvre et s'occupe d'elle avec la psychologue Paula Olsen qui pratique dans une grande ville. Ce film traite surtout des conflits entre Lovell et Olsen qui essayent de comprendre Nell et de l'aider en employant des méthodes différentes.

Les premières paroles de Nell sonnent comme du charabia pour Lovell et Olsen, mais ils découvrent rapidement que dans son isolement, elle a appris une étrange version de l'anglais que parlaient sa mère (une femme victime d'un accident cérébral vasculaire, qui lui faisait la lecture à partir de la version de la Bible du roi Jacques) et sa sœur jumelle (avec laquelle Nell partage un code linguistique secret). Maintenant que sa mère et sa sœur sont mortes, l'isolement linguistique de Nell est aussi profond que la distance physique qui la sépare du reste du monde.

Miracle en Alabama, réalisé par Arthur Penn (1962).

L'histoire de Nell rappelle beaucoup l'enfance d'Helen Keller telle que la décrit le célèbre film *Miracle en Alabama*. Nell et Helen sont deux jeunes femmes intelligentes, incomprises et mal diagnostiquées par des « experts » qui pensent que leur incapacité à communiquer témoigne de leurs capacités mentales limitées. Les deux sont coupées du monde jusqu'à ce qu'elles soient capables de communiquer avec les autres en utilisant le même système de langage qu'eux.

Cependant, *Miracle en Alabama* et *Nell* ne sont pas du tout des histoires identiques. L'histoire d'Helen Keller est biographique, alors que celle de Nell est une œuvre de fiction. De plus, les différentes conclusions du film montrent que les compétences linguistiques ne sont pas la clé du bonheur. Alors que l'apprentissage de la communication grâce à la langue des signes a permis à Helen Keller de connaître une vie enrichissante et productive, Nell a trouvé que le « monde civilisé » était un endroit peu hospitalier. Malgré leurs différences, les deux films offrent un bel aperçu des possibilités et du pouvoir du langage dans l'expérience humaine.

La convergence linguistique

Méchantes ados, réalisé par Mark Waters (2004).

Cady Heron a été élevée en Afrique dans l'arrière-pays par ses parents zoologues. Après avoir déménagé aux États-Unis, elle vit sa première expérience de scolarisation officielle lorsqu'elle fréquente l'école secondaire North Shore High. Elle comprend rapidement que la vie sociale dans une école secondaire est aussi vicieuse que tout ce qu'elle a observé chez les primates. Sa nouvelle école est divisée en cliques sociales, notamment les Plastiques et les Mathlètes débiles dont le statut social est très élevé.

Sur l'insistance de ses deux amis impopulaires, Janis et Damian, Cady infiltre les Plastiques pour obtenir des renseignements afin de démolir le prestige de ces filles populaires. Pour Cady, une partie de la bagarre consiste à apprendre le vocabulaire employé au sein du groupe des Plastiques et à l'utiliser, ce qu'elle ne tarde pas à faire.

Exemple intéressant de convergence linguistique, plus Cady utilise les mots propres aux Plastiques, plus elle adopte leurs valeurs et leurs comportements. À la fin du film, elle prend des décisions importantes pour elle et pour ses amis, notamment celle de ne pas parler ou d'agir comme une « méchante ado ».

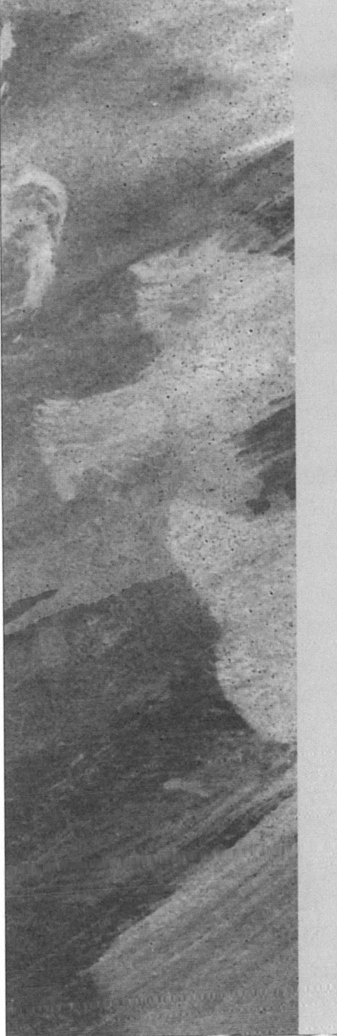

Le genre et le langage

Quand Harry rencontre Sally…, réalisé par Rob Reiner (1989).

Harry Burns et Sally Albright sont des étrangers qui se rencontrent pour une raison purement pratique : un voyage en voiture à travers le pays pendant lequel ils partagent les coûts de l'essence et la conduite. Sally trouve Harry grossier et insensible ; il la trouve naïve et obsessive. À la fin du voyage, ils sont contents de se séparer.

Cependant, ce voyage en voiture n'est que le début de leur relation – et le commencement d'un examen des modes de communication des hommes et des femmes. Dans leurs conversations, les modèles de communication d'Harry et de Sally sont semblables à ceux décrits dans les recherches sur le genre. Par exemple, Harry a tendance à traiter les discussions comme si elles étaient des débats. Il fait souvent des blagues et aime avoir le premier et le dernier mot. Il pose rarement des questions, mais il répond rapidement à celles qui sont posées. Harry s'ouvre à son ami Jess, mais uniquement quand il regarde un match de football ou quand il frappe des balles dans l'enclos d'exercice.

Pour sa part, Sally se livre à ses amies au restaurant, au téléphone, dans les magasins, presque partout en fait. Elle pose régulièrement des questions à Harry, mais semble troublée par ses réponses compétitives et sa façon d'aborder la sexualité (Sally : « Donc ce que tu dis, c'est qu'un homme peut être ami avec une femme qui ne l'attire pas ? » Harry : « Non, on veut aussi la baiser. ») Dans le langage de Deborah Tannen, la communication de Sally porte sur les bonnes relations, alors que celle de Harry consiste à fournir un compte rendu.

L'histoire s'achève avec un solide sentiment d'espoir concernant la communication entre les deux sexes. C'est en partie dû au fait que Harry apprend à « parler un langage différent ». La rancœur relative à ses premières interactions avec Sally s'adoucit lorsqu'il fait preuve d'empathie (à sa grande surprise) lors d'une rencontre inattendue dans une librairie. À la fin du film, il décrit chaleureusement et en détail les raisons pour lesquelles il aime fréquenter Sally. Ils sont clairement amis et amants, ce qui semble solidifier leur communication. Cette relation correspond aussi à l'objectif de la plupart des films, puisque la fin suggère que les personnages ont de bonnes chances de « vivre heureux et d'avoir beaucoup d'enfants ».

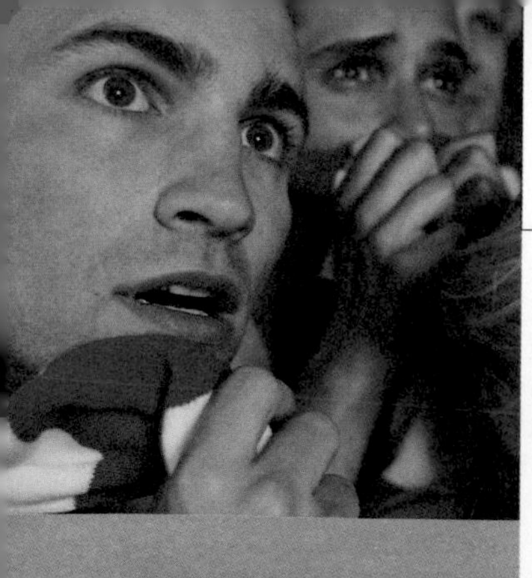

Chapitre 6

LA COMMUNICATION NON VERBALE : LES MESSAGES DERRIÈRE LES MOTS

CONTENU

OBJECTIFS

- Décrire les multiples caractéristiques de la communication non verbale.
- Comprendre l'apport des différents facteurs modulant la communication non verbale.
- Reconnaître et comprendre l'impact des divers types de communication non verbale.

Sherlock Holmes, célèbre détective anglais né sous la plume de Sir Arthur Conan Doyle, disait que pour comprendre les autres, il faut savoir les regarder — non seulement les voir, mais aussi les observer. C'est précisément sur l'observation de soi et des autres que porte le présent chapitre. Dans les pages qui suivent, on se familiarisera avec le domaine de la communication non verbale, c'est-à-dire la façon dont les gens s'expriment à travers leurs actes plutôt que leurs paroles. Certains spécialistes des sciences sociales ont avancé que 93 % de l'impact émotionnel d'un message est d'origine non verbale. D'autres allèguent que 65 % serait un chiffre plus proche de la réalité. Quel que soit le chiffre exact, il n'en demeure pas moins que la communication non verbale joue un rôle important dans la façon dont chacun interprète le comportement des autres.

On peut définir la **communication non verbale** comme étant « les messages exprimés par des moyens non linguistiques ». Cela exclut les mots écrits et les langages des signes, et inclut les messages vocaux qui ne sont pas transmis par le langage, tels que les soupirs et les rires. Par ailleurs, cette définition permet d'explorer les dimensions non linguistiques de ce que l'on dit, comme le volume, le débit et le ton de la voix. Elle englobe également des facteurs plus abstraits tels que l'apparence physique, l'environnement dans lequel on communique, la distance à laquelle on se tient des autres ainsi que le rapport au temps. Enfin, elle comprend les éléments qui viennent à l'esprit de la plupart des gens lorsqu'ils pensent à la communication non verbale — le langage du corps, les gestes et les expressions faciales — et bien d'autres que l'on explorera dans ce chapitre.

communication non verbale : messages exprimés par des moyens non linguistiques.

LES CARACTÉRISTIQUES DE LA COMMUNICATION NON VERBALE

La définition présentée dans le paragraphe précédent donne un petit aperçu de la richesse de la communication non verbale. Intéressons-nous, dans un premier temps, aux caractéristiques qui s'appliquent à toutes les formes de communication non verbale.

LES HABILETÉS NON VERBALES SONT IMPORTANTES

On ne dira jamais assez à quel point il est important d'avoir une communication non verbale efficace et d'être en mesure de décoder et de répondre aux comportements non verbaux des autres. Les habiletés de codage et de décodage de messages non verbaux constituent en fait un important paramètre pour prévoir la popularité, le pouvoir d'attraction et le bien-être socioaffectif d'une personne[1]. Les communicateurs compétents dans le domaine non verbal sont plus persuasifs que les autres et ils ont plus de chances de réussir sur les plans professionnel, amoureux et interpersonnel. La sensibilité aux comportements non verbaux constitue d'ailleurs une part essentielle de « l'intelligence émotionnelle » dont on a parlé au chapitre 4, et les chercheurs reconnaissent qu'il est impossible d'étudier le langage parlé sans s'intéresser à ses dimensions non verbales[2].

TOUT COMPORTEMENT A UNE VALEUR COMMUNICATIVE

Comment agirait une personne qui ne voudrait rien communiquer ? Cesserait-elle de parler ? Fermerait-elle les yeux ? Se replierait-elle sur elle-même comme si elle était dans une bulle ? Quitterait-elle la pièce ? En fait, croyez-vous qu'il est possible de ne pas communiquer ?

La réponse est non ; tous les comportements décrits ci-dessus transmettent un message : le désir d'éviter tout contact. Une étude s'est intéressée à ce fait[3]. Des personnes à qui on avait demandé de n'exprimer aucun signe non verbal n'ont pas été jugées « neutres » mais plutôt ennuyeuses, réservées, mal à l'aise, distantes et fausses par les observateurs. Il est crucial de saisir qu'il est impossible de ne pas communiquer, chacun de nous étant comme un transmetteur qui ne peut être éteint. Quoi que vous fassiez, vous transmettez inévitablement de l'information sur vous et sur vos états d'âme[4].

posture : attitude du corps.

Arrêtez-vous un moment et observez-vous en train de lire ceci. Si une personne vous regardait à cet instant, quels indices non verbaux recueillerait-elle sur ce que vous ressentez ? Êtes-vous assis droit ou incliné vers l'arrière ? Votre **posture** est-elle tendue ou décontractée ? Avez-vous les yeux grand ouverts ou se ferment-ils sans arrêt ? Quel message transmet l'expression de votre visage ?

Bien entendu, on n'a pas toujours l'intention de transmettre des messages non verbaux. Les comportements non verbaux involontaires se distinguent de ceux qui sont intentionnels[5]. Par exemple, il est fréquent de bégayer, de rougir, de froncer les sourcils et de transpirer sans le vouloir. Qu'un comportement soit intentionnel ou pas, les autres le remarquent et l'interprètent selon leurs expériences. Comme le vécu de chacun diffère, il est possible qu'un comportement non verbal soit interprété avec moins de justesse qu'on ne l'aurait souhaité.

LA COMMUNICATION NON VERBALE EST AVANT TOUT RELATIONNELLE

La communication non verbale révèle souvent des indices sur le type de relation que l'on entretient ou que l'on désire établir. Considérons, d'abord, son rôle dans la gestion de l'identité. Au chapitre 2, on a vu de quelle façon on s'efforce de créer l'image de soi que l'on veut présenter aux autres. La communication non verbale joue un rôle important dans ce processus — plus important que les paroles dans bien des cas. Prenons l'exemple d'une personne qui s'attend, au cours d'une soirée, à rencontrer des gens dont elle souhaiterait faire plus ample connaissance. Plutôt que de présenter verbalement l'image d'elle-même qu'elle veut donner (« Bonjour ! Je suis séduisante, amicale et accommodante »), elle se comporte de manière à projeter ces caractéristiques. Ainsi, elle sourit beaucoup et essaie de prendre une pose décontractée et sexy. Vraisemblablement, elle a choisi ses vêtements avec soin, même si elle ne veut pas donner l'impression d'accorder trop d'attention à son apparence.

Au même titre que la gestion de l'identité, la communication non verbale permet de définir les types de relations que l'on développe avec les autres. Par exemple, on choisit parmi une multitude de comportements pour signifier ses intentions lorsqu'on rencontre quelqu'un. En effet, on peut lui faire un signe de la main, lui serrer la main, hocher la tête, lui sourire, lui donner une tape dans le dos, lui donner l'accolade, lui faire la bise ou éviter tout contact. Chacun de ces choix transmet un message quant à la nature de la relation que l'on entretient avec cette personne. Le comportement non verbal peut annoncer le type de relation recherché avec plus de force que les mots ne peuvent le faire. Pour mieux comprendre l'importance du non-verbal dans une relation, souvenez-vous des situations où quelqu'un était fâché contre vous. La plupart du temps, vous l'avez su par des indices non verbaux, comme un froncement de sourcils, une expression faciale particulière ou une absence de contact visuel.

La communication non verbale remplit une troisième fonction sociale, qui est de véhiculer les émotions que l'on ne veut pas ou ne peut pas exprimer. En réalité, elle convient beaucoup mieux à l'expression des attitudes et des émotions qu'à celle des idées. Pour vous en convaincre, imaginez une façon non verbale d'exprimer chacun des énoncés suivants :

a) Vous êtes fatigué.
b) Vous êtes partisan de la peine de mort.
c) Vous êtes attiré par une autre personne du groupe.
d) Vous pensez que la prière à l'école devrait être permise.
e) Vous êtes en colère contre quelqu'un présent dans la pièce.

Comme vous pouvez le voir, le langage non verbal reflète beaucoup mieux les attitudes (énoncés a, c et e) que tous les autres types de messages (énoncés b et d).

Les messages non verbaux ne peuvent pas non plus exprimer :

- de simples faits (« Le livre a été écrit en 1997 ») ;
- les temps du passé ou du futur (« J'étais heureuse hier » ; « Je ne serai pas en ville la semaine prochaine ») ;

- une situation fictive (« Que se passerait-il si... ») ;
- des énoncés conditionnels (« Si je ne trouve pas d'emploi, je devrai déménager »).

Avec le développement de la technologie, un nombre croissant de communications par Internet comportent une dimension aussi bien visuelle que vocale, ce qui en facilite la compréhension[6]. Ceux qui s'initient au courriel ou à la messagerie instantanée se rendent rapidement compte que leurs messages, en particulier les remarques humoristiques, sont souvent mal interprétés. Pour régler ce problème, les correspondants ont recours à une série de symboles, appelés *émoticônes*, qui simulent la dimension non verbale de leurs messages.

LA COMMUNICATION NON VERBALE REMPLIT DE NOMBREUSES FONCTIONS

Même si ce chapitre se concentre sur la communication non verbale, il ne faut pas croire que les paroles et les actions ne sont pas en lien. Bien au contraire, la communication verbale et celle non verbale sont interreliées dans tout acte de communication (voir le tableau 6.1 pour une comparaison entre les deux). Voyons quelles sont les principales fonctions des comportements non verbaux qui agissent de concert avec la communication verbale dans la plupart des interactions.

La réitération

Si quelqu'un vous demandait où se trouve le supermarché le plus proche, vous pourriez répondre : « Un peu plus à l'est, à environ deux coins de rue » et répéter ces instructions de façon non verbale en pointant un index dans cette direction. Ce type de répétition, appelé **réitération**, a une fonction très précise : il permet de mieux retenir une information. Il est en effet plus facile de se rappeller des commentaires accompagnés de gestes qu'uniquement des mots[7].

réitération : acte de communication répétant par un geste une information donnée verbalement.

complément : élément de comportement non verbal qui vient compléter l'information.

Le complément

Même lorsqu'il ne reproduit pas les paroles, le comportement non verbal peut ajouter à ce qui est dit. Il devient alors un **complément** aux idées et aux émotions qui sont exprimées verbalement. Pour bien comprendre la valeur de cette fonction, pensez à la différence qu'il y a entre dire « merci » avec une expression faciale ainsi qu'un ton de voix sincères et prononcer le même mot de façon impassible.

La substitution

Quand un ami vous demande : « Quoi de neuf ? », vous pouvez simplement hausser les épaules au lieu de lui répondre par des mots. Il est facile de reconnaître des

TABLEAU 6.1 **Quelques différences entre la communication verbale et la communication non verbale.**

	Communication verbale	Communication non verbale
Complexité	Une seule dimension (uniquement des mots).	De multiples dimensions (voix, posture, gestes, distance, etc.).
Débit	Intermittent (alternance de paroles et de silence).	Continu (la communication non verbale est inévitable).
Clarté	Moins sujette à une interprétation erronée.	Plus ambiguë.
Intentionnalité	Généralement délibérée.	Souvent involontaire.

expressions faciales servant de substituts au discours comme celles signifiant: « Ce n'est pas vrai! », « Vraiment? », « Oh, franchement! »[8]. La **substitution** non verbale se révèle utile lorsque les communicateurs hésitent à traduire leurs émotions en paroles. Confronté à un message désagréable, on peut soupirer ou encore rouler des yeux dans des situations où il serait inapproprié de s'exprimer. De même, une infirmière désireuse de faire cesser les remarques désobligeantes d'un patient peut lui lancer un regard incisif à travers la pièce sans dire un mot.

L'accentuation

De la même façon que l'on peut utiliser l'italique pour mettre en relief une idée à l'écrit, le non-verbal peut servir à accentuer les messages oraux. Pointer d'un doigt accusateur ajoute de l'intensité à une critique (et provoque probablement aussi une réaction défensive chez le récepteur). L'**accentuation** de certains mots est une autre façon d'ajouter de l'intensité non verbale (« C'était *ton* idée! »).

substitution: remplacement d'un message verbal par un message non verbal.

accentuation: comportement non verbal qui accentue un élément du message verbal.

régulation: contrôle du flux de la communication verbale par des signaux non verbaux.

double message: contradiction entre les messages non verbaux et les messages verbaux.

contradiction: comportement non verbal qui contredit le message verbal.

La régulation

Les comportements non verbaux remplissent une fonction de **régulation** du fait qu'ils influent sur le débit de la communication verbale. Par exemple, dans une conversation, les différents locuteurs émettent et reçoivent souvent inconsciemment des signaux indiquant à quel moment ils doivent prendre ou céder la parole[9]. Pour indiquer qu'on est prêt à céder la parole, la règle implicite est la suivante: prendre une intonation ascendante, puis descendante ou étirer la syllabe finale de l'énoncé et, enfin, cesser de parler.

Il est aussi possible de réguler les conversations de façon non verbale en hochant la tête (ce qui signifie « Je comprends » ou « Continuez »), en détournant le regard (ce qui dénote un manque d'attention) ou en se dirigeant vers la porte (ce qui transmet clairement le désir de mettre fin à la conversation). Toutefois, de tels signaux ne garantissent pas que l'interlocuteur y prêtera attention, les interprétera ou y répondra comme on le voudrait.

La contradiction

Par leurs paroles et leurs comportements non verbaux, les gens expriment souvent simultanément des messages différents, voire parfois contradictoires. Vous avez probablement déjà entendu une personne crier à tue-tête, alors qu'elle avait le visage empourpré et les veines du cou gonflées: « En colère, moi? Mais pas du tout! » C'est l'exemple classique du **double message**.

Même si la plupart des **contradictions** sont subtiles, les doubles messages ont souvent un impact important sur la communication. En effet, ceux-ci contribuent à diminuer la crédibilité du locuteur ou à rendre le message ambigu. Cependant, au fur et à mesure que l'on vieillit, la lecture et l'interprétation de ces messages

« J'ai tout de suite vu que le témoin mentait à cause d'une certaine discordance entre sa voix et son langage non verbal. De plus, son pantalon était en feu. »

se raffinent. Les enfants âgés de 6 à 12 ans se basent sur les mots du locuteur pour donner un sens à ce qu'il dit. Les adultes, par contre, s'en remettent souvent davantage aux signaux non verbaux. Par exemple, pour juger de l'honnêteté d'une personne, les gens accordent plus d'importance aux signaux non verbaux qu'à ce qu'elle dit[10]. Ils se basent également sur les comportements non verbaux pour juger de sa personnalité, de ses compétences et de son sang-froid. Enfin, toute contradiction entre les comportements verbaux et non verbaux va réduire leur confiance envers cette personne[11].

La duplicité

duplicité : comportement visant à tromper par dissimulation

La **duplicité** est un type de double message des plus intéressants. On peut observer les signes de la duplicité dans plusieurs types de comportements non verbaux. L'incohérence en est un puissant indicateur. Des changements dans le comportement habituel d'une personne peuvent éveiller des soupçons quant à une possible duplicité[12]. Certains canaux non verbaux sont plus révélateurs que d'autres. Ainsi, les expressions faciales sont moins révélatrices que celles du corps, probablement parce que les personnes qui cherchent à duper y portent davantage attention afin de les contrôler. Plus révélateur encore est le ton de la voix, qui peut fournir de nombreux indices[13].

Au cours d'une expérience, des sujets qui avaient reçu la consigne de tromper leur entourage ont commis plus d'erreurs de langage (par exemple, l'emploi d'un mauvais mot), ont eu un débit moins rapide et ont parlé moins longtemps que ceux à qui on avait demandé de parler sincèrement. Dans une autre expérience, le ton de la voix d'une personne qui mentait avait tendance à être plus élevé que celui d'un sujet qui disait la vérité. La recherche montre également que les gens qui se préparent à mentir répondent plus rapidement que ceux qui disent la vérité, puisqu'ils n'ont pas à réfléchir autant avant de parler. Par contre, lorsqu'elles doivent mentir sans s'y être préparées, ces mêmes personnes mettent en général plus de temps à répondre que celles qui se sont préparées ou qui disent la vérité. Le tableau 6.2 décrit dans quelles situations les gens qui mentent sont plus ou moins susceptibles de se trahir par des indices non verbaux.

TABLEAU 6.2 **Les indices de duplicité non verbaux.**

Les indices de duplicité seront plus évidents si la personne qui cherche à tromper…	Les indices de duplicité seront moins évidents si la personne qui cherche à tromper…
– essaie de cacher les émotions qu'elle ressent ;	– le fait sur un sujet qui n'a pas de lien avec ses émotions ;
– se sent très concernée par les informations cachées ;	– ne se sent pas concernée par les informations qu'elle veut cacher ;
– ne se sent pas à l'aise dans cette façon d'agir ;	– se sent très à l'aise dans cette façon d'agir ;
– ressent de la culpabilité à tromper les autres ;	– n'éprouve pas de sentiment de culpabilité ;
– tire peu de satisfaction de sa duplicité ;	– tire du plaisir de sa duplicité ;
– improvise son message au moment où elle le transmet.	– maîtrise le message qu'elle veut transmettre.

Source : Ekman, Paul. « Mistakes When Deceiving », *The Clever Hans Phenomenon : Communication with Horses, Whales, Apes and People*, New York, New York Academy of Sciences, 1981, p. 269-278.

Même s'il est possible d'interpréter de façon générale certains comportements non verbaux, on doit se méfier des évaluations trop rapides basées sur des indices qui pourraient se révéler non significatifs, incomplets ou ambigus.

LA COMMUNICATION NON VERBALE EST AMBIGUË

Nous avons vu au chapitre 5 que les messages verbaux mènent à des interprétations multiples; les messages non verbaux sont encore plus ambigus. Attardons-nous au classique clin d'œil. Dans une étude, des étudiants ont interprété ce signal non verbal de nombreuses façons: comme l'expression d'un remerciement, un signe de cordialité ou de manque d'assurance, une avance sexuelle ou un problème à l'œil[14]. Comment interpréteriez-vous le fameux clin d'œil que Patrick Roy, alors gardien de but du Canadien de Montréal, a servi à Tomas Sandstrom durant la finale de la coupe Stanley en 1993?

Même le comportement non verbal le plus courant peut être ambigu. Par exemple, essayez d'imaginer deux significations possibles au silence d'un ami habituellement loquace. Vient-il de se faire laisser par sa copine ou a-t-il simplement mal à la gorge? Supposez également qu'une personne que vous admirez et avec qui vous avez travaillé semble s'intéresser soudainement à vous. Que pourrait signifier ce changement de comportement? Même si le comportement non verbal peut être très

Prudence avec les signes de la main!

Une association de conducteurs a créé un guide des gestes que les automobilistes peuvent s'échanger sur la route, mais celui que vous connaissez le plus (l'utilisation stratégique de votre majeur) n'en fait pas partie.

La National Motorists Association, dont la mission est entre autres de «renforcer la communication entre automobilistes», a mis au point les signaux que ces derniers peuvent utiliser pour faire passer des messages tels que «Je suis désolé», «Danger devant», «Rangez-vous pour me laisser passer» et «Votre voiture a un problème».

Les experts de la circulation routière recommandent cependant aux conducteurs d'être prudents lorsqu'ils lancent des signaux à un autre conducteur, celui-ci pouvant confondre un doigt avec un autre.

Il y a quelque temps, un automobiliste a été abattu sur la Ventura Freeway, une autoroute de Californie, après avoir lancé un geste obscène à une conductrice qui lui avait fait un appel de phares – le signal généralement admis pour inciter des véhicules plus lents à se ranger sur l'accotement pour laisser la voie. Il y a plusieurs années, un policier de la patrouille autoroutière de la Californie, qui n'était pas en service, a été poursuivi pendant plusieurs kilomètres et a finalement été abattu parce qu'il avait lancé un appel de phares rageur au conducteur d'une camionnette qui l'avait coupé sur l'autoroute.

Dans la ville multiculturelle comme Los Angeles, les «pouces levés» d'un homme peuvent constituer une insulte pour un autre, ou être confondus avec un signe de gang.

Source: Los Angeles Times, 20 mars 1995.

révélateur, il peut signifier tellement de choses qu'il est presque impossible de l'interpréter avec exactitude.

La nature ambiguë du comportement non verbal est particulièrement évidente quand il s'agit d'amour et de sexualité. Un baiser signifie-t-il « Je t'aime beaucoup » ou « Je veux faire l'amour avec toi » ? Les chercheurs en communication se sont intéressés à cette question en menant une enquête sur le consentement sexuel auprès de cent étudiants auxquels ils ont soumis douze scénarios de rendez-vous amoureux. L'objectif était de découvrir dans quelles conditions les approches verbales (« Veux-tu faire l'amour avec moi ? ») étaient jugées préférables à des indicateurs non verbaux (un baiser) pour manifester le désir d'avoir des relations sexuelles[15]. Dans chaque scénario, le consentement verbal a été jugé moins ambigu que le consentement non verbal. Cela ne veut pas dire que les partenaires amoureux ne se fient pas aux signaux non verbaux ; plusieurs personnes interrogées ont en effet indiqué qu'elles interprétaient les indices non verbaux (un baiser, par exemple) comme un consentement à avoir des relations sexuelles.

Les expressions non verbales spontanées sont si ambiguës que les observateurs sont incapables de déterminer avec justesse les émotions qu'elles véhiculent ; ils ne peuvent que faire des suppositions[16]. Même ceux qui décodent le mieux les comportements non verbaux n'y parviennent pas toujours.

Certaines personnes ont plus de difficulté que d'autres à décoder des signaux non verbaux. Les jeunes garçons ne perçoivent pas toujours ce type de message, comme lorsqu'un enseignant tente d'exprimer son mécontentement en fronçant les sourcils[17].

INVITATION À L'INTROSPECTION

Décoder le « langage corporel »

Dans une librairie ou à la caisse du supermarché, vous avez sûrement remarqué la présence de ces livres qui promettent de nous apprendre à décoder le « langage corporel ». Leurs auteurs affirment que l'on peut devenir un genre de télépathe et mettre à nu les secrets les mieux cachés de tout notre entourage. Toutefois, après avoir lu les pages précédentes, vous vous doutez bien qu'interpréter le langage corporel est une tâche complexe qui exige de tenir compte d'une multitude de variables. L'exercice qui suit augmentera votre habileté à observer le comportement non verbal tout en vous montrant pourquoi il est dangereux de croire qu'il est possible de parfaitement lire le langage corporel. Vous pouvez faire cet exercice en classe ou à l'extérieur. La durée de l'observation est flexible : une seule heure ou plusieurs. Dans tous les cas, commencez par choisir un partenaire et suivez les indications ci-dessous.

1. Pendant la première période (quelle que soit la durée de l'expérience), observez la façon dont votre partenaire se comporte. Remarquez les mouvements, les tics, les postures, le style d'habillement et autres détails apparents. Pour vous rappeler vos observations, notez-les. À ce stade, vous devez veiller à *ne pas interpréter* les comportements de la personne observée, mais simplement consigner ce que vous voyez.
2. À la fin de cette période, partagez ce que vous avez vu avec votre partenaire, qui doit faire de même avec vous.
3. Au cours de la période suivante, votre travail consistera non seulement à observer le comportement de votre partenaire, mais aussi à l'*interpréter*. Vous aurez alors à écrire ces interprétations. Par exemple, un habillement peu soigné suggère-t-il un réveil tardif, un manque d'intérêt pour l'apparence ou un désir de se sentir plus à l'aise ? Ne soyez pas embarrassé si vos suppositions ne sont pas justes. Rappelez-vous que les indices non verbaux sont souvent ambigus.

Cet exercice vous a sûrement fait voir la différence entre l'observation d'un comportement et sa juste interprétation. Remarquer les mains ou le sourire hésitant de quelqu'un est une chose, mais en interpréter la signification en est une autre. Si vous êtes comme la majorité des gens, une grande partie de vos interprétations se révèleront inexactes. Gardez en tête que si cela s'est confirmé dans cet exercice, il risque fort d'en être de même dans votre vie quotidienne. En observant attentivement les comportements non verbaux des gens, vous pouvez obtenir de bons indices sur la façon dont ils se sentent. Cependant, le seul moyen de découvrir si vos intuitions sont justes est de les vérifier verbalement.

L'INFLUENCE DE LA CULTURE SUR LA COMMUNICATION NON VERBALE

Comme on l'a vu précédemment, le fait d'être un homme ou une femme influe sur la façon dont on communique, et cela inclut la communication non verbale. Une autre influence importante en matière de communication non verbale est le milieu dans lequel on évolue. Voyons de plus près les caractéristiques de cette influence.

Certains comportements non verbaux ont des significations différentes selon les cultures. Le geste signifiant « OK », fait en joignant l'extrémité du pouce et de l'index pour former un cercle, constitue un signe positif pour les Nord-Américains, mais son sens est tout autre dans d'autres parties du monde[10]. En France et en Belgique, il signifie « Tu es nul ». En Grèce et en Turquie, il s'agit d'une avance sexuelle vulgaire, voire une insulte. Devant de telles différences culturelles, on comprend qu'un touriste puisse se retrouver aux prises avec de sérieux problèmes.

Le contexte culturel influe aussi sur la façon dont chacun de nous interprète les émotions des autres, tout comme la manière dont il exprime les siennes. Lors d'une expérience, un groupe d'étudiants d'origines ethniques variées — Blancs, Noirs, Asiatiques et Hispaniques — ont examiné 56 photos représentant huit situations sociales (comme être seul, avec un ami, en public, avec quelqu'un dont le statut est plus élevé) et ont déterminé le type, l'intensité et l'adéquation de l'émotion qui y était exprimée[19]. L'origine ethnique a mené à des différences considérables dans la façon dont les sujets ont évalué l'état émotionnel des autres. Par exemple, les Noirs ont perçu plus d'intensité dans les émotions sur les photos que les Blancs, les Asiatiques et les Hispaniques; ce sont les Asiatiques qui les ont trouvées le moins intenses. De plus, les Noirs ont rapporté des expressions de colère plus fréquemment que les autres groupes. L'ethnicité façonne également les règles s'appliquant à l'expression de ses propres émotions. Par exemple, l'expression de plusieurs émotions était plus acceptable par les personnes de race blanche alors qu'elle l'était moins par les Asiatiques. Ces constatations nous rappellent que, dans une société multiculturelle comme le Québec, un des éléments de la compétence en communication est la capacité à comprendre ses propres filtres culturels quand on analyse le comportement des autres.

Les communicateurs deviennent en effet plus tolérants envers autrui lorsqu'ils comprennent que certains comportements non verbaux inhabituels résultent de différences culturelles. Ils peuvent également apprendre à devenir plus conscients des traits non verbaux caractéristiques des autres cultures. La recherche montre que la pratique favorise une meilleure habileté à décoder les expressions faciales liées aux émotions, en particulier dans des situations interculturelles[20].

Les modèles ayant trait au contact visuel diffèrent partout dans le monde[21]. Alors qu'un regard fixe et direct est jugé approprié pour les locuteurs à la recherche de pouvoir en Amérique latine, dans le monde arabe et dans le sud de l'Europe, il en est autrement pour les Asiatiques, les Indiens, les Pakistanais et les Européens du Nord. Pour ces derniers, la politesse exige de ne fixer qu'accessoirement ou pas du tout leur interlocuteur[22]. Dans les deux cas, des écarts par rapport à la norme risquent de provoquer des situations embarrassantes ou, du moins, mener à malentendus, comme le montre le tableau 6.3.

Au cours d'observations, des chercheurs ont noté que les femmes noires de groupes uniquement composés de Noirs avaient un comportement non verbal plus expressif et se coupaient davantage la parole que les femmes blanches de groupes uniquement composés de Blancs. Cela ne signifie toutefois pas que les émotions des Noires sont en permanence plus intenses que celles des Blanches. L'explication la plus probable est que les deux groupes suivent des règles culturelles différentes. De fait, les chercheurs ont constaté que dans des groupes composés de Blanches et de Noires, les femmes de chaque race se rapprochaient du style de l'autre[23]. Cela montre qu'au sein d'une communauté culturelle donnée, les bons communicateurs sont en mesure d'adapter leurs comportements lorsqu'ils interagissent avec des personnes d'autres cultures.

En dépit des nombreuses différences culturelles, certains comportements non verbaux ont les mêmes significations sur tous les continents. Ainsi, dans toutes les cultures, les sourires et le rire traduisent une émotion positive, alors qu'une expression revêche indique le mécontentement[24]. Charles Darwin, père de la théorie

TABLEAU 6.3 **Les malentendus résultant des différences culturelles dans la communication non verbale.**

Comportement	Perception probable au sein de la communauté	Perception probable à l'extérieur de la communauté
Éviter de regarder directement dans les yeux (Latino-Américains).	Expression de prévenance ou de respect.	Signe d'un manque de prévenance ; échange de regards directs favorisé.
Débattre agressivement un point de désaccord (Afro-Américains).	Manière de dialoguer convenable ; ne représente ni un abus de langage ni un signe avant-coureur de violence.	Discussions vigoureuses considérées comme peu convenables et représentant un signe avant-coureur de violence.
Utiliser les doigts pour faire signe de venir (Asiatiques).	Geste acceptable avec des enfants ; très offensant avec des adultes.	Geste approprié pour faire signe à des enfants et à des adultes.
Se taire (Autochtones américains).	Signe de respect, de réflexion, d'incertitude ou d'ambiguïté.	Manifestation d'ennui, de désaccord ou d'un refus de participer.
Toucher (Latino-Américains).	Geste normal et convenable dans les relations interpersonnelles.	Geste approprié dans certains rapports intimes ou amicaux ; sinon, violation de l'espace personnel.
Manifester en public des émotions intenses (Afro-Américains).	Accepté et valorisé comme preuve d'expressivité ; approprié dans la plupart des situations.	Comportement contraire aux attentes en matière de maîtrise de soi en public ; non approprié dans la plupart des situations.
Toucher des amis du même sexe ou leur prendre la main (Asiatiques).	Geste d'intimité acceptable dans des rapports platoniques.	Geste inapproprié surtout entre amis de sexe masculin.

Source : Extrait de ORBE, P.M. et T.M. HARRIS. *Interracial Communication Theory into Practice,* 1re éd., reproduction autorisée par Wadsworth, marque de l'éditeur Wadsworth Group, une division de Thomson Learning, 2001.

évolutionniste, pensait que de telles expressions non verbales étaient le résultat de l'évolution, qu'il s'agissait de mécanismes de survie qui avaient permis aux premiers humains de transmettre leurs émotions avant le développement du langage.

Le caractère inné de certaines expressions faciales devient encore plus évident lorsqu'on observe le comportement des enfants sourds et aveugles de naissance[25]. Bien qu'ils ne puissent apprendre par imitation, ces jeunes utilisent un large éventail d'expressions. Ils sourient, rient et pleurent pratiquement de la même façon que les autres enfants. En d'autres termes, le comportement non verbal — comme toute forme de communication — est influencé aussi bien par le patrimoine génétique que par la culture.

LES TYPES DE COMMUNICATION NON VERBALE

Gardons à l'esprit les caractéristiques de la communication non verbale et examinons maintenant des façons de communiquer autrement qu'à l'aide des mots.

LE MOUVEMENT CORPOREL

Le premier domaine de communication non verbale à considérer est le vaste champ de la **kinésie**, laquelle englobe l'orientation du corps, la posture, les gestes, les expressions du visage et l'échange de regards dans les relations interpersonnelles.

L'orientation du corps

L'**orientation du corps** est la manière dont une personne se tourne vers une autre ou s'en éloigne avec son corps, surtout ses pieds et sa tête. Pour comprendre la façon dont ce type de positionnement transmet des messages non verbaux, imaginez que vous êtes en pleine conversation avec un ami lorsqu'une troisième personne s'approche et veut se joindre à votre conversation. Si vous n'êtes pas heureux de cette intrusion, vous vous détournerez légèrement du nouvel arrivant pour lui indiquer qu'il n'est pas le bienvenu. Le message non verbal sera alors : « En ce moment même, nous nous intéressons l'un à l'autre et nous ne tenons pas à t'inclure dans notre conversation. » La règle générale veut que faire face à une personne témoigne de

kinésie : activité musculaire, possibilité de faire des mouvements.

orientation du corps : composante de la communication non verbale.

l'intérêt qu'on lui porte ; s'en détourner signifie le contraire.

En observant la façon dont les gens se positionnent les uns par rapport aux autres, on en apprend beaucoup sur ce qu'ils ressentent. La prochaine fois que vous serez dans un lieu public, essayez de voir qui semble faire partie d'une interaction et qui en est subtilement repoussé. De la même façon, prêtez attention à l'orientation de votre corps dans vos interactions et assurez-vous qu'elle reflète ce que vous ressentez.

La posture

La posture est un autre moyen de communiquer non verbalement. Pour le vérifier, cessez de lire un moment et observez la façon dont vous êtes assis. Quels sont les messages qu'émet votre posture et que révèle-t-elle de votre état d'esprit ? S'il y a des personnes près de vous, quels messages leur posture communique-t-elle ? En prêtant attention à cet aspect, on explore un autre canal de communication non verbale pouvant fournir de l'information sur soi et sur les autres.

Une étude s'est intéressée à associer des émotions à des postures. Ainsi, 176 silhouettes de mannequins ont été créées par ordinateur, et on a demandé à des participants d'attribuer des émotions à des postures particulières. Ces derniers ont eu un taux d'accord supérieur à 90 % pour celles associées à la colère, à la tristesse et au bonheur[26]. Les résultats suggèrent que certaines postures sont plus faciles à interpréter que d'autres. Le dégoût a été l'émotion la plus difficile à nommer d'après la posture, alors que la plupart des participants ont trouvé que la surprise et la joie se manifestaient dans des configurations identiques.

La tension et la décontraction constituent d'autres clés posturales permettant de déceler les sentiments. On sait que des postures détendues sont associées à des situations qui ne sont pas menaçantes et que, dans les situations de tension, les gens se raidissent[27]. On parvient ainsi se faire une idée de ce que les autres ressentent simplement en observant à quel point ils semblent tendus ou décontractés. La tension musculaire peut aussi donner un indice du statut des personnes en présence : la personne dont le statut social est le plus bas est généralement la plus tendue, tandis que celle dont le statut social est le plus élevé est plus décontractée. On observe facilement ce genre de situation au travail : un employé est assis bien droit alors que son patron est enfoncé dans son fauteuil. Il est généralement possible de dire qui se sent mal à l'aise uniquement en regardant des photos : on voit une personne en train de rire ou de parler comme si elle se sentait chez elle, alors que sa posture crie pratiquement sa nervosité. Certaines personnes ne se détendent jamais, et leur posture le révèle.

Les gestes

Les **gestes**, plus précisément les mouvements des mains et des bras, constituent une forme importante de communication non verbale. En fait, ils sont innés chez l'être humain puisque les personnes aveugles de naissance les utilisent[28]. Les gestes les plus courants sont les **illustrateurs**, ces mouvements qui accompagnent le discours, mais qui n'ont pas d'existence en eux-mêmes[29]. Si un touriste vous demande comment se rendre au Stade olympique, vous lui donnerez le nom des rues principales à emprunter et ferez des gestes de la main pour illustrer le chemin à prendre. Si ce touriste ne devait se fier qu'à votre gestuelle, il lui serait presque impossible de se rendre à bon port. Par ailleurs, certaines personnes aiment « parler avec leurs mains » et gesticulent même si leur interlocuteur ne les voit pas, lors d'une conversation téléphonique par exemple. Des études ont montré qu'il est plus facile de comprendre et d'apprendre une langue seconde si l'on voit des illustrateurs et des indices non verbaux[30].

geste : mouvement corporel jouant un rôle dans la communication non verbale.

illustrateur : mouvement qui accompagne le discours, mais qui n'a pas d'existence en lui-même.

symbole : comportement non verbal délibéré qui a une signification bien précise, connue de pratiquement tous les membres d'un groupe culturel donné.

adaptateur : mouvement du corps inconscient, en réaction à l'environnement

Un deuxième type de gestes est les **symboles**, c'est-à-dire de comportements non verbaux délibérés qui ont une signification bien précise, connue de pratiquement tous les membres d'un groupe culturel donné. Contrairement aux illustrateurs, les symboles ont une signification en soi et remplacent souvent les mots. Par exemple, tous les Nord-Américains savent qu'un hochement de la tête de haut en bas veut dire « oui », que tel signe de la main veut dire « bonjour » ou « au revoir » et qu'une main portée à l'oreille signifie « Je ne vous entends pas ». Néanmoins, il est important de se rappeler que le sens de tels symboles n'est pas universel. Ainsi, « un pouce levé » signifie « excellent » aux États-Unis alors que c'est un geste obscène en Irak et dans plusieurs autres pays[31].

Un troisième type de gestes comporte les **adaptateurs**, des mouvements corporels inconscients en réaction à l'environnement. Trembler quand il fait froid et serrer ses bras autour de soi pour se réchauffer sont des exemples d'adaptateurs. Bien entendu, on croise parfois les bras quand on se montre « froid » envers une autre personne; par conséquent, les adaptateurs révèlent le climat d'une relation. Le fait de se toucher est souvent un signe de gêne, comme lorsqu'une personne se tripote les mains ou se frotte les bras pendant une entrevue[32]. Cependant, toute agitation n'est pas signe de malaise. Quand ils sont détendus, les gens relâchent leur surveillance (qu'ils soient seuls ou avec des amis) et ils se laissent plus facilement aller à se triturer un lobe d'oreille ou à se tortiller une mèche de cheveux, par exemple.

Chacun de nous doit faire attention à son répertoire gestuel. Un trop grand ou trop petit nombre de gestes risque d'entraîner un double message[33]. En effet, se montrer avare de gestes peut indiquer un manque d'intérêt ou d'enthousiasme, de la tristesse ou de l'ennui. Les illustrateurs se font également plus rares chaque fois qu'une personne fait attention à la façon dont elle s'exprime. Pour ces raisons, un observateur attentif s'intéressera à une augmentation ou à une diminution inhabituelle du nombre de mouvements chez son interlocuteur.

Les expressions du visage et le regard

Le visage est un canal d'expression extrêmement riche et complexe. Il est en effet difficile de déterminer le nombre et le genre d'expressions que transmettent le visage et les yeux. Des chercheurs ont relevé au moins huit positions distinctes des sourcils et du front, autant pour les yeux et les paupières, et dix pour la partie inférieure du

> *Il était terriblement dangereux de laisser les pensées s'égarer quand on était dans un lieu public ou dans le champ d'un télécran. La moindre des choses pouvait vous trahir. Un tic nerveux, un inconscient regard d'anxiété, l'habitude de marmonner, tout ce qui pouvait suggérer que l'on était anormal, que l'on avait quelque chose à cacher. En tout cas, porter sur son visage une expression non appropriée (paraître incrédule quand une victoire était annoncée, par exemple) était en soi une offense punissable. Il y avait même en novlangue un mot pour désigner cette offense. On l'appelait facecrime.*
>
> George Orwell, écrivain anglais

micro-expression: expression brève d'une émotion différente de celle que le locuteur essaie de transmettre.

paralangage: désigne les messages oraux non verbaux transmis par le ton, le débit, etc.

visage[34]. En tenant compte en plus du grand nombre d'émotions que l'humain est capable de ressentir, on comprend qu'il est pratiquement impossible de cataloguer l'ensemble des expressions du visage et des émotions qui leur correspondent.

Les expressions faciales sont aussi difficiles à saisir en raison de la vitesse à laquelle elles peuvent changer. Les films au ralenti montrent que celles-ci demeurent sur le visage le temps d'un battement de cils[35]. Il semble également que différentes émotions se manifestent plus clairement dans des parties bien définies: le bonheur et la surprise s'observent dans les yeux et la partie inférieure du visage; la colère se remarque dans la partie inférieure du visage, les sourcils et le front; la peur et la tristesse s'expriment dans les yeux; et le dégoût se voit dans la partie inférieure du visage.

Bien que l'on exprime ses émotions à l'aide d'une gamme fort complexe d'expressions faciales, l'observation permet de saisir, sinon la totalité, du moins une bonne partie du message qu'elles véhiculent. Un des moyens les plus faciles d'y parvenir est de rechercher les expressions qui semblent trop exagérées pour être vraies. Puisque les expressions faciales authentiques ne durent généralement pas plus de cinq secondes, on peut se permettre de douter de leur véracité si elles sont trop soutenues. Pensez aux concurrentes des concours de beauté aux sourires figés, qui donnent souvent l'impression d'être « fausses » ou « artificielles »[36].

Observer les expressions des autres lorsqu'ils ne sont pas préoccupés par leur apparence est une autre façon de percevoir les sentiments. Il nous est tous arrivé de jeter un coup d'œil rapide dans une voiture lors d'un embouteillage pour y voir une expression de colère qu'une personne n'afficherait pas devant témoins. Parfois, il peut s'agir d'une **micro-expression**, soit l'expression brève d'une émotion très différente de celle que le locuteur essaie de transmettre, comme un froncement de sourcils juste avant de sourire et de dire: « Je suis ravi de ton cadeau. »

Les yeux envoient plusieurs sortes de messages. Croiser le regard de quelqu'un est généralement un signe de connivence tandis que détourner le regard indique que l'on veut éviter le contact. Ce principe trouve une application pratique dans le commerce: les serveurs (peu importe le sexe) reçoivent de meilleurs pourboires lorsqu'ils maintiennent le contact visuel avec leurs clients[37]. La recherche montre également que les communicateurs qui échangent des regards directs ont beaucoup plus de chances de voir les autres accéder à leurs demandes que les personnes qui jettent des coups d'œil évasifs[38].

L'autre sorte de message que transmet le regard est l'intérêt ou le désintérêt. Si une personne vous regarde avec une expression faciale appropriée, vous comprenez clairement qu'elle s'intéresse à vous. Par contre, si quelqu'un évite les coups d'œil soutenus que vous lui lancez, vous savez alors qu'il n'est pas aussi désireux que vous d'entrer en relation. Le regard peut également transmettre la domination et la soumission. On a tous joué à essayer de faire baisser les yeux à quelqu'un, et baisser les yeux signifie parfois céder.

LA VOIX

Aussi paradoxal que cela puisse paraître, la voix est un autre canal de communication non verbale. Les spécialistes des sciences sociales emploient le mot **paralangage** pour désigner les messages oraux non verbaux. La façon dont un message est dit peut donner plusieurs significations à un même mot ou à un même énoncé. Par exemple, notez le nombre de significations d'une même phrase lorsque l'accent est mis sur un mot plutôt que sur un autre :

> « *Cette* chansonnette française est fantastique ! » (On parle de celle-là, pas d'une autre.)
>
> « Cette *chansonnette* française est fantastique ! » (Ce n'est qu'une chansonnette, mais…)
>
> « Cette chansonnette *française* est fantastique ! » (Son origine est-elle un handicap ? une qualité ? Tout dépend du ton…)
>
> « Cette chansonnette française est *fantastique* ! » (On l'a vraiment aimée !)

« C'est bien papa, poussin. C'était la voix de papa au travail. »

La voix communique des messages de bien d'autres façons : par le ton, le débit, la hauteur et le volume de la voix, le nombre et la longueur des pauses, et par les **ruptures** (par exemple, le bégaiement, le recours aux « heu » et aux « hum »). Tous ces facteurs renforcent ou contredisent les messages verbaux que l'on veut transmettre. Les chercheurs ont découvert la puissance du paralangage grâce au discours vide de sens, c'est-à-dire un langage ordinaire transformé électroniquement pour rendre les mots inintelligibles, tout en conservant le paralangage intact. Entendre une langue étrangère qui nous est incompréhensible produit le même effet. Ces chercheurs ont pu ainsi vérifier que les sujets qui entendent un discours sans en comprendre les mots peuvent systématiquement reconnaître l'émotion exprimée et déterminer son intensité[39].

rupture : verbalisation non linguistique, comme les « heu » ou les « hum ».

Les indices paralinguistiques ont un fort impact. De fait, lorsqu'on demande à des gens d'interpréter les attitudes d'un locuteur, ils prêtent davantage attention au paralangage qu'aux mots. De plus, lorsque des éléments vocaux contredisent un message verbal (par exemple, quand une personne hurle : « Je ne suis pas en colère ! »), les récepteurs déterminent les émotions de l'émetteur d'après son paralangage, et non d'après les mots qu'il emploie[40]. Les jeunes enfants réagissent au paralangage des adultes : ils s'animent en présence de personnes parlant chaleureusement et s'effarouchent devant celles qui parlent de manière moins amicale[41]. Cette tendance s'observe dès les premiers temps de la vie. Peu importe ce qui leur est dit, les bébés vont réagir fortement au paralangage. Par conséquent, on a davantage de chances de faire sourire un nourrisson en lui disant : « Tu es vraiment laid comme un chaudron » sur un ton doux plutôt que « Je t'aime » en criant à tue-tête.

Le paralangage peut influer sur le comportement de bien des façons, certaines d'entre elles étant quelque peu surprenantes. Les chercheurs ont notamment découvert que les communicateurs sont plus enclins à se plier aux demandes de locuteurs ayant un débit d'élocution identique au leur et qu'ils en ont une meilleure opinion.

> *Une pause au mauvais endroit, une intonation mal comprise, et voilà toute la conversation qui tourne mal.*
>
> E. M. Forster, écrivain anglais

On fait parfois appel à la fois à l'accentuation et au ton de la voix pour signifier le contraire de ce que l'on dit. On fait alors de l'ironie. Vérifiez par vous-même à l'aide des énoncés ci-dessous. Dites chacune des phrases suivantes de façon normale, puis de façon ironique en jouant sur l'accentuation et en modifiant le ton de votre voix :

« Merci beaucoup ! »

« Ma belle-mère est vraiment géniale. »

« Ce que j'aime le plus au monde, ce sont les fèves de Lima. »

Les gens ne remarquent pas toujours ou interprètent mal les nuances vocales d'une raillerie. Certains groupes, comme les enfants, les personnes aux capacités intellectuelles limitées ou celles qui ne savent pas bien écouter, saisissent généralement moins bien ce genre de messages que les autres[42].

Non seulement certains facteurs vocaux renforcent ou contredisent les messages, mais ils influent aussi sur la façon dont le locuteur est perçu. Par exemple, les communicateurs parlant fort et sans hésitation sont considérés comme plus sûrs d'eux que ceux qui font des pauses et parlent doucement[43]. Les personnes ayant une voix agréable sont mieux évaluées que les autres[44], même si les critères servant à déterminer ce qui rend une voix agréable varient. L'accent joue un rôle important dans les perceptions des gens. En règle générale, les accents qui révèlent l'appartenance d'un locuteur à un groupe mènent à des évaluations positives (si le groupe a un statut élevé) ou négatives (si le groupe a un statut inférieur)[45].

LE TOUCHER

haptique : qui concerne le sens du toucher.

Les spécialistes des sciences sociales emploient le mot **haptique** pour qualifier ce qui concerne le sens du toucher. Celui-ci peut communiquer de nombreux messages et traduire plusieurs types de relations[46], comme :

- la fonction ou la profession (examen buccal, coupe de cheveux) ;
- l'attitude sociale ou la politesse (poignée de main) ;
- l'amitié ou la chaleur humaine (tape dans le dos, accolade) ;
- l'excitation sexuelle (certains baisers, caresses) ;
- l'agressivité (bousculade, gifles).

En considérant les exemples donnés entre parenthèses, vous pourriez avancer que certains de ces comportements non verbaux surviennent dans plus d'un type de relations. Un baiser, par exemple, peut être une forme de salutation polie et superficielle de même qu'un signe de désir sexuel des plus intenses. Qu'est-ce qui fait qu'un toucher est plus ou moins intense ? Les chercheurs ont suggéré un certain nombre de facteurs à prendre à considération :

- la partie du corps qui touche ;
- la partie du corps qui est touchée ;
- la durée du toucher ;
- la pression exercée ;
- la manifestation d'un mouvement après le contact ;
- la présence ou l'absence d'une autre personne ;
- la situation dans laquelle se produit le contact ;
- la relation entre les personnes concernées[47].

Les hommes et l'étreinte

L'étreinte, longtemps réservée aux femmes qui célébraient des victoires sportives et aux hommes originaires d'autres pays, fait une entrée musclée dans la vie quotidienne des hommes américains.

L'étreinte masculine complique tout. Les hommes habitués à se serrer vigoureusement la main lors de soupers ou de réunions d'anciens collégiens doivent aujourd'hui faire précéder leurs salutations ou leurs adieux de complexes et rapides calculs basés sur le langage du corps et la durée de l'amitié, entre autres critères.

Serrer la main ou étreindre la personne ? Il est important de faire le bon choix. Si un gars s'apprête à étreindre l'autre alors que ce dernier opte pour une poignée de main, ils risquent de se rentrer dedans. S'ensuit alors une danse lamentable où chacun tente fiévreusement de déterminer quoi faire de ses mains, de ses bras et de son corps.

Si l'on décide d'étreindre, il faut alors choisir la manière. De nombreux hommes optent pour la traditionnelle poignée de main accompagnée d'une tape dans le dos. Certains choisissent d'enlacer leur interlocuteur en plaçant un bras autour de sa taille et l'autre autour de ses épaules ; une tape dans le dos accompagne généralement cette étreinte. D'autres encore privilégient une poignée de main combinée à une étreinte mutuelle qui fait pencher les corps vers l'avant et favorise ainsi un contact des épaules.

Au moins deux professeurs, Kory Floyd de l'Université d'État de l'Arizona et Mark Morman de l'Université Baylor à Waco, au Texas, ont consacré une partie de leur carrière à l'étude de l'étreinte masculine. Floyd s'est intéressé aux types d'étreintes et à leur durée. Celles-ci durent rarement plus d'une seconde ; si elles excèdent deux secondes, les hommes qui assistent à la scène se mettent alors à supposer qu'il s'agit d'un geste romantique plutôt qu'amical.

Seuls les hommes combinent la poignée de main et l'étreinte, croit Floyd. « Il s'ensuit une configuration en forme de A ; les seules parties du corps en contact sont les épaules, explique-t-il. Les hommes s'étreignent souvent tout en se serrant la main, il y a donc une barrière physique qui les sépare. S'y ajoute la tape agressive dans le dos, qui est un geste très combatif. Pour les hommes, c'est une façon de dire : "J'ai des sentiments positifs à ton égard, mais montrons-les d'une façon masculine qui confirme que nous sommes des gars." Tous ces éléments — la distance, la barrière physique, le mouvement combatif — sont des façons masculines et stéréotypées de se comporter. »

Morman convient que le geste d'étreinte entre hommes américains se répand, tout en précisant qu'il a toujours eu lieu dans certains contextes. Plus l'environnement suscite des émotions, plus les hommes se sentent libres de s'étreindre. « Dans un bureau, il y a généralement peu d'émotions, dit-il, et l'étreinte reste taboue. Cependant, à un mariage ou à un enterrement, sur un champ de bataille ou un terrain de basket-ball, les hommes se donnent l'accolade sans hésiter, et depuis longtemps. »

La question de savoir si on peut — et quand on peut — pratiquer l'accolade varie selon les cultures. Dans la culture américaine, le degré de contact physique est moyen, selon Floyd, alors qu'en Europe du Nord et en Asie, par exemple au Japon où les individus se saluent en faisant une révérence plutôt qu'en se touchant, le degré de contact est faible. Dans certains pays, tout le monde se donne l'accolade ou tout le monde fait une révérence. En Amérique, c'est un mélange des deux. La poignée de main reste la norme, mais certains hommes s'étreignent avec joie. D'autres ont un mouvement de recul lorsqu'un homme leur ouvre les bras. La plupart des hommes se situent probablement entre les deux.

Source : Brown, Douglas. « Men and Hugs », *Denver Post*, 11 juillet 2005.

Cette liste de facteurs montre bien toute la complexité du toucher en tant que langage. Puisque les messages non verbaux sont eux-mêmes ambigus, il n'est pas surprenant que cette forme de langage soit si souvent mal interprétée. Une étreinte est-elle une marque d'espièglerie ou indique-t-elle des émotions plus profondes ? Une tape sur l'épaule est-elle un geste d'amitié ou une tentative de domination ? L'ambiguïté du comportement non verbal amène souvent des interprétations erronées et bon nombre de complications.

Le toucher exerce une grande influence sur la façon dont on réagit avec les autres. Dans une étude où les sujets devaient effectuer une tâche en laboratoire, ces derniers ont évalué plus positivement leurs partenaires lorsque ceux-ci les avaient touchés (de façon adéquate, bien entendu...)[48]. Non seulement le contact intensifie l'affection, mais il favorise également l'obéissance. Dans une autre étude, un complice chercheur a abordé des sujets qui sortaient d'une cabine téléphonique en leur demandant de rendre une pièce de dix cents qu'il y avait oubliée. Un léger contact sur le bras du sujet augmentait significativement la probabilité que celui-ci rende la pièce.

Le toucher est également utile au travail : le serveur de restaurant qui effleure brièvement la main ou l'épaule des clients obtiendra de plus généreux pourboires[49] ; c'est aussi le cas s'il établit un contact visuel[50]. Dans les brasseries, les femmes comme les hommes consomment plus d'alcool si le serveur les touche[51].

Le toucher est essentiel au développement sain de la personne. Au XIXe siècle et au début du XXe siècle, un fort pourcentage d'enfants mouraient au cours de leur première année. Dans certains orphelinats, le taux de mortalité atteignait presque 100 % ; même dans les foyers les plus « progressistes », les hôpitaux et autres établissements,

le nombre de décès était très élevé. Lorsque les chercheurs se sont penchés sur les causes de cet état de fait, ils se sont aperçus que les nourrissons souffraient d'un manque de contacts physiques avec leurs parents ou le personnel infirmier, plutôt que de malnutrition ou d'un manque de soins médicaux. De cette découverte est issue la pratique du « maternage » des enfants dans les établissements, qui consiste à les prendre dans ses bras, à les promener et à en prendre soin plusieurs fois par jour. Dans l'un des hôpitaux où l'on a commencé à pratiquer le maternage, le taux de mortalité des nourrissons, qui se situait entre 30 % et 35 %, a chuté à moins de 10 %[52].

Des études contemporaines confirment le rapport entre le toucher et la santé. Des expériences faites au Medicine's Touch Research Institute de l'Université de Miami ont montré que les bébés prématurés grandissent plus vite et prennent plus de poids lorsqu'on les masse[53]. La recherche révèle également que le toucher entre thérapeutes et clients peut favoriser plusieurs changements bénéfiques, dont une plus grande ouverture et une plus grande acceptation de soi[54].

L'APPARENCE

Que l'on en ait conscience ou non, l'apparence envoie des messages aux autres. Celle-ci comporte deux dimensions : l'attrait physique et la tenue vestimentaire.

L'attrait physique

L'importance de l'attrait physique est mise en valeur dans le domaine artistique depuis des siècles, comme en témoignent les différents tableaux de maîtres (*La Joconde*) et les sculptures. Plus récemment, les spécialistes des sciences sociales ont commencé à mesurer à quel point l'attrait physique agit sur les interactions. Par exemple, les femmes considérées comme attirantes ont plus de rendez-vous amoureux, obtiennent de meilleures notes au collège, ont plus de facilité à persuader les hommes et reçoivent des peines de prison plus légères que les autres. Les hommes et les femmes considérés comme attirants sont jugés plus intelligents, gentils, forts, sociables et intéressants que leurs frères et sœurs moins favorisés par la nature. L'attrait physique est également un atout dans le monde du travail et influe sur l'embauche, la promotion et les décisions liées à l'évaluation des performances[55].

L'influence de l'attrait physique commence tôt dans la vie[56]. Des chercheurs ont montré à des bambins d'âge préscolaire des photographies d'enfants de leur âge et leur ont demandé de déterminer lesquels seraient des amis potentiels ou des ennemis. Ils ont découvert que, dès l'âge de trois ans, les enfants savaient qui était attirant et qui ne l'était pas. De plus, ces derniers appréciaient davantage leurs petits camarades attirants que les autres, qu'ils soient du même sexe ou du sexe opposé. Les enseignants aussi sont influencés par le charme de leurs élèves. En effet, ils portent un jugement plus favorable sur ceux qui sont physiquement plus beaux : ils les trouvent plus intelligents, amicaux et populaires que leurs pairs[57]. Les évaluations enseignant-élève fonctionnent dans les deux sens ; de fait, la recherche montre que des professeurs physiquement attirants sont mieux évalués par leur classe que leurs confrères[58].

Heureusement, il est possible d'augmenter l'attrait qu'on exerce sans avoir à recourir à la chirurgie esthétique. Si vous n'avez pas la plastique d'une Paris Hilton ou d'un David Beckam, ne vous désespérez pas : des données suggèrent qu'à mesure que l'on connaît mieux une personne et qu'on l'apprécie, on trouve son apparence[59]

plus belle. Par ailleurs, il est reconnu que la posture, les gestes, les expressions faciales et d'autres comportements peuvent améliorer l'attrait physique d'une personne.

La tenue vestimentaire

Outre son rôle de protection élémentaire contre les éléments, la tenue vestimentaire joue un rôle très important dans la communication non verbale. Un écrivain a déclaré que la façon de se vêtir transmettait au moins dix types de messages aux autres[60] concernant:

- le niveau de vie
- le milieu économique
- le niveau de scolarité
- le milieu social
- le degré de fiabilité
- la formation
- le statut social
- le degré de réussite
- le niveau de raffinement
- la moralité

La recherche montre que la plupart des gens jugent un individu à partir de sa tenue vestimentaire. Dans une étude où des expérimentateurs demandaient à des piétons de ramasser des détritus et de prêter une pièce de dix cents à un automobiliste n'ayant pas de monnaie pour le parcomètre, ceux qui portaient uniforme ressemblant à celui des policiers ont remporté plus de succès que ceux qui avaient une tenue civile[61]. De même, lors de campagnes pour le maintien des soins de santé, les personnes qui recueillaient des fonds récoltaient plus lorsqu'elles étaient habillées comme des infirmiers[62].

Les uniformes ne sont pas le seul type de vêtements à exercer une forte influence sur les gens. Dans une autre étude, des piétons étaient davantage portés à rendre l'argent aux personnes qui l'avaient échappé lorsque celles-ci portaient des vêtements révélant un statut social élevé qu'à celles qui étaient mal habillées[63]. On a aussi davantage tendance à emboîter le pas aux personnes élégamment habillées, même si cela conduit à enfreindre des règles sociales. En effet, dans une étude, 83 % des passants ont suivi un piéton indiscipliné mais élégamment vêtu qui avait traversé la rue alors que le signal lui indiquait d'attendre, tandis que seulement 48 % des passants ont suivi un complice dont les vêtements révélaient un statut social moins élevé[64]. Bien entendu, les hypothèses qui reposent sur la façon dont les gens s'habillent ne sont pas toujours fondées. En effet, l'inconnu aux vieux vêtements froissés et mal ajustés peut être un gestionnaire en vacances, voire un millionnaire excentrique.

« Parlez-moi de vous, Smith, de vos aspirations, de vos rêves, de votre plan de carrière et de ce que signifie cette fichue boucle d'oreille. »

En apprenant à mieux connaître une personne, on accorde moins d'importance à ses atours[65]. Cela montre que la tenue vestimentaire revêt une importance particulière au début d'une relation interpersonnelle, lorsqu'il est nécessaire de faire bonne impression pour inciter les autres à mieux nous connaître. Cela explique aussi pourquoi il est recommandé de soigner son habillement lors d'un premier rendez-vous amoureux ou d'une entrevue d'emploi.

L'ESPACE PHYSIQUE

La **proxémie** est l'étude de la façon dont les gens utilisent l'espace. Elle comprend au moins deux dimensions : la distance et la territorialité.

proxémie : façon dont les gens utilisent l'espace, par exemple, la distance physique entre les individus dans une interaction.

La distance

On peut parfois percevoir le genre de relation que les gens entretiennent simplement en observant la distance entre eux. Pour comprendre pourquoi il en est ainsi, faites l'exercice « La distance fait la différence » proposé au bas de la page.

Au cours de cet exercice, vos sentiments ont pu changer au moins à trois reprises. Dans la première partie, lorsque vous vous trouviez à l'autre bout de la pièce, vous deviez vous sentir anormalement éloigné de votre partenaire. Puis, en vous rapprochant jusqu'à environ un mètre de lui, vous avez probablement ressenti l'envie de vous arrêter : cela correspond à la distance à laquelle se tiennent habituellement, dans la culture nord-américaine, deux personnes qui désirent converser. Si votre partenaire n'est pas une personne dont vous êtes très proche sur le plan affectif, vous avez sans doute commencé à vous sentir mal à l'aise au fur et à mesure que vous vous rapprochiez de lui à partir de ce point. Il est même possible que vous ayez dû vous forcer pour ne pas reculer. Certaines personnes se sentent tellement mal à l'aise à cette étape de l'exercice qu'elles ne peuvent s'approcher à moins de 25 cm de leur partenaire.

Chacun de nous possède une sorte de bulle invisible qui constitue son espace personnel. Lors de la mise en situation, à mesure que vous vous êtes rapproché de votre partenaire, la distance qui séparait vos bulles respectives s'est rétrécie et, à un certain point, s'est effacée complètement. Résultat : votre espace a été envahi, et c'est probablement à cet instant que vous vous êtes senti mal à l'aise. Lorsque vous vous êtes éloigné de nouveau, votre partenaire est sorti de votre bulle et vous vous êtes senti plus détendu. Bien entendu, si vous aviez réalisé cette expérience avec une

INVITATION À L'INTROSPECTION

La distance fait la différence

1. Choisissez un partenaire et placez-vous chacun à une extrémité de la pièce en vous faisant face.
2. Très lentement, commencez à avancer l'un vers l'autre tout en conversant. Vous pouvez simplement parler des impressions que vous ressentez en faisant cet exercice. Tandis que vous vous rapprochez, efforcez-vous de remarquer tout changement en lien avec ce que vous ressentez. Continuez à vous diriger lentement l'un vers l'autre jusqu'à ce que vous ne soyez plus qu'à quelques centimètres. Souvenez-vous de l'impression ressentie à ce stade.
3. Maintenant, tout en continuant à vous faire face, reculez jusqu'à ce que vous vous trouviez à une distance confortable pour poursuivre votre conversation.
4. Partagez vos impressions avec votre partenaire ou l'ensemble du groupe.

personne très proche, votre partenaire amoureux, par exemple, il n'y aurait probablement pas eu de sentiment de malaise, même lors du contact. Il faut retenir de cette expérience que la distance que l'on met volontairement entre une personne et soi donne un indice non verbal sur les sentiments que l'on éprouve pour elle et sur la nature de la relation.

L'anthropologue Edward T. Hall a défini quatre catégories de distances que la majorité des Nord-Américains respectent dans la vie quotidienne[66]. Il précise que le choix d'une distance particulière dépend des sentiments que l'on éprouve pour l'autre à un moment précis, du contexte de la conversation et des objectifs interpersonnels.

distance intime: une des zones spatiales selon Haal, allant du contact physique jusqu'à 45 cm de distance entre deux personnes.

distance personnelle: une des zones spatiales selon Haal, allant de 45 cm à 1,25 m de distance entre deux personnes.

distance sociale: une des zones spatiales selon Haal, allant de 1,25 cm à 3,60 m de distance entre deux personnes.

distance publique: une des zones spatiales selon Haal, allant au-delà de 3,60 m de distance entre deux personnes.

territoire: espace fixe qu'un individu perçoit comme étant le sien.

- La première des quatre zones spatiales définies par Hall, la **distance intime**, va du contact physique jusqu'à 45 cm de distance. On maintient habituellement cette distance intime avec les personnes très proches de soi émotionnellement, le plus souvent dans un contexte très privé: relation sexuelle, caresse, geste de réconfort ou de protection.
- La **distance personnelle**, la deuxième zone spatiale, va de 45 cm à environ 1,25 m. La distance la plus proche à l'intérieur de cet intervalle correspond à celle à laquelle la plupart des couples se tiennent en public. Comme le mentionne Hall, la distance personnelle équivaut habituellement à la longueur d'un bras. Cela suggère le type de communication établie à cette distance: les contacts sont beaucoup moins intimes que ceux qui se déroulent à 30 cm.
- La **distance sociale**, ou troisième zone spatiale, s'étend de 1,25 m à 3,60 m environ. À l'intérieur de ces limites se produit le genre de communication qui prévaut habituellement dans le monde des affaires. Les conversations entre vendeurs et clients, ou entre collègues, se déroulent généralement dans l'intervalle minimal de cette distance, soit de 1,25 m à 2,10 m. Enfin, on réserve l'intervalle maximal, de 2,10 m à 3,60 m approximativement, aux situations plus formelles et plus impersonnelles.
- La **distance publique** désigne la zone spatiale la plus éloignée, celle qui excède 3,60 m. À l'intérieur de cette zone, la distance la plus près est celle qui sépare les enseignants des élèves dans une classe. Quand la distance est plus grande (7,50 m et plus), la communication bidirectionnelle devient pratiquement impossible. Une telle séparation est toutefois utile aux orateurs qui font face à un vaste auditoire. On peut cependant supposer que toute personne qui choisit délibérément cette distance alors qu'elle pourrait se rapprocher ne veut tout simplement pas établir de dialogue.

Le choix de la distance optimale peut avoir un grand effet sur la façon dont on voit les autres et dont on réagit à leur égard. Par exemple, les élèves sont plus satisfaits d'un enseignant qui réduit la distance entre lui et sa classe[67]. De même, les patients se disent plus satisfaits des médecins qui se tiennent le plus près possible à l'intérieur de la distance sociale[68].

LA TERRITORIALITÉ

Alors que l'espace personnel est la bulle invisible que l'on transporte partout avec soi, comme le prolongement de son corps, le **territoire** est un espace immobile. Qu'il s'agisse d'une pièce, d'une maison, d'un quartier ou d'un pays, toute aire sur laquelle une personne croit avoir une sorte de « droit » constitue son territoire.

Fait intéressant, la territorialité ne repose habituellement sur aucun fondement qui assure le droit de disposer d'une zone donnée. Malgré tout, le sentiment de propriété existe. Votre chambre à la maison est la vôtre, que vous y soyez ou non (à la différence de l'espace personnel que vous transportez avec vous).

La façon dont les gens disposent de l'espace témoigne de leur pouvoir et de leur statut social[69]. Ainsi, on accorde généralement un plus grand territoire et une plus grande intimité aux personnes ayant un statut social élevé. Par exemple, un employé frappe avant d'entrer dans le bureau de son patron, tandis que celui-ci peut faire irruption dans l'espace de travail de ses subalternes.

LE TEMPS

Les spécialistes des sciences sociales emploient le mot **chronémie** pour décrire l'utilisation et la structuration du temps par les hommes. La manière dont on gère cette réalité peut exprimer des messages aussi bien intentionnels qu'involontaires[70]. Par exemple, dans une culture qui accorde une grande valeur au temps, les personnes « importantes » (qui considèrent que leur temps a plus de valeur que celui des autres) ne peuvent être rencontrées que sur rendez-vous, alors qu'il est acceptable d'interrompre sans prévenir des personnes de statut inférieur. La règle qui en découle est que les personnes de statut peu élevé ne doivent jamais faire attendre les gens de statut élevé. Se présenter en retard à une entrevue d'emploi serait une grave erreur, alors que l'intervieweur pourra faire attendre un candidat.

chronémie : utilisation et structuration du temps par les humains.

monochronique : qui est axé sur la ponctualité, l'horaire et l'exécution d'une seule tâche à la fois.

polychronique : qui est axé sur des horaires flexibles à l'intérieur desquels des tâches multiples sont effectuées simultanément.

L'utilisation du temps dépend énormément de la culture[71]. Certaines cultures (nord-américaine, allemande et suisse) ont tendance à être **monochroniques** et à mettre l'accent sur la ponctualité, l'horaire et l'exécution d'une seule tâche à la fois. D'autres cultures (sud-américaine, méditerranéenne et arabe) sont plus **polychroniques** et adoptent des horaires flexibles à l'intérieur desquels des tâches multiples sont effectuées simultanément[72].

Les règles relatives au temps varient aussi au sein d'une même culture. Les variations sont parfois d'ordre géographique, mais il arrive qu'à l'intérieur d'une même zone géographique les personnes, les groupes et les différents organismes établissent leurs propres règles d'utilisation du temps[73]. Par exemple, vous avez probablement eu l'occasion de vérifier que certains professeurs commencent et terminent le cours à l'heure, tandis que d'autres sont moins stricts. De la même façon, vous pouvez vous sentir à l'aise de parler pendant des heures avec un de vos amis, en personne ou au téléphone, tandis qu'avec d'autres, le temps semble précieux et il ne faut pas le « gaspiller ».

RÉSUMÉ

La communication non verbale comprend l'ensemble des messages transmis par des moyens autres que linguistiques, tels que le mouvement corporel, les caractéristiques vocales, le toucher, l'apparence, l'espace physique, la territorialité et le temps.

Les habiletés non verbales sont essentielles à tout communicateur compétent. La communication non verbale est omniprésente; en fait, il est impossible de ne pas communiquer. Bien que de nombreux comportements non verbaux soient universels, leur utilisation varie selon le sexe et la culture.

La communication non verbale révèle principalement les attitudes et les émotions, contrairement à la communication verbale, qui convient mieux à l'expression des idées.

La communication non verbale remplit de nombreuses fonctions. Elle peut servir à réitérer, à compléter, à remplacer, à accentuer, à réguler et à contredire la communication verbale.

Lorsqu'ils sont confrontés à des messages verbaux et non verbaux contradictoires, les communicateurs ont tendance à se fier aux seconds. C'est pourquoi les indices non verbaux sont si importants dans la détection de la duplicité. Il faut cependant faire preuve de précaution lorsqu'on interprète de tels indices, car la communication non verbale est souvent ambiguë.

Mots clés

AUTRES RESSOURCES

La communication est un processus complexe impliquant une multitude de phénomènes. Dans ce processus d'échange, la communication non verbale est inévitable. Celle-ci nuance souvent le discours et permet de transmettre des subtilités que le langage verbal est parfois incapable de livrer. Si le langage non verbal peut faciliter la communication, son caractère inconscient fait en sorte qu'il peut à certains moments trahir des détails que l'on préférerait garder secrets. Les documents et films qui suivent sont susceptibles de vous aider à mieux comprendre la communication non verbale.

Livres

BARRIER, G. *La Communication non verbale. Comprendre les gestes : perception et signification*, Paris, ESF éditeur, 2006.

CABANA, G. *Attention ! Vos gestes vous trahissent*, Outremont, Quebecor, 2006.

CHÉTOCHINE, G. *La Vérité sur les gestes*, Paris, Eyrolles, 2008.

CLAYTON, P. *Décodez vos gestes au travail : attitudes et expressions gagnantes au travail*, Paris, Marabout, 2004.

LANDSHEERE, G. et A. DELCHAMBRE. *Comment les maîtres enseignent*, Paris, F. Nathan, 1979.

TURCHET, P. *Les Codes inconscients de la séduction*, Montréal, Éditions de l'Homme, 2004.

Films

Un vendredi dingue, dingue, dingue, réalisé par Mark Waters (2003).

Dans cette nouvelle version d'un classique de Walt Disney, Tess Coleman (Jamie Lee Curtis) et sa fille de 15 ans, Anna (Lindsay Lohan), découvrent à leur réveil qu'elles ont échangé leur corps et leur vie. Le film est une leçon d'empathie légère et humoristique. Il rappelle à tous, mère, fille et spectateurs, que le monde a l'air très différent selon le point de vue de celui qui le regarde.

L'une des façons les plus simples de se rappeler « qui est qui » dans le film est de surveiller les indices non verbaux des personnages. Même si les spectateurs voient le corps de Tess, il est clair, en regardant ses tics et ses expressions faciales et en écoutant le ton, le débit et la hauteur de sa voix, qu'il est habité par une adolescente. De la même façon, quand Tess habite le corps de sa fille, elle commence à avoir divers comportements d'adulte. *Un vendredi dingue, dingue, dingue* montre que les tics non verbaux peuvent être très révélateurs de l'âge, du statut et des rôles d'une personne.

Madame Doubtfire, réalisé par Chris Columbus (1993).

Tootsie, réalisé par Sydney Pollack (1982).

L'un des moyens de reconnaître les différences entre les styles de communication non verbale masculine et féminine est d'observer la même personne jouer différents rôles liés au genre. Les cinéastes ont trouvé cette idée suffisamment intrigante pour produire plusieurs films dans lesquels les personnages passent d'un genre à l'autre en utilisant du maquillage et des costumes — et des indices non verbaux.

Dans *Tootsie*, Michael Dorsey est un acteur new-yorkais qui n'arrive pas à obtenir de rôles — du moins en tant qu'homme. Il a tout à coup une inspiration : il se transforme en Dorothy Michaels, une femme d'âge moyen, et obtient un rôle dans un feuilleton télévisé.

Dans *Madame Doubtfire*, Robin Williams reprend un rôle à la *Tootsie*. Il joue Daniel Hillard, un homme divorcé qui ne peut pas supporter de vivre sans ses enfants. Son ex-femme a besoin d'une gouvernante pour les enfants, alors Daniel demande à son frère qui est maquilleur de le transformer en madame Doubtfire.

Chapitre 7

ÉCOUTER, C'EST PLUS QU'ENTENDRE

CONTENU

OBJECTIFS

- Distinguer l'écoute superficielle de l'écoute attentive.
- Définir les éléments qui décrivent l'écoute attentive.
- Différencier les types de mauvaise écoute.
- Élaborer les raisons qui expliquent la mauvaise écoute.
- Apprendre à reconnaître et à choisir le type de réponse appropriée selon la situation, la personne et son propre style de communication.

L'écoute est une activité exigeante et complexe. Dans le processus de la communication, l'écoute se révèle tout aussi capitale, et parfois même plus, que la parole.

Si l'on tient compte de la fréquence, l'écoute est la forme de communication la plus importante. On consacre en effet plus de temps à écouter les autres qu'à pratiquer n'importe quelle autre forme de communication. Une étude a d'ailleurs montré que les élèves de niveau collégial passent en moyenne 14 % de leur temps à écrire, 16 % à parler, 17 % à lire, et 53 % à écouter[1]. En milieu de travail, l'écoute est également importante. Des études révèlent que la plupart des employés des grandes entreprises nord-américaines passent environ 60 % de leur temps de travail à écouter les autres[2].

En plus d'être la forme de communication la plus fréquente, l'écoute est aussi essentielle que la parole pour établir et maintenir des relations interpersonnelles de qualité. Dans les relations amoureuses, par exemple, le fait d'être écouté par l'autre au quotidien est un élément primordial de satisfaction[3]. Selon des conseillers matrimoniaux qui ont participé à une enquête, l'un des problèmes

C'est l'écoute, et non l'imitation, qui constitue la forme de flatterie la plus sincère.

Joyce Brothers, psychologue américaine

de communication les plus souvent nommés chez les couples a trait à un manque d'empathie, c'est-à dire « une incapacité à se concentrer sur le point de vue de l'autre au moment de l'écoute[4] ». De plus, des adultes à qui l'on a demandé de déterminer les habiletés de communication les plus importantes dans les contextes familiaux et sociaux ont placé l'écoute au premier rang[5].

En milieu de travail, l'écoute revêt une aussi grande importance que dans les relations personnelles. Une étude portant sur le lien entre l'écoute et la réussite professionnelle a fait ressortir que les personnes douées pour l'écoute sont plus souvent promues à des échelons supérieurs au sein de leur entreprise que celles qui le sont moins[6]. Des responsables des ressources humaines et des cadres supérieurs à qui l'on a demandé de citer les habiletés professionnelles essentielles ont mentionné l'écoute plus souvent que n'importe quelle autre habileté, que ce soit la compétence technique, les connaissances informatiques, la créativité ou le talent administratif[7].

Dans le même ordre d'idées, une enquête effectuée auprès de 90 000 comptables a révélé que l'écoute efficace est l'habileté la plus importante pour les professionnels de ce secteur d'activité[8]. Toutefois, le fait de reconnaître la valeur de l'écoute ne débouche pas nécessairement sur des capacités d'écoute exceptionnelles, comme en témoigne une enquête auprès de 144 gestionnaires à qui l'on a demandé d'évaluer leurs aptitudes en la matière. Fait surprenant, aucun n'a déclaré faire preuve d'une « faible » ou d'une « très faible » capacité d'écoute. En fait, 94 % d'entre eux ont dit en avoir une « bonne » ou une « très bonne »[9]. Ces autoévaluations favorables tranchent radicalement avec les perceptions de leurs subordonnés. En effet, nombre d'entre eux ont prétendu que la capacité d'écoute de leurs supérieurs était faible. Bien entendu, les gestionnaires ne sont pas les seuls à devoir travailler cette habileté — chacun de nous aurait avantage à améliorer ses capacités en la matière. C'est pourquoi cet élément essentiel de la communication fait l'objet d'un chapitre entier.

LA DÉFINITION DE L'ÉCOUTE

écoute : processus actif formé de cinq éléments : entendre, prêter attention, comprendre, répondre et mémoriser.

écoute superficielle : écoute automatique, routinière, qui demande peu de concentration mentale.

L'audition relève d'un processus involontaire : l'oreille capte les ondes sonores et les transmet au tympan, et ce dernier crée des vibrations qui sont dirigées vers le cerveau. L'**écoute**, elle, n'est pas automatique. Les chercheurs ont remarqué que lorsqu'on dépasse le stade de l'audition et que l'on commence à écouter véritablement, le traitement de l'information se fait de deux façons très différentes[10]. Les spécialistes en sciences sociales emploient les termes *écoute superficielle* et *écoute attentive* pour décrire ces manières d'écouter[11].

L'ÉCOUTE SUPERFICIELLE

L'**écoute superficielle** se produit lorsqu'on réagit aux messages des autres de manière automatique et routinière, avec peu de concentration mentale. Bien que le mot *superficiel* ait une connotation négative, ce type de traitement de bas niveau de l'information a son utilité, compte tenu de la multitude de messages auxquels on est exposé[12]. Il est en effet impensable d'écouter avec attention tout ce que l'on entend, tout comme il est peu réaliste d'accorder toute son attention à des histoires interminables, à des bavardages futiles ou à des remarques maintes fois entendues. La seule façon de supporter l'assaut des messages est de faire preuve « d'écoute sélective », c'est-à-dire accorder moins d'intérêt à certains pour en privilégier d'autres.

L'ÉCOUTE ATTENTIVE

écoute attentive : écoute impliquant une attention soutenue au message transmis, auquel on répond.

Comme son nom l'indique, l'**écoute attentive** implique une attention soutenue au message transmis ainsi qu'une réponse. On a tous tendance à écouter attentivement si on est concerné par un message ou si une personne qui nous est chère parle d'un sujet qui lui tient à cœur. Il suffit de penser à la manière dont vos oreilles s'ouvrent quand vous entendez votre nom dans une conversation voisine, quand le garagiste vous dit combien il vous en coûtera pour réparer votre voiture ou lorsqu'un ami proche vous parle de sa rupture. Dans de telles situations, vous voulez consacrer toute votre attention à l'émetteur du message.

Il arrive que l'on réponde distraitement à des informations qui méritent — et même réclament — une pleine attention. La psychologue américaine Ellen Langer explique qu'elle s'est intéressée à la pleine conscience à la suite du décès de sa grand-mère. Celle-ci s'était plainte de maux de tête dus à un « serpent rampant » sous son crâne. Les médecins avaient rapidement diagnostiqué le problème : la sénilité. Après tout, avaient-ils raisonné, la sénilité vient avec l'âge et fait dire n'importe quoi. En réalité, la grand-mère avait une tumeur au cerveau, qui lui a finalement coûté la vie. Cet événement a marqué Langer :

> Des années plus tard, je n'arrêtais pas de repenser à la réaction des médecins devant les plaintes de ma grand-mère et à notre réaction envers les médecins. Ceux-ci avaient suivi les étapes du diagnostic, mais ils n'avaient pas écouté ce qu'ils entendaient. De notre côté, nous n'avions pas mis en doute la parole des médecins : les idées des experts s'imposaient[13].

S'il est vrai que dans la plupart des situations quotidiennes le fait d'écouter attentivement ou non n'a pas de conséquences aussi dramatiques, il est tout de même parfois essentiel d'écouter soigneusement et avec attention ce que les autres nous disent. Le reste de ce chapitre est consacré à ce type d'écoute attentive.

LES ÉLÉMENTS DU PROCESSUS D'ÉCOUTE

Écouter n'est pas une activité qui consiste à absorber passivement les mots d'un émetteur. Au contraire, l'écoute est un processus actif formé de cinq éléments : entendre, prêter attention, comprendre, répondre et mémoriser.

entendre : capacité auditive renvoyant à la dimension physiologique de l'écoute.

prêter attention : le fait de filtrer certains messages afin de les éliminer et de pouvoir se concentrer sur d'autres.

ENTENDRE

Entendre renvoie à la dimension physiologique de l'écoute. Pour entendre, il faut que des ondes sonores de fréquence et d'intensité données parviennent à l'oreille. Divers facteurs influent sur la capacité à entendre. Tout d'abord, comme on l'a vu au chapitre 1, des bruits externes (musique, personne qui parle en classe) peuvent nuire à la réception d'un message. Par exemple, après avoir passé quelques heures dans une soirée bruyante, il est possible que vous ayez de la difficulté à bien entendre, même après vous être éloigné de la foule. L'exposition prolongée à un bruit d'une forte intensité est susceptible d'entraîner une perte permanente de l'ouïe, comme en témoignent plusieurs musiciens et adeptes de musique rock.

Pour de nombreux communicateurs, entendre relève d'un véritable défi en raison de problèmes physiologiques. Au Canada, plus de deux millions de personnes ont une déficience auditive plus ou moins prononcée[14]. Une étude a également révélé que d'un tiers à un quart des élèves d'une classe type n'entendait pas correctement[15].

PRÊTER ATTENTION

Alors qu'entendre est un processus physiologique, **prêter attention** relève du domaine psychologique et fait partie du processus de sélection décrit au chapitre 3. Comme il est impossible de prêter attention au moindre son entendu, on filtre certains messages pour les éliminer et on se concentre sur d'autres. Ce à quoi une personne accorde son attention est déterminé par ses besoins, ses souhaits, ses désirs et ses intérêts. Les recherches montrent en effet que l'on est très attentif aux messages lorsqu'il y a un avantage manifeste à le faire[16]. Si vous envisagez d'aller voir un film, vous écouterez plus attentivement la description qu'en fait un ami que si vous n'aviez pas l'intention de le voir. De même, si vous souhaitez faire plus ample connaissance avec une personne, vous serez sûrement plus attentif à ses paroles dans l'espoir de renforcer votre relation.

COMPRENDRE

Comprendre un message signifie en saisir le sens. On peut écouter un message ou y prêter attention sans le comprendre du tout, comme on peut aussi mal l'interpréter. Ce chapitre décrit les nombreuses raisons pour lesquelles une personne comprend mal les autres — et réciproquement. Il souligne également les habiletés permettant à chacun d'améliorer sa compréhension des autres.

comprendre : saisir le sens d'un message reçu.

répondre : présenter à l'émetteur une rétroaction, une réaction à ses paroles.

mémoriser : se souvenir des informations reçues

RÉPONDRE

Répondre à un message, c'est présenter à l'émetteur une rétroaction observable, qui confirme l'écoute. Or, on ne répond pas toujours de façon visible. Selon les résultats d'une étude qui portait sur 195 incidents critiques survenus dans des banques ou dans des hôpitaux, la principale différence entre l'écoute efficace et l'écoute inefficace a trait au type de rétroaction du récepteur[17]. Les bons récepteurs manifestent leur attention par des comportements non verbaux tels que le contact visuel et des expressions faciales appropriées. Leur comportement verbal, comme répondre aux questions et échanger des idées, suggère également un niveau d'attention élevé. Il est facile d'imaginer les formes que peut prendre une écoute moins efficace. Par exemple, l'individu qui est affaissé, qui présente une expression d'ennui ou qui bâille indique clairement qu'il n'est pas à l'écoute.

L'ajout de la réceptivité au modèle d'écoute confirme que la communication, comme on l'a vu au chapitre 1 , est de nature transactionnelle. Écouter n'est pas une activité passive. En tant que récepteur, on joue un rôle actif dans la communication transactionnelle puisqu'on transmet des messages en même temps qu'on en reçoit. Répondre adéquatement est un élément clé dans le processus d'écoute. Compte tenu de l'importance des réactions d'écoute, celles-ci feront l'objet d'une partie entière à la fin de ce chapitre.

MÉMORISER

Mémoriser renvoie à la capacité de se souvenir des informations. Si on ne mémorise pas le message, l'écouter n'en vaut pas la peine. La recherche indique qu'immédiatement après avoir entendu un message, la majorité des gens ne se rappellent que 50 % des propos qu'il contient. Huit heures plus tard, ce pourcentage chute à environ 35 %. Dans les deux mois qui suivent, ils ne se souviennent en moyenne que d'environ 25 % du message initial. De toutes les informations que l'on traite chaque jour, qu'elles proviennent d'enseignants, d'amis, de la radio, de la télévision, etc., le message résiduel (ce dont on se souvient) ne représente donc qu'une petite fraction.

Puisque la tendance à oublier certaines informations est fréquente, elle peut paraître anodine. Toutefois, l'oubli de certains détails risque de créer des malentendus ou même des conflits entre les gens.

LE DÉFI DE L'ÉCOUTE

Améliorer son écoute n'est pas chose facile. Cette partie du chapitre décrit les difficultés que toute personne doit surmonter pour devenir un communicateur plus efficace. Après la présentation de différentes formes de mauvaise écoute, on explorera les nombreuses raisons qui mènent à un manque d'écoute. Tout en lisant ces lignes, posez-vous la question : « Combien d'entre elles s'appliquent à moi ? »

LES TYPES DE MAUVAISE ÉCOUTE

Mal écouter est un comportement très fréquent. Toutefois, on peut heureusement apprendre à mieux le faire. D'ailleurs, la première étape vous permettant de vous améliorer consiste à reconnaître les aspects qui ont besoin d'être corrigés. Voici donc les types d'écoute inefficace les plus utilisés.

La fausse écoute

fausse écoute : imitation de l'écoute réelle, car les pensées du récepteur sont ailleurs.

narcissisme : admiration de soi, attention exclusive portée à soi-même.

mise en vedette : écoute dans laquelle le récepteur tente de monopoliser la conversation soit en l'interrompant, soit en ramenant le sujet à lui, plutôt que de se montrer intéressé par la personne qui parle.

écoute sélective : écoute où le récepteur ne répond qu'aux messages qui l'intéressent.

écoute fuyante : écoute où le récepteur ne tient pas compte des messages qu'il ne désire pas entendre.

La **fausse écoute** est une imitation de l'écoute réelle, c'est-à dire un acte qui sert à tromper la personne qui parle. Tous ceux qui excellent dans la fausse écoute donnent l'impression d'être très attentifs : ils regardent les autres dans les yeux, hochent même la tête et sourient à l'occasion. Cependant, tout cela n'est qu'une façade pour masquer le fait que leurs pensées sont ailleurs. Paradoxalement, pratiquer la fausse écoute peut demander plus d'efforts que de simplement ignorer l'autre.

La mise en vedette

Ceux qui monopolisent la conversation essaient de se placer au cœur de la discussion plutôt que de se montrer intéressés par la personne qui parle. Cette stratégie est parfois appelée **narcissisme** conversationnel[18]. Une des stratégies de la **mise en vedette** consiste à amener le sujet de la conversation sur soi, comme le montre cette réplique : « Tu penses que *ton* cours d'histoire est difficile ? Tu devrais assister à *mon* cours de psychologie ! » Les interruptions constituent une autre caractéristique de la mise en vedette. Non seulement elles empêchent la personne qui écoute (et qui interrompt) d'obtenir des informations qui pourraient se révéler utiles, mais elles risquent aussi de nuire à la relation entre les interlocuteurs. Il a été démontré qu'un candidat à un emploi qui interrompt la personne qui l'interviewe s'expose à une moins bonne évaluation que celui qui attend que l'intervieweur ait fini de parler avant de répondre[19].

L'écoute sélective

Une personne qui fait de l'écoute sélective ne répond qu'aux parties du message qui l'intéresse et rejette tout le reste. On a tous recours à l'**écoute sélective**, par exemple lorsqu'on fait une sélection entre la musique et les messages publicitaires à la radio, ou lorsqu'on prête l'oreille pendant le bulletin météo. Cette forme d'écoute est moins appropriée lorsqu'il s'agit de relations personnelles : écouter distraitement quelqu'un qui vous parle d'un sujet qui lui tient à cœur peut provoquer des réactions désagréables.

L'écoute fuyante

L'**écoute fuyante** est le contraire de l'écoute sélective. Au lieu de rechercher une information en particulier, les personnes en mode d'écoute fuyante l'évitent. Lorsqu'elles préfèrent ne pas discuter d'un sujet, elles font en sorte de ne pas l'entendre ou de ne pas le reconnaître. Si, par exemple, quelqu'un leur rappelle un problème, une tâche à effectuer ou leur fait un reproche, elles vont faire un signe affirmatif de la tête ou répondre brièvement, puis très vite ignorer ou oublier ce qui vient d'être dit.

L'écoute défensive

On manifeste une **écoute défensive** lorsqu'on prend les remarques des autres pour des attaques personnelles. L'adolescent qui voit dans les questions de ses parents au sujet de ses amis ou de ses activités une manifestation de leur méfiance fait montre d'une écoute défensive, tout comme les parents susceptibles qui considèrent tout questionnement de la part de leurs enfants comme une menace envers leur autorité et leur « sagesse » parentale. Comme le suggère le chapitre 10, on peut présumer que plusieurs personnes pratiquant cette forme d'écoute souffrent d'une image de soi peu solide et évitent de l'admettre en projetant leurs propres incertitudes sur les autres.

écoute défensive : écoute où le récepteur reçoit les messages comme des attaques personnelles.

écoute piégée : écoute faite dans le but de recueillir des renseignements qui pourront servir au récepteur.

écoute insensible : écoute où le récepteur ne saisit pas le message non verbal exprimé.

L'écoute piégée

Dans l'**écoute piégée**, les gens écoutent attentivement, mais uniquement dans le but de recueillir des renseignements dont ils se serviront par la suite contre l'autre. Un procureur qui mène un contre-interrogatoire est un bon exemple de cette forme d'écoute. Inutile de dire que le recours à cette stratégie provoque, à juste titre, une réaction de méfiance chez les autres.

L'écoute insensible

Les personnes qui font preuve d'**écoute insensible** réagissent au contenu superficiel d'un message, mais elles ne saisissent pas le message non verbal plus important qui peut être exprimé indirectement, comme le montre l'exemple suivant :

> Jean : Comment ça va ?
>
> Véronique (*sur un ton découragé*) : Ça va bien, je crois.
>
> Jean : Super !

En plus d'ignorer les messages non verbaux, les récepteurs insensibles ont tendance à ne pas faire preuve d'empathie.

LES RAISONS D'UN MANQUE D'ÉCOUTE

Aussi regrettable que cela puisse être, il est impossible d'écouter continuellement avec la même attention, pour plusieurs raisons que nous allons exposer ici.

La surabondance de messages

Compte tenu de la multitude de messages verbaux que l'on reçoit chaque jour, personne ne peut faire une écoute attentive de tout ce qu'on entend. La surabondance de messages amène donc les gens à se montrer moins attentifs à certains moments, puisqu'il est impossible de maintenir une attention soutenue toute la journée.

Les préoccupations personnelles

Le manque d'écoute attentive peut aussi découler du fait que l'on est souvent absorbé par des préoccupations personnelles. Par exemple, il est difficile de prêter attention aux propos de quelqu'un lorsqu'on se fait du souci au sujet d'un examen imminent ou d'un problème de santé.

La rapidité de la pensée

Il est aussi difficile d'écouter avec attention pour une raison physiologique. Alors qu'on a la capacité de saisir en moyenne 600 mots à la minute, on ne peut en prononcer que 100 à 150 dans ce même laps de temps[20]. La rapidité de la pensée laisse donc au récepteur un « temps de réserve ». La tentation est grande d'utiliser ce temps pour s'éloigner des idées de l'émetteur : par exemple, réfléchir à des préoccupations personnelles, rêvasser ou élaborer une réplique. Si l'on désire mieux écouter, il est préférable d'utiliser ce temps de réserve pour bien appréhender ce que dit l'émetteur.

Les efforts à fournir

Écouter efficacement est une tâche ardue. Les changements physiques observés lors de l'écoute en témoignent : accélération des battements du cœur, augmentation du rythme respiratoire, élévation de la température du corps[21]. En fait, les efforts exigés se comparent à ceux que fournit le corps durant une activité physique. Il ne s'agit pas d'une coïncidence : l'écoute attentive peut effectivement être aussi éprouvante qu'une séance d'entraînement — c'est pourquoi certaines personnes choisissent de ne pas faire cet effort[22]. Si vous êtes déjà rentré chez vous exténué après une soirée passée à écouter avec la plus grande attention un ami qui en avait besoin, vous savez à quel point ce processus est possiblement épuisant.

Les présomptions

On pense parfois écouter attentivement tandis que c'est tout le contraire. Lorsque le sujet de conversation nous est familier, il est tentant d'ignorer la conversation puisque l'on croit avoir déjà tout entendu sur la question. Un problème connexe survient lorsque les propos de l'émetteur paraissent trop simplistes ou trop évidents, alors qu'en réalité leur compréhension demanderait une attention soutenue. Parfois, c'est l'inverse qui se produit : croyant que les propos de l'autre sont trop complexes, on renonce tout simplement à chercher à les comprendre.

Écouter, c'est plus qu'entendre

Les spécialistes en analyse de la communication non verbale savent que les étudiants qui regardent le professeur dans les salles de cours ne sont pas nécessairement en train de l'écouter.

Paul Cameron, chargé de cours à la Wayne State University de Detroit, a fait entendre des coups de fusil à intervalles irréguliers et a demandé aux étudiants de décrire ce à quoi ils pensaient chaque fois qu'un coup était tiré. Voici, en résumé, ce qu'il en est ressorti :

- environ 20 % des étudiants, garçons ou filles, ont dit qu'ils avaient des pensées érotiques ;
- un autre 20 % étaient en train d'évoquer des souvenirs ;
- seulement 20 % prêtaient attention au cours, bien que seulement 12 % ont affirmé qu'ils écoutaient activement ;
- les autres s'ennuyaient, rêvassaient ou pensaient à leur prochain repas.

De tels résultats confirment que les professeurs doivent répéter plusieurs fois leur matière.

L'expérience de Cameron s'est déroulée dans un cours d'introduction à la psychologie, d'une durée de neuf semaines et destiné à 85 étudiants du collège. Des coups de fusil y ont été tirés 21 fois à intervalles irréguliers, le plus souvent quand Cameron était au milieu d'une phrase.

Source : San Francisco Sunday Examiner and Chronicle.

Le premier sentiment que je veux partager avec vous est le plaisir que j'éprouve quand je peux réellement entendre ce que quelqu'un dit. Je crois que cela fait longtemps que je suis comme ça. Je me souviens que cela se produisait pendant mes premiers jours à l'école primaire. Un enfant posait une question au professeur et celui-ci répondait de façon parfaitement correcte, mais à une question totalement différente.

Je ressentais toujours de la peine et de la détresse. Ma réaction était: «Mais vous ne l'avez pas écouté!» Je ressentais une sorte de désespoir enfantin devant ce manque de communication qui était (et qui est) si courant.

Source: Carl R. Rogers, psychologue américain.

L'absence d'avantages manifestes

Il semble qu'il y ait souvent plus d'avantages à prendre la parole qu'à écouter. L'experte-conseil en affaires Nancy Kline a demandé à certains de ses clients pourquoi ils interrompaient leurs collègues. Voici les raisons données:

- «Mon idée est meilleure que la leur.»
- «Si je ne les interromps pas, je n'arriverai jamais à exprimer ce que je pense.»
- «Je sais ce qu'ils vont dire.»
- «Ils n'ont pas besoin d'aller au bout de leurs réflexions puisque les miennes sont meilleures.»
- «Leur idée ne s'améliorera pas même s'ils continuent à en parler.»
- «Il est plus important pour moi d'être reconnu que d'écouter leurs idées.»
- «Je suis plus important qu'eux.»[23]

Même si certaines de ces réflexions sont justes, l'**égotisme** qu'elles cachent est impressionnant. De plus, les personnes qui n'écoutent pas découvriront probablement que celles qu'elles interrompent sont moins enclines à respecter leurs idées. L'écoute est souvent réciproque: on reçoit ce que l'on donne.

égotisme: culte du moi, intérêt excessif porté à sa propre personnalité.

Le manque d'entraînement

Même si une personne désire écouter attentivement, elle peut être gênée par le manque d'entraînement. On croit à tort que l'écoute est une activité aussi naturelle que la respiration. La vérité, c'est que pratiquement tout le monde parvient à écouter, mais que peu de personnes savent bien le faire. Malheureusement, il n'y a aucun lien entre le degré de compétence que la majorité des communicateurs pensent avoir en matière d'écoute et leur compétence réelle[24]. Par contre, retenez qu'il est possible d'améliorer la qualité de l'écoute pour peu que l'on s'y entraîne[25].

COMMENT MIEUX ÉCOUTER

À la lumière de ce qui précède, peut-être pensez-vous que l'écoute attentive est une compétence pratiquement impossible à maîtriser. Fort heureusement, en combinant certaines attitudes et certaines techniques, chacun peut réellement améliorer son écoute. Les lignes directrices suivantes vous aideront à y parvenir.

INVITATION À L'INTROSPECTION

Le bâton de l'émetteur

Voici un exercice qui permet d'explorer les avantages qu'il y a à parler moins et à écouter plus. Il s'inspire de la tradition amérindienne du « conseil ». Plusieurs personnes forment un cercle et choisissent un objet qui sera le bâton de l'émetteur (tout objet maniable fera l'affaire). Elles doivent s'échanger le bâton de main en main. Chaque personne peut parler :

a) lorsqu'elle tient le bâton ;

b) aussi longtemps qu'elle tient le bâton et sans être interrompue par qui que ce soit.

Lorsqu'une personne a fini de parler, elle passe le bâton à son voisin de gauche. Elle ne pourra reprendre la parole qu'au moment où le bâton lui reviendra, une fois qu'il aura fait le tour du cercle. Lorsque tous auront eu l'occasion de parler, discutez de l'expérience en faisant ressortir ce qu'elle comporte de différent par rapport aux approches habituelles de l'écoute. Déterminez comment vous pourriez tirer profit des avantages de cette méthode dans vos conversations quotidiennes.

Pour être entendu, il faut parfois être silencieux.

Proverbe chinois

Parler moins

Comme le disait le philosophe Zénon de Kitium : « Nous sommes nés avec deux oreilles, mais une seule bouche, afin d'entendre plus et de parler moins. » Si votre objectif est réellement de comprendre la personne qui parle, il faut éviter d'accaparer le devant de la scène ou de détourner la conversation. Parler moins ne veut pas dire demeurer silencieux. Comme on le verra plus loin, faire des observations qui clarifient la compréhension du message et demander des informations supplémentaires est une bonne façon de mieux écouter l'autre.

Éliminer les distractions

Certaines distractions sont ambiantes : sonneries de téléphone, émissions de radio ou de télévision, visites impromptues d'amis. D'autres sont personnelles : préoccupations professionnelles, estomac vide, fatigue. Afin d'être plus réceptif aux messages, on doit, dans la mesure du possible, éliminer les distractions extérieures et personnelles qui perturbent l'écoute attentive. Il faudrait, par exemple, éteindre la télévision, décrocher le téléphone ou aller dans une pièce calme pour être en mesure d'écouter l'autre avec une plus grande attention.

Ne pas juger prématurément

Il est essentiel de bien comprendre les idées de la personne qui parle avant de tirer des conclusions. En dépit de cette évidence, on est souvent porté à faire des jugements hâtifs, à évaluer les autres avant même d'avoir entendu tout ce qu'ils ont à dire. Cette tendance est encore plus prononcée lorsque les idées de l'émetteur sont en conflit avec celles du récepteur. Des conversations qui devraient être des échanges d'idées deviennent des joutes verbales, dans lesquelles chaque « adversaire » tente de remporter la victoire. Il est également tentant de juger prématurément les autres lorsqu'on se sent critiqué, même si leurs remarques renferment une part de vérité. Dans d'autres cas, les gens ont tendance à évaluer les autres en se fiant à leurs premières impressions et en portant des jugements hâtifs qui ont peu de chances de se révéler justes ou valables. La leçon à tirer de telles situations ? Il faut écouter d'abord, s'assurer ensuite d'avoir bien compris, et alors seulement se forger une opinion.

Rechercher les idées principales

La plupart des gens qui formulent un message partent d'une idée maîtresse. Étant donné que l'on pense plus rapidement que l'on ne s'exprime, il est possible d'extraire l'idée maîtresse du flot de paroles que l'on entend. Dans les cas où il est difficile de saisir où l'émetteur veut en venir, on peut toujours recourir à diverses habiletés, comme nous allons le voir maintenant.

« Vous n'avez pas écouté ! Je me tue à vous dire que je ne veux pas de votre produit "digne d'un roi" ! »

LES FAÇONS DE MIEUX ÉCOUTER

Le reste de ce chapitre présente les divers styles de réponses que l'on peut offrir à une personne qui a besoin d'être écoutée.

L'ÉCOUTE PASSIVE

Dans certains cas, la meilleure réaction que peut avoir la personne qui écoute est d'inciter le locuteur à continuer de parler. L'**écoute passive** consiste à savoir utiliser les silences et à faire de brèves réflexions encourageantes pour faire parler l'émetteur, un peu comme le font les psychologues lors d'une consultation. En plus d'aider le récepteur à mieux comprendre l'émetteur, l'écoute passive peut également amener ce dernier à clarifier ses idées et ses sentiments. Voici un exemple d'écoute passive :

écoute passive : écoute qui consiste à utiliser des silences et de brèves réflexions dans le but d'inciter l'émetteur à continuer de parler.

catalyseur : élément ou personne qui provoque une réaction par sa seule présence ou par son intervention.

Claude : Le père de Julie me propose un système informatique complet pour seulement 600 $. Si je veux l'acheter, il faut que je me décide immédiatement, car il a un autre acheteur en vue. C'est une très bonne affaire. Par contre, si je l'achète, je vais y consacrer toutes mes économies. Au train où je dépense mon argent, il me faudra au moins un an pour arriver à économiser de nouveau la même somme.

France : Hum, hum...

Claude : Je ne pourrai pas non plus aller faire du ski pendant les vacances d'hiver. Par contre, je suis certain de disposer de plus de temps pour mes études et de mieux réussir.

France : C'est certain.

Claude : Penses-tu que je devrais l'acheter ?

France : Je n'en sais rien. Qu'en penses-tu, toi ?

Claude : Je n'arrive tout simplement pas à me décider.

France : ...

Claude : Je pense que je vais l'acheter. Une occasion semblable ne se représentera pas.

Dans des situations d'écoute passive comme celle-ci, la personne qui reçoit le message fait office de **catalyseur** : elle peut aider l'autre à trouver une solution à ses problèmes. Cette approche est efficace lorsqu'elle est appliquée avec sincérité, c'est-à-dire lorsqu'on montre à l'autre que l'on prend réellement ses problèmes à cœur. Tout se joue donc dans le comportement non verbal : regard, attitudes, expressions du visage, ton de la voix. Une démarche purement mécanique ne ferait qu'agacer l'autre.

Prêter l'oreille

«La première fois que la voiture est tombée en panne, nous étions quelque part en Caroline du Nord, m'a dit ma belle-mère au téléphone. Nous l'avons fait réparer, mais elle a calé de nouveau dans le Delaware. Mais le pire est arrivé sur le pont de Verrazano à l'heure de pointe. C'était comme si nous n'arriverions jamais à rentrer chez nous.»

«C'est terrible», ai-je répondu, prête à me lancer dans ma propre histoire d'horreur, celle d'une voiture qui est tombée en panne à 21 h 30 dans le stationnement d'un centre commercial désert. Mais quelqu'un a frappé à sa porte, et elle a dû me quitter en disant: «Merci de m'avoir écoutée et, surtout, de ne pas m'avoir raconté ta pire histoire de problème de voiture.»

J'ai raccroché, les joues brûlantes. Les jours suivants, je me suis surprise à réfléchir à la sagesse de ses paroles. Je ne peux pas compter les fois où j'ai commencé à me plaindre — d'une dispute, d'une déception professionnelle ou même de problèmes de voiture — et où j'ai entendu mon amie m'interrompre en disant: «Il vient de m'arriver la même chose.» Et nous nous retrouvions brusquement en train de parler de *son* enfant ingrat, de *sa* panne de voiture. Et je ne pouvais que hocher la tête aux bons moments, en me demandant si nous ne sommes pas tous victimes d'une crise aiguë de trouble déficitaire de l'attention sur le plan affectif.

Ce à quoi nous aspirons tous quand nous sommes déprimés, perturbés ou follement heureux, c'est de trouver un ami qui semble avoir tout son temps pour nous écouter. Nous ne souhaitons pas toujours recevoir des réponses ou des conseils. Parfois, nous désirons juste avoir de la compagnie.

Source: Isrealoff, Roberta. «Lead of Ear», *Woman's Day*, 13 juillet 1999.

Les idéogrammes chinois qui représentent le verbe *écouter* nous donnent une information importante sur cette compétence.

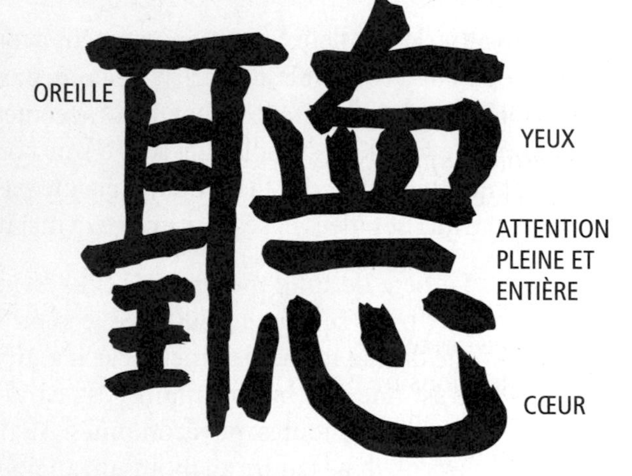

Prêter l'oreille, calligraphie d'Angie Au. Reproduite avec autorisation.

L'INTERROGATION

interrogation: le fait de poser des questions à un interlocuteur pour mieux comprendre ses sentiments ou pensées, ou obtenir des détails.

Le fait de poser des questions peut aider le récepteur du message de trois façons. Il peut ainsi obtenir des réponses contenant des faits et des détails qui affinent sa compréhension («A-t-il expliqué pourquoi il a fait cela?», «Qu'est-il arrivé ensuite?»). De même, l'**interrogation** peut aider à comprendre autant ce que l'autre pense et ressent («Qu'en penses-tu?», «Es-tu très fâché contre moi?») que ce qu'il désire («Est-ce que tu me demandes de m'excuser?»).

Le plus grand compliment qu'on m'ait jamais fait a été de me demander ce que je pensais d'une certaine chose et de prendre la peine d'attendre que je donne une réponse.

Henry David Thoreau, philosophe américain

Les questions constituent également un outil pour celui qui y répond. Comme le savent tous ceux qui travaillent en relation d'aide, poser des questions favorise la découverte de soi. Puisqu'il est parfois hasardeux de jouer les conseillers (parce qu'on ne connaît pas tous les détails de l'histoire ni les sentiments réels de l'autre personne face à la situation), l'interrogation peut amener l'autre à explorer ses pensées et ses sentiments. Demander «Alors, à ton avis, quelles sont les possibilités?» peut inciter un collègue à trouver des solutions de rechange créatives pour résoudre un problème. Demander «Quelle serait la solution idéale selon toi?» peut aider un ami à parler de ses désirs et besoins. Enfin, plus important encore, encourager la découverte plutôt que donner des conseils montre que l'on a confiance en la capacité de l'autre à trouver ses propres solutions. C'est peut-être le message le plus important à communiquer pour toute personne qui écoute efficacement.

Malgré leurs avantages apparents, les questions n'ont pas toutes la même utilité. Alors que les questions sincères visent effectivement à comprendre les autres, les fausses questions dissimulent la volonté d'envoyer un message, et non d'en recevoir. Elles prennent des formes variées:

- *Les questions pièges.* Prenons l'exemple de deux amis qui sortent d'une séance de cinéma. Le premier, qui n'a pas aimé le film, demande au second: «Tu n'as pas aimé ce film, n'est-ce pas?» En formulant ainsi sa question, il met en quelque sorte son ami dans une impasse. Que répondre? S'il a aimé le film, ce dernier peut tenter une réponse franche et défendre sa position; il peut aussi choisir de taire son opinion et de mentir, ou de répondre vaguement («Ce n'est peut-être pas un chef-d'œuvre...»). Il serait beaucoup plus simple pour lui de répondre à une question sincère comme «Que penses-tu de ce film?».
- *Les questions affirmatives.* Une question comme «As-tu *enfin* raccroché le téléphone?» s'approche plus de l'affirmation que de l'interrogation, ce que la personne concernée ne manquera pas de comprendre. En insistant sur certains mots, on peut aussi transformer une question en affirmation: «Tu as prêté de l'argent à *Marie*?» Par ailleurs, derrière les questions peuvent aussi se cacher des conseils. La personne qui demande à un ami: «Vas-tu défendre ta position et lui donner ce qu'il mérite?» donne indirectement son opinion sur ce qu'il convient de faire.
- *Les questions contenant un but caché.* Il est toujours embarrassant de répondre à une question dans le genre: «Es-tu occupé samedi soir?». Si vous répondez: «Non» en pensant que votre interlocuteur vous proposera une sortie intéressante, vous risquez fort d'être déçu d'apprendre qu'il a besoin d'aide pour un travail de session! De toute évidence, de telles questions ne sont pas faites pour favoriser la compréhension: elles servent plutôt à cacher la proposition qui va suivre. Voici d'autres exemples: «Peux-tu me rendre service?», «Est-ce que tu me promets de ne pas te fâcher si je te dis ce qui est arrivé?». Les communicateurs avisés répondent prudemment à ces questions, par exemple en disant: «Cela dépend» ou encore «Dis-moi ce que tu as en tête et je te donnerai ma réponse».
- *Les questions appelant des réponses «correctes».* Il vous est sûrement déjà arrivé de devoir répondre à la demande de quelqu'un qui ne voulait entendre qu'une réponse bien précise. Une question comme «Quelles chaussures devrais-je mettre à ton avis?» peut être sincère, sauf si la personne qui

la pose a une idée préconçue. Quand c'est le cas, l'émetteur n'a pas envie d'écouter des opinions contraires, et les réponses « incorrectes » sont éliminées. Certaines de ces questions peuvent entraîner l'autre sur un terrain délicat. La question classique « Chéri, trouves-tu que j'ai pris du poids ? » est une demande de réponse « correcte ».

- *Les questions basées sur des présomptions.* Une question telle que « Pourquoi ne m'écoutes-tu pas ? » suppose que l'autre personne n'écoute pas. « Qu'y a-t-il ? » sous-entend que quelque chose ne va pas. Comme on l'a vu au chapitre 3, la vérification des perceptions permet de valider si des suppositions sont justes ou non. Rappelez-vous que cette vérification comporte une description du comportement et au moins une interprétation de la situation, suivies d'une demande sincère d'éclaircissement : « Comme tu regardais la télé, je croyais que tu ne m'écoutais pas, mais j'ai pu me tromper. As-tu prêté attention à ce que j'ai dit ? »

LA REFORMULATION

Bien que poser des questions soit souvent un moyen efficace de mieux comprendre les messages des autres, il arrive que cela n'aide en rien. L'interrogation peut même conduire à une rupture de la communication. Imaginez que vous demandez des indications sur le chemin à suivre pour vous rendre chez un ami. Un passant vous donne les directives suivantes : « Roule environ 1 km, puis ensuite, dirige-toi vers l'est ». Quels sont les problèmes que peut poser un tel message ? D'abord, l'évaluation de ce qu'est 1 km peut grandement varier d'une personne à l'autre : l'une imaginera avoir fait 1 km alors qu'elle en aura parcouru presque deux, alors que l'autre pensera avoir franchi cette distance après n'avoir fait que 300 m. De même, la consigne « se diriger vers l'est » paraîtra très floue à celui qui n'a pas un bon sens de l'orientation ou qui n'est simplement pas habitué à recevoir ce genre d'indication. En gardant cela à l'esprit, supposez que, pour vérifier les indications données, vous demandiez : « Après avoir tourné, combien de temps dois-je encore rouler ? » et que l'autre vous réponde : « Mon appartement est à environ 10-15 minutes du coin où tu as tourné ». De toute évidence, si vous quittiez votre interlocuteur sur cet échange, vous seriez en proie à de nombreuses frustrations avant d'arriver à bon port !

reformulation : procédé qui consiste à reprendre, dans ses propres mots, les pensées et les émotions de l'émetteur, afin de vérifier ce qu'on a compris de son message.

Une autre méthode permet de confirmer qu'on a compris ce qui a été dit avant de passer à d'autres questions : la **reformulation**. Elle consiste à reprendre les propos de l'autre dans nos propres mots. Dans le scénario précédent, si vous aviez reformulé en disant : « Tu me dis de rouler 1 km, jusqu'à ce que je voie l'école, puis de tourner vers l'est en direction de la montagne, c'est bien cela ? », l'émetteur aurait probablement été amené à clarifier son message.

Il est important de noter que si l'on répète mot pour mot ce que l'autre a dit, on aura l'air idiot, sans compter qu'on ne sera pas certain d'avoir mieux compris ses propos. Voici des exemples qui montrent la différence entre une répétition bête et une véritable reformulation :

- Énoncé : « J'aimerais y aller, mais je ne peux pas me le permettre. »

  Répétition : « Tu aimerais y aller, mais tu ne peux pas te le permettre. »

  Reformulation : « Si je comprends bien, tu n'as pas suffisamment d'argent pour venir, c'est cela ? »

- Énoncé : « Oh, ce film m'a fait pleurer, j'ai trouvé l'histoire très belle. C'est très touchant de voir ce qu'il était prêt à faire pour sauver celle qu'il aime. »

  Répétition : « Tu as trouvé l'histoire belle et ça t'a touché qu'il veuille sauver celle qu'il aime. »

  Reformulation : « L'histoire d'amour t'a beaucoup touché. »

La réalité de l'autre personne n'est pas dans ce qu'elle dévoile, mais au contraire dans ce qu'elle ne peut pas nous révéler. C'est pourquoi, si vous désirez réellement la comprendre, faites attention non pas à ce qu'elle dit, mais plutôt à ce qu'elle ne dit pas.

Kahlil Gibran, poète du Moyen-Orient

En vous faisant le miroir des pensées et des sentiments de l'autre (au lieu de juger ou d'interpréter ses propos), vous lui montrez votre engagement et votre sollicitude envers lui. La reformulation encourage les personnes qui ont un problème à en discuter de manière plus approfondie. Le fait qu'on leur reflète leurs pensées et leurs sentiments leur permet de se décharger d'une plus grande part de leurs problèmes et leur apporte souvent le soulagement produit par la **catharsis**.

catharsis : décharge émotionnelle libératrice.

Enfin, la reformulation peut aider l'émetteur à trouver des solutions qu'il lui était impossible d'entrevoir jusque-là. Ces caractéristiques font de la reformulation une habileté essentielle dans plusieurs domaines, dont la psychologie, le travail social, la médecine, la vente et le marketing[26].

Même si la reformulation que l'on fait n'est pas la plus juste, l'autre a la possibilité de rectifier son message. Apprendre à faire de bonnes reformulations peut prendre du temps. Commencez à utiliser cette technique graduellement et sachez qu'elle peut donner lieu à quelques maladresses au début. Une fois que vous l'aurez apprivoisée, vous pourrez y recourir dans plusieurs situations personnelles ou professionnelles et bénéficier de ses avantages.

TRAVAILLEZ VOS HABILETÉS

Mettre en pratique la reformulation

Cet exercice vous aidera à voir qu'il est possible de comprendre une personne avec qui vous êtes en désaccord sans pour autant vous disputer avec elle ou renoncer à votre point de vue.

1. Trouvez un partenaire. Désignez un émetteur et un récepteur.
2. Trouvez un sujet sur lequel votre partenaire et vous-même êtes apparemment en désaccord : un sujet d'actualité, une question d'ordre philosophique ou moral, ou peut-être simplement une question de goûts personnels.
3. L'émetteur commence par donner son opinion sur le sujet. La tâche du récepteur est de reformuler l'idée de l'émetteur, c'est-à-dire de comprendre les propos de celui-ci, sans dire s'il est d'accord ou non.
4. Maintenant l'émetteur doit indiquer si la reformulation que le récepteur a faite est exacte ou non. S'il y a eu un malentendu, l'émetteur doit l'éclaircir. Par la suite, le récepteur doit redire à l'émetteur ce qu'il a compris. Continuez ainsi jusqu'à ce que le récepteur ait bien compris le message de l'émetteur.
5. Continuez ces échanges jusqu'à ce que l'émetteur soit certain d'avoir bien exprimé tout ce qu'il devait exprimer, et de s'être bien fait comprendre du récepteur.
6. Discutez ensuite des questions qui suivent :

   a) En quoi votre compréhension de la position de votre partenaire a-t-elle changé après avoir appliqué la méthode de la reformulation ?

   b) Pensez-vous que l'écart entre votre position et celle de votre partenaire ait diminué grâce à l'application de cette méthode ?

   c) Qu'avez-vous ressenti à l'issue de la conversation ? En quoi vos sentiments diffèrent-ils de ce que vous ressentez d'habitude après une controverse ?

   d) En quoi votre vie changerait-elle si vous appliquiez la méthode de la reformulation à la maison ? au travail ? avec vos amis ?

APPLICATION

La reformulation au travail

Cette conversation entre deux collègues montre de quelle façon la reformulation peut aider les gens à résoudre leurs problèmes. Notez comment Jeanne arrive à une conclusion sans les conseils de Marc. Remarquez aussi le naturel de la reformulation lorsqu'elle est associée à des questions sincères et à d'autres formes aidantes.

Jeanne : Depuis quelque temps, j'éprouve un drôle de sentiment à l'égard de Jean (*leur patron*).

Marc : Que se passe-t-il ? (*Une question simple invite Jeanne à poursuivre.*)

Jeanne : Je ne sais pas s'il agit comme cela avec toutes les femmes ou si c'est seulement avec moi.

Marc : Il t'a fait des avances ? (*Marc fait une interprétation de ce que Jeanne a dit.*)

Jeanne : Oh non ! Ça n'a rien à voir. Je crois plutôt qu'il ne prend pas les femmes au sérieux, ou moi du moins. (*Jeanne rectifie ce que Marc a mal compris et s'explique.*)

Marc : Que veux-tu dire par là ? (*Marc pose une autre question simple pour obtenir plus d'information.*)

Jeanne : Et bien, que ce soit dans les réunions ou dans les conversations banales, c'est toujours aux hommes qu'il demande de proposer des idées. Il donne des ordres aux femmes, mais ne leur demande jamais ce qu'elles pensent.

Marc : Alors, tu crois qu'il considère que le point de vue des hommes est plus important que celui des femmes, c'est ça ? (*Marc reformule la dernière affirmation de Jeanne.*)

Jeanne : Oui. Du moins, il ne semble pas du tout désireux de connaître les idées des femmes. Cela ne veut pas dire qu'il soit misogyne ou sexiste. Je sais qu'il compte sur certaines femmes au bureau. Thérèse est là depuis des années, et il dit toujours qu'il ne pourrait pas vivre sans elle. Et quand Brigitte a mis en place et fait fonctionner le nouveau système informatique le mois dernier, je sais qu'il l'a beaucoup appréciée. Il lui a accordé un jour de congé et a dit à tout le monde qu'elle nous avait sauvés.

Marc : Tu sembles perplexe. (*Il lui renvoie son sentiment apparent.*)

Jeanne : Je le suis. Je ne crois pas être victime de mon imagination. Je suis compétente, mais il ne m'a jamais demandé ce qu'on pourrait faire pour améliorer les ventes. Et je ne l'ai jamais entendu poser la question à une autre femme, non plus. Mais ma réaction est peut-être exagérée.

Marc : Tu n'es pas certaine d'avoir raison, toutefois une chose est sûre, c'est que cette affaire te préoccupe. (*Marc reformule à la fois l'idée principale de Jeanne et ses sentiments.*)

Jeanne : Oui, mais je ne sais pas quoi faire.

Marc : Tu devrais peut-être... (*Marc s'apprête à donner des conseils, puis il se reprend et décide de poser une question à la place.*) Quels sont tes choix ?

Jeanne : Je pourrais lui demander s'il réalise qu'il ne demande jamais l'opinion des femmes, mais une telle question pourrait paraître trop agressive.

Marc : Et tu n'es pas en colère ? (*Marc essaie d'éclaircir ce que ressent Jeanne.*)

Jeanne : Pas vraiment. Je ne sais pas si je devrais être fâchée parce qu'il ne prend pas les idées des femmes au sérieux, ou encore si c'est seulement mes idées qu'il ne prend pas au sérieux, ou si ce n'est rien de tout cela.

Marc : Donc, tu es surtout perplexe. (*Il reflète une fois de plus le sentiment apparent de Jeanne.*)

Jeanne : Oui ! Je ne sais pas quoi penser de Jean, et cette incertitude me préoccupe. J'aimerais savoir comment il me considère. Je pourrais peut-être lui dire franchement que je suis perplexe à propos de ce qui se passe ici et lui demander de tirer la situation au clair. Mais si ce n'est rien de tout cela ? J'aurai l'air peu sûre de moi.

Marc : (*Bien qu'il pense que Jeanne devrait confronter le patron, il n'est pas certain que ce soit la meilleure approche. Il se contente donc de reformuler ce que Jeanne semble vouloir dire.*) Et cela te ferait paraître ridicule.

Jeanne : Je crains que oui. Je me demande si je pourrais en parler avec d'autres au bureau pour connaître leur opinion...

Marc : ... et voir ce qu'ils en pensent.

Jeanne : Oui. Je pourrais en parler à Brigitte. Je m'entends bien avec elle et je respecte son jugement. Elle pourrait me faire des suggestions quant à la façon d'aborder cette affaire.

Marc : Tu parais à l'aise avec l'idée de parler d'abord à Brigitte. (*Il reformule.*)

Jeanne (*s'animant à cette idée*) : Oui ! Si ce n'est rien, je serai rassurée. Et si je dois parler à Jean, je saurai que je fais la bonne chose.

Marc : Super. Tiens-moi au courant de tes démarches.

Voici des facteurs à considérer avant de recourir à la reformulation :

1. *Le problème est-il assez complexe ?* Dans certaines situations, la reformulation n'est pas appropriée. Imaginez que vous demandiez à la personne qui prépare le dîner quand celui-ci sera prêt et qu'elle vous réponde : « Tu veux savoir quand nous allons manger ? » Une telle réponse n'est qu'exaspérante. De même, refléter les émotions de l'autre n'est probablement pas nécessaire quand un ami dit : « Je déteste recevoir une amende ! »
2. *A-t-on suffisamment de temps et de disponibilité ?* L'écoute active requiert du temps. C'est pourquoi il vaut mieux ne pas amorcer une discussion si, par manque de temps, on n'est pas en mesure de la terminer. Cependant, la sollicitude que l'on témoigne peut se révéler plus importante que le temps accordé à la personne. Par contre, une reformulation mécanique ou qui manque de sincérité risque de faire plus de mal que de bien[27].
3. *La reformulation est-elle proportionnelle aux autres réponses ?* Elle peut devenir ennuyeuse si on en abuse. C'est particulièrement vrai lorsqu'une personne commence à l'appliquer systématiquement. Comme on l'a dit précédemment, mieux vaut introduire graduellement la reformulation dans son répertoire de réponses.

LE SOUTIEN

Dans certaines situations, les gens veulent plus qu'un simple reflet de leurs sentiments : ils désirent connaître ceux de la personne qui les écoute. L'**écoute de soutien** témoigne de la solidarité de la personne qui reçoit le message par rapport à la situation que vit l'émetteur[28]. »

écoute de soutien : écoute témoignant de la solidarité du récepteur envers l'émetteur.

Le soutien revêt plusieurs formes :

L'empathie : « Je comprends pourquoi tu es contrarié. »
« En effet, moi aussi, j'ai trouvé ce cours difficile. »

L'accord : « Tu as raison, le patron est injuste. »
« Ce travail semble te convenir parfaitement. »

L'offre d'aide : « Je suis là si tu as besoin de moi. »
« Cela me ferait plaisir de réviser la matière avec toi, si tu le souhaites. »

L'éloge : « Wow, tu as fait un travail remarquable ! »
« Tu es une personne fantastique, et si elle n'a pas su le voir, c'est son problème ! »

Le réconfort : « Le pire est passé. Ce sera plus facile maintenant. »
« Je suis sûre que tu feras un excellent travail. »

L'importance de recevoir du réconfort et de l'aide pour faire face à certaines difficultés a été maintes fois confirmée. Une étude a d'ailleurs révélé que la « capacité à apporter un certain réconfort » est l'une des plus grandes aptitudes de communication que peut avoir un ami[29]. La valeur du soutien est évidente non seulement lorsque surviennent de graves problèmes personnels, mais également pour surmonter les petits soucis ou les petites déceptions du quotidien qui peuvent aussi peser très lourd sur la santé mentale et physique[30]. La recherche le dit clairement : recevoir du soutien affectif dans les moments de stress est bénéfique pour la santé[31].

Il est facile de déterminer les comportements qui vont à l'encontre du soutien efficace. Certains chercheurs ont qualifié ces messages de « piètres consolations »[32]. Le tableau 7.1 reprend des messages réels de cette nature provenant d'une discussion en ligne. Voici quelques comportements qui ne peuvent être associés au soutien :

- *Refuser aux autres le droit à leurs sentiments.* Bien qu'un commentaire comme « Ne t'en fais pas » vise à apporter du réconfort, il comporte un message sous-jacent : on désire que l'autre se sente autrement. Ironiquement, cette suggestion a peu de chances d'avoir un effet, car il est peu probable que l'autre retrouve la paix d'esprit simplement grâce à ces « bonnes » paroles. La recherche le montre : les messages qui reconnaissent, approfondissent et appuient les sentiments d'une personne en détresse sont perçus comme plus utiles que ceux qui les reconnaissent superficiellement ou qui les nient[33].
- *Minimiser l'importance de la situation.* Le mot *seulement* est parfois employé dans le but de diminuer l'anxiété ou les frustrations de l'autre, mais cela produit souvent l'effet contraire. Pour la personne victime de violence verbale, ce ne sont pas « seulement des mots » ; pour celle qui vit une peine d'amour, ça ne faisait pas « seulement trois mois » qu'elle avait un conjoint ; pour l'enfant qui n'a pas reçu d'invitation à une fête, ce n'est pas « seulement une fête »...
- *Se concentrer sur le futur plutôt que sur le moment présent.* Il est parfois vrai que « tout ira mieux demain », mais ce n'est pas toujours le cas. Même si une prédiction comme « Dans dix ans, tu ne te souviendras plus de son nom » peut se révéler exacte, cette tentative de soutien n'est pas d'un grand réconfort pour quelqu'un qui vit un chagrin d'amour.
- *Émettre des jugements.* Il est rarement encourageant d'entendre : « Tu sais, c'est uniquement de ta faute, tu n'aurais vraiment pas dû faire cela. » Les jugements de valeur et les affirmations condescendantes ont plus de chances d'engendrer la méfiance que d'aider les gens à aller mieux.

TABLEAU 7.1 **De piètres consolations : les messages qui ne sont d'aucune aide.**

« Ne le prends pas si mal. C'était une moins que rien. »
« Ça, ce n'est rien ! Tu veux savoir comment j'ai été plaqué ? »
« De toute façon, je ne sais pas ce que tu pouvais bien lui trouver. Il est laid comme un chaudron. Tu peux avoir beaucoup mieux. »
« Tu sais que tu as couru après, tu étais en retard pour le remboursement. »
« Il était beaucoup trop jeune pour toi. »
« Dans la vie, on ne peut pas tout avoir. »
« Maintenant que c'est enfin fini, je peux te dire qu'elle t'a trompé, mon gars ! »
« Tout ce qu'il voulait de toi, c'était du sexe. »
« Elle a toujours dit du mal de toi derrière ton dos. Personne n'a besoin d'une amie comme ça. »
« Maintenant, nous allons avoir plus de temps à passer ensemble, comme avant ! »
« C'est mieux que vous vous soyez laissés maintenant que plus tard. »

- *Se défendre.* Le fait de réagir aux inquiétudes des autres en se défendant (« Ne me reproche rien, j'ai fait ce que j'ai pu ») montre clairement que l'on se soucie davantage de soi que de l'aide à leur apporter.

Combien de fois les gens échouent-ils à offrir une écoute et un soutien appropriés ? Une étude réalisée auprès de personnes endeuillées indique que 80 % des commentaires qui leur avaient été faits n'étaient d'aucun secours[34]. Des affirmations telles que « Tu devrais sortir plus », « Ce sont toujours les meilleurs qui partent en premier » ou « Elle ne souffre plus maintenant » sont très fréquentes mais souvent inutiles. Bien plus aidantes sont les expressions qui reconnaissent la douleur des personnes en deuil.

L'INTERPRÉTATION

Dans ce type d'intervention, le récepteur interprète le message de l'émetteur. Des **interprétations** comme celles-ci vous sont probablement familières :

interprétation : sens donné subjectivement au message de l'émetteur.

« En fait, ce qui te tracasse véritablement, c'est… »

« Elle agit comme cela parce que… »

« Je ne pense pas que tu voulais réellement dire cela. »

« Le problème a peut-être surgi quand elle… »

L'interprétation est souvent un bon moyen d'aider les gens à envisager des solutions de rechange, solutions auxquelles ils n'auraient jamais songé sans aide.

> *S'il est difficile de savoir quoi dire à une personne frappée par une tragédie, il est plus facile de savoir ce qu'il faut éviter de dire. Toute critique envers la personne affligée (« Ne le prends pas si mal », « Essaie de retenir tes larmes, tu fais de la peine aux autres ») est malvenue. Tout ce qui tend à minimiser sa douleur (« Ça vaut probablement mieux », « Ça pourrait être bien pire », « C'est mieux pour elle ») sera probablement déplacé et peu apprécié. Tout ce qui lui demande de masquer ou de rejeter ses sentiments (« Nous n'avons aucun droit de questionner Dieu », « Dieu doit beaucoup t'aimer pour t'avoir choisi pour ce fardeau ») est tout aussi erroné.*
>
> *Source :* KUSHNER, Harold S. © 2001. Reproduit avec l'autorisation de Shocken Books, une division de Random House Inc.

Parfois, une interprétation juste permet à l'interlocuteur de mieux comprendre la situation. Toutefois, la plupart du temps, cette approche crée plus de complications qu'elle n'en résout. Ce type d'intervention présente deux problèmes majeurs. Premièrement, l'interprétation de la situation peut être inexacte et désorienter davantage l'émetteur. Il est en effet très difficile de faire une interprétation juste si l'on ne connaît que quelques éléments d'une histoire. De plus, l'interprétation est inévitablement teintée des expériences et des façons de réagir du récepteur, qui ne sont pas les mêmes que celles de son interlocuteur.

Deuxièmement, même si l'interprétation est exacte, il est parfois inutile de l'exprimer, notamment parce qu'elle risque de provoquer chez l'émetteur une réaction de méfiance (l'interprétation provenant d'une autre personne pouvant en effet suggérer que celle-ci se pense plus compétente pour solutionner le problème).

Il est vrai que certaines personnes sont tentées de proposer une interprétation de la situation pour montrer qu'elles sont brillantes, ou même pour rendre l'autre mal à l'aise de ne pas avoir su l'analyser correctement dès le départ. Inutile de dire que des phrases comme « Il me semble que la solution à ton problème est évidente » ou « Ça fait longtemps que je sais que ce n'est pas une personne pour toi » ne sont jamais d'un grand secours.

LES CONSEILS

conseil : solution proposée à un interlocuteur pour régler une situation.

Lorsqu'une personne parle d'un problème, on a le plus souvent tendance à la conseiller : on veut lui venir en aide en lui proposant des solutions[35]. Bien que les **conseils** puissent parfois se révéler utiles s'ils sont prodigués avec respect et attention[36], cette forme d'intervention a ses limites. En fait, la recherche indique qu'elle peut être inutile au moins aussi souvent qu'elle est utile[37].

En plus de ne pas nécessairement indiquer la meilleure approche à adopter, le conseil a pour désavantage d'éviter à l'autre d'assumer la responsabilité de ses décisions. Il est en effet bien facile de tomber dans les reproches lorsque des conseils n'ont pas

porté leurs fruits. Enfin, souvent, les gens ne désirent tout simplement pas recevoir de conseils. Par conséquent, avant d'en prodiguer, il faut s'assurer de remplir ces trois conditions[38] :

1. *Être sûr que le conseil est pertinent.* Il est essentiel de résister à la tentation d'agir comme si l'on était une autorité en la matière quand on a peu de connaissances sur un sujet. De plus, on doit prendre conscience que ce qui est approprié pour soi ne l'est pas nécessairement pour l'autre.
2. *Se demander si la personne est prête à l'accepter.* De cette façon, on évite d'être frustré en s'apercevant que la personne à qui on a donné un conseil avait déjà une autre solution en tête. La meilleure façon de savoir si quelqu'un est prêt à accepter un conseil, c'est d'attendre qu'il le demande. Imposer des conseils à une personne qui n'en a pas demandé entraîne souvent chez celle-ci une réaction de méfiance et du ressentiment.
3. *Être sûr qu'il n'y aura pas de reproches si le conseil ne porte pas ses fruits.* La personne qui reçoit un conseil a le choix de l'accepter ou non, et c'est elle qui doit en assumer la responsabilité.

INVITATION À L'INTROSPECTION

Que diriez-vous ?

Maintenant que vous connaissez toutes les formes possibles d'écoute, faites l'exercice suivant pour avoir un aperçu de leur emploi dans la vie de tous les jours.

1 Pour chacune des situations suivantes, dites ce que vous donneriez comme réponse au problème exposé.

a) « Mes parents ne me comprennent pas. Tout ce que j'aime va à l'encontre de leurs valeurs, et ils ne semblent pas accepter mes émotions. Ce n'est pas qu'ils ne m'aiment pas, au contraire, mais ils ne m'acceptent pas tel que je suis. »

b) « Je suis assez découragée depuis quelque temps. Je ne peux tout simplement pas avoir de relation amoureuse sérieuse avec les garçons. J'ai plusieurs bons copains, mais cela ne va jamais plus loin. J'en ai assez de n'être qu'une bonne amie pour eux... Je désire aller plus loin. »

c) (*L'enfant s'adressant à ses parents.*) « Je vous déteste. Vous sortez toujours et vous me laissez avec une gardienne idiote. Pourquoi vous ne m'aimez pas ? »

d) « Je ne sais vraiment pas quoi faire de ma vie. J'en ai plus qu'assez d'aller à l'école, mais pas moyen de trouver un travail intéressant. Je pourrais lâcher les études pendant quelque temps, mais cela non plus n'est pas une très bonne solution. »

e) « Les choses ont tendance à ne pas tourner très rond avec ma femme en ce moment. Ce n'est pas que nous nous disputons trop, mais toute l'excitation du début semble avoir disparu. Nous sommes tombés dans la routine, et cette situation ne fait qu'empirer. »

f) « Je ne peux m'empêcher de penser que mon patron m'en veut. Il n'a pas le sens de l'humour depuis quelque temps et il ne m'a rien dit du tout sur mon travail depuis au moins trois semaines. Je me demande ce que je devrais faire. »

2 Une fois que vous aurez formulé vos réponses pour chacune des situations, imaginez l'issue probable de la conversation qui aurait suivi. Si vous faites l'exercice en classe, vous pouvez former des équipes de deux : l'un joue le rôle de la personne qui éprouve le problème et l'autre, celui de celle qui tente de l'aider. En fonction de votre idée sur le déroulement de la conversation, déterminez les réponses qui ont été productives et celles qui ne l'ont pas été.

DÉFI ÉTHIQUE

La considération positive inconditionnelle

Carl Rogers est le plus célèbre défenseur de l'écoute active en tant qu'outil d'aide thérapeutique. Il s'est intéressé à étudier et à développer des techniques d'entraide que les professionnels peuvent utiliser lors de psychothérapies.

Rogers a utilisé plusieurs appellations pour décrire son approche humaniste : « non directive », « centrée sur le client » ou « centrée sur la personne ». Toutes reflètent sa croyance selon laquelle la meilleure façon d'aider quelqu'un est de lui offrir un climat réconfortant lui permettant de trouver ses propres réponses.

Rogers pensait que conseiller, juger, analyser et interroger n'étaient pas les meilleurs moyens d'aider les autres à résoudre leurs problèmes. Au contraire, ses disciples et lui étaient convaincus que les gens sont foncièrement bons et que tout le monde a le potentiel et les ressources intérieures nécessaires pour se développer pleinement : « La personne humaine est un être libre et rationnel, doté d'une force primitive fondamentale naturellement positive, qui le pousse à se développer[39]. » Le thérapeute ne fait que guider la personne pour qu'elle développe son plein potentiel et l'amène vers une meilleure acceptation et le respect de soi.

Un élément essentiel de l'aide centrée sur la personne est ce que Rogers appelait la **considération positive inconditionnelle**. Cette attitude nécessite que la personne aidante traite les idées de l'émetteur avec respect et sans jugement. Elle doit l'accepter pour ce qu'il est, même si elle n'approuve pas son attitude. Cette approche n'oblige pas la personne aidante à être d'accord avec tout ce que pense, ressent ou fait l'émetteur. Elle l'oblige toutefois à être **authentique**.

L'approche centrée sur la personne impose de grandes exigences au récepteur. Sur le plan des habiletés, celui-ci doit pouvoir refléter les pensées et les sentiments de l'émetteur avec perspicacité et justesse. Le défi d'écouter et de répondre sans émettre de jugements sur les idées ou le comportement de l'autre est cependant plus grand. Par exemple, il est particulièrement difficile de faire preuve de considération positive inconditionnelle quand on doit écouter et répondre à quelqu'un dont les croyances, les attitudes et les valeurs diffèrent profondément des nôtres. L'un des meilleurs modèles de cette approche est illustré par le film *La Dernière Marche*. (Reportez-vous à la partie « Films » dans la section « Autres ressources », à la fin de ce chapitre.)

Pour mieux comprendre la considération positive inconditionnelle, se reporter aux travaux de Carl ROGERS qui suivent : *Le Développement de la personne*, Paris, Dunod, 1966 ; *Carl Rogers on Personal Power*, New York, Delacorte Press, 1977 ; « A Theory of Therapy, Personality and Interpersonal Relationships, as Developed in the Client-Centered Framework » *Psychology: A Study of Science*, édité par S. Koch, New York, McGraw-Hill, 1959.

considération positive inconditionnelle : attitude de respect et exempte de jugement qu'on adopte envers autrui.

authentique : qui reste lui-même, sans nier sa propre individualité.

jugement : énoncé sous-entendant à l'autre qu'on se croit qualifié pour évaluer ses pensées ou ses actes.

LE JUGEMENT

Lorsqu'il pose un **jugement**, le récepteur évalue les pensées ou les comportements de l'émetteur. Un jugement peut être favorable (« C'est une excellente idée » ou « Tu es sur la bonne voie maintenant ») ou défavorable (« Une attitude comme celle-là ne te mènera nulle part »). Qu'il soit positif ou négatif, le jugement sous-entend que la personne qui le pose (le récepteur) se croit qualifiée pour évaluer les pensées ou les actes de l'émetteur.

Les jugements négatifs sont parfois de pures critiques. Vous avez sûrement déjà entendu des réflexions telles que « Tu l'as bien cherché ! », « Je te l'avais bien dit ! » ou « Te voilà dans de beaux draps ! ». Des réponses de ce type ont l'effet d'une gifle et ramènent la personne sur terre, mais elles n'améliorent que très rarement les choses.

Certaines critiques sont faites dans le but d'aider à résoudre un problème, c'est ce que l'on appelle une *critique constructive*. À l'école, par exemple, les professeurs ont souvent recours à la critique constructive au moment d'évaluer le travail des étudiants afin de les aider à maîtriser certains concepts et habiletés. Qu'elle soit justifiée ou non, la critique constructive risque malgré tout de provoquer une réaction de méfiance, car elle peut représenter une menace pour l'estime de soi.

CHOISIR LA MEILLEURE ÉCOUTE

Vous avez étudié plusieurs approches qui favorisent l'écoute. Les meilleurs communicateurs sont ceux qui en utilisent plusieurs plutôt qu'une seule, puisque le choix de la meilleure réponse varie selon les situations, la personne concernée et le style personnel de chacun.

La situation

Parfois, les gens ont besoin de conseils, parfois ils ont besoin d'être encouragés et de recevoir du soutien. Dans d'autres situations, ils veulent qu'on les aide à analyser une situation ou encore qu'on les assiste, par la reformulation par exemple, dans la recherche de leur propre solution. Un communicateur compétent est capable d'examiner la situation et de choisir la réponse la plus appropriée. Pour arriver à mieux comprendre la situation, il peut être utile de poser des questions, de reformuler, d'utiliser des techniques d'écoute passive et d'offrir son soutien.

La personne concernée

Certaines personnes utilisent les conseils reçus de façon judicieuse, tandis que d'autres en redemandent toujours afin d'éviter d'être confrontées à leurs propres décisions. D'autres se braquent devant une critique ou un jugement. La meilleure façon de déterminer l'approche la plus appropriée est de demander à votre interlocuteur ce qu'il attend de vous. Une question simple comme « Aimerais-tu que je te donne un conseil ou as-tu simplement besoin d'une oreille attentive ? » pourra vous aider à adapter vote réponse selon la personne.

Le style personnel

Vous êtes peut-être quelqu'un de très discret, qui préfère utiliser l'écoute passive, ou quelqu'un de très perspicace, doué pour analyser les situations. Vous avez peut-être tendance à juger facilement les autres ou à donner des conseils trop rapidement, sans connaître les besoins de votre interlocuteur. Quand vous répondez aux messages des autres, considérez vos forces et vos faiblesses, et adaptez-les en conséquence.

Si vous avez du mal à appliquer toutes ces techniques au début, ne vous découragez pas. La compétence vient avec la pratique et l'expérience. Rappelez-vous toutefois que le respect, l'empathie, l'écoute et l'authenticité resteront toujours des valeurs sûres pour quiconque désire établir une relation d'aide.

RÉSUMÉ

L'écoute est la forme de communication la plus courante, mais sans doute la plus négligée. Il y a une grande différence entre entendre et écouter, de même qu'entre l'écoute superficielle et l'écoute attentive.

L'écoute, en tant que processus qui donne un sens aux messages des autres, comporte cinq éléments : entendre, prêter attention, comprendre, répondre et mémoriser.

Certaines façons de répondre peuvent être confondues avec l'écoute, mais elles ne sont en réalité que de pâles imitations de l'écoute réelle.

Plusieurs raisons expliquent la mauvaise écoute. Certaines sont liées à la profusion de messages auxquels on est exposé quotidiennement, d'autres aux préoccupations personnelles, au bruit et à la rapidité de la pensée qui entraînent une difficulté à se concentrer sur les informations que l'on reçoit. D'autres raisons ont trait à l'effort considérable qu'il faut fournir pour écouter attentivement et à la croyance erronée qu'il y a plus de bénéfices à retirer en prenant la parole qu'en écoutant. Si de nombreuses personnes ne peuvent recevoir les messages en raison de problèmes auditifs, d'autres écoutent mal par manque d'entraînement. Parler moins, réduire les distractions, éviter de porter des jugements prématurés et rechercher les idées principales dans le message de l'émetteur sont autant de clés pour une meilleure écoute.

Certaines formes d'écoute accordent beaucoup d'importance à la cueillette d'informations et au soutien : ce sont l'écoute passive, l'interrogation, la reformulation et le soutien. D'autres sont plus centrées sur les orientations et les évaluations : il s'agit de l'interprétation, des conseils et du jugement.

Les communicateurs les plus efficaces recourent à plusieurs de ces approches, tout en tenant compte de facteurs tels que la situation, la personne qu'ils désirent aider ainsi que leur propre style de communication.

Mots clés

authentique (188)
cataliseur (177)
catharsis (181)
comprendre (171)
conseil (186)
considération positive inconditionnelle (188)
écoute (168)
écoute attentive (169)
écoute de soutien (183)
écoute défensive (173)
écoute fuyante (172)
écoute insensible (173)
écoute passive (177)
écoute piégée (173)
écoute sélective (172)
écoute superficielle (168)
égotisme (175)
entendre (170)
fausse écoute (172)
interprétation (185)
interrogation (178)
jugement (188)
mémoriser (171)
mise en vedette (172)
narcissisme (172)
prêter attention (170)
reformulation (180)
répondre (171)

AUTRES RESSOURCES

L'écoute superficielle, l'écoute attentive, les types d'écoute inefficace, les raisons d'un manque d'écoute, comment mieux écouter... tant de concepts ont été abordés dans ce chapitre que vous avez maintenant le tournis. Ne vous découragez pas et gardez à l'esprit que la pratique est la clé d'une écoute efficace. De plus, n'oubliez pas que les documents complémentaires et films suivants peuvent être très utiles pour parfaire vos connaissances sur le sujet.

Livres

BELZUNG, C. *Biologie des émotions*, Bruxelles, De Boeck, 2007.

DE BONIS, M. *Domestiquer les émotions*, Paris, Les Empêcheurs de penser en rond, 2006.

CHEVALIER, C. *Faire face aux émotions : pour gérer au quotidien conflits, stress, agressivité*, Paris, InterEditions, 2006.

DAMASIO, A. *L'Erreur de Descartes : la raison des émotions*, Paris, Odile Jacob, 2006, 368 p.

STEINER, C. et P. PERRY. *L'A.B.C. des émotions : un guide pour développer son intelligence émotionnelle*, Paris, InterEditions, 2005.

Films

Jerry Maguire, réalisé par Cameron Crowe (1996).

Jerry Maguire est un agent sportif, avec un carnet d'adresses bien garni et une écurie d'athlètes multimillionnaires. Jerry a tellement de succès qu'il n'a pas le temps d'écouter ses clients. Dans une scène au début du film, il jongle avec les appels sur les multiples lignes de son téléphone de bureau et passe d'un athlète à un autre en leur lançant des platitudes. À ce point du film, le succès semble expliquer le cruel manque d'écoute de Jerry. Toutefois, après avoir perdu son emploi et lutté péniblement pour conserver son dernier client, l'homme apparaît tout aussi inattentif et insensible. Riche ou pauvre, l'égocentrique Maguire traite les personnes qui font partie de sa vie comme des accessoires. Dans le pur style hollywoodien, Jerry ne comprend l'importance de l'écoute que lorsqu'il est près de perdre les personnes qui comptent le plus dans sa vie.

La Dernière Marche, réalisé par Tim Robbins (1995).

Sœur Hélène Prejean travaille dans un quartier du centre-ville. Après avoir reçu une lettre de Matthew Poncelet, un détenu condamné à mort, elle décide de lui rendre visite en prison. Il a un profil totalement opposé au sien : il n'a pas d'éducation, il est rageur, fanatique, grossier et peu sûr de lui. Néanmoins, sœur Hélène accepte d'aider Poncelet à interjeter appel de sa condamnation à mort pour meurtre — et son monde s'en trouve bouleversé.

Le but principal de sœur Hélène est d'amener Matthew à assumer la responsabilité de ses actes pour qu'il arrive ainsi à être en paix avec Dieu, les parents des victimes et lui-même. Pour ce faire, elle lui consacre son temps et l'écoute. Au début de leurs entrevues, Prejean n'a pas de programme établi. Elle dit à Poncelet : « Je suis ici pour écouter. Tout ce dont vous désirez me parler me convient. » Elle pose des questions ouvertes et permet à Poncelet de tirer ses propres conclusions. Il admet être surpris « qu'elle ne soit pas venue ici pour prêcher les flammes de l'enfer » ; petit à petit, il lui dévoile sa vie.

Chapitre 8

COMMUNICATION ET DYNAMIQUE RELATIONNELLE

CONTENU

OBJECTIFS

- Comprendre pourquoi on développe des relations intimes.
- Relever les facteurs de développement des relations intimes et comprendre leurs influences distinctes.
- Faire la différence entre deux modèles de développement et d'entretien des relations intimes.
- Être en mesure de mieux communiquer dans les relations intimes.

« Nous avons une belle relation. »

« Je cherche une meilleure relation. »

« Notre relation a beaucoup changé. »

Le mot *relation* fait partie de ces termes qu'on utilise souvent, mais qu'on aurait de la difficulté à définir clairement. Selon le dictionnaire, une relation est le « caractère de deux ou plusieurs choses entre lesquelles existe un lien ». Cependant, cette définition est plutôt vague. Le présent chapitre veut préciser ce que sont les relations personnelles et expliquer pourquoi on en établit avec certaines personnes et non avec d'autres. Il examine également le processus de communication à mesure que les personnes établissent et gèrent leurs relations et, parfois, y mettent fin.

Les relations personnelles ne sont pas statiques, elles évoluent au gré du temps. Même les plus stables d'entre elles connaissent des hauts et des bas à mesure que les habitudes de communication se modifient. Ces variations sont inévitables, compte tenu de la nature dynamique des relations.

LES FONDEMENTS DES RELATIONS INTERPERSONNELLES

Qu'est-ce qui amène un individu à créer des liens avec certaines personnes et non avec d'autres ? Contrairement à ce que l'on peut croire, ce n'est pas toujours par choix. Par exemple, les enfants ne choisissent pas leurs parents, et la majorité des travailleurs ne peuvent choisir ni leur patron ni leurs collègues. Toutefois, dans les situations où on est libre de nouer des relations, on recherche certaines personnes et on en évite volontairement d'autres. Les spécialistes des sciences sociales ont constitué une banque impressionnante d'études sur l'attraction interpersonnelle[1]. Voici quelques-uns des facteurs qui influent sur le choix des gens avec qui on veut entrer en relation.

L'APPARENCE

La plupart des gens soutiennent qu'il faut juger les individus d'après leurs actes et non leur apparence. Cependant, la réalité est tout autre[2]. L'apparence est importante, particulièrement au début d'une relation. Aux fins d'une étude, plus de 700 hommes et femmes ont été jumelés pour un rendez-vous surprise. Après la soirée, on leur a demandé s'ils avaient l'intention de revoir leur partenaire. Le résultat ? Plus la personne avait un physique attirant (tel qu'établi au préalable par des évaluateurs indépendants), plus elle était considérée comme désirable et avait des chances d'être invitée de nouveau. D'autres facteurs, tels que les habiletés sociales et l'intelligence, n'ont pas semblé exercer une influence sur le désir de revoir le partenaire[3].

Deux faits sauront toutefois encourager tous ceux dont l'apparence ne correspond pas aux critères de beauté actuels. Premièrement, une fois la première impression passée, les gens à l'apparence jugée ordinaire mais qui ont une personnalité agréable sont généralement considérés comme attirants[4]. Deuxièmement, les facteurs physiques deviennent moins importants à mesure que la relation progresse[5]. Comme l'a précisé un spécialiste des sciences sociales, « un physique attirant peut ouvrir des portes, mais il ne suffit pas à les garder ouvertes[6] ».

LA RESSEMBLANCE

Un grand nombre de recherches confirment que, dans la plupart des cas, on aime les gens qui nous ressemblent[7]. Par exemple, plus les personnalités des conjoints sont semblables, plus ils se disent heureux et satisfaits de leur union[8]. Cela se vérifie aussi au collège. Ceux qui appartiennent au même groupe d'amis affirment être similaires sur de nombreux plans : ils aiment les mêmes sports, les mêmes activités sociales et consomment (ou non) la même quantité d'alcool et de tabac[9].

Chez les adultes, une relation satisfaisante repose même davantage sur la ressemblance que sur la capacité à bien communiquer. Ainsi, des amis qui ont tous deux de faibles habiletés de communication sont aussi contents de leur relation que d'autres dont les capacités sont excellentes[10].

L'attraction est plus forte lorsque les ressemblances concernent plusieurs domaines importants. Par exemple, des conjoints qui soutiennent mutuellement l'objectif de carrière de l'autre, qui apprécient la compagnie des mêmes amis et qui ont des opinions similaires sur les droits de la personne sont plus enclins à tolérer des désaccords mineurs concernant les mérites du sushi. Lorsque les similitudes, en nombre suffisant, portent sur des domaines clés, la relation parvient même à survivre à disputes sur des sujets aussi importants que la quantité de temps passé en famille ou le désir de l'un de prendre ses vacances séparément.

La similitude peut cependant susciter de l'antipathie lorsque des gens qui nous ressemblent se comportent d'une manière étrange ou désagréable sur le plan social[11]. Cette antipathie est même plus grande que celle suscitée par des personnes déplaisantes mais différentes de nous. Elle repose essentiellement sur le fait que ces gens menacent notre estime de soi, nous faisant craindre de paraître aussi déplacés qu'eux. Devant un tel inconfort, la réaction la plus courante est de s'éloigner le plus possible de la personne menaçante.

LA COMPLÉMENTARITÉ

Le dicton populaire selon lequel « les contraires s'attirent » semble contredire le principe de ressemblance décrit ci-dessus. Pourtant, les deux sont valables. Les différences renforcent une relation si elles sont complémentaires, c'est-à-dire lorsque les caractéristiques de chaque partenaire répondent aux besoins de l'autre. Par exemple, des partenaires ont plus tendance à s'attirer mutuellement lorsque l'un est dominant et l'autre, soumis[12]. Les relations fonctionnent également bien lorsque les partenaires se partagent le pouvoir dans certains domaines (« Tu gères le budget, et moi, je m'occupe de la décoration »). Les disputes concernant le partage des pouvoirs font inévitablement monter la tension.

Lorsqu'on compare des couples sur une période de 20 ans, un point ressort clairement : les conjoints des unions réussies sont assez similaires pour se comprendre sur les plans physique et mental, tout en étant assez différents pour satisfaire leurs besoins respectifs et garder la relation intéressante. Ils trouvent des façons d'atteindre un équilibre entre leurs similitudes et leurs différences et s'adaptent aux changements qui se produisent au fil du temps

L'ATTIRANCE RÉCIPROQUE

On aime habituellement ceux qui nous aiment[13]. Le rôle de l'attirance réciproque est particulièrement fort au début d'une relation : on est attiré si l'autre semble attiré. Les raisons pour lesquelles cette réciprocité de sentiment rend l'autre attirant ne sont pas mystérieuses : l'approbation d'autrui renforce l'estime de soi. Cette approbation n'est pas seulement gratifiante, mais elle vient confirmer l'idée qu'on est une personne qui mérite d'être aimée.

LA COMPÉTENCE

On aime tous s'entourer de personnes talentueuses, probablement parce qu'on espère que leurs talents et aptitudes déteindront sur soi ou qu'on pourra profiter de leurs compétences d'une manière ou d'une autre. Toutefois, les gens ne sont pas à l'aise avec ceux qui sont « trop » compétents, puisque leurs talents peuvent porter ombrage aux leurs et menacer leur estime de soi. Cela explique pourquoi ils préfèrent la compagnie de personnes talentueuses qui ont des failles visibles et qui montrent qu'elles sont humaines, tout comme eux[14]. La personne la plus susceptible de se faire aimer des autres serait donc douée dans ce qu'elle fait tout en étant capable d'admettre ses erreurs.

L'OUVERTURE

Révéler de l'information personnelle peut aider à développer des liens[15]. Parfois, le fait d'apprendre en quoi on ressemble à l'autre nous en rapproche. Il peut s'agir d'expériences communes (« Moi aussi, j'ai été laissé pour une autre ») ou de comportements similaires (« Je me sens également très nerveux avant de faire un exposé oral »). L'ouverture accroît également la sympathie, car c'est un signe de considération. Lorsqu'une personne fait des confidences à quelqu'un, elle lui montre qu'elle le respecte et qu'elle se fie à son jugement. L'ouverture joue un rôle encore plus important à mesure que la relation dépasse les premiers stades.

Toute ouverture aux autres ne conduit pas nécessairement à la sympathie. Les études prouvent que, pour que cela se produise, l'ouverture doit être réciproque : le nombre et le type de confidences obtenues doivent être équivalents pour les interlocuteurs[16]. Un deuxième élément à considérer est le moment choisi pour se confier. Il est peu judicieux de parler de son insécurité sexuelle avec une nouvelle connaissance ou d'exprimer ses angoisses existentielles à un invité lors d'une fête d'anniversaire. L'information révélée doit être appropriée au lieu et au stade de la relation. Le chapitre 9 donne plus d'information à ce sujet.

LA PROXIMITÉ

On est plus sujet à établir des relations avec les individus avec lesquels on interagit fréquemment[17]. Dans de nombreux cas, la proximité favorise les rapprochements. Par exemple, vous êtes plus susceptible d'établir des liens avec vos voisins qu'avec des gens qui habitent à 10 maisons de la vôtre, tout comme il y a de bonnes chances que l'élu de votre cœur soit une des personnes que vous croisez souvent. C'est compréhensible, puisque la proximité permet d'obtenir plus d'information sur les autres et fournit l'occasion d'établir une relation avec eux. De plus, les gens qui sont proches se ressemblent probablement davantage que les autres. En effet, s'ils vivent dans le même quartier ou travaillent au même endroit, ils ont probablement le même statut socioéconomique ou des intérêts similaires.

La familiarité, d'un autre côté, peut engendrer le mépris, comme en témoignent les registres de police. De fait, les voleurs prennent souvent pour cibles des personnes proches, bien que le risque d'être reconnu soit plus grand. Le même principe s'applique à la violence conjugale et explique en partie pourquoi la plupart des voies de fait graves surviennent dans le milieu familial ou parmi les voisins proches. La familiarité fait en sorte que l'on ressent plus fortement de la sympathie ou de l'antipathie envers les personnes que l'on rencontre souvent.

LES BÉNÉFICES

Certains spécialistes des sciences sociales ont affirmé que toutes les relations, qu'elles soient impersonnelles ou personnelles, sont basées sur un modèle semi-économique appelé la *théorie de l'échange social*[18]. Selon ce modèle, on cherche souvent des personnes susceptibles de nous apporter des avantages supérieurs ou égaux aux inconvénients qu'elles nous font vivre. Ces avantages sont soit concrets (un bel appartement, un emploi rémunérateur) soit immatériels (prestige, soutien affectif, camaraderie). Les inconvénients sont les résultats indésirables : un travail désagréable, la douleur émotionnelle, etc. Une simple formule reproduit la théorie de l'échange social expliquant pourquoi on établit et maintient des relations :

avantages – inconvénients = résultats.

Selon les théoriciens de l'échange social, on utilise cette formule, la plupart du temps inconsciemment, pour décider si cela vaut la peine d'entrer en relation avec une autre personne.

« J'aimerais offrir une tournée générale. Tout ce que je demande en échange est que vous prêtiez une attention polie à mes propos simplistes sur la politique et la société. »

Cette méthode d'évaluation paraîtra sans doute froide et calculatrice, mais elle se révèle très utile dans certaines situations. Par exemple, des amitiés peuvent reposer sur un type de troc à l'amiable : « Ça ne me dérange pas que tu me parles des hauts et des bas de ta vie amoureuse parce que tu viens à mon secours lorsque j'ai besoin d'un coup de main dans mes travaux ». Même les relations amoureuses comportent un élément d'échange. Comme le font les amis, un conjoint tolère souvent les traits de personnalité particuliers de l'autre parce que le bien-être et le plaisir qu'ils ont à être ensemble compensent les moments moins agréables.

LE DÉVELOPPEMENT ET L'ENTRETIEN DES RELATIONS INTERPERSONNELLES

Jusqu'à maintenant, nous avons examiné certains facteurs expliquant pourquoi on est attiré par un certain genre de personnes. Les pages qui suivent présentent les types de communication que l'on emploie pour amorcer, entretenir et terminer une relation.

LES MODÈLES DE DÉVELOPPEMENT RELATIONNEL

Les experts ont analysé comment la communication évolue à mesure qu'on passe du temps avec les autres et qu'on apprend à les connaître. Plusieurs modèles ont été élaborés ; nous présentons ici les deux points de vue les plus importants.

Les modèles expérimentaux

Un des modèles les plus connus des stades d'une relation, de son début à son interruption, est celui de Knapp. Il comprend dix étapes, lesquelles sont divisées en deux

maintien de la relation : façons d'agir dans une relation pour qu'elle soit satisfaisante.

phase initiale : premier stade d'une relation durant laquelle on montre à l'autre son désir d'entrer en contact.

grandes phases : le « rapprochement » et la « séparation »[19]. D'autres chercheurs ont indiqué que tout modèle de communication relationnelle doit comporter une troisième phase : le **maintien de la relation**, qui vise à ce que les relations se passent en douceur et qu'elles soient satisfaisantes[20]. La figure 8.1 montre comment les dix stades de Knapp s'insèrent dans les trois phases de la communication relationnelle.

Ce modèle semble plus approprié pour décrire la communication entre des amoureux, mais il fonctionne bien aussi pour d'autres types de relations personnelles[21]. Les descriptions de cette section pourraient donc aussi bien s'appliquer à des conjoints ou à de bons amis qu'à des partenaires d'affaires.

La phase initiale Le principal objectif du premier stade d'une relation est de montrer que l'on désire entrer en contact avec l'autre tout en lui prouvant qu'on est le type de personne avec qui il est intéressant de parler. Au cours de la **phase initiale**, la communication est habituellement brève et conventionnelle : poignées de main, remarques concernant des sujets d'intérêt général, comme la météo, et lieux communs. Ces types de comportements peuvent sembler superficiels et sans importance, mais ils indiquent que l'on veut communiquer avec l'autre. C'est un peu comme si on lui disait : « Je suis une personne amicale et j'aimerais apprendre à vous connaître. » Le début d'une relation, surtout s'il s'agit d'une relation amoureuse, peut être particulièrement difficile, spécialement pour les personnes timides.

La culture façonne également le comportement envers les nouveaux venus, en particulier ceux qui sont d'origine ethnique différente. Ce fait expliquerait pourquoi les gens de certaines origines semblent réservés, voire hostiles, alors qu'en fait, ils suivent simplement à un ensemble de règles différentes de celles qui sont en vigueur dans la culture peu contextuelle (voir chapitre 5, p. 132 à 135) de l'Amérique du Nord.

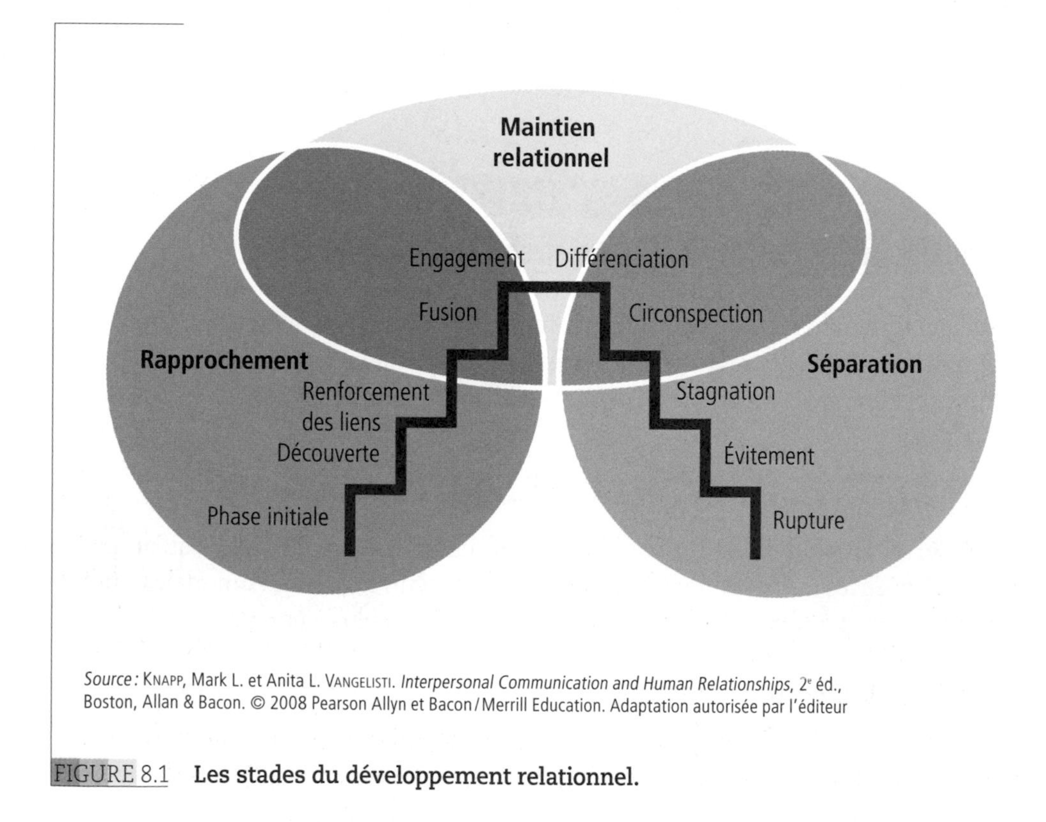

Source : KNAPP, Mark L. et Anita L. VANGELISTI. *Interpersonal Communication and Human Relationships*, 2e éd., Boston, Allan & Bacon. © 2008 Pearson Allyn et Bacon / Merrill Education. Adaptation autorisée par l'éditeur

FIGURE 8.1 **Les stades du développement relationnel.**

La découverte Après avoir établi le contact avec une nouvelle personne, l'étape suivante consiste à décider si nous sommes désireux ou non de poursuivre cette relation. C'est l'étape de la **découverte**. C'est à ce stade que l'on retrouve la diminution de l'incertitude, processus qui consiste à apprendre à connaître l'autre en obtenant davantage d'information sur lui[22]. Habituellement, les gens cherchent un terrain d'entente commun et posent des questions de base comme « D'où viens-tu ? » ou « En quoi étudies-tu ? ». À partir de là, ils cherchent d'autres ressemblances : « Est-ce que tu fais de la course, toi aussi ? Combien de kilomètres parcours-tu par semaine ? »

Les propos légers caractérisent le stade de la découverte. Cette forme de communication remplit plusieurs fonctions. Tout d'abord, elle permet de découvrir des champs d'intérêt communs. C'est aussi une façon « de faire passer une audition » à l'autre en vue de décider si la relation vaut la peine d'être poursuivie. De plus, ce bavardage est une façon saine d'amorcer une relation en douceur. Le fait de discuter implique en effet bien peu de risques.

Pour les communicateurs qui s'intéressent l'un à l'autre, le passage de la phase initiale à la phase de la découverte semble survenir plus rapidement dans le cyberespace qu'en personne. Une étude a révélé que ceux qui développaient des relations par courrier électronique se mettaient à poser des questions sur le comportement, les opinions et les préférences plus rapidement que ceux qui se rencontraient en personne[23].

découverte : étape d'une relation où l'on décide de la poursuivre ou non, en recueillant de l'information sur la personne.

renforcement des liens : stade d'euphorie ou d'excitation dans une relation, où les personnes se témoignent davantage leur affection réciproque.

fusion : stade d'intensification des liens dans une relation, où les partenaires forment une unité sociale.

Le renforcement des liens Au stade du **renforcement des liens**, une relation vraiment interpersonnelle commence à se développer. Plusieurs changements surviennent alors : les partenaires expriment plus fréquemment leurs sentiments réciproques ; les amoureux se lancent souvent des regards éblouis, ils se donnent beaucoup de preuves d'affection et passent des journées à rêvasser ensemble. Cette période correspond habituellement à un moment d'excitation relationnelle et même d'euphorie. Le problème est que cela ne dure pas toute la vie.

La fusion Lorsque les liens s'intensifient, les partenaires se mettent à adopter une identité commune en tant qu'unité sociale. Dans le cas d'une relation amoureuse, les invitations commencent alors à être adressées au couple. Les cercles sociaux fusionnent. Chacun commence à accepter les engagements de l'autre : « Bien sûr, nous passerons Noël avec ta famille. » Les partenaires se mettent à parler de leurs possessions comme de propriétés communes : « notre appartement », « notre auto », « notre chanson[24] ». En ce sens, au stade de la **fusion**, les individus abandonnent certaines caractéristiques de leur moi et créent une identité commune.

Curieusement, même si la fusion se caractérise par une plus grande solidarité relationnelle, les partenaires font moins de demandes directes que lors des stades

précédents. En ce qui a trait aux relations amoureuses, par exemple, il y a un lien curviligne (voir la figure 8.2) entre le stade relationnel et le nombre de demandes explicites[25]. Ce modèle n'est pas aussi étonnant qu'il le semble au premier abord : à mesure que les partenaires font connaissance, ce qu'ils savent de l'autre rend les demandes formelles moins nécessaires. Mais plus tard, comme la relation commence inévitablement à changer, les partenaires doivent exprimer de façon plus explicite leurs désirs et leurs besoins respectifs.

L'engagement Au stade de l'**engagement**, les partenaires font des gestes symboliques en public pour montrer que leur relation existe. Ils s'affichent et témoignent de l'exclusivité de leur relation. L'engagement marque un tournant crucial : avant cette étape, la relation a évolué à rythme régulier ; à partir de ce stade, le rythme s'accélère.

Cela ne fait pas uniquement partie des relations amoureuses. Les contrats qui viennent officialiser un partenariat d'affaires ou une cérémonie d'initiation dans une association ou une fraternité sont des formes d'engagement. Certaines cultures ont des rituels pour marquer les étapes d'une amitié, lui donner une légitimité et l'officialiser. En Allemagne, par exemple, il y a une petite cérémonie appelée *duzen* (le nom lui-même signifie « transformation de la relation »). Le rituel exige que les deux amis aient un verre de vin ou de bière à la main, entrecroisent leurs bras et boivent après s'être promis une fraternité éternelle en prononçant le mot *brudershaft* (*brüdershaft trinken* signifie « boire à une nouvelle amitié »[26]).

engagement : stade qui se veut un moment tournant dans une relation au cours duquel les partenaires s'affichent.

différenciation : dans une relation, étape où l'on affirme sa différence, son caractère distinct.

La différenciation L'engagement constitue l'apogée de ce que Knapp appelle la *phase de rapprochement*. Mais les gens, même dans les relations les plus engagées, se doivent d'affirmer leur identité individuelle. Ce stade de **différenciation** se produit au moment où l'orientation du « nous » commence à se modifier, et où davantage de messages au « je » refont légitimement leur apparition. Au lieu de parler de « nos » projets pour la fin de semaine, les partenaires axent les conversations en matière de différenciation sur ce que chacun veut faire, au « je ». Les questions relationnelles sur lesquelles ils s'étaient mis d'accord (« Tu seras le pourvoyeur et je gérerai la maison ») font maintenant l'objet de désaccords : « Pourquoi est-ce moi qui suis pris à la maison alors que j'ai de meilleures possibilités de carrière que toi ? »

La différenciation est susceptible de se produire lorsque les partenaires commencent à ressentir les premiers et inévitables sentiments de stress. Cependant, ce besoin d'autonomie et de changement n'est pas nécessairement une expérience négative. Chaque partenaire a autant besoin d'être reconnu en tant que personne indépendante que comme partenaire dans une relation. La différenciation est une étape nécessaire pour accéder à l'autonomie. Pensez aux jeunes adultes qui souhaitent avoir leur propre vie et forger leur identité tout en maintenant une relation avec leurs parents. La clé d'une différenciation réussie est de maintenir les engagements qui ont été pris tout en permettant à chacun des partenaires de se sentir un individu à part entière.

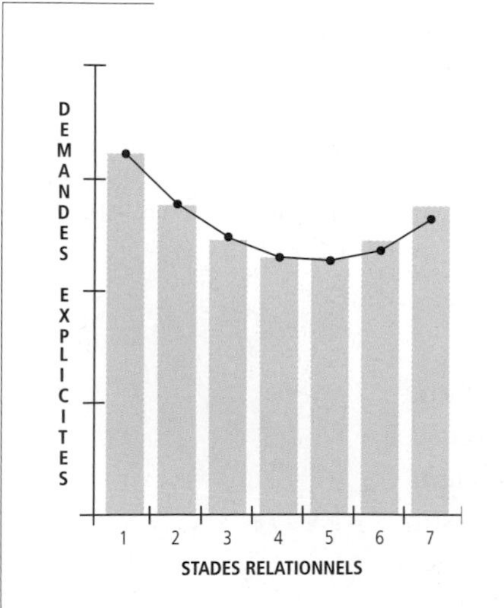

Source : Solomon, D. H. « A Developmental Model of Intimacy and Date Request Explicitness », *Monographies sur la communication*, n° 64, 1977, p. 99-118.

FIGURE 8.2 **La variation des demandes explicites selon les stades de la relation.**

La circonspection Même si certaines relations atteignent un plateau et continuent à être satisfaisantes pendant toute une vie, d'autres traversent plusieurs étapes de déclin et de dissolution. Au stade de la **circonspection**, la quantité et la qualité des échanges entre les membres commencent à diminuer significativement. Les restrictions et la retenue caractérisent ce stade. Plutôt que de discuter d'un désaccord (ce qui demande de l'énergie), les partenaires optent pour le retrait soit psychologique (silence, rêve éveillé ou fantasmes), soit physique (lorsqu'ils passent moins de temps ensemble). La circonspection ne veut pas dire l'évitement total. Il s'agit plutôt d'une diminution de l'intérêt et de l'engagement : c'est l'opposé de ce qui se produit au stade de la fusion.

circonspection : retenue prudente que l'on observe dans ses paroles ou ses actions.

stagnation : absence de progression, de progrès.

évitement : stade de la relation où les gens s'éloignent de l'autre physiquement.

rupture : stade final d'une relation qui s'est détériorée, où l'on se dissocie de l'autre.

La stagnation Si la circonspection se poursuit, la relation passe au stade de la **stagnation**. L'excitation inhérente au stade du renforcement des liens a depuis longtemps disparu, et les partenaires se conduisent l'un envers l'autre de manière routinière, sans émotion. Il n'y a aucune évolution, d'où le nom de stagnation.

Ce phénomène ne se limite pas au monde relationnel ; il s'observe également chez de nombreux travailleurs qui n'ont plus d'enthousiasme dans leur emploi et qui continuent néanmoins à effectuer les mêmes tâches pendant des années. La même résignation se retrouve chez certains couples qui, jour après jour, ont les mêmes conversations, voient les mêmes personnes et vivent leur routine sans joie et sans nouveauté.

L'évitement Lorsque la stagnation devient trop désagréable, les gens en relation commencent à s'éloigner physiquement l'un de l'autre. Il s'agit du stade de l'**évitement**. Ils le font parfois indirectement, en utilisant des prétextes du style : « J'ai été malade dernièrement, c'est pour ça que je n'ai pas pu te rencontrer » et, d'autres fois, directement : « Ne m'appelle pas, je ne veux pas te voir ».

La détérioration d'une relation n'est pas inévitable. L'une des principales différences entre les relations qui se terminent par une séparation et celles qui retrouvent leur intimité initiale tient à la communication entre les partenaires lorsqu'ils ressentent de l'insatisfaction[27]. Les couples qui évitent leurs problèmes, les contournent et s'éloignent échouent. En revanche, ceux qui communiquent plus directement peuvent réussir à entretenir leur relation et à la maintenir en bon état. Ces derniers confrontent leurs points de vue, parlent de leurs préoccupations et consacrent du temps et de l'énergie à trouver des solutions à leurs problèmes.

La rupture Ce ne sont pas toutes les relations qui se terminent : beaucoup de partenariats professionnels, d'amitiés et d'unions durent toute une vie. Par contre, plusieurs se détériorent et atteignent le stade final de la **rupture**. Les caractéristiques de ce stade sont les dialogues sommaires sur l'aboutissement de la relation et le désir de se dissocier. La relation peut se terminer par un souper cordial, une note sur la table de la cuisine, un courriel ou un document juridique. Selon les sentiments de chaque personne, ce stade est assez court ou risque de s'étirer dans le temps.

La rupture n'est pas nécessairement totalement négative. Le fait de comprendre les investissements mutuels dans la relation et les besoins de croissance personnelle de l'autre peut atténuer le ressentiment. De fait, un grand nombre de relations sont plutôt redéfinies que terminées. Des gens divorcés, par exemple, peuvent trouver de nouvelles façons moins intimes d'être en relation tout en maintenant une amitié stimulante.

Même si le modèle de Knapp offre un aperçu des stades relationnels, il ne décrit pas les fluctuations de la communication à l'intérieur de chaque relation. Ainsi, Knapp suggère que le passage d'un stade à l'autre est habituellement séquentiel, si bien que les relations se développent et se détériorent de manière prévisible. Même si de nombreuses amitiés qui ont pris fin ont effectivement suivi un modèle semblable à celui décrit par Knapp dans le modèle n° 1 de la figure 8.3[28], les chercheurs ont aussi établi plusieurs autres modèles de développement et de détérioration, comme le montrent les modèles 2 à 5. Autrement dit, toutes les relations ne commencent pas, ne progressent pas, ne se détériorent pas et ne se terminent pas de la même façon linéaire.

Finalement, selon le modèle de Knapp, une relation n'affiche que les traits dominants d'un seul des dix stades à un moment donné. Cette limite théorique ne s'applique pas toujours en pratique. Ainsi, quel que soit le stade, on y retrouve habituellement des éléments d'autres stades. Par exemple, des amoureux qui sont au cœur du renforcement des liens feront encore des découvertes (« Génial, je ne savais pas ça ! ») et auront des désaccords liés à la différenciation (« Je n'ai rien contre toi, mais j'ai besoin de passer une fin de semaine seul »). De la même façon, les membres d'une famille qui consacrent une grande partie de leur énergie à s'éviter peuvent avoir de bons moments au cours desquels l'intimité qu'ils vivaient antérieurement s'intensifie brièvement. La section suivante sur la dialectique relationnelle traite des aspects simultanés du « rapprochement » et de la « séparation ».

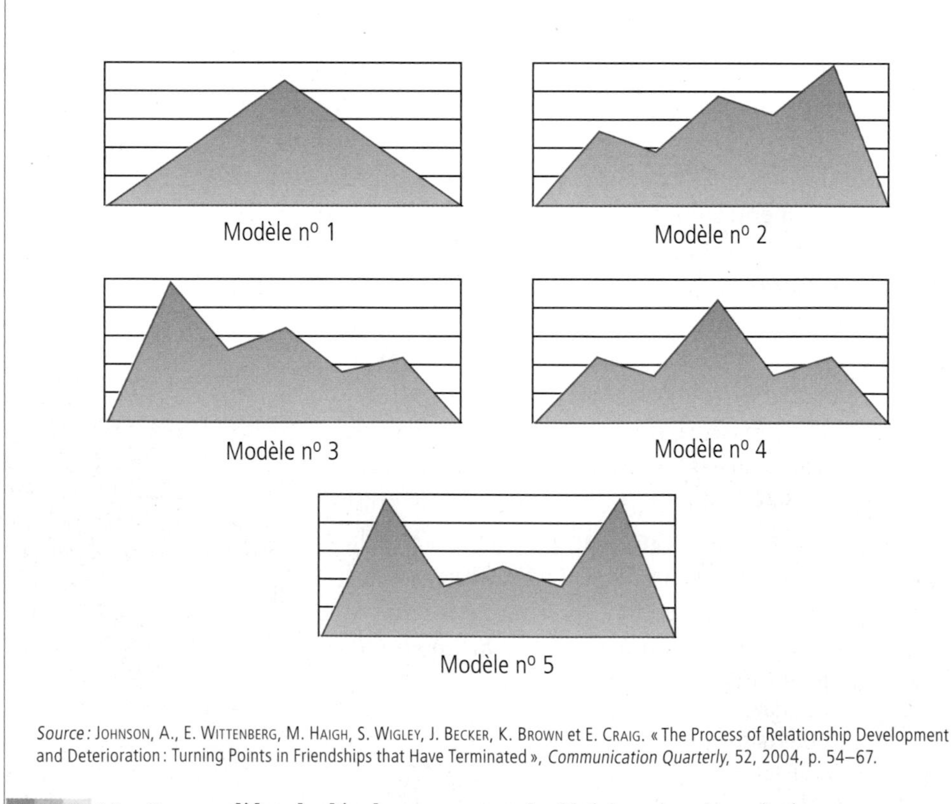

Source : JOHNSON, A., E. WITTENBERG, M. HAIGH, S. WIGLEY, J. BECKER, K. BROWN et E. CRAIG. « The Process of Relationship Development and Deterioration : Turning Points in Friendships that Have Terminated », *Communication Quarterly*, 52, 2004, p. 54–67.

FIGURE 8.3 **Des modèles de développement et de détérioration des relations.**

Les perspectives dialectiques

Tous les théoriciens ne s'entendent pas sur la meilleure façon d'expliquer l'interaction dans les relations. Certains croient qu'il faut recourir à des modèles liés aux stades, comme celui qui a été présenté dans les pages précédentes. D'autres affirment que les communicateurs ont à relever les mêmes types de défis, que la relation soit récente ou qu'elle dure depuis des dizaines d'années. Selon eux, les objectifs essentiels que les gens visent dans leurs relations sont fondamentalement inconciliables. Incidemment, les efforts que fait une personne pour les atteindre engendrent des **tensions dialectiques** : conflits résultant de l'incapacité qu'ont deux désirs opposés ou deux forces incompatibles à coexister. Des chercheurs en communication ont mis en lumière les tensions qui font obstacle à une bonne communication[29]. Trois catégories de tensions dialectiques sont décrites dans les pages suivantes.

tension dialectique : conflits résultant de l'incapacité à faire coexister deux désirs opposés, deux forces incompatibles.

dialectique fusion-autonomie : incompatibilité de deux désirs coexistants : le besoin d'être avec d'autres et le besoin d'être seul.

Fusion ou autonomie Personne ne se suffit à soi même. Selon ce principe, la plupart des gens recherchent naturellement la compagnie des autres. Malgré ce besoin, on est réticent à abandonner son identité au profit de rapports avec d'autres, aussi gratifiants soient-ils. Ces désirs incompatibles s'expriment dans la **dialectique fusion-autonomie**.

Un des motifs fréquemment évoqués lors de séparations est l'impossibilité d'un des partenaires à répondre au besoin d'union de l'autre : « Nous passions trop peu de temps ensemble », « Il ne s'engageait pas suffisamment », « Nous avions des besoins différents ». On constate également l'inverse, à savoir le besoin démesuré de fusion d'un des partenaires : « Je me sentais étouffé », « J'avais besoin de liberté ». Selon certaines recherches, il n'est pas surprenant que ce soient les hommes qui tiennent davantage à l'autonomie dans les relations, tandis que les femmes ont tendance à valoriser la fusion et l'engagement[30]. Les degrés de fusion et d'autonomie que l'on recherche peuvent aussi changer avec le temps. Dans son livre intitulé *Intimate Behavior*, Desmond

INVITATION À L'INTROSPECTION

À quel stade en est votre relation ?

Vous saurez mieux apprécier la justesse et la valeur des stades relationnels en répondant aux questions suivantes.

1. Décrivez le stade auquel se trouve actuellement une de vos relations et les comportements qui caractérisent votre communication. Illustrez votre description par des exemples précis.
2. Discutez de l'évolution de cette relation à partir des stades décrits dans les pages précédentes. Resterez-vous au présent stade ou passerez-vous bientôt à un autre ? Lequel ? Expliquez votre réponse.
3. Êtes-vous satisfait du stade où se trouve votre relation ? Si oui, décrivez ce que vous pouvez faire pour augmenter la probabilité que la relation atteigne le suivant. Sinon, que pouvez-vous faire pour entraîner la relation vers un stade plus satisfaisant ?
4. Puisqu'une relation implique deux personnes, définissez le point de vue de votre partenaire. Celui-ci dirait-il que la relation se situe au stade que vous avez nommé ? Si ce n'est pas le cas, expliquez comment votre partenaire pourrait caractériser la relation. Décrivez, au moyen d'exemples précis, ce que fait votre partenaire pour déterminer le stade où se situe la relation. Qu'aimeriez-vous que votre partenaire fasse pour que la relation passe à un autre stade ou qu'elle demeure au stade que vous désirez ? Que pouvez-vous faire pour inciter votre partenaire à se comporter comme vous le voulez ?
5. Pensez à une relation (amicale ou amoureuse) que vous avez eue, mais qui est terminée. Parmi les modèles de la figure 8.3, lequel décrit le mieux le développement et le déclin de cette relation ? Si aucun ne correspond à votre expérience, créez votre propre modèle relationnel.

Morris indique que chacun de nous traverse à maintes reprises trois étapes différentes : « Serre-moi dans tes bras », « Lâche-moi » et « Laisse-moi tranquille »[31].

Comme on l'a vu précédemment, ce passage de la fusion à l'autonomie peut mener à la séparation du couple. Cependant, il peut également faire partie d'un cycle qui redéfinit la relation et au cours duquel les partenaires retrouvent ou même dépassent le degré d'intimité qu'ils ont déjà connu.

Lorsqu'ils évoquent les tournants importants de leurs relations, des partenaires indiquent que la dialectique fusion-autonomie est l'un des facteurs qui ont le plus de répercussions sur leurs rapports[32]. Cette tension dialectique est essentielle dans la négociation des tournants importants liés à l'engagement, aux conflits, au désengagement et à la réconciliation.

La gestion de la tension entre la fusion et l'autonomie est également importante à la fin d'une relation, car les partenaires cherchent à préserver les aspects positifs de leur relation (ne serait-ce que les bons souvenirs) tout en prenant des mesures pour atteindre leur nouvelle indépendance[33].

Échange ou retrait Comme on l'a vu au chapitre 1, les relations interpersonnelles se caractérisent notamment par un besoin d'intimité. Paradoxalement, on cherche en même temps à tenir l'autre à une distance raisonnable. Ces besoins contradictoires créent une **dialectique échange-retrait**. Même les relations les plus solides exigent parfois un éloignement. À certains moments, les amoureux veulent tout se dire, ils sont dévorés par la passion ; à d'autres, ils prennent du recul, se touchant à peine. Il en va de même pour les amis qui partagent leurs sentiments et leurs opinions, puis se détachent pendant des jours, des mois, voire des années.

dialectique échange-retrait : tension créée par le besoin d'intimité avec l'autre et le besoin de le garder à distance.

dialectique prévisibilité-nouveauté : tension créée par le besoin de stabilité et le besoin d'imprévu dans une relation, lesquels doivent s'équilibrer.

Prévisibilité ou nouveauté La stabilité est nécessaire dans les relations, mais si elle est trop importante, elle crée un sentiment d'ennui. La **dialectique prévisibilité-nouveauté** reflète cette tension. L'humoriste Martin Petit exagère à peine lorsqu'il parle de l'ennui qui peut survenir lorsque des conjoints se connaissent trop bien : après une décennie ou plus de vie commune, ils savent tout l'un de l'autre, chaque habitude, chaque opinion, chaque tic, chaque manie. Une telle connaissance peut s'avérer utile dans certaines circonstances, mais sans nouveauté, toute cette familiarité est synonyme d'ennui.

Si une trop grande prévisibilité peut mener au désœuvrement et à l'apathie, l'imprévisibilité totale n'est pas non plus souhaitable. Les surprises à répétition finissent par ébranler une relation. Le défi consiste à trouver le juste milieu entre la prévisibilité et la nouveauté afin de vivre une relation stimulante. Et comme ce juste milieu diffère pour chacun, il ne peut en ce domaine y avoir de recette miracle.

« Évidemment que je t'aime! Je ne resterais pas là à m'ennuyer si je ne t'aimais pas ? »

La gestion des tensions dialectiques Même si toutes les tensions dialectiques jouent un rôle important dans la gestion des relations, certaines sont plus fréquentes que d'autres. Lors d'une étude, de jeunes mariés ont signalé que la fusion-autonomie était la tension la plus fréquente (30,8 % de toutes les contradictions déclarées)[34]. La prévisibilité-nouveauté arrivait en seconde place (21,7 %), tandis que l'échange-retrait était la moins fréquente (12,7 %).

La gestion des tensions dialectiques décrites dans ces pages montre les défis que pose la communication. Plusieurs stratégies permettent de faire face à ces tensions, certaines étant meilleures que d'autres[35].

- *Le rejet.* Cette stratégie consiste à choisir l'un des besoins et à ignorer l'autre. Par exemple, un couple déchiré entre la prévisibilité et la nouveauté s'avoue vaincu devant l'échec de ses efforts de changement. Il opte plutôt pour des rapports prévisibles, même s'ils sont peu passionnants.
- *L'incapacité.* Les partenaires se sentent impuissants et dépassés par les événements, et ils sont incapables de faire face aux problèmes. Les tensions dialectiques les poussent à la querelle, à l'inertie ou à la séparation. Par exemple, peu après leur lune de miel, des conjoints découvrent qu'une vie perpétuellement harmonieuse est irréaliste. Ils paniquent et finissent par croire qu'ils n'auraient pas dû se marier.
- *L'alternance.* Cette stratégie fait alterner les composantes de la tension dialectique. Par exemple, des amies décident de résoudre la tension fusion-autonomie en faisant alterner les fréquentations intenses et le recul.
- *La segmentation.* Les partenaires qui utilisent cette stratégie compartimentent différentes parties de leur relation. Ainsi, des conjoints pourraient gérer la dialectique échange-retrait en partageant tous leurs sentiments sur leurs amis mutuels, mais en gardant pour eux certaines parties de leurs histoires amoureuses passées. La segmentation est souvent utilisée par les enfants de conjoints séparés afin de gérer les tensions échange-retrait avec le parent qui n'en ont pas la garde physique[36].
- *L'équilibre.* Les individus tentant d'équilibrer les tensions dialectiques savent que ces dernières ont leur raison d'être et ils en arrivent donc à un compromis. Tel qu'indiqué au chapitre 11, le compromis, par sa nature, fait perdre à chaque personne au moins un peu de ce qu'elle veut. Des conjoints divisés entre leurs désirs contradictoires de prévisibilité et de nouveauté peuvent consentir à un compromis et opter pour une vie qui n'est ni aussi prévisible ni aussi excitante qu'ils le souhaiteraient tous deux.
- *L'intégration.* Il s'agit ici d'accepter les tensions sans tenter de les amoindrir. Barbara Montgomery, chercheuse en communication, évoque le cas d'un couple qui reconnaît la nécessité de la prévisibilité et de la nouveauté, et qui choisit une démarche novatrice : une fois par semaine, les partenaires accomplissent une activité qu'ils n'ont jamais faite ensemble[37]. De même, des familles recomposées décident de gérer la tension en combinant le rituel de l'ancienne famille à celui de la nouvelle cellule familiale[38].
- *La métamorphose.* Cette stratégie consiste à résoudre les tensions en les examinant sous un angle différent pour en effacer les contradictions évidentes. Il suffit de penser différemment et de modifier son attitude pour aimer l'autre non plus malgré ses différences, mais en raison même de ces différences[39]. Prenons deux personnes blessées par leur refus réciproque de dévoiler leur passé. Elles transforment ces secrets agaçants en mystères séduisants. De cette façon, le désir de réserve reste intact et n'entre plus en conflit avec le besoin de tout savoir du passé de l'autre.
- *La confirmation.* Cette stratégie reconnaît que les tensions dialectiques ne disparaîtront jamais. Plutôt que de s'acharner à les éliminer, il s'agit de relever avec énergie les défis qu'elles représentent. Si on compare les soubresauts caractéristiques des relations interpersonnelles à des montagnes russes, ceux qui recourent à la confirmation considèrent que les tensions dialectiques font nécessairement partie du parcours.

LES CARACTÉRISTIQUES DES RELATIONS INTERPERSONNELLES

L'analyse d'une relation en termes de stades ou de tensions dialectiques montre que certaines caractéristiques s'appliquent véritablement à chaque relation interpersonnelle. À mesure que vous lirez sur chacune d'entre elles, pensez à la façon dont cela s'applique à votre expérience personnelle.

Les relations sont en constante évolution

Les relations ne sont certainement pas toutes condamnées à se détériorer. Toutefois, même les plus durables sont rarement stables durant de longues périodes. Dans les contes de fées, un couple peut « vivre heureux pour toujours », mais ce type d'équilibre est rare dans la vraie vie. Pensons à des conjoints qui sont mariés depuis un certain temps. Même s'ils sont officiellement liés, leur relation passe probablement d'une dimension de dialectique relationnelle à une autre, en avançant ou en reculant dans l'ensemble des stades relationnels. Parfois, les partenaires sentent le besoin de se différencier l'un de l'autre tandis qu'à d'autres moments, ils ont besoin de se rapprocher, de vivre de l'intimité. Parfois également, ils se sentent en sécurité dans les modes relationnels prévisibles qu'ils ont établis et, à d'autres moments encore, un des conjoints a soif de nouveauté. Conséquemment, la relation risque de devenir limitée ou même stagnante et l'union peut alors se terminer. Cependant, en y consacrant des efforts, les partenaires sont susceptibles de passer de la stagnation à la découverte, ou de la circonspection au renforcement des liens.

La culture a des répercussions sur les relations

Nombre de qualités qui façonnent les relations personnelles sont universelles[40]. Par exemple, les spécialistes des sciences sociales ont constaté qu'au sein de toute culture, la communication comporte une dimension liée à la tâche et une autre liée à la relation. Ils ont également observé que les mêmes expressions faciales indiquent les mêmes émotions et que la distribution du pouvoir est un facteur présent dans chaque société humaine. Dans toutes les cultures (en fait, chez tous les mammifères), les mâles sont moins portés à s'investir émotionnellement dans leurs relations sexuelles et sont généralement plus compétitifs.

Bien que les éléments généraux des relations soient universels, certaines de leurs particularités diffèrent selon les cultures. Considérons, par exemple, à quel point la notion occidentale du romantisme et du mariage se reflète dans les stades relationnels décrits aux pages 198 à 202. La notion selon laquelle l'engagement ne vient qu'après la découverte, le renforcement des liens et la fusion ne s'applique pas partout[41]. D'ailleurs, dans certaines cultures, les futurs conjoints ne font connaissance que quelques semaines, quelques jours, voire quelques minutes avant de devenir mari et femme. Les travaux de recherche révèlent que ces relations peuvent également être satisfaisantes[42].

Plusieurs différences, profondes mais pas toujours manifestes, font en sorte que les relations entre les gens de différentes cultures sont stimulantes[43]. Par exemple, décider de la quantité d'information à partager constitue un défi dans toute relation. C'est particulièrement délicat lorsque les règles culturelles sur la révélation de soi varient. Dans certaines cultures, comme aux États-Unis, on privilégie la franchise, le franc-parler, alors que dans d'autres **cultures** très **contextuelles**, comme au Japon, on considère que la diplomatie est plus importante. Les titres de deux livres de croissance personnelle sont très révélateurs à ce propos : le livre américain est intitulé *How to Say No without Feeling Guilty* (comment dire non sans se sentir coupable)[44], tandis que le livre japonais a pour titre *16 Ways to Avoid Saying No* (16 façons d'éviter de dire non)[45]. On comprend facilement que les notions différentes concernant les comportements appropriés puissent créer des difficultés dans les relations interculturelles.

culture contextuelle : culture dans laquelle les individus jugent importants le bien-être et la dignité de leur interlocuteur.

Lorsque les défis que pose une relation relèvent de différences culturelles, les compétences interculturelles décrites au chapitre 1 deviennent particulièrement importantes. La motivation, la tolérance à l'ambiguïté, l'ouverture d'esprit, la connaissance des coutumes des autres et la capacité de s'adapter aux différents styles de communication contribuent à rendre la communication plus facile et les relations plus satisfaisantes.

Les relations ont besoin d'être entretenues

Tout comme une voiture nécessite de l'entretien et le corps a besoin de faire de l'exercice, les relations doivent être entretenues pour être mutuellement satisfaisantes[46]. La communication explique à plus de 80 % la différence entre les relations satisfaisantes et celles qui ne le sont pas. Cela souligne l'importance d'explorer la nature de l'interaction liée à leur entretien[47].

Quels types de communication aident à entretenir les relations, amoureuses comme professionnelles ? Les chercheurs ont relevé cinq stratégies que les couples utilisent pour que leurs interactions demeurent satisfaisantes[48].

- *Rester positif.* Maintenir un climat relationnel poli et joyeux, et éviter la critique.
- *L'ouverture.* Parler franchement de la nature de la relation et dévoiler ses besoins et ses préoccupations personnelles.
- *L'assurance.* Laisser savoir à l'autre, verbalement et autrement, qu'il est important et que l'on est engagé dans la relation.
- *Les réseaux sociaux.* Communiquer avec les autres peut procurer le soutien qui aide les partenaires à se comprendre et à s'apprécier mutuellement. Les amis, la famille et les collègues permettent également une camaraderie qui diminue la pression sur la relation visant à satisfaire tous les besoins des partenaires.
- *Le partage des tâches.* Aider l'autre à s'occuper des corvées et des obligations facilite la vie et réaffirme la valeur de la relation.

INVITATION À L'INTROSPECTION

L'entretien des relations

À quel point une communication constructive vous aide-t-elle à entretenir vos relations importantes ? Choisissez une relation qui compte pour vous et que vous entretenez avec des membres de votre famille, des amis ou votre partenaire amoureux. Analysez à quel point vous utilisez tous deux les stratégies énumérées ci-contre pour entretenir une relation solide et satisfaisante. Quelles mesures pourriez-vous adopter pour améliorer cette relation ?

RÉPARER UNE RELATION COMPROMISE

Tôt ou tard, même les relations les plus solides traversent des périodes agitées. Certains problèmes sont provoqués par des forces externes, telles que le travail, l'argent, et les sorties; d'autres sont attribuables aux différences et aux désaccords qui surviennent inévitablement au sein de la relation. Un troisième type de problèmes est lié aux **transgressions relationnelles**, c'est-à-dire au non-respect de règles explicites ou implicites par un des partenaires, comme le fait de flirter avec une autre personne.

transgression relationnelle: non-respect des règles dans une relation.

Les types de transgressions relationnelles

Le tableau 8.1 présente quelques types de transgressions relationnelles. De telles infractions sont classées en quatre catégories[49].

Mineures par opposition à importantes Plusieurs des éléments présentés dans le tableau 8.1 ne sont pas nécessairement des transgressions et, à petites doses, ils peuvent même être avantageux pour la relation. Un *peu* de distance, par exemple, peut rendre les partenaires plus amoureux, un *peu* de jalousie peut être un signe d'affection et un *peu* de colère enclenchera possiblement le processus de résolution des récriminations. Mais s'ils se produisent avec ampleur ou trop régulièrement, ces comportements deviennent des transgressions sérieuses qui ne manqueront pas de nuire aux relations personnelles.

Sociales par opposition à relationnelles Certaines transgressions enfreignent les règles sociales que partage l'ensemble de la société. Par exemple, pratiquement tout le monde conviendrait que ridiculiser ou humilier un ami ou un membre de la famille en public équivaut à transgresser une règle sociale. Les autres règles sont relationnelles par nature: il s'agit de normes particulières élaborées par les parties concernées.

Délibérées par opposition à non intentionnelles Certaines transgressions ne sont pas intentionnelles. On peut révéler quelque chose sur le passé de quelqu'un sans réaliser que cette confidence sera embarrassante pour celui-ci. D'autres fautes sont toutefois intentionnelles. Sous l'emprise de la colère, il est facile de lancer un commentaire cruel, sachant très bien qu'il blessera l'autre.

En une fois par opposition à progressives Les transgressions les plus évidentes se produisent une seule fois: commettre un acte d'infidélité, attaquer verbalement l'autre ou quitter un endroit en colère. Cependant, des transgressions plus subtiles ont lieu au fil du temps, comme le retrait émotionnel. Tous les gens traversent des périodes où ils ont besoin de s'isoler, et on donne habituellement à l'autre l'espace

TABLEAU 8.1 **Certains types de transgressions relationnelles.**

Manque d'engagement	Distance	Manque de respect	Émotions problématiques	Agressivité
Incapacité à honorer les obligations importantes (financières, affectives, liées aux tâches) Mauvaise foi égoïste Infidélité	Séparation physique (au-delà de ce qui est nécessaire) Séparation psychologique (évitement, indifférence)	Critique (particulièrement devant d'autres personnes)	Jalousie Soupçons injustifiés Colère	Hostilité verbale Violence physique

dont il a besoin pour ce faire. Par contre, si le retrait devient lentement omniprésent, il enfreint la règle fondamentale selon laquelle, dans la majorité des relations, les partenaires se doivent d'être disponibles l'un pour l'autre.

Les stratégies visant à réparer une relation

Les travaux de recherche confirment la notion très intuitive selon laquelle la première étape de réparation d'une transgression est d'en discuter[50]. Un partenaire peut exprimer ce qu'il ressent lorsqu'il croit que l'autre lui a fait du tort. « Je me suis senti vraiment mal à l'aise lorsque tu as crié contre moi devant tout le monde hier soir. » Il arrive que l'on se sente responsable de la transgression et que l'on veuille en discuter : « Qu'ai-je fait pour que tu te sentes si blessé ? », « En quoi ma conduite t'a-t-elle posé problème ? ». Poser des questions adéquates de même que savoir écouter la réponse sans être sur la défensive représenteront sans doute un défi énorme.

Même si le partenaire fautif présente des excuses, il n'y a aucune garantie que ses transgressions lui soient pardonnées. Pour que son message ait les meilleures chances de réparer la relation endommagée, il doit comprendre trois éléments :

- une reconnaissance explicite que la transgression était blessante : « J'ai agi comme un sale égoïste » ;
- des excuses sincères : « Je suis vraiment désolé. Je me sens très mal de t'avoir laissé tomber » ;
- une offre de compensation : « Peu importe ce qui se produira, je ne recommencerai plus jamais[51] ».

Les excuses auront plus d'effet si le comportement non verbal concorde avec les mots. Même si ces conditions sont remplies, il peut être irréaliste de s'attendre à un pardon immédiat. Parfois, surtout dans les cas de transgressions graves, celui qui s'est mal conduit doit exprimer son regret et tenir ses promesses pendant un certain temps avant que le partenaire floué soit convaincu de sa sincérité.

Pardonner les transgressions

Selon les spécialistes des sciences sociales, le pardon procure non seulement des avantages relationnels mais aussi personnels. Il a en effet été démontré qu'il réduit la détresse émotionnelle et l'agressivité[52], et qu'il améliore les fonctions cardiovasculaires[53]. Évidemment, certaines transgressions sont plus difficiles à pardonner que d'autres. Une étude portant sur des partenaires amoureux a prouvé que l'infidélité sexuelle et la rupture étaient les deux offenses qui étaient le moins pardonnables[54].

Même si des excuses sincères sont offertes, pardonner peut se révéler difficile. Les recherches montrent qu'une façon d'améliorer la capacité à pardonner est de se rappeler les moments où l'on a soi-même maltraité ou blessé les autres dans le passé. En d'autres mots, il s'agit de se remémorer qu'on a déjà mal agi envers les autres et qu'on a eu besoin de leur pardon.

« Je t'ai dit que je m'excuse... »

LA COMMUNICATION DANS LES RELATIONS INTERPERSONNELLES

On sait maintenant que les relations sont complexes, dynamiques et importantes. Mais quels types de messages s'échangent des partenaires dans une relation interpersonnelle ?

LE CONTENU ET LES MESSAGES RELATIONNELS

Au chapitre 1, on a vu que chaque message a un contenu et une dimension relationnelle. La composante la plus évidente de la plupart des messages est leur contenu : le sujet qui fait l'objet de la discussion. Le contenu de messages comme « C'est à ton tour de faire la vaisselle » ou « Je suis occupé samedi soir » est évident.

Lorsque deux personnes communiquent, elles ne se contentent pas d'échanger de simples contenus. La plupart des messages, verbaux ou non, comportent aussi une dimension relationnelle qui révèle les sentiments mutuels des protagonistes[55]. Ces messages relationnels portent sur un ou plusieurs besoins sociaux, qui sont généralement le contrôle, l'affection ou le respect. Reprenons les exemples du paragraphe précédent.

- Pensez à deux manières de dire : « C'est à ton tour de faire la vaisselle. » Une manière revient à exiger et l'autre se limite aux faits. Voyez comment les différents messages non verbaux expriment la façon dont l'émetteur perçoit le contrôle dans cette partie de la relation. Le ton exigeant dit en quelque sorte : « J'ai le droit de te dire quoi faire dans la maison », tandis que le ton factuel laisse entendre : « Je te rappelle seulement quelque chose que tu pourrais avoir oublié ».
- Imaginez maintenant deux manières de dire : « Je suis occupé samedi soir. » L'une est sans affection et l'autre contient beaucoup d'affection. Le ton avec lequel vous vous exprimez en révèle bien davantage sur votre état d'esprit que les mots que vous prononcez.

Remarquez que, dans chacun de ces exemples, il n'est jamais question de la dimension relationnelle du message. En fait, la plupart du temps, on n'est pas conscient des nombreux messages relationnels que l'on reçoit tous les jours. Pourquoi en est-il ainsi ? Parce que souvent les messages relationnels que reçoit une personne correspondent à ses notions de respect, de contrôle et d'affection. Imaginez que votre patron exige que vous fassiez une tâche. Vous ne vous sentirez pas offusqué si vous jugez normal qu'un patron donne des ordres à ses employés. Cependant, il arrive que des messages relationnels créent des conflits, même si le contenu n'est pas en cause. Si votre employeur vous donne un ordre sur un ton condescendant, sarcastique ou abusif, peut-être vous sentirez-vous blessé. Vous ne vous plaindrez pas de l'ordre en soi, mais plutôt de

INVITATION À L'INTROSPECTION

Vos transgressions relationnelles

1. Rappelez-vous certaines transgressions que vous avez faites à l'intérieur d'une relation personnelle. Dites si ces transgressions étaient mineures ou importantes, sociales ou relationnelles, délibérées ou non, et ponctuelles ou progressives. (Si vous pensez que c'est possible, demandez à la « victime » de votre transgression de décrire votre comportement et ses effets.)
2. Demandez-vous (ou demandez à l'autre personne) s'il est nécessaire de réparer votre transgression. Passez en revue les stratégies décrites ci-dessus et réfléchissez à la manière dont vous pourriez les appliquer.

la façon dont il a été donné. Vous vous direz: « Je travaille pour cette entreprise, mais je ne suis pas un numéro ni un esclave. Je mérite d'être traité avec respect. »

Comme cet exemple le montre, les messages relationnels sont habituellement transmis de manière non verbale (ce qui comprend le ton de voix). Pour le vérifier, imaginez comment vous pourriez agir en disant: « Pouvez-vous m'aider une minute ? » d'une façon qui montre chacune des relations suivantes:

- la supériorité,
- la gentillesse,
- le désir sexuel,
- l'impuissance,
- l'irritation.

Il faut toutefois se rappeler que les comportements non verbaux sont souvent ambigus. Le ton incisif que l'on perçoit comme une insulte personnelle pourrait être dû à la fatigue. Avant de tirer trop rapidement des conclusions sur les indices relationnels, il est préférable de les vérifier verbalement.

LA MÉTACOMMUNICATION

Les messages relationnels ne sont pas tous non verbaux. Les spécialistes des sciences sociales utilisent le terme **métacommunication** pour décrire les messages que les personnes échangent, verbalement ou non, sur leur relation[56]. En d'autres mots, la métacommunication est « la communication sur la communication ». Lorsqu'on discute d'une relation avec la personne qui y est engagée, on fait de la métacommunication. Des phrases telles que « Je déteste que tu me parles sur ce ton » ou « J'aime ton honnêteté envers moi » reflètent comment la métacognition s'opérationnalise au quotidien.

métacommunication: messages utilisés par des personnes entre elles pour parler de leur relation.

La métacommunication verbale est un élément essentiel des relations réussies puisqu'elle aide à résoudre les conflits de manière constructive. Elle permet de faire passer la discussion du niveau du contenu au niveau relationnel, là où se situe souvent le problème. Pour mieux comprendre, lisez le dialogue entre Douglas et Murielle dans l'encadré « Application » de la page suivante.

Imaginez à quel point la discussion aurait pu être plus productive si les interlocuteurs avaient mis l'accent sur la question relationnelle de l'engagement de Douglas envers Murielle et son fils. Douglas s'en tient au contenu, l'aptitude du garçon pour les mathématiques, et évite ainsi la métacommunication qui est souvent nécessaire pour garder de saines relations.

« Vous lui dites: "Tu seras décapitée", mais ce que j'entends, c'est: "Je me sens négligé". »

La métacommunication n'est pas seulement un outil permettant de régler les problèmes. C'est aussi une façon de renforcer les aspects positifs d'une relation: « J'apprécie vraiment tes compliments sur mon travail en présence du patron. » De tels commentaires remplissent une double fonction: ils montrent à l'autre que l'on apprécie son comportement et ils augmentent les chances qu'il adopte ce comportement à l'avenir.

En dépit des avantages que procure la métacommunication, le fait de soulever les problèmes relationnels comporte des risques. Le désir de parler d'une relation semble parfois de mauvais augure: « Notre relation ne fonctionne pas si nous devons sans cesse en discuter[57]. » En outre, la métacommunication comporte effectivement une part d'analyse (« On dirait que tu éprouves de la colère à mon égard »), et certaines personnes n'apprécient guère être analysées. Ces mises en garde ne signifient pas qu'il faut éviter la métacommunication verbale. Elles indiquent plutôt qu'il s'agit d'un outil que l'on doit utiliser avec circonspection.

APPLICATION

Contenu et messages relationnels

Dans une conversation, lorsque chaque personne est centrée sur un niveau différent (l'une sur le contenu et l'autre sur le message relationnel), des problèmes risquent de surgir. Dans ce bref passage, inspiré d'un roman d'Anne Tyler, Murielle essaie d'utiliser la remarque (liée au contenu) que fait Douglas sur son fils pour orienter la discussion sur l'avenir de leur relation. À moins que Douglas et Murielle ne se mettent d'accord pour se concentrer sur le contenu ou le problème relationnel, ils risquent de rester dans une impasse désagréable.

« Je ne crois pas qu'Alexandre reçoive une éducation appropriée à l'école, lui dit-il un soir.

— Mais non, ça va.

— Je lui ai demandé combien de monnaie on lui remettrait lorsqu'on a acheté du lait aujourd'hui et il n'en avait pas la moindre idée. Il ne savait même pas qu'il devait faire une soustraction.

— Il n'est qu'en deuxième année, objecte Murielle.

— Je pense qu'il devrait aller dans une école privée.

— Les écoles privées sont dispendieuses.

— Et alors ? Je paierai. »

Elle s'arrête de retourner le bacon et le regarde.

« Qu'est-ce que tu dis ? lui demande-t-elle. Qu'est-ce que tu dis, Douglas ? Es-tu en train de dire que tu t'engages ? »

Douglas se racle la gorge. Il répond: « Que je m'engage ?

— Alexandre a encore dix années de scolarité devant lui. Es-tu en train de dire que tu seras avec nous pendant encore dix ans ?

— Humm...

— Je ne peux pas l'inscrire à l'école privée et ensuite le réinscrire à l'école publique à chacun de tes caprices. »

Douglas reste silencieux.

« J'ai aussi une autre question, dit-elle. Est-ce que tu penses qu'on va se marier un jour ? Je veux dire, lorsque ton divorce sera prononcé ?

— Ah, tu sais, moi, le mariage, Murielle...

— Tu n'y penses jamais, n'est-ce pas ? Tu ne sais pas ce que tu veux. Pendant une minute, tu m'aimes, et l'instant d'après, tu ne m'aimes plus. Pendant une minute, tu as honte que l'on nous voie ensemble, et l'instant d'après, notre rencontre est la meilleure chose qui te soit arrivée. »

Il la regarde fixement. Il n'aurait jamais cru qu'elle pouvait lire en lui à ce point.

« Tu penses que tu peux dériver comme ça, jour après jour, sans faire aucun projet, dit-elle. Peut-être seras-tu là demain, peut-être pas. Peut-être que tu retourneras avec Sarah. Oh oui ! Je t'ai vu au mariage de Rose. J'ai vu comment toi et Sarah, vous vous dévoriez des yeux. »

Douglas répond: « Tout ce que je disais, c'est que...

— Tout ce que je dis, lui répond Murielle, c'est de faire attention aux promesses que tu fais à mon fils. Ne lui fais pas de promesses que tu n'as pas l'intention de tenir.

— Mais je voulais seulement qu'il apprenne à faire des soustractions ! » dit-il.

RÉSUMÉ

Les gens tissent des relations pour toutes sortes de raisons. Certaines d'entre elles relèvent de l'attraction que les communicateurs éprouvent l'un envers l'autre. Les facteurs favorisant l'attraction sont l'apparence physique, la ressemblance, la complémentarité, l'attirance réciproque, la compétence, l'ouverture de soi, la proximité et les bénéfices.

Deux modèles offrent des perspectives différentes sur le rôle de la communication dans le développement et l'entretien des relations interpersonnelles. Le premier, le *modèle des stades*, définit les différentes étapes d'une la relation en se basant sur les caractéristiques de la communication à chacune des étapes. On y propose dix stades au cours desquels les gens se rapprochent et s'éloignent les uns des autres. Le second est un *modèle dialectique* dans lequel les communicateurs, quel que soit le stade de la relation, doivent gérer de nombreux besoins incompatibles. Les deux modèles ont plusieurs caractéristiques en commun, comme le fait que les relations évoluent constamment, qu'elles sont influencées par la culture et qu'elles nécessitent qu'on les entretienne.

Lorsque les relations se détériorent en raison de transgressions, les stratégies de « réparation » et le pardon sont d'importantes aptitudes que doivent posséder les deux parties. Toute communication implique deux niveaux : celui du contenu et celui de la relation. La communication relationnelle peut être à la fois verbale et non verbale. La métacommunication se compose de messages que les personnes échangent sur leur relation

Mots clés

circonspection (201)
culture contextuelle (207)
découverte (199)
dialectique échange-retrait (204)
dialectique fusion-autonomie (203)
dialectique prévisibilité-nouveauté (204)
différenciation (200)
engagement (200)
évitement (201)
fusion (199)
maintien de la relation (198)
métacommunication (211)
phase initiale (198)
renforcement des liens (199)
rupture (201)
stagnation (201)
tension dialectique (203)
transgression relationnelle (208)

AUTRES RESSOURCES

Vous connaissez maintenant les facteurs qui favorisent la création de liens intimes. L'apparence, la proximité et l'attirance sont importantes en ce qui concerne l'initiation d'une relation interpersonnelle, mais n'en garantissent pas la longévité. Tout au long de l'évolution de la relation, la communication sert de trame de fond au développement de sentiments intenses et harmonieux. Si une communication efficiente favorise la relation, des capacités communicationnelles déficientes risquent fort de la miner. Afin d'approfondir vos connaissances en la matière, voici quelques références utiles concernant l'importance de la communication dans les dynamiques relationnelles.

Livres

BODENMANN, G. *Une vie de couple heureuse*, Paris, O. Jacob, 2003.

CALMÉ, N. *Être à deux ou les traversées du couple*, Paris, Albin Michel, 2000.

GRAF, A. et S. VIDAL. *Se parler au cœur du sexe : la communication intime dans le couple*, Grand-Lancy, Jouvence, 1998.

GRAY, J. *Mars et Vénus, les chemins de l'harmonie : pour mieux comprendre, accepter et apprécier l'autre sexe*, Paris, J'ai lu, 1999.

GRAY, J. *Mars et Vénus ensemble pour toujours, un nouveau défi pour le couple : durer*, Neuilly-sur-Seine, M. Lafon, 2003.

Depuis la diffusion de *The Real World* dans les années 1990, de nombreuses émissions de téléréalité ont permis aux téléspectateurs d'observer des gens nouer des relations interpersonnelles, les entretenir et y mettre fin au fil des épisodes télévisés. Certaines de ces émissions (comme *Occupation double*) sont des concours dans lesquels les participants doivent sélectionner un partenaire amoureux. L'attirance physique y joue un rôle important au départ, mais c'est la proximité et l'échange de renseignements qui vont en s'intensifiant qui permettent aux participants d'évaluer les coûts et les bénéfices d'une relation continue avec les partenaires sélectionnés.

D'autres émissions de téléréalité, comme *Survivor* et *Loft Story*, opposent les participants les uns aux autres, chacun souhaitant ne pas être évincé de l'émission par ses pairs. Dans de nombreux cas, des alliances se forment en fonction des ressemblances (les femmes contre les hommes, les participants plus âgés contre les plus jeunes) et de la proximité (les membres d'une même équipe passant davantage de temps ensemble en viennent souvent, bien que ce ne soit pas systématique, à éprouver un sentiment d'amitié).

La compétence intervient dans la mesure où les participants sont attirés par ceux qui réussissent bien lors des concours organisés dans le cadre de ces émissions. La complémentarité joue aussi un rôle lorsque les talents des participants les amènent à conclure des alliances inattendues. Bien que les émissions de téléréalité s'éloignent parfois de la vie de tous les jours, les relations interpersonnelles qui s'y développent ressemblent souvent à celles qui se tissent dans les situations réelles.

Films

Les 50 premiers rendez-vous, réalisé par Peter Segal (2004).

Lorsque Henry Roth rencontre Lucy Whitmore pour la première fois, le courant passe, et ils conviennent de se revoir le lendemain. Mais au deuxième rendez-vous, Lucy ne se souvient absolument pas d'avoir rencontré Henry. Apparemment, plusieurs années auparavant, elle a subi une blessure à la tête qui fait en sorte que chaque soir, lorsqu'elle s'endort, elle oublie tout ce qui s'est passé depuis le jour de son accident. Cette trame fictive permet d'examiner de manière approfondie les premières étapes relationnelles que constituent la phase initiale, la découverte et le renforcement des liens, étapes qu'Henry et Lucy ne peuvent pas dépasser. Henry fait la cour à Lucy jour après jour, en essayant une foule de techniques dont certaines sont plus fructueuses que d'autres. Après une longue série de premiers rendez-vous, Henry réalise qu'il souhaite s'engager sur le plan émotionnel et il met donc au point une formule novatrice pour permettre à la relation d'évoluer vers la fusion et l'engagement. *Les 50 premiers rendez-vous*, tout comme le film *Le Jour de la marmotte*, illustre de manière métaphorique le fait que les relations cessent parfois d'évoluer, et que le développement personnel de l'un ou l'autre des protagonistes peut relancer le processus d'évolution.

Joue-la comme Beckham, réalisé par Gurinder Chadha (2002).

Jesminder « Jess » Bhamra est une adolescente qui tente de concilier des objectifs, des relations et des cultures incompatibles. Ses parents souhaitent la voir adhérer aux valeurs indiennes traditionnelles et aux principes de l'éducation sikhe ; Jess, elle, préférerait jouer au soccer dans les parcs de Londres. Elle sait bien que jamais ses parents ne l'y autoriseraient, aussi se garde-t-elle de leur demander la permission de le faire. Elle invente des excuses pour pouvoir prendre part aux entraînements et aux matchs. La notion de secret est au cœur de cette histoire, alors que plusieurs personnages cherchent à équilibrer les tensions dialectiques résultant des besoins d'ouverture et d'intimité. Tout au long de ce film, les secrets découverts engendrent des souffrances et un sentiment de trahison, même si l'on constate que la jeune fille avait de bonnes raisons de ne pas les divulguer. En dernière analyse, Jess décide de poursuivre ouvertement ses objectifs, même si elle doit pour cela décevoir les personnes qu'elle aime. Elle découvre que dans toutes ses relations, qu'elles soient familiales, amicales ou amoureuses, elle doit rechercher l'équilibre entre proximité et autonomie, prévisibilité et nouveauté, intimité et ouverture. À la fin du film, elle semble avoir réussi à atteindre cet équilibre.

Chapitre 9

L'INTIMITÉ ET LA DISTANCE DANS LA COMMUNICATION RELATIONNELLE

CONTENU

Le désir de nouer des relations interpersonnelles peut susciter des sentiments ambivalents : d'un côté, on souhaite ardemment établir des contacts avec les autres, mais de l'autre, on veut être indépendant. On est en fait divisé entre le besoin de partager des informations personnelles et celui de protéger sa vie privée.

Ce chapitre explore la façon dont cette dualité modèle une grande part de notre communication. La première partie traite de la nature de l'intimité dans les relations : elle présente les facteurs qui la favorisent de même que ses limites. La seconde partie examine la nature de l'ouverture de soi : elle explique les différentes façons de s'ouvrir aux autres et comment celles-ci agissent dans les relations interpersonnelles. Enfin, on verra comment créer et entretenir des relations satisfaisantes autrement qu'en divulguant des pensées ou des sentiments intimes.

OBJECTIFS

- Connaître les différentes dimensions de l'intimité et les limites liées à celle-ci.
- Connaître les bénéfices, les risques et les solutions de rechange à l'ouverture de soi.

L'INTIMITÉ DANS LES RELATIONS INTERPERSONNELLES

intimité : lien étroit entre deux personnes, qui naît d'une proximité physique, d'échanges intellectuels et émotionnels et du partage d'activités.

L'**intimité** est une dimension importante dans les relations interpersonnelles. Les gens qui disent avoir des relations intimes satisfaisantes avec un ami, un proche ou un conjoint ont une plus grande estime de soi, un sens de l'identité plus fort et davantage le sentiment de contrôler leur vie que ceux qui n'ont pas de telles relations[1]. Dans le cadre d'une étude réalisée auprès de personnes en phase terminale à qui les chercheurs ont demandé ce qui comptait le plus dans la vie, 90 % d'entre elles ont reconnu que les relations d'intimité venaient en tête. Comme l'a dit une femme âgée de 50 ans, mère de trois enfants, qui était sur le point de mourir du cancer : « Il n'est pas nécessaire d'attendre d'être dans mon état pour savoir que rien ne compte autant dans la vie que des relations empreintes d'amour[2]. »

LES DIMENSIONS DE L'INTIMITÉ

Afin de mieux comprendre ce qu'est l'intimité, il est important d'explorer les quatre dimensions qui la composent.

La première est *physique*. Le bébé, avant même la naissance, connaît avec sa mère une proximité physique qui ne se reproduira plus jamais[3]. En grandissant, les enfants favorisés sont entourés d'intimité physique : ils sont bercés, caressés et portés. À mesure qu'ils vieillissent, les occasions d'intimité physique avec leurs parents sont moins régulières, alors qu'augmente l'intimité avec leurs amis et leurs partenaires. Une part de cette intimité est sexuelle, mais elle comprend également des contacts physiques tels que les baisers, les étreintes et les marques d'affection.

La deuxième dimension de l'intimité découle du partage *intellectuel*. Les échanges d'idées ne sont évidemment pas tous intimes. Par exemple, les étudiants n'établissent que très rarement, voire jamais, de liens étroits avec un professeur ou des camarades lorsqu'ils parlent d'un examen. Par contre, si les mêmes personnes échangent des idées sur des sujets importants, il peut alors se produire un rapprochement stimulant.

La troisième dimension de l'intimité est *émotionnelle*. Cette forme d'intimité est présente lorsqu'il y a échange de sentiments importants. Partager des informations personnelles reflète et crée un sentiment de proximité. Étonnamment, il n'est pas nécessaire d'être en présence de l'autre pour avoir ce type de communication. Une étude révèle que près des deux tiers des utilisateurs de messagerie électronique sélectionnés au hasard ont déclaré avoir noué une relation personnelle dans un forum de discussion sur Internet[4]. Comme le font des amis « traditionnels », les gens ayant développé une amitié grâce à Internet définissent leur relation en termes d'interdépendance (« Nous ferions tout pour nous entraider »), d'étendue (« Nos échanges couvrent des sujets très variés »), de profondeur (« J'ai l'impression que je pourrais tout lui confier ») et d'engagement (« Je tiens vraiment beaucoup à entretenir cette relation »).

Comme le concept d'intimité repose sur la proximité, cela implique un partage d'*activités*, ce qui constitue la quatrième dimension de l'intimité. Il peut s'agir de deux collègues qui travaillent côte à côte ou de deux connaissances qui se rencontrent régulièrement pour pratiquer un sport. En passant du temps ensemble, ils développent des façons particulières d'entrer en relation, passant d'une relation impersonnelle à une autre plus intime. Par exemple, les relations d'amitié et d'amour se caractérisent souvent par différentes formes de jeu : les partenaires s'inventent des codes secrets, s'amusent à imiter les autres, se taquinent et jouent à des jeux[5].

Certaines relations intimes présentent les quatre dimensions de l'intimité (physique, intellectuelle, émotionnelle et partage d'activités) alors que d'autres n'en comportent qu'une ou deux. Plusieurs relations n'ont rien d'intime. Des connaissances, des colocataires ou des collègues ne deviennent pas nécessairement des amis proches. Parfois, les membres d'une même famille développent des relations harmonieuses mais relativement impersonnelles.

L'INTIMITÉ ET LES INFLUENCES CULTURELLES

Au cours de l'histoire, les notions de comportement public et de comportement privé ont changé radicalement[6]. Ce qui relève aujourd'hui de l'intimité a déjà été tout à fait public. Par exemple, dans l'Allemagne du XVIe siècle, les nouveaux mariés devaient aller au lit en présence de témoins qui validaient l'union[7]. Inversement, à la même époque, en Angleterre et dans les colonies américaines, le type de communication habituel entre époux était plutôt formel et ressemblait à la façon dont de simples connaissances ou des voisins s'adressent aujourd'hui la parole. Même de nos jours, le concept d'intimité varie d'une culture à l'autre.

L'ouverture de soi est une pratique extrêmement répandue dans la société nord-américaine. En fait, les personnes nées aux États-Unis se dévoilent plus que les membres des autres cultures étudiées[8]. Elles sont portées à se confier à de simples connaissances et même à des étrangers. Cette description pince sans-rire, tirée d'un guide touristique britannique, illustre bien cette tendance :

> Si vous vous asseyez près d'un Américain dans un avion, il vous adressera immédiatement la parole en vous appelant par votre prénom, vous demandera comment vous trouvez la vie aux États-Unis, vous expliquera son divorce récent dans les moindres détails, vous invitera à dîner chez lui, vous offrira de vous prêter de l'argent et vous étreindra chaleureusement avant de vous quitter. Cela ne veut pas forcément dire qu'il se rappellera votre nom le lendemain[9].

Dans certaines cultures collectivistes, comme à Taïwan et au Japon, il y a une grande différence entre la manière de communiquer avec les membres de son propre groupe (la famille et les amis proches) et les membres de groupes extérieurs[10]. En règle générale, les gens ne vont pas vers les étrangers : ils attendent d'être présentés officiellement avant d'engager la conversation. Une fois les présentations faites, ils s'adressent aux étrangers de façon formelle. Ils leur cachent par tous les moyens les informations défavorables sur les membres de leur groupe, appliquant le principe selon lequel on ne lave pas son linge sale en public.

En revanche, les membres de cultures plus individualistes, dont les Nord-Américains et les Australiens, font moins de distinction entre les relations personnelles et impersonnelles. Ils adoptent un comportement souvent familier avec les étrangers et se livrent facilement[11].

L'INTIMITÉ DANS LA COMMUNICATION ASSISTÉE PAR ORDINATEUR

Voilà quelques dizaines d'années, il aurait été difficile de concevoir que les termes *ordinateur* et *intimité* puissent avoir un quelconque lien positif. Les ordinateurs étaient considérés comme des machines impersonnelles, incapables de transmettre les éléments importants de la communication humaine, tels que les expressions du visage, le ton de la voix et le toucher. Aujourd'hui toutefois, les chercheurs savent que la communication assistée par ordinateur (CAO) peut être tout aussi personnelle que les interactions faites face à face (voir les chapitres 1 et 2). En fait, des études montrent que, dans certaines situations, la CAO pourrait permettre d'atteindre une intimité relationnelle plus rapidement que si les personnes étaient en présence l'une de l'autre[12] et qu'elle pourrait améliorer, particulièrement chez les personnes réservées, l'intimité verbale, émotionnelle et sociale[13]. De plus, l'anonymat relatif des cybersalons, des blogues et des services de rencontre en ligne procure une liberté d'expression qui n'est pas forcément présente dans les entrevues en face à face[14], aidant ainsi la relation à s'amorcer.

Tout comme on le fait en présence d'un interlocuteur, les communicateurs choisissent de se révéler à divers degrés avec leurs cyberpartenaires. Certaines relations en ligne sont relativement impersonnelles, d'autres sont extrêmement personnelles. Quoi qu'il en soit, la CAO joue un rôle important dans la création et le maintien de l'intimité au sein des relations contemporaines.

LES LIMITES DE L'INTIMITÉ

Il est impossible d'être près de tout le monde: on n'a tout simplement pas assez de temps et d'énergie pour cela. Et même si on avait l'occasion de développer une relation d'intimité avec chacune des personnes rencontrées, peu d'entre elles souhaiteraient autant de proximité.

Plusieurs de nos contacts quotidiens n'exigent aucune intimité. Certains reposent sur des échanges économiques (au travail ou avec le commis au dépanneur); d'autres, sur l'appartenance à un groupe (la religion ou l'école); d'autres encore, sur la proximité physique (les voisins et les gens avec qui on fait du covoiturage); enfin, certains découlent des rapports avec des tiers (des amis communs, les gens de la garderie).

Certains auteurs ont souligné qu'une obsession de l'intimité risque de conduire à des relations moins satisfaisantes[15]. Les personnes pour qui la communication intime est la seule valable accordent peu de valeur aux relations qui ne répondent pas à ce standard. Cela peut les amener à considérer l'interaction avec des étrangers ou de simples connaissances comme superficielle. Compte tenu du plaisir que peuvent procurer des échanges polis mais distants, un tel point de vue est fort limité. L'intimité est gratifiante, incontestablement, mais ce n'est pas la seule façon d'interagir avec les autres.

L'OUVERTURE DE SOI DANS LES RELATIONS INTERPERSONNELLES

Un des critères servant à évaluer la solidité d'une relation est la quantité d'informations que l'on partage avec l'autre, d'où l'importance de l'ouverture de soi dans les relations interpersonnelles.

L'**ouverture de soi** est le processus qui consiste à dévoiler délibérément certaines informations sur soi, qui sont à la fois significatives et encore inconnues des autres. Examinons cette définition. L'ouverture de soi doit être *délibérée*. Si une personne mentionne accidentellement à un ami qu'elle songe à quitter son emploi, ou si son expression faciale révèle une irritation qu'elle souhaitait cacher, cette information ne constitue pas une ouverture de soi.

ouverture de soi : processus qui consiste à dévoiler délibérément des informations sur soi, qui sont à la fois significatives et inconnues des autres.

En plus d'être lancée intentionnellement, l'information doit être *significative*. Faire part de son plein gré de faits, d'opinions ou de sentiments insignifiants — parler de sa préférence pour le caramel, par exemple — n'est pas une révélation de soi.

Enfin, l'information dévoilée doit être *inconnue des autres*. Faire savoir que l'on est déprimé ou transporté de joie n'a rien d'une confidence si tout le monde autour de soi le sait déjà. Le tableau 9.1 présente quelques caractéristiques de l'ouverture de soi dans les relations personnelles.

TABLEAU 9.1 **Des caractéristiques de l'ouverture de soi.**

Caractéristiques	Commentaires
Se produit habituellement dans les relations entre deux personnes	Il est plus facile de se confier à une seule personne que de le faire en présence d'un tiers.
Progressive	De petites confidences instaurent la confiance qui mène à la divulgation d'informations plus importantes.
Relativement rare	Très fréquente au tout début des relations, et plus tard dans les moments critiques. Peu courante dans les relations bien établies (lorsque les partenaires se connaissent bien).
Meilleure dans le cadre de relations saines	Très productive quand elle est faite de manière constructive, même si l'information est difficile à partager. Les relations saines sont suffisamment solides pour gérer une telle révélation.

LES DIMENSIONS DE L'OUVERTURE DE SOI

interpénétration sociale: modèle qui décrit la relation interpersonnelle en termes d'étendue et de profondeur.

étendue: éventail de sujets qu'abordent les personnes se livrant l'une à l'autre.

profondeur: qualité des informations divulguées selon qu'elles sont impersonnelles ou personnelles.

L'ouverture de soi comporte différentes dimensions, puisqu'on se révèle davantage dans certains messages que dans d'autres. Les psychosociologues Irwin Altman et Dalmas Taylor montrent, par leur schéma d'**interpénétration sociale**[16] (voir la figure 9.1), deux dimensions de l'ouverture de soi. La première concerne l'étendue des informations divulguées, c'est-à-dire l'éventail des sujets abordés. Par exemple, l'**étendue** de l'ouverture de soi dans une relation de travail augmentera si des collègues commencent à se parler de leur vie au travail aussi bien que de leur vie à l'extérieur. La seconde dimension est la **profondeur** des informations divulguées, le fait de passer d'une conversation impersonnelle à des messages plus personnels.

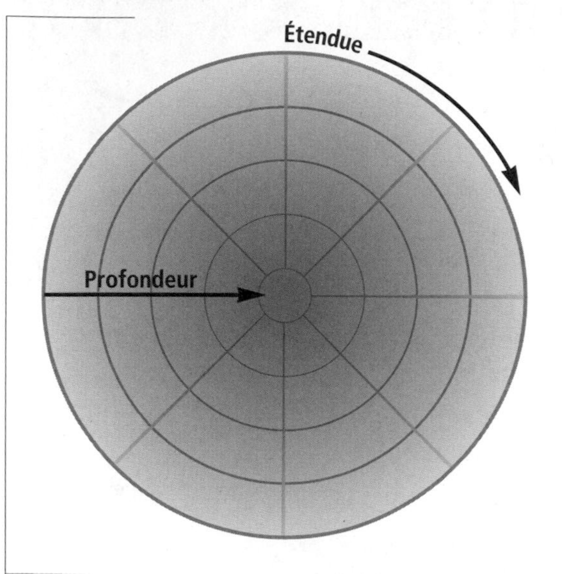

FIGURE 9.1 **Le schéma d'interpénétration sociale.**

Selon l'étendue et la profondeur des informations partagées, une relation est considérée comme superficielle ou intime. Dans une relation sans importance, l'étendue des informations divulguées peut être grande, mais pas la profondeur. Une relation plus intime a, quant à elle, généralement plus de profondeur. Les relations les plus intimes sont celles dans lesquelles l'ouverture est importante à la fois par son étendue et sa profondeur.

Altman et Taylor décrivent le développement d'une relation personnelle comme sa progression de la périphérie vers le centre de leur modèle, un processus qui se produit généralement au fil du temps. Chaque relation interpersonnelle présente probablement une combinaison unique d'étendue de sujets et de profondeur. La figure 9.2 illustre un exemple d'ouverture de soi d'un étudiant avec un ami concernant différents sujets.

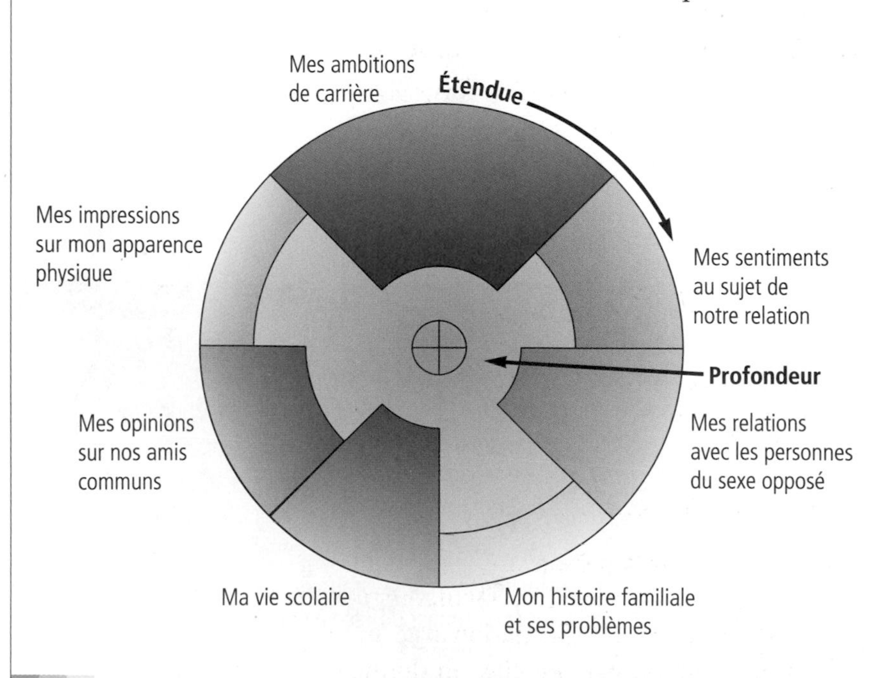

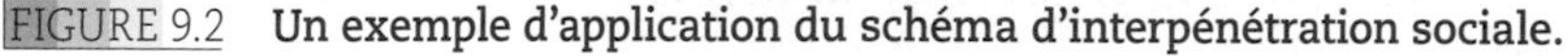
FIGURE 9.2 **Un exemple d'application du schéma d'interpénétration sociale.**

Pourquoi certains messages ont-ils une plus grande profondeur que d'autres? Pour répondre à cette question, il faut tenir compte de trois caractéristiques particulières. Comme on l'a vu précédemment, certaines révélations sont vraiment plus *significatives* que d'autres. Voyez la différence qu'il y a à dire « J'aime ma famille » et « Je t'aime ». D'autres révélations relèvent d'une plus grande profondeur parce qu'elles sont d'ordre *privé*. Partager régulièrement des informations sur vous à quelques amis témoigne d'une certaine ouverture, mais dévoiler des informations que vous n'avez jamais confiées est bien plus révélateur.

Finalement, le dernier élément nous permettant d'évaluer la profondeur de l'ouverture de soi est le *degré* d'ouverture qui détermine le type de renseignements que nous désirons partager avec les autres. Les lignes qui suivent présentent ces différents degrés.

Les clichés

Les **clichés** représentent le premier degré de communication. Des clichés comme « Comment ça va ? », « Ça va bien. Et toi ? », « Alors, on se téléphone pour manger ensemble bientôt » sont des questions ou réponses toutes faites, anodines que l'on donne dans des situations données.

cliché : phrase, idée toute faite devenue banale à force d'être répétée.

fait : information objective divulguée, qui répond ou non aux critères de l'ouverture de soi.

opinion : énoncé révélateur de ce que pense ou a comme valeur la personne qui l'émet.

Bien que superficiels, les clichés font souvent office de codes pour transmettre des messages que l'on n'exprime habituellement pas de façon directe. Par exemple, recourir à une phrase cliché pour saluer une connaissance dans la rue peut indiquer : « Je prends acte de ta présence », sans plus. Si ce cliché s'accompagne d'un ensemble d'indices non verbaux, le message peut devenir : « Je ne veux pas être impoli, mais je n'ai pas le temps de discuter avec toi pour le moment. » Quelles que soient les fonctions très utiles qu'ils remplissent, les clichés ne constituent de toute évidence pas une ouverture de soi.

Les faits

Les **faits** que l'on divulgue constituent le deuxième degré dans la communication. Les faits ne sont pas toujours synonymes d'ouverture. Pour l'être, ils doivent correspondre aux critères de l'ouverture de soi : être révélés intentionnellement, être significatifs et ne pas être déjà connus.

> « Je n'en suis pas à ma première tentative au collège. J'ai abandonné il y a un an, car j'avais des notes abominables. »
>
> « Je suis pratiquement fiancé. » (Révélation faite à l'occasion d'une rencontre, loin de chez soi, à une personne étrangère)
>
> « Cette idée que tout le monde a trouvée tellement ingénieuse n'est pas vraiment de moi. Je l'ai lue dans un livre l'an dernier. »

Si des faits comme ceux-ci sont révélateurs en eux-mêmes, ils ont une plus grande signification dans le cadre d'une relation. Le fait de dévoiler des informations importantes suppose un degré de confiance et d'engagement envers l'autre personne, qui indique un désir de faire évoluer la relation pour passer à un nouveau stade.

Les opinions

Les **opinions**, qui constituent le troisième degré de l'ouverture de soi, sont encore plus révélatrices. Prenons des exemples :

> « Je pensais que l'avortement n'était pas une question très importante, mais j'ai changé d'avis il n'y a pas longtemps. »
>
> « J'aime bien Maryse, vraiment. »
>
> « Je ne pense pas que vous m'exprimiez le fond de votre pensée. »

Des opinions comme celles-ci révèlent plus de choses sur la personne qui les émet que de simples énoncés factuels. Si on connaît l'opinion de notre interlocuteur sur le sujet, on peut avoir une idée plus précise de ce que pourra être la relation avec lui. De la même façon, chaque fois que l'on émet une opinion personnelle, on donne aux autres des informations nous concernant.

Les sentiments

sentiment: dimension émotive accompagnant une opinion.

Le quatrième degré d'ouverture de soi, habituellement le plus révélateur, est l'expression des **sentiments**, qui, à première vue, ressemble à l'expression des opinions. Pour faire ressortir la différence entre les deux, reprenons la phrase « Je ne pense pas que vous m'exprimiez le fond de votre pensée », laquelle exprime une opinion. Voyez comment il est possible d'apprendre plus de choses sur l'émetteur en examinant trois sentiments qui pourraient accompagner cette opinion :

> « Je ne pense pas que vous m'exprimiez le fond de votre pensée, *et je suis assez méfiant.* »
>
> « Je ne pense pas que vous m'exprimiez le fond de votre pensée, *et j'en suis fâché.* »
>
> « Je ne pense pas que vous m'exprimiez le fond de votre pensée, *et j'en suis blessé.* »

La différence entre les quatre degrés d'ouverture que sont les clichés, les faits, les opinions et les sentiments explique pourquoi certains échanges sont frustrants. À certains moments, les interlocuteurs ne vont pas jusqu'à exprimer des opinions personnelles et des sentiments. À d'autres, ils y consacrent trop de temps. D'ailleurs, dévoiler une trop grande quantité d'informations personnelles peut embarrasser l'autre. De même, il arrive que deux interlocuteurs désirent partager, mais à un degré différent. Si l'un s'en tient habituellement à des faits et exprime, à l'occasion, une opinion ou deux, et que l'autre désire révéler des sentiments personnels, tous deux se sentiront mal à l'aise. Observez ce qui se passe quand Steve rencontre Douglas pour la première fois lors d'une soirée entre amis :

> Steve : Salut, ça va ?
>
> Douglas : Oui, et toi ?
>
> Steve : Tu connais l'hôtesse depuis longtemps ?
>
> Douglas : Oui. Nous sommes sortis ensemble pendant deux ans. Malheureusement, elle m'a laissé il y a quelques semaines. Elle souhaite que nous restions amis. C'est pour cela que je suis ici.
>
> Steve : Ah oui ?
>
> Douglas : Oui. Mais je trouve cela difficile. Je ne pense pas que je serai capable de la regarder. Je la trouve tellement belle ! Je ne pense pas que je pourrai trouver une autre fille comme elle. C'est difficile de la revoir ici, ce soir.
>
> Steve : Oui, je comprends. Je suis désolé pour toi. Écoute, je dois y aller. Je n'ai pas encore salué tout le monde. On se reprend, d'accord ?

Dans cet exemple, Douglas s'est confié beaucoup trop rapidement. Il a dévoilé des sentiments bien avant que Steve ne soit prêt à avoir une conversation à ce degré d'ouverture. Cela a créé un malaise, et Steve a préféré s'éloigner. Dans une relation, il est important de doser la quantité d'informations que l'on veut partager et de le faire en tenant compte du degré d'ouverture approprié.

UN MODÈLE D'OUVERTURE DE SOI : LA FENÊTRE DE JOHARI

Une façon de comprendre le rôle important que joue l'ouverture de soi dans les communications interpersonnelles est de se référer à la **fenêtre de Johari**[17]. Imaginez qu'un cadre comme celui présenté à la figure 9.3 contient toutes les données qui vous concernent : vos préférences et vos aversions, vos objectifs, vos besoins, vos secrets, etc.

fenêtre de Johari : représentation de la communication entre deux personnes, basée sur les informations cachées ou connues concernant l'une d'elles.

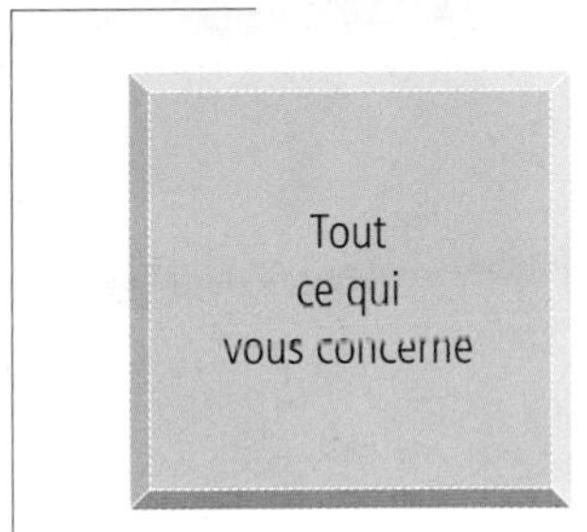

FIGURE 9.3

Bien sûr, vous n'avez pas connaissance de tout ce qui se rapporte à vous. Comme la plupart des gens, vous découvrez continuellement de nouvelles choses sur vous-même. Pour illustrer cet état de fait, divisez le cadre en deux parties : la première représente tout ce que vous connaissez de vous, et la seconde, ce qui vous est encore inconnu (voir la figure 9.4).

FIGURE 9.4

Vous pouvez diviser le cadre dans l'autre sens. Cette fois, la partie supérieure représentera les choses que les autres connaissent sur vous, et l'autre, les choses que vous tenez à garder secrètes. La figure 9.5 illustre cette division.

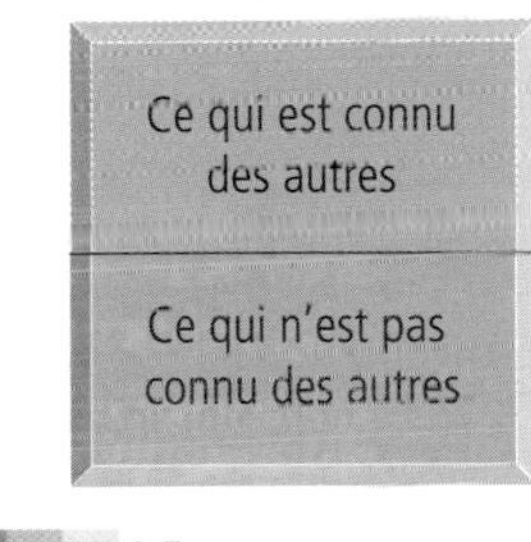

FIGURE 9.5

En superposant les deux cadres ainsi divisés, vous obtenez la fenêtre de Johari. La figure 9.6 donne à voir toutes les informations qui vous concernent, réparties entre les quatre cases.

La première case renferme les informations connues de vous-même et des autres. Cette partie est votre *zone ouverte*. La deuxième case est nommée la *zone aveugle* : ce sont les informations que vous ignorez à votre sujet, mais que les autres connaissent. On prend connaissance des informations de la zone aveugle principalement par les rétroactions de son entourage. La troisième case représente votre *zone cachée* : les informations sur vous que vous possédez, mais que vous ne tenez pas à dévoiler. Les éléments de cette zone deviennent publics par l'ouverture de soi. La quatrième case renferme les informations qui sont inconnues à la fois de vous même et des autres.

Au premier abord, cette *zone inconnue* paraît impossible à vérifier. Après tout, si personne ne sait ce qu'elle contient, comment peut-on être certain qu'elle existe ? On peut en déduire l'existence par le fait que l'on apprend constamment de nouvelles choses sur soi. Il n'est pas inhabituel de découvrir, par exemple, que l'on a un talent, un point fort ou une faiblesse que l'on ne connaissait pas auparavant.

LES BÉNÉFICES ET LES RISQUES DE L'OUVERTURE DE SOI

Bien qu'on laisse échapper à l'occasion quelques informations personnelles révélatrices, l'ouverture de soi relève d'une décision consciente et délibérée. Quels en sont les risques et les bénéfices ?

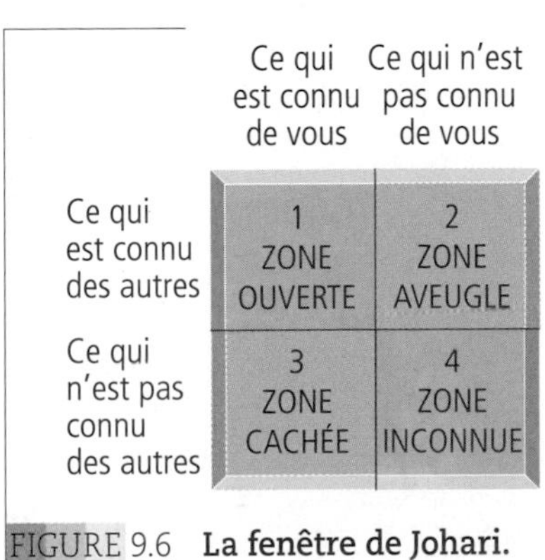

FIGURE 9.6 **La fenêtre de Johari.**

Les bénéfices de l'ouverture de soi

Plusieurs raisons nous poussent à partager des informations personnelles. En découvrant chacune d'elles, vous verrez celles qui s'appliquent à vous.

La catharsis Parfois, on dévoile des informations personnelles dans le but de se « libérer d'un poids ». Dans un élan de sincérité, une personne pourrait ainsi vouloir exprimer ses regrets d'avoir mal agi dans le passé.

« J'aimerais que tu t'ouvres à moi. J'ai besoin de munitions… »

Le désir de réciprocité Le fait de dévoiler des informations sur soi incite parfois l'autre à en faire autant. Par exemple, exprimer des sentiments à son partenaire (« Je m'ennuie depuis quelque temps… ») l'amènera sans doute à se confier avec autant de sincérité. Cependant, la réciprocité n'est pas toujours immédiate : raconter aujourd'hui vos problèmes professionnels à une amie pourra l'aider demain à se sentir plus à l'aise pour vous confier l'histoire de sa famille.

Le besoin d'éclaircissements Il arrive que les gens parlent de leurs convictions, de leurs opinions, de leurs pensées ou de leurs sentiments pour les clarifier. Cela se produit avec des thérapeutes, mais aussi avec de bons amis tout comme avec des serveurs de bar, des coiffeuses, etc.

Le besoin de validation On dévoile parfois de l'information (« Je pense avoir bien fait ») dans l'espoir d'obtenir le consentement du récepteur, on souhaite se faire valider son comportement. Une personne peut même chercher à obtenir l'approbation d'un récepteur au sujet d'un aspect de son concept de soi dans le but de le confirmer.

La gestion de l'identité On révèle parfois des informations personnelles pour se rendre plus attirant. Wintrob (1987) affirme que l'ouverture de soi est devenue une autre façon de se « vendre[18] ». Lors de leur premier rendez-vous amoureux, deux personnes pourraient ainsi échanger des informations dans le but de paraître plus sincères, plus intéressantes, plus intelligentes ou plus intéressées par l'autre. Ce principe s'applique aussi à d'autres situations. Un vendeur dira : « Je préfère être honnête avec vous… », essentiellement pour montrer qu'il est du côté du client, et une nouvelle connaissance évoquera des détails de son passé pour paraître plus amicale et plus sympathique.

Le maintien et le renforcement de la relation De nombreuses recherches confirment le rôle de l'ouverture de soi dans le succès des relations[19]. Ainsi, la qualité de l'ouverture de soi est fortement liée à la satisfaction dans une relation maritale[20]. Il en va de même dans d'autres relations interpersonnelles. Le lien entre les grands-parents et les petits-enfants est aussi renforcé quand l'honnêteté et la profondeur des échanges entre eux sont importantes[21].

L'influence sociale Révéler des informations sur soi peut permettre d'exercer un plus grand contrôle sur l'autre, et parfois même sur la situation elle-même. Par exemple, un employé qui révèle à son patron qu'une autre société lui a fait une proposition aura probablement plus de chances d'obtenir une augmentation de salaire ou d'améliorer ses conditions de travail.

Même si la plupart des motifs ci-dessus peuvent paraître manipulateurs, ils ne sont souvent pas prémédités. Dans certains cas cependant, l'acte d'ouverture de soi se fait dans le but d'atteindre un résultat. Bien entendu, si le motif caché est découvert par l'interlocuteur, le résultat risque d'être négatif.

Plusieurs motifs poussent une personne à s'ouvrir aux autres. Ils varient d'une situation à l'autre, en fonction de différents facteurs. Il semble que le fait de bien connaître le récepteur soit le facteur le plus déterminant[22]. Quand le récepteur est un ami, on s'ouvre surtout pour maintenir et faire progresser la relation. Souvent, on se confie aussi pour mieux se comprendre soi-même. Par exemple, il vous est peut-être déjà arrivé d'éclaircir vos idées ou de trouver une solution à vos interrogations simplement en racontant à quelqu'un votre histoire.

Avec des inconnus, on s'ouvre le plus fréquemment pour des raisons de réciprocité. On parle de soi pour en savoir davantage sur les autres, et ainsi déterminer si on souhaite poursuivre la relation et comment le faire. Une autre raison concerne l'image que l'on veut donner : on dévoile souvent des informations personnelles à des inconnus pour faire bonne impression. Bien entendu, ces informations sont en général positives, du moins au début de la relation.

Les risques de l'ouverture de soi

Même si les bénéfices sont importants, l'ouverture de soi comporte certains risques qui rendent la décision de se révéler difficile, et parfois même douloureuse[23]. Ces risques entrent dans plusieurs catégories[24], que nous allons voir.

Le rejet L'auteur John Powell a résumé les risques de l'ouverture de soi par cette phrase : « J'ai peur de te dire qui je suis, parce que, si je le fais, tu risques de ne pas aimer ce que je suis ; or c'est tout ce que j'ai[25]. » La peur de la désapprobation est très forte. Si elle est parfois exagérée et illogique, il reste que les dangers de révéler des informations personnelles sont bien réels, comme le montre l'exemple qui suit :

A : Tu deviens pour moi plus qu'un ami. Pour être franche, je t'aime

B : Je crois que nous devrions cesser de nous voir.

L'impression négative Même si l'ouverture ne mène pas nécessairement au rejet total, elle est susceptible de créer une impression négative. Voyons un exemple :

A : Je pense que nous devrions avoir un autre chien.

B : À dire vrai, je n'aime pas particulièrement les chiens. Je ne te l'ai pas dit avant parce que je sais combien tu les aimes.

A : Vraiment ? Je ne conçois pas de vivre avec quelqu'un qui n'aime pas les chiens autant que moi.

La diminution de la satisfaction relationnelle Non seulement l'ouverture peut affecter l'opinion que l'on se fait de l'autre, mais elle peut mener à une moindre satisfaction dans la relation :

A : Je dois te dire quelque chose. Je n'aime vraiment pas que tu me câlines autant.

B : Mais je veux être près de toi…

« Puisqu'on se dit tout, je dois t'avouer que j'ai des puces. »

La perte d'influence Un autre risque de l'ouverture de soi est la perte potentielle d'influence dans la relation. Voyons un exemple :

> A : (*Un responsable qui s'adresse à un employé.*) J'aimerais te donner congé pour la fin de semaine, mais, à vrai dire, on ne me demande pas mon avis ici. Le grand patron prend toutes les décisions. En fait, il ne respecte pas du tout mon opinion.
>
> B : Sans blague. Je saurai à qui m'adresser quand je voudrai que quelque chose se fasse ici.

Le risque de blesser l'autre personne Même si la révélation d'informations cachées procure un soulagement, elle peut blesser l'autre ou, du moins, le contrarier :

> A : Je suis si laid ! Je ne vois pas comment je pourrais changer mon apparence.
>
> B : Moi non plus.

DES RECOMMANDATIONS CONCERNANT L'OUVERTURE DE SOI

Il n'est pas facile de déterminer quel est le bon moment pour s'ouvrir ni quelle quantité d'informations on devrait partager. Les recommandations suivantes aideront à choisir le degré d'ouverture de soi approprié à une situation donnée.

L'obligation morale

Divulguer des informations personnelles est parfois une obligation morale. Par exemple, des études montrent que la majorité des patients séropositifs pensent qu'il est de leur devoir de révéler leur état aux fournisseurs de soins de santé et à leurs partenaires, même si cela met en jeu leur fierté, leur dignité et qu'ils risquent d'être stigmatisés[26].

L'importance de l'autre personne

Il se peut qu'une relation soit suffisamment sérieuse pour que la divulgation d'informations soit justifiée. Il est également possible qu'une personne souhaite se rapprocher de quelqu'un avec qui elle a des liens moins intimes. Dans ce cas, l'ouverture constitue une façon d'y parvenir.

La quantité et le type d'informations

Partager trop d'informations trop rapidement est généralement une erreur. On a vu précédemment que le processus d'ouverture de soi se fait graduellement dans la plupart des relations[27]. La majorité des conversations, même entre amis, s'orientent vers des sujets quotidiens et terre à terre, et ne révèlent que très peu ou pas d'informations personnelles[28]. Même les partenaires qui ont une relation intime n'échangent pas constamment des détails de leur vie personnelle[29].

En plus d'être modérée, l'ouverture de soi ne devrait pas toujours comporter des informations négatives. N'entendre qu'une suite de confessions ou de plaintes devient rapidement harassant. De fait, les gens qui dévoilent trop d'informations négatives sont souvent perçues comme des personnes « mésadaptées »[30].

Enfin, le moment choisi pour se dévoiler adéquatement a également son importance. Si l'autre est fatigué, préoccupé ou de mauvaise humeur, il s'avère plus sage de reporter une conversation importante.

Un risque potentiel raisonnable

Il faut considérer les risques potentiels d'un œil réaliste. Par exemple, il pourrait être malvenu de confier des informations à une personne qui a tendance à juger les gens, à les ridiculiser ou même à les trahir. Savoir que son partenaire est digne de confiance et d'un grand soutien rend la perspective de l'ouverture de soi plus raisonnable.

Il peut être particulièrement risqué de pratiquer l'ouverture de soi au travail[31]. Le milieu de travail est tel qu'il oblige parfois les communicateurs à se garder de partager leurs sentiments, condition nécessaire à l'atteinte des objectifs personnels et organisationnels. Par exemple, il est possible que les opinions d'un patron ou d'un client soient personnellement offensantes pour un employé, mais celui-ci préférera se taire plutôt que de perdre son emploi ou son client.

Les conséquences de l'ouverture de soi

L'ouverture de soi constitue une arme redoutable si l'on en fait usage sans discernement. Comme l'indique le chapitre 11, chaque personne a son propre seuil de tolérance psychologique et est sensible à certains sujets. Aborder ces sujets particuliers est un moyen infaillible — mais coûteux sur le plan relationnel — de désemparer l'autre. Il est important de réfléchir aux conséquences de la franchise avant de s'ouvrir aux autres. Des remarques comme « J'ai toujours pensé que tu n'étais pas très intelligent » ou « L'année dernière, j'ai fait l'amour avec ta meilleure amie » auront probablement des effets dévastateurs sur le récepteur, sur la relation entre les deux personnes et sur l'estime de soi.

Une formulation claire et compréhensible

Lorsqu'on s'ouvre aux autres, il est important de le faire de façon claire et aisément compréhensible. Ainsi, il est préférable de décrire le comportement de l'autre (« Lorsque tu ne réponds pas à mes appels téléphoniques ou que tu ne me rends pas visite... ») que de se plaindre en des termes vagues (« Lorsque tu m'évites... »). Certaines des recommandations faites au chapitre 5, comme celle suggérant d'utiliser le langage à la première personne, aideront à communiquer de façon simple et sans ambiguïté.

La réciprocité de l'ouverture de soi

La quantité d'informations personnelles que l'on accepte de révéler dépend habituellement de la quantité d'informations révélées par l'autre. En règle générale, l'ouverture fonctionne dans les deux sens. Ainsi, dans un couple, les partenaires seront plus satisfaits si leur degré d'ouverture est semblable[32].

Pourtant, à certains moments, une ouverture à sens unique est concevable. C'est le cas de la plupart des relations thérapeutiques formelles où un client consulte un professionnel reconnu dans le but de résoudre un problème. On ne s'attend pas non plus, au cours d'un examen médical, à ce que le médecin parle de ses propres maladies ou affections.

APPLICATION

L'ouverture de soi appropriée et inappropriée

Ramon œuvre depuis près d'un an dans le domaine des ventes à un poste de second commis, après avoir obtenu son diplôme universitaire. Il aime l'entreprise où il travaille, mais se sent de plus en plus frustré parce qu'il n'a eu aucun avancement. Après mûre réflexion, il décide d'en toucher un mot à sa patronne, Julie.

En lisant ce texte, notez comment l'ouverture de soi peut aider ou menacer l'atteinte d'objectifs personnels et les relations interpersonnelles.

Ramon : Tu as quelques minutes pour discuter avec moi ?

Julie : Bien sûr, entre.

Ramon : Ça t'embête si je ferme la porte ?

Julie (*un peu surprise*) : Non.

Ramon : J'aimerais te parler de l'avenir.

Julie : De l'avenir ?

Ramon : J'ai débuté ici il y a plus d'un an. Pendant mon entrevue d'embauche, tu m'avais dit que les gens avaient rapidement de l'avancement ici...

Julie : Bien...

Ramon : ... et je ne sais pas quoi penser, parce que je fais toujours le même travail qu'au début.

Julie : Mais nous apprécions beaucoup ton travail.

Ramon : Je suis content de l'entendre. Mais je commence à me demander si je pourrai progresser au sein de cette entreprise. (*Ramon révèle ses inquiétudes sur son avancement professionnel, ce qui constitue un sujet de discussion très approprié avec sa patronne. Ce type d'ouverture de soi comporte un risque certain, mais qui est apparemment raisonnable, étant donné que la patronne semble tenir Ramon en grande estime.*)

Julie : Je peux comprendre que tu aies hâte d'avoir plus de responsabilités. Je peux te dire que tes chances d'avancement sont bonnes, si tu peux juste attendre encore un petit peu.

Ramon (*avec impatience*) : C'est bien beau, mais j'ai déjà attendu beaucoup plus longtemps que je croyais avoir à le faire. Je commence à me demander si ce qu'on raconte est vrai.

Julie (*d'un air soupçonneux*) : De quoi parles-tu au juste, Ramon ?

Ramon : Et bien, Éric et France m'ont dit que certaines personnes ont quitté l'entreprise parce qu'elles n'obtenaient pas l'avancement qu'on leur avait promis.(*Ramon révèle des confidences qui lui ont été faites et met ainsi en danger l'estime que Julie a pour ses deux collègues.*)

Julie (*avec fermeté*) : Ramon, tu comprendras certainement que je ne peux pas te parler de décisions touchant le personnel et concernant d'anciens employés. Tout ce que je peux te dire, c'est que nous encourageons nos employés à relever des défis et que nous les récompensons selon leur compétence, même si parfois cela demande un peu de temps.

Ramon (*d'un ton sarcastique*) : Un an, c'est plus « qu'un peu de temps ». Je commence à croire que cette entreprise est davantage intéressée à se donner bonne conscience en engageant quelqu'un qui porte un nom hispanique qu'à me donner une vraie chance d'avancement. (*L'inquiétude de Ramon est peut-être légitime, mais le ton sarcastique qu'il emploie pour se confier n'est pas constructif.*)

Julie : Écoute, je ne devrais probablement pas te dire ça, mais je suis aussi frustrée que toi de ne pas avoir pu te donner d'avancement plus tôt. Je peux te dire qu'il va bientôt y avoir des changements au sein du personnel qui vont te donner le genre de chance que tu espères. Tu peux t'attendre à certains changements dans les six prochaines semaines. (*Julie apporte à Ramon deux éléments d'ouverture de soi qui l'encouragent à en faire autant.*)

Ramon : Je suis vraiment très content d'entendre ça ! Je t'avoue que j'avais commencé à penser à d'autres possibilités de carrière. Pas parce que je veux quitter l'entreprise, mais parce que je ne peux pas me permettre de faire du surplace. Je dois vraiment commencer à rapporter plus d'argent à la maison. Je ne veux pas devenir un de ces ratés qui n'ont toujours pas leur propre maison à l'âge de 40 ans. (*Ramon commet une grave erreur en révélant son opinion sur l'accession à la propriété, un sujet qui n'a pas de rapport avec la discussion en cours.*)

Julie : Mon Dieu ! Je suis encore locataire...

Ramon : Oh... Enfin, je ne voulais rien dire par là... (*Mais le mal causé par sa révélation déplacée est déjà fait.*)

Julie : De toute façon, je suis contente que tu m'aies fait part de tes craintes. J'espère que tu pourras prendre ton mal en patience pendant un peu de temps encore.

Ramon : Bien sûr. Six semaines, hein ? Je vais compter les jours !

Après cette conversation, Julie est toujours d'avis que Ramon est un bon candidat à l'avancement, mais quelques-unes de ses révélations inadéquates lui ont donné des doutes sur sa maturité et son bon jugement, qu'elle ne remettait pas en cause auparavant. Elle se dit qu'elle doit garder l'œil sur Ramon et reconsidérer la quantité de responsabilités qu'elle peut lui confier jusqu'à ce qu'il fasse preuve de plus de discernement en ce qui concerne la révélation de ses craintes et de ses sentiments personnels.

LES SOLUTIONS DE RECHANGE À L'OUVERTURE DE SOI

L'ouverture de soi joue un rôle important dans les relations interpersonnelles, mais ce n'est pas la seule forme de communication possible. Les situations ci-dessous illustrent que l'honnêteté la plus complète n'est pas toujours un choix facile à adopter, ni même un choix idéal.

- Une nouvelle connaissance se montre beaucoup plus intéressée que vous ne l'êtes à nouer des liens d'amitié avec vous. Elle vous invite à une fête qui aura lieu à la fin de la semaine. Vous n'avez rien de prévu, mais vous ne voulez pas y aller. Que lui dites-vous ?
- Votre patron vous demande ce que vous pensez de ses nouveaux vêtements. Vous les trouvez clinquants et de mauvais goût. Que lui dites-vous ?
- Vous vous sentez attirée par le copain de votre meilleure amie, et il vous a avoué ressentir la même chose pour vous. Vous convenez avec lui de ne pas donner suite à cette attirance, pour éviter de causer du chagrin à votre amie. Celle-ci vous demande par la suite si vous ressentez le moindre attrait pour son copain. Lui dites-vous la vérité ?
- Un parent qui vous rend souvent visite vous offre en cadeau un tableau extrêmement laid. Que lui répondez-vous quand il vous demande : « Où vas-tu l'accrocher ? »

Même si, en principe, l'honnêteté est souhaitable, on peut imaginer les conséquences désagréables qu'elle entraînerait dans de tels cas. Les études et l'expérience personnelle révèlent que les communicateurs, même ceux animés des meilleures intentions, ne sont pas toujours parfaitement honnêtes lorsqu'ils se trouvent dans des situations où la vérité causerait une gêne[33]. Les solutions de rechange le plus couramment utilisées sont alors le silence, le mensonge, l'ambiguïté et l'insinuation. Voyons chacune d'entre elles plus en détail.

LE SILENCE

Plutôt que de blesser l'autre personne ou de causer une situation embarrassante, on peut choisir de garder pour soi ses pensées et sentiments. La plupart des communicateurs judicieux préféreront se taire plutôt que de laisser échapper des opinions du genre « Tu as l'air horrible dans cette robe » ou « Tu parles trop ».

LE MENSONGE

La plupart d'entre nous considèrent le mensonge comme un manquement à l'éthique. Bien que le mensonge utilisé pour obtenir un avantage déloyal sur une victime innocente soit répréhensible, un autre genre d'accroc à la vérité, le mensonge de politesse, ne peut être considéré aussi facilement comme immoral. En effet, souvent inoffensif, le **mensonge de politesse** est parfois même utile à la personne à qui l'on s'adresse. Prenons l'exemple d'une fille qui désire perdre du poids et qui commence à s'entraîner au gym. Son conjoint pourrait lui dire qu'il voit les changements positifs de son entraînement (même s'il ne voit aucun changement) simplement pour l'encourager et la motiver à continuer ses exercices. Ce type de mensonges est chose courante. Dans le cadre de plusieurs études couvrant une période de 40 ans, une large majorité des personnes interrogées ont reconnu que, même dans leurs relations les plus intimes, le mensonge était justifié à certains moments[34].

mensonge de politesse : mensonge que l'on fait pour éviter de froisser l'interlocuteur ou pour toute autre raison acceptable moralement.

Pourquoi mentir ?

Sous quels prétextes les gens mentent-ils ? Une étude, au cours de laquelle les sujets devaient justifier chacun de leurs mensonges, a fait ressortir cinq raisons principales[35].

1. *Pour sauvegarder les apparences.* Plus de la moitié des mensonges sont justifiés par le désir d'éviter une situation embarrassante. De tels mensonges sont souvent classés dans la catégorie « tact »[36]. Parfois, ils protègent la personne à qui l'on s'adresse, comme lorsqu'on prétend se souvenir de quelqu'un à une réception afin de lui éviter l'embarras d'avoir été oublié. À d'autres occasions, le mensonge préserve la personne qui l'utilise d'une humiliation. On peut, par exemple, cacher ses erreurs en jetant le blâme sur des facteurs extérieurs : « Vous n'avez pas reçu votre chèque ? Il doit y avoir eu du retard dans le courrier. »
2. *Pour éviter les tensions ou les conflits.* Il vaut parfois la peine de raconter un petit mensonge pour éviter une situation grandement conflictuelle. Vous pourriez ainsi dire à un ami que ses taquineries ne vous dérangent pas pour éviter la confrontation qu'entraînerait l'aveu de votre exaspération. Il est souvent plus facile d'expliquer un comportement par des propos mensongers que d'aggraver la situation en se montrant honnête. On peut toujours expliquer son irritation, et ainsi éviter d'autres tensions en disant : « Je ne suis pas fâché contre toi, j'ai seulement eu une journée difficile. »
3. *Pour faciliter les interactions sociales.* Mentir peut aider à préserver de bonnes relations au quotidien. On fait semblant d'être heureux de rencontrer une personne que l'on n'apprécie guère, ou on prétend porter un intérêt aux histoires ennuyeuses d'un compagnon de table afin que la soirée se déroule sans anicroche. Les enfants qui se montrent incapables d'utiliser ces mensonges de convenance sont souvent une source d'embarras pour leurs parents.
4. *Pour faire progresser ou mettre un frein à une relation.* Certains mensonges servent à faire progresser une relation : « Tu vas au centre-ville ? Je vais dans la même direction. Je t'y conduis ? » Une étude a révélé que la majorité des étudiants qui y participaient (hommes comme femmes) mentaient volontairement pour augmenter leurs chances d'obtenir un rendez-vous avec une personne qu'ils trouvent attirante. Leurs exagérations et distorsions de la vérité couvraient une grande variété de sujets, dont leur attitude face à l'amour, leurs traits de personnalité, leurs revenus, leurs relations antérieures, leurs aptitudes professionnelles et leur

intelligence. Tous ces mensonges avaient pour but de faire croire à la personne qu'ils voulaient conquérir qu'ils étaient semblables à elle[37]. À l'opposé, il y en a qui peuvent servir à mettre un frein à une relation: « Je dois vraiment m'en aller. Je dois étudier pour mon examen de demain. » Parfois, on ment aussi pour mettre carrément fin à une relation: « Je t'aime vraiment, mais je ne suis pas encore prêt pour une relation stable. »

« Tu te souviens que je t'ai dit que je serais toujours honnête avec toi ? Et bien, c'était un gros mensonge. »

5. *Pour se donner du pouvoir.* On ment parfois pour montrer que l'on maîtrise une situation. Refuser une invitation de dernière minute en prétendant être occupé est une façon de se placer en position de supériorité. En fait, un tel refus pourrait vouloir dire: « Ne t'attends pas à ce que je reste assis à côté du téléphone à attendre ton appel. » Mentir dans le but d'obtenir un renseignement confidentiel (même pour une bonne cause) entre également dans la catégorie des mensonges utilisés pour se donner du pouvoir.

Mentir à son conjoint: fraude ou tact?

Lorsque leur mariage de plus de dix ans s'est terminé par un divorce, Ronald Askew, banquier à Anaheim, en Californie, a poursuivi sa femme en justice pour fraude parce qu'elle avait reconnu avoir caché le fait qu'il ne l'avait jamais attirée sexuellement. Le jury du comté d'Orange lui a donné raison et a condamné Bonnette Askew à verser 242 000 $ de dommages et intérêts à son ex-mari.

« Ce verdict me surprend, et pourtant j'ai étudié les cas de divorce dans 62 sociétés », a déclaré Helen Fisher, anthropologue à l'American Museum of Natural History et auteure du livre intitulé *Anatomy of Love: The Natural History of Monogamy, Adultery and Divorce.*

Bonnette Askew, âgée de 45 ans, a reconnu devant la cour qu'elle n'avait jamais été sexuellement attirée par son mari. Mais elle a dit qu'elle l'avait toujours aimé, et elle a fait remarquer que le sexe n'était pas absent de leur mariage, puisqu'ils avaient eu deux enfants ensemble.

Elle avait une première fois reconnu son manque de désir pour lui au cours d'une thérapie commune en 1991. « Je crois qu'il confondait le sexe avec l'amour », a dit Bonnette Askew, et elle a ajouté qu'elle avait caché son absence de désir parce qu'elle « ne voulait pas blesser son amour-propre de mâle ».

Ronald Askew, âgé de 50 ans, a déclaré que son procès était plus celui de l'honnêteté et de l'intégrité que du sexe. Il se sentait trompé, essentiellement parce qu'il avait demandé à maintes reprises à sa compagne avant leur mariage d'être honnête et de lui confier tout secret important.

Si Ronald Askew croit que l'honnêteté totale est la base des mariages heureux, Helen Fisher a un message pour lui: « Devenez donc réaliste! »

« Depuis quand est-on parfaitement honnête avec quelqu'un? a dit Fisher. Cet homme voulait-il que sa femme lui dise: "Tu es petit, gros et un vrai désastre au lit"? Sa femme a agi avec délicatesse, par opposition à l'honnêteté brutale. D'ailleurs, la plupart des gens dans le monde sont souvent stupéfaits par ce qu'ils considèrent comme l'honnêteté brutale en Amérique. »

Source: Cone, Maria. « Is Misleading Your Spouse Fraud or Tact? » *Los Angeles Times*, 11 avril 1993.

Les conséquences des mensonges

Qu'arrive-t-il lorsqu'on découvre qu'on nous a menti ? Dans le cas d'une relation intime, cette découverte peut être blessante. En effet, plus on tisse des liens étroits avec une personne, plus les attentes en matière d'honnêteté sont grandes. Découvrir qu'on nous a menti amène à reconsidérer non seulement ce sur quoi porte le mensonge, mais aussi une grande partie des messages antérieurs qui étaient considérés comme vrais. « Son compliment de la semaine dernière était-il sincère ? » « M'aime-t-elle autant qu'elle le dit ? »

La recherche a démontré que le mensonge met en péril les relations personnelles[38]. Toutefois, tous les mensonges n'ont pas le même effet. La recherche suggère que les motifs de la personne qui ne dit pas la vérité modifient énormément l'opinion que les autres auront du mensonge[39]. Si celle-ci semble tirer profit du mensonge, celui-ci sera très certainement considéré comme une transgression de la relation. À l'inverse, les chances de pardon augmenteront si le mensonge semble avoir pour but d'épargner les sentiments de l'autre.

Les mensonges provoquent un plus fort sentiment de désarroi et de trahison s'il s'agit d'une relation intense, s'ils touchent un sujet important ou si la personne bernée soupçonnait déjà l'autre de ne pas se montrer parfaitement honnête. De ces trois facteurs, le plus susceptible de provoquer une crise dans la relation est l'importance du sujet sur lequel porte le mensonge, la découverte d'une tromperie de taille pouvant même y mettre un terme. Une étude a rapporté que plus des deux tiers des personnes qui avaient vécu une rupture attribuaient celle-ci directement au mensonge.

L'AMBIGUÏTÉ

Devant le dilemme de raconter un mensonge ou de dire une vérité déplaisante, de nombreux communicateurs préfèrent recourir à l'ambiguïté. Les gens utilisent parfois un langage ambigu sans le vouloir, ce qui provoque de la confusion. La phrase « Je te rejoins tantôt » signifie-t-elle dans cinq minutes ou dans trois heures ? Il arrive aussi que l'on soit délibérément vague. Par exemple, si un ami demande votre avis sur sa tenue que vous trouvez horrible, vous pourriez répondre : « C'est très original, unique même ! »

La valeur de l'ambiguïté devient évidente lorsqu'on analyse les solutions de rechange possibles dans une situation concrète : on vous offre un tableau qui ne vous plaît pas et on vous demande ce que vous en pensez. D'un côté, vous pouvez choisir entre dire la vérité ou un mensonge ; de l'autre, vous pouvez opter pour une réponse claire ou une réponse vague. La figure 9.7 illustre ces options. Après avoir évalué ces possibilités, il devient clair que la première (transmettre un message ambigu et vrai) est préférable aux autres à plusieurs égards.

Ambigu

Vrai	Faux
OPTION I (message ambigu et vrai) « Quel tableau étonnant ! Je n'en ai jamais vu de pareil ! »	OPTION II (message ambigu et faux) « Je te remercie pour le tableau. Je vais l'accrocher au mur dès que j'aurai trouvé l'endroit idéal. »
OPTION III (message clair et vrai) « Ce n'est pas mon genre de tableau. Je n'aime ni les couleurs, ni le style, ni le sujet. »	OPTION IV (message clair et faux) « Quel beau tableau ! Je l'adore. »

Clair

Source : Bavelas, Janet B., *et al. Equivocal Communication*, Newbury Park, Sage Publications, 1990.

FIGURE 9.7 **Les dimensions de la sincérité et de l'ambiguïté.**

- *Elle évite à l'interlocuteur d'être embarrassé.* Plutôt que de dire carrément « non » à une invitation qu'on ne souhaite pas accepter, il est plus aimable de répondre : « J'ai d'autres projets », même si ceux-ci consistent à rester chez soi ou à regarder la télévision.

- *Elle épargne aussi bien le locuteur que l'interlocuteur.* Comme l'ambiguïté est souvent plus facile à entendre que la dure vérité, elle épargne au locuteur un sentiment de culpabilité. Il est beaucoup moins embarrassant de dire : « Je n'ai jamais rien goûté de tel » que « Ce mets est vraiment mauvais », même si ce dernier commentaire s'approche davantage de la vérité. Peu de gens veulent mentir, et l'ambiguïté offre une porte de sortie intéressante.

  Une étude menée par la chercheuse en communication Sandra Metts et ses collègues montre que l'ambiguïté permet de sauver les apparences dans certaines situations délicates[40]. Les chercheurs ont demandé à des centaines d'étudiants comment ils s'y prendraient pour refuser des avances sexuelles non désirées venant d'une personne qui compte pour eux : un ami, quelqu'un avec qui ils aimeraient obtenir un rendez-vous ou encore une personne avec qui ils sortent. La majorité d'entre eux ont opté pour une solution diplomatique (« Je ne me sens pas prêt pour ça dans l'immédiat »), la trouvant moins gênante qu'une réponse plus directe (« Tu ne m'attires pas sexuellement »). La réponse diplomatique semblait suffisamment claire pour que l'interlocuteur comprenne le message, mais pas suffisamment brutale pour le blesser ou l'humilier.

- *Elle constitue une solution de rechange au mensonge.* Si, dans le cadre d'une entrevue, un employeur potentiel vous demande quelles sont vos notes, vous pouvez vous permettre de répondre : « Ma moyenne du dernier semestre se situait autour de B », même si votre moyenne pour l'année s'approchait davantage d'un C. Cette réponse n'est pas complète, mais elle demeure honnête. Comme l'a précisé une équipe de chercheurs : « L'ambiguïté n'est ni un faux message ni une vérité limpide, mais plutôt une solution de remplacement que l'on utilise précisément lorsqu'on ne veut recourir à aucune de ces options[41]. »

L'INSINUATION

L'insinuation est plus directe que l'ambiguïté. Alors qu'un énoncé ambigu ne vise pas nécessairement à changer le comportement d'autrui, le but de l'insinuation est vraiment d'obtenir la réaction désirée chez les autres[42].

Énoncé direct	**Insinuation pour sauver les apparences**
« Je suis trop occupé pour poursuivre cette conversation. »	« Je sais que tu es occupé ; je te laisse. »
« Veuillez ne pas fumer ici, ça me dérange. »	« Je crois qu'il est interdit de fumer ici. »
« J'aimerais t'inviter à dîner, mais j'ai trop peur que tu me répondes non. »	« Ah, c'est presque l'heure du dîner. As-tu déjà mangé dans ce nouveau resto italien, au coin de la rue ? »

L'insinuation peut épargner aux autres le malaise qui accompagne une vérité difficile à entendre. Puisque qu'elle permet de sauver les apparences dans ce genre de situations, les communicateurs sont plus enclins à adopter un style indirect plutôt qu'à dévoiler entièrement leurs intentions lorsqu'ils transmettent un message

potentiellement embarrassant[43]. Le succès de l'insinuation dépend de la capacité du récepteur à comprendre le message sous-jacent. Une remarque subtile risque de rester totalement incomprise; dans ce cas, on peut choisir d'être plus direct. Par ailleurs, si le prix du message direct semble trop élevé, on peut se retirer sans risque.

Il est facile de comprendre pourquoi les gens choisissent l'insinuation, l'ambiguïté et les mensonges de politesse plutôt que l'ouverture de soi. Ces stratégies permettent de gérer des situations délicates plus aisément, facilitant ainsi les choses à la fois pour le locuteur et pour la personne qui il s'adresse. En ce sens, on peut dire de ceux qui y ont recours avec habileté qu'ils possèdent une certaine compétence en matière de communication. Par contre, il est clair que, dans certaines situations, il est préférable d'opter pour l'honnêteté, même si la vérité est pénible à dire et à entendre. On pourrait donc penser de ceux qui s'en remettent alors à des solutions de rechange qu'ils n'ont pas les compétences en communication ou l'intégrité nécessaires pour faire face à la situation avec efficacité.

Peut-on considérer que l'insinuation, le mensonge de politesse et l'ambiguïté sont des solutions de remplacement éthiques? Certains exemples présentés dans ces pages suggèrent que la réponse est un « oui » conditionnel. De nombreux spécialistes en sciences sociales et philosophes abondent dans ce sens. Plusieurs croient que l'on devrait juger la bonne foi des motifs du locuteur plutôt que le mensonge lui-même, alors que d'autres se demandent si les conséquences d'un mensonge justifient son utilisation.

RÉSUMÉ

L'intimité dans les relations interpersonnelles comporte quatre dimensions: physique, intellectuelle, émotionnelle et le partage d'activités. La culture exerce une influence sur la façon dont l'intimité s'exprime. L'intimité relationnelle peut se développer dans la communication assistée par ordinateur comme dans les interactions en face à face. Toutes les relations ne sont pas intimes: on choisit les personnes auxquelles on veut s'ouvrir; le lieu et le moment pour le faire sont également importants.

Un des critères d'évaluation de la solidité d'une relation est la quantité d'informations que l'on partage avec l'autre, d'où l'importance de l'ouverture de soi dans les relations interpersonnelles.

Le modèle de l'interpénétration sociale présente deux dimensions de l'ouverture de soi : l'étendue et la profondeur. Dévoiler des sentiments est généralement plus révélateur que de partager des opinions, alors que ces dernières reflètent habituellement une plus grande ouverture que le dévoilement de faits. Les clichés sont peu révélateurs. La fenêtre de Johari illustre ce qu'une personne révèle aux autres, ce qu'elle leur cache, ce qu'elle n'a pas conscience de dévoiler et ce qu'elle ne connaît pas d'elle-même.

Les communicateurs emploient l'ouverture de soi pour diverses raisons et divers bénéfices : la catharsis, la réciprocité, le besoin d'éclaircissements, la validation, la gestion de l'identité, le maintien et le renforcement de la relation, ainsi que l'influence sociale. Les risques de l'ouverture de soi comprennent le rejet, l'impression négative, la diminution de la satisfaction dans la relation, la perte d'influence et la possibilité de blesser l'autre personne.

Le silence, le mensonge, l'ambiguïté et l'insinuation constituent quatre solutions de rechange à la révélation de faits intimes, de sentiments et d'opinions. Les mensonges de politesse, inoffensifs, ont plusieurs utilités : sauver les apparences, éviter les tensions ou les conflits, orienter les interactions sociales, gérer les relations et acquérir un certain pouvoir. Les messages ambigus offrent une solution de rechange intéressante au mensonge ou à l'honnêteté brutale. Les insinuations, plus directes que les affirmations ambiguës, sont principalement utilisées pour éviter les situations embarrassantes. Le mensonge, l'ambiguïté et l'insinuation peuvent être des solutions de rechange éthiques, mais cela dépend des motifs du locuteur et des conséquences de la tromperie.

Mots clés

cliché (223)
étendue (222)
fait (223)
fenêtre de Johari (225)
interpénétration sociale (222)
intimité (218)
mensonge de politesse (232)
opinion (223)
ouverture de soi (221)
profondeur (222)
sentiment (224)

AUTRES RESSOURCES

Le développement et le maintien des relations intimes demandent une certaine dose d'ouverture de soi. D'un côté, on désire partager certaines informations personnelles avec les gens qui nous sont chers ; de l'autre, on souhaite protéger des détails plus intimes. Cette dualité est inhérente à la plupart des relations intimes et peut complexifier certains processus relationnels. En fonction des caractéristiques intrinsèques de la relation, on doit adapter le degré d'ouverture de soi. Dans certaines circonstances, l'ouverture de soi peut céder le pas à certaines solutions de rechange. D'une façon ou d'une autre, il est essentiel de déterminer la quantité et la nature des informations que l'on veut divulguer selon la situation. Voici quelques documents susceptibles de vous aider dans cette délicate tâche.

Livres

MASCHINO, M. *Mensonges à deux*, Paris, Calmann-Lévy, 1995.

PLANTIN, C., M. DOURY et V. TRAVERSO. *Les Émotions dans les interactions*, Lyon, Presses universitaires de Lyon, 2000.

RIMÉ, B. *Le Partage social des émotions*, Paris, Presses Universitaires de France, 2005.

Films

Transamerica, réalisé par Duncan Tucker (2006).

Une semaine avant de subir l'opération chirurgicale qui le transformera définitivement en femme, Bree Osbourne (Felicity Huffman) découvre qu'il a un fils de 17 ans. Avant d'autoriser l'opération, sa thérapeute exige que Bree rencontre son fils et s'entende avec lui. Bree fait à contrecœur le voyage jusqu'à New York, où il découvre que Toby (Kevin Zegers) est un prostitué. Évidemment, il hésite à lui révéler son identité, et il se fait passer pour une missionnaire chrétienne qui aide les prostitués à mener une vie plus saine. Il propose de conduire Toby à Los Angeles, où ce dernier espère devenir une vedette du porno. Au cours de leur voyage, parent et enfant tissent des liens. Pourtant, Bree ne peut se décider à révéler sa véritable identité, jusqu'à ce que les événements le forcent à le faire. Bien que le secret de Bree soit bien plus explosif que bien d'autres, sa lutte pour protéger ses sentiments les plus précieux et les plus intimes tout en s'acquittant de ses obligations familiales est touchante.

Chaussure à son pied, réalisé par Curtis Hanson (2005).

Les descriptions de l'intimité sont souvent centrées sur des histoires d'amour ou d'amitié, mais l'expérience nous montre que beaucoup de nos relations les plus intimes sont celles avec des membres de notre famille. Tel est le cas des sœurs Feller. Maggie (Cameron Diaz) est une fêtarde dragueuse et écervelée alors que sa sœur Rose (Toni Collette) est une avocate simple, responsable et travaillante. Les deux sœurs n'ont rien d'autre en commun que leur histoire familiale, et malgré leurs différences, leur amour très fort l'une pour l'autre. Maggie et Rose ont une querelle grave et se brouillent, mais au fil du temps, elles (re)découvrent à quel point elles s'aiment et ont besoin l'une de l'autre. Chacune connaît les secrets de l'autre ; chacune dissimule les faiblesses de l'autre ; chacune apprécie les forces de l'autre.

Pour un garçon, réalisé par Chris Weitz et Paul Weitz (2002).

Le célibataire Will Freeman (Hugh Grant) s'enorgueillit de n'avoir aucune attache sentimentale. « Je suis tout seul, proclame-t-il. Il n'y a que moi. Je ne me mets pas en avant puisqu'il n'y a personne d'autre. » Marcus (Nicholas Hoult), 12 ans, a aussi très peu d'intimité dans sa vie, mais ce n'est pas par choix. Ses cheveux mal coupés, ses vêtements ringards et son amour visible pour sa mère en font la cible permanente des enfants qui se moquent de lui à l'école. Marcus n'a pas d'amis, mais beaucoup de cran et de détermination.

Une série d'événements amènent Will dans la vie de Marcus : tous deux décident qu'ils peuvent se servir l'un de l'autre pour arriver à leurs propres fins. Marcus veut que Will épouse sa mère ; Will veut que Marcus joue le rôle de son fils pour l'aider à marquer des points auprès des mères célibataires.

Aucun des plans n'aboutit, mais, pendant ce temps, Will et Marcus se glissent lentement dans la vie l'un de l'autre. L'intimité dont ils font l'expérience en tant qu'amis les transforme pour le meilleur. À la fin, ils apprennent qu'effectivement personne n'est destiné à être une île.

Menteur, menteur, réalisé par Tom Shadyac (1997).

Fletcher Reed (Jim Carrey) est un avocat charmant et beau parleur qui raconte n'importe quoi pour obtenir ce qu'il veut, sans égard pour la vérité. Dans la vie privée, Reed raconte également des mensonges opportuns, si bien que Max, son fils de cinq ans (Justin Cooper), ne croit plus un mot de ce que dit son père. « Mon papa est un menteur », déclare le petit garçon à l'école. « Tu veux dire un *avocat* », corrige l'enseignant. Max hausse les épaules, comme pour dire : « Quelle différence ? » Quand Fletcher ne se présente pas à la fête d'anniversaire de Max, celui-ci fait un vœu en soufflant ses bougies : que son père ne dise pas un seul mensonge pendant une journée entière. Son vœu est exaucé : on nous offre la vision de ce que serait la vie si tout le monde était parfaitement honnête.

La majeure partie du film provoque le rire, mais on y expose aussi de façon amusante les raisons pour lesquelles une franchise totale est irréaliste dans les situations quotidiennes. « Comment allez-vous aujourd'hui ? » demande un juge à Fletcher. « Je suis un peu contrarié par un épisode sexuel peu performant qui a eu lieu la nuit dernière », répond-il. Dans une scène extrêmement drôle, Fletcher crée un vif émoi au bureau en disant à ses collègues et à ses supérieurs ce qu'il pense vraiment d'eux. Au niveau le plus simple, l'argument de *Menteur, menteur* est que des relations saines exigent honnêteté et attention. Cependant, pour des analystes de la communication avertis, le film révèle également que l'honnêteté totale peut être aussi dangereuse que le mensonge.

Chapitre 10

L'AMÉLIORATION DES CLIMATS DE COMMUNICATION

CONTENU

- Le climat de communication, clé des relations interpersonnelles saines
  - La communication validante et invalidante
  - L'évolution des climats de communication
- La défensive : causes et remèdes
  - Les types de réactions défensives
  - Comment prévenir la défensive chez les autres
- Comment répondre à la critique de façon non défensive
  - La recherche d'informations complémentaires
  - L'accord avec la critique
- Résumé
- Mots clés
- Autres ressources

OBJECTIFS

- Comprendre l'impact des types de messages sur le climat de la relation.
- Reconnaître les types de réactions défensives et leurs impacts.
- Être en mesure d'améliorer la réponse à la critique.

Les relations personnelles ressemblent beaucoup aux journées d'automne. Les unes sont belles et chaleureuses, les autres sont orageuses et froides. Alors que certaines relations bénéficient d'un climat stable, d'autres connaissent un temps très changeant : accalmies à un moment donné suivies de fortes turbulences. Malheureusement, on ne peut pas évaluer le climat d'une relation interpersonnelle à l'aide d'un thermomètre ou en jetant un coup d'œil au ciel : les choses ne sont pas si simples. Toute relation comporte un sentiment, une humeur persistante qui donne une couleur particulière aux interactions des participants.

S'il est impossible de changer le temps qu'il fait, on peut toutefois modifier le climat d'une relation. Ce chapitre explique les forces qui rendent certaines relations agréables et ce qui en altère d'autres. Il présente notamment les types de comportements susceptibles de provoquer des réactions de défense et d'hostilité, et ceux qui amènent à éprouver de meilleurs sentiments.

LE CLIMAT DE COMMUNICATION, CLÉ DES RELATIONS INTERPERSONNELLES SAINES

climat de communication: contexte émotif d'une relation.

communication validante: messages qui véhiculent l'appréciation entre les personnes.

communication invalidante: messages qui indiquent un manque de considération entre les personnes.

L'expression **climat de communication** renvoie à l'aspect émotif d'une relation. Le climat ne concerne pas tant des activités spécifiques que les sentiments des uns envers les autres. Le climat, que ce soit dans les relations familiales, amicales ou même professionnelles, revêt une grande importance. Une personne qui a occupé un emploi dans un milieu où les médisances, les critiques et la suspicion étaient de règle et qui a ensuite eu la chance d'occuper un poste dans un milieu où l'atmosphère était saine et motivante sait à quel point le climat fait une différence.

On ne peut douter des bénéfices d'un bon climat de communication. D'ailleurs, chez les jeunes couples, il s'agit du meilleur indicateur de la satisfaction maritale[1]. Les couples satisfaits font cinq fois plus d'affirmations favorables que négatives, tandis que les couples insatisfaits échangent autant de messages négatifs que positifs. Les messages positifs sont également importants dans le contexte familial. Par exemple, le climat de communication que les parents créent affecte la façon dont leurs enfants interagissent[2]. Le même principe s'applique au travail: les employés sont plus motivés[3], le rendement et la satisfaction augmentent lorsque le climat de communication est sain[4]. Que ce soit au travail ou à la maison, les gens s'épanouissent dans les climats de communication qui les reconnaissent et qui les soutiennent.

Le climat de communication agit sur toutes les personnes en relation dans une situation donnée. Il est rare qu'une personne décrive une relation comme ouverte et bonne et qu'une autre la dépeigne comme froide et hostile. De même, comme la météo, le climat de communication peut varier au fil du temps. À un moment donné, une relation peut s'assombrir et à un autre, s'ensoleiller. Contrairement au temps qu'il fait, les gens ont une réelle influence sur le climat de communication dans leurs relations.

LA COMMUNICATION VALIDANTE ET INVALIDANTE

Qu'est-ce qui fait qu'un climat de communication est positif ou négatif? La réponse est étonnamment simple. Cela dépend si les gens se sentent appréciés par les autres dans leur relation. Les spécialistes des sciences sociales emploient les termes **communication validante** pour désigner les messages qui véhiculent l'appréciation et **communication invalidante** pour nommer ceux qui indiquent un manque de considération. Sous une forme ou une autre, les messages validants veulent dire: « Tu comptes pour moi », « Tu es important ». Au contraire, les messages invalidants disent: « Je ne me soucie pas de toi », « Je ne t'apprécie pas ».

L'aspect validant ou invalidant d'un message relève d'une appréciation subjective[5]. À certains moments, par exemple, un commentaire qui semble dévalorisant pour un étranger (« Espèce de con! ») passe pour une marque d'affection dans le contexte d'une relation personnelle. De même, un commentaire destiné à aider l'autre (« Je te dis cela pour ton bien... ») peut très bien être considéré comme une agression. Voyons plus précisément les caractéristiques qui différencient les messages validants et invalidants.

Les types de messages validants

La recherche montre que les trois types de messages qui ont le plus de chances d'être validants sont, par ordre croissant d'importance[6] :

La reconnaissance

L'acte de validation le plus fondamental est la reconnaissance de l'autre. Cela semble aller de soi, et pourtant il arrive souvent que l'on ne réponde pas au besoin de reconnaissance des autres. Oublier d'écrire ou de rendre visite à un ami en est un exemple courant, de même que ne pas donner suite à un message téléphonique. Bien entendu, il peut tout simplement s'agir d'un oubli, mais si l'autre personne considère que l'on évite le contact, le message est invalidant.

La considération

Prendre en compte les idées et les sentiments des autres est une forme de validation plus forte. L'écoute est probablement la façon la plus courante de manifester sa considération pour l'autre ; l'interrogation et la reformulation, par exemple, en sont des formes plus actives. Il n'est donc pas étonnant que les employés évaluent très favorablement les responsables qui leur demandent leur avis, même s'il n'est pas forcément accepté[7]. Comme on l'a vu au chapitre 7, reformuler les pensées et les sentiments de l'autre est un moyen très efficace de lui offrir du soutien en cas de problème.

L'approbation

Alors que la considération témoigne de notre intérêt pour les idées des autres, l'approbation signifie qu'on les accepte, ou du moins qu'on leur accorde de l'importance. Puisqu'elle véhicule un plus grand degré d'appréciation, l'approbation est le type de message validant le plus puissant. La forme la plus évidente d'approbation est l'accord. Bien entendu, il n'est pas nécessaire d'être entièrement d'accord avec quelqu'un pour approuver son message. Ainsi, on peut dire à un ami : « Je comprends pourquoi tu étais tellement fâché », même si on n'est pas d'accord avec son accès de colère

Les types de messages invalidants

La communication invalidante se traduit, quant à elle, par un manque de considération envers l'autre, que ce soit par la contestation ou l'ignorance d'un élément important de son message[8]. Les chercheurs en communication ont relevé sept types de ce genre de messages[9].

L'insensibilité

Nous l'avons vu, la reconnaissance est l'acte de validation le plus fondamental. À l'inverse, ignorer quelqu'un revient à faire preuve d'insensibilité. Être ignoré est plus invalidant qu'être rejeté ou agressé. La plupart des experts s'entendent pour dire qu'il est psychologiquement plus sain d'être en désaccord avec quelqu'un que d'être ignoré par lui[10].

La violence verbale

Le type de message invalidant le plus évident est la **violence verbale**, qui est une forme de communication destinée à provoquer une douleur psychologique chez l'autre. Lorsqu'il y a violence verbale dans une relation, elle constitue rarement un cas

violence verbale : forme de communication destinée à provoquer une douleur psychologique chez l'autre.

> *J'ai appris qu'il est plus important d'être aimable que d'avoir raison.*
>
> Andy Rooney, humoriste américain

> *Le pire péché envers nos semblables, ce n'est pas de les haïr, mais de les traiter avec indifférence; c'est là l'essence de l'inhumanité.*
>
> George Bernard Shaw, auteur irlandais

isolé. Certaines injures sont proférées ouvertement ou dissimulées sous un humour malveillant ou du sarcasme:

« Viens ici, mon gros. »

« Tu es vraiment une salope ! »

Les interruptions

Couper la parole à l'autre traduit parfois un manque d'intérêt pour ce qu'il a à dire. Les interruptions occasionnelles ne constituent probablement pas un message invalidant, alors qu'interrompre de façon répétée un locuteur peut être décourageant et irritant pour lui.

Les réponses non pertinentes

Un commentaire sans rapport avec ce qu'une personne vient de dire est une réponse non pertinente. Ce genre de réponses entraîne beaucoup de frustration, puisque la personne se sent ignorée dans ce qu'elle vit et ressent, comme le montre le dialogue suivant:

A: Quelle journée! J'ai cru qu'elle ne finirait jamais. D'abord, ma voiture est tombée en panne et j'ai dû attendre la dépanneuse, puis l'ordinateur au bureau a eu un virus.

B: Écoute, nous devons parler du cadeau d'anniversaire d'Anne. La fête a lieu samedi prochain et je n'ai que demain pour aller magasiner et le trouver.

A: Je suis vraiment crevée. Peut-on en parler dans quelques minutes? Je n'ai jamais eu une journée pareille.

B: Je n'arrive pas à trouver ce qui pourrait convenir à Anne. Elle a tout...

Les digressions

Les « déviations » de la conversation sont appelées *digressions*. Au lieu d'ignorer totalement les propos du locuteur, l'interlocuteur les utilise comme point de départ pour détourner la conversation:

A: J'aimerais savoir si tu veux aller skier pendant les vacances. Si nous ne nous décidons pas rapidement, il ne sera plus possible de réserver où que ce soit.

B: Ouais, et si je ne réussis pas mon cours de botanique, je n'aurai pas envie de partir quelque part. Pourrais-tu m'aider à faire ce devoir?

« Je m'en occuperai impersonnellement. »

Les réponses impersonnelles

Les réponses impersonnelles sont faites de clichés et d'autres affirmations qui ne répondent jamais vraiment aux attentes du locuteur:

Employé : J'ai des problèmes personnels depuis quelque temps et j'aimerais pouvoir quitter le travail tôt cet après-midi pour les résoudre.

Employeur : Ah oui ? Nous avons tous des problèmes personnels. Apparemment, c'est un signe des temps.

Les réponses ambiguës

Les réponses ambiguës contiennent des messages ayant plus d'une signification et font en sorte que la personne n'est pas certaine de ce que l'autre pense :

A : J'aimerais te revoir bientôt. Que penses-tu de mardi ?

B : Euh, peut-être.

A : Et bien, qu'en penses-tu ? On se dit à mardi ?

B : Oh probablement. À plus tard.

L'ÉVOLUTION DES CLIMATS DE COMMUNICATION

Lorsque deux personnes se mettent à communiquer, un climat relationnel s'installe de lui-même. Si elles se transmettent des messages validants, le climat sera sain. Dans le cas contraire, la relation sera probablement hostile, froide et suscitera des réactions défensives. Les messages verbaux contribuent au climat de la relation, mais la majorité des messages qui créent le climat sont de nature non verbale. Par exemple, le simple fait de s'approcher physiquement des autres est validant. Le sourire ou les froncements de sourcils, la présence ou l'absence de contact visuel, le ton de la voix, l'utilisation de l'espace personnel, tous ces indices et d'autres encore sont des messages indiquant ce que les interlocuteurs ressentent l'un pour l'autre.

Une fois le climat instauré, il évolue à la façon d'une **spirale**, selon un schéma de communication réciproque dans lequel le message de chacun renforce celui de l'autre[11]. Dans les spirales positives, le message validant d'un partenaire provoque une réponse similaire de la part de l'autre. Cette réaction positive amène la première personne à émettre des messages encore plus validants. Les spirales négatives suivent le même principe et sont tout aussi puissantes, bien qu'elles entraînent un malaise croissant chez les personnes par rapport à elles-mêmes et à l'autre.

spirale : schéma de communication où le message de chacun renforce celui de l'autre.

Le tableau 10.1 illustre quelques schémas de communication réciproque qui peuvent créer des spirales positives ou négatives.

Les spirales conflictuelles qui s'intensifient montrent bien comment les messages invalidants se renforcent mutuellement[12]. Une critique en entraîne une autre jusqu'à ce qu'un accrochage se transforme littéralement en bataille :

A (*un peu irrité*) : Où étais-tu ? Je croyais que nous avions convenu de nous retrouver ici il y a une demi-heure.

B (*sur la défensive*) : Je suis désolé. J'ai été retenu à la bibliothèque. Je n'ai pas autant de temps libre que toi, tu sais.

A : Je ne te faisais pas de reproches, alors ne sois pas si susceptible. Ce que tu viens de dire ne me plaît vraiment pas. Je suis très occupé. Et j'ai des choses plus importantes à faire que de t'attendre.

B : Qui est susceptible ? Je faisais une simple remarque. Tu es vraiment sur la défensive depuis quelque temps. Qu'est-ce qui ne va pas ?

TABLEAU 10.1 **Des schémas de communications réciproques positive et négative.**

Schémas de réciprocité négative	
Schéma	**Exemple**
Plainte – contre-plainte	A : J'aimerais que tu ne sois pas si égocentrique. B : Et bien, j'aimerais que tu ne sois pas aussi critique.
Désaccord – désaccord	A : Pourquoi es-tu aussi dure envers Marta ? C'est une patronne vraiment bien. B : Tu plaisantes ? C'est la personne la plus fausse que j'ai jamais vue. A : Tu ne reconnaîtrais pas un bon patron si tu en voyais un. B : Toi non plus.
Indifférence mutuelle	A : Ça m'est égal si tu veux rester : je suis épuisé, et je m'en vais d'ici. B : Pars tout de suite si tu veux, mais débrouille-toi pour rentrer.
Dispute impliquant la syntaxe	A : Comment puis-je parler si tu ne veux pas écouter ? B : Comment puis-je écouter si tu ne veux pas parler ?
Schémas de réciprocité positive	
Schéma	**Exemple**
Validation du point de vue de l'autre	A : Ce devoir est vraiment déroutant. Personne n'arrive à savoir ce que nous sommes censés faire. B : Je comprends pourquoi il paraît peu clair. Je vais essayer de t'expliquer…
Reconnaissance des similitudes	A : Je ne comprends pas pourquoi tu veux dépenser beaucoup pour les vacances. Nous devrions économiser, pas dépenser plus ! B : Je suis d'accord que nous devrions faire des économies. Mais je crois que nous pouvons faire ce voyage et continuer à économiser un peu. Laisse-moi te montrer mes calculs…
Soutien	A : Cet emploi me rend folle. Il était censé être provisoire. Je dois faire quelque chose de différent, et vite. B : Je vois bien à quel point tu le détestes. Essayons de trouver comment tu pourrais le quitter rapidement afin de trouver un travail qui correspond davantage à tes aspirations.

Source : CUPACH, William et Daniel CANARY. *Competence in Interpersonal Conflict*. Reproduit avec l'autorisation des éditions McGraw-Hill Companies.

Les spirales conflictuelles qui s'atténuent, bien que moins évidentes, sont aussi parfois destructrices[13]. Plutôt que de se battre, les personnes se retirent peu à peu et s'investissent moins dans la relation. Heureusement, ces spirales peuvent aussi devenir plus saines. Un éloge peut entraîner un compliment en retour, ce qui peut mener à une marque de gentillesse, laquelle engendrera sans doute un meilleur climat relationnel.

Les spirales, qu'elles soient positives ou négatives, sont rarement sans fin. La majorité des relations traversent des cycles de progression et de régression. Dans le cas d'une spirale négative, les partenaires pourront pratiquer la métacommunication afin d'arrêter le cycle dégradant : « Attends un peu, dira l'un. Cela ne nous mène nulle part. »

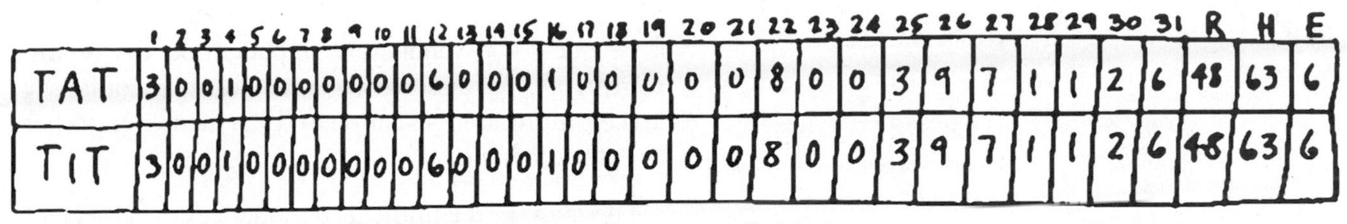

	1	2	3	4	5	6	7	8	9	10	11	12	13	14	15	16	17	18	19	20	21	22	23	24	25	26	27	28	29	30	31	R	H	E
TAT	3	0	0	1	0	0	0	0	0	0	0	6	0	0	0	1	0	0	0	0	0	8	0	0	3	9	7	1	1	2	6	48	63	6
TIT	3	0	0	1	0	0	0	0	0	0	0	6	0	0	0	1	0	0	0	0	0	8	0	0	3	9	7	1	1	2	6	48	63	6

Partie annulée pour cause d'infinitude.

Cette capacité à se sortir des spirales négatives et à les orienter pour qu'elles soient plus constructives est la caractéristique des relations réussies[14]. Néanmoins, si les partenaires dépassent le « point de non-retour » et persistent dans leur spirale descendante, la relation risque fort de prendre fin.

Les spirales positives ont également leur limite : même les meilleures relations traversent des périodes de conflit et de retrait, bien que le temps et les habiletés de communication favorisent une plus grande harmonie entre les partenaires.

LA DÉFENSIVE : CAUSES ET REMÈDES

Lorsque les autres sont désireux d'accepter et de prendre en compte des parties importantes de l'image qu'on leur présente, il n'y a pas lieu d'être sur la défensive. À l'inverse, lorsque la réaction des autres menace l'image que l'on veut projeter, on cherche habituellement à résister à ces messages[15]. L'attitude défensive constitue alors le processus de protection du soi, de l'image qu'on a présentée.

Pour comprendre le fonctionnement de l'attitude défensive, il faut imaginer ce qui arriverait si une part importante de votre soi présenté était critiquée. Supposez, par exemple, que votre patron vous a critiqué parce que vous avez commis une bête erreur. Vous vous sentiriez menacé si cette attaque était injustifiée, mais vous pourriez également réagir de façon défensive, même si vous savez que la critique est justifiée[16].

Une telle attitude s'explique entre autres par le besoin d'approbation. En réponse à la question : « Pourquoi ai-je peur de te dire qui je suis ? », l'auteur John Powell donne cette réponse : « Parce que, si je le fais, tu risques de ne pas aimer ce que je suis ; or c'est tout ce que j'ai[17] ». L'une des raisons pour lesquelles on porte des masques pour se défendre est donc le désir de correspondre au genre de personne qui obtiendra l'approbation des autres.

LES TYPES DE RÉACTIONS DÉFENSIVES

Lorsqu'une partie du soi présentée est critiquée par les autres et que l'on ne veut pas accepter leur jugement, on est confronté

INVITATION À L'INTROSPECTION

L'évaluation des climats de communication

Vous pouvez évaluer le climat de communication de chacune de vos relations sans procéder à une analyse poussée. Cet exercice vous aidera à comprendre pourquoi telle relation évolue dans tel climat, et ce que vous pouvez faire pour l'améliorer.

1. Déterminez le climat de communication d'une relation interpersonnelle importante.
2. Faites la liste des messages validants et invalidants qui ont créé ce climat et qui l'entretiennent actuellement. Assurez-vous d'inclure aussi bien les messages verbaux que non verbaux.
3. Décrivez ce qui peut être fait soit pour maintenir le climat actuel (s'il est positif), soit pour le modifier (s'il est négatif). Là encore, les messages verbaux et non verbaux doivent être pris en compte.

« Pourquoi je parle si fort ? Parce que j'ai tort. »

à ce que les psychologues appellent la **dissonance cognitive**[18]. La dissonance entraîne un inconfort, et les communicateurs s'efforcent d'y remédier en recherchant la cohérence.

Un des moyens d'éliminer la dissonance est d'accepter le jugement de la personne qui critique et de modifier son image de soi en conséquence. Ainsi, une personne pourrait reconnaître avoir agi sans réfléchir ou s'être trompée. Dans d'autres situations toutefois, on ne peut accepter les jugements, soit parce qu'ils sont faux, soit parce qu'il nous est impossible d'en admettre la véracité. Il n'est jamais agréable d'avoir à admettre que l'on a été paresseux, incorrect ou idiot. Il y a trois moyens de remédier à la dissonance sans être d'accord avec la personne qui critique. Chacun se caractérise par des **mécanismes de défense**: des outils psychologiques qui permettent d'éviter la dissonance en maintenant une bonne image de soi.

dissonance cognitive: état de tension désagréable à la suite d'une contradiction entre l'image de soi présentée par un individu et le jugement d'autrui.

mécanisme de défense: processus psychologique visant à se défendre contre des sentiments jugés inconciliables avec l'image de soi.

rationalisation: processus qui consiste à inventer des explications d'apparence logique pour justifier un comportement inacceptable pour le « moi ».

Attaquer celui qui critique

La contre-attaque s'inscrit dans l'idée que « la meilleure défense, c'est l'attaque ». Les manœuvres de contre-attaque peuvent prendre plusieurs formes.

L'agression verbale Celui qui se fait critiquer utilise parfois l'agression verbale pour attaquer directement la personne qui le critique. « Quand arrêteras-tu de me traiter de désordonné ? peut-on hurler à un colocataire. C'est toi qui laisses des traces de dentifrice dans le lavabo et des vêtements sales partout dans le salon ! » Ce type de réaction déplace le reproche sur la personne qui a émis la critique, sans reconnaître que le jugement d'origine était fondé. D'autres contre-attaques sont totalement hors sujet : « Tu n'es pas en position de te plaindre de mon laisser-aller. Au moins, je paie à temps ma part des factures. » Une fois de plus, cette réponse résout la dissonance sans s'attarder au bien-fondé de la critique.

Le sarcasme Une forme moins directe d'agression consiste à dissimuler la contre-attaque dans un message sarcastique. « Tu penses que je devrais étudier plus ? Merci d'avoir arrêté quelques instants de regarder tes téléromans à l'eau de rose et de manger des chips pour diriger ma vie ! » Les contre-attaques sarcastiques pourraient obtenir un très bon score en matière d'intelligence et de vivacité d'esprit, mais leur nature hostile et invalidante engendre souvent une spirale défensive mutuellement destructrice.

Apparemment, ma réaction la plus défensive se produit quand je crois que j'ai fait quelque chose de « mal ». L'appréciation de ce qui est mal vient de mon propre jugement comme de celui des personnes qui m'entourent. Ce qui fait le plus mal, c'est quand le jugement de quelqu'un d'autre est en accord avec ma propre mauvaise impression de moi-même.

John T. Wood,
auteur américain

Déformer les informations critiques

Un deuxième moyen de défendre le soi perçu consiste à déformer quelque peu les critiques de manière à garder intact le soi présenté. Il existe de nombreuses façons de déformer les informations critiques.

La rationalisation La **rationalisation** consiste à inventer des explications logiques, mais pas nécessairement vraies, pour justifier un comportement inacceptable pour le « moi ». Dire « Je t'aiderais bien, mais je dois vraiment étudier » serait une façon commode d'éviter une corvée. À l'interlocuteur qui lui fait une critique justifiée, une personne pourrait rétorquer : « Je ne mange pas trop. J'ai une journée chargée devant moi, et j'ai besoin de me faire des forces. »

La compensation Les personnes qui ont recours à la **compensation** mettent l'accent sur une force dans un domaine afin de faire oublier une faiblesse dans un autre. Pour préserver l'image de parent consciencieux, une mère ou une père qui se sent coupable protestera: « Je ne suis peut-être pas souvent à la maison, mais je donne à ces enfants le meilleur de ce que l'argent peut acheter ! » De même, pour essayer de se convaincre et de convaincre les autres que l'on est un bon ami, on dira pour compenser: « Désolé d'avoir oublié ton anniversaire. Laisse-moi t'aider avec ce travail. » La plupart des actes de compensation ne sont pas répréhensibles en soi. C'est lorsque ces actions sont accomplies sans aucune sincérité et dans le but précis de maintenir une image de soi fictive qu'il y a problème.

compensation: fait de mettre l'accent sur un point fort de la personnalité pour faire oublier un point faible.

évitement physique: fait de se tenir à l'écart de quelqu'un.

apathie: forme d'évitement consistant à jouer l'indifférence.

déplacement: fait de décharger ses sentiments hostiles sur une personne autre que la personne concernée.

La régression Un autre moyen d'éviter de faire face à une attaque est de jouer les impuissants et de clamer que l'on ne *peut* pas faire quelque chose alors qu'en réalité on ne *veut* pas le faire (« J'aimerais avoir une relation amoureuse avec toi, mais je ne peux pas: je ne suis pas prêt à m'engager », « J'aimerais mieux faire ce travail, mais je ne peux pas: je ne le comprends pas du tout »). La régression consiste à remplacer le mot *vouloir* par *pouvoir*.

Éviter les informations dissonantes

Un troisième moyen de protéger une image de soi menacée est d'éviter les informations dissonantes, quelles qu'elles soient. L'esquive prend plusieurs formes.

L'évitement physique Se tenir à l'écart des personnes qui critiquent le soi présenté est une manière évidente d'éviter la dissonance. L'**évitement physique** est parfois sage — être malmené par des critiques hostiles présente peu d'avantages. À d'autres moments cependant, la relation peut être suffisamment importante et la critique suffisamment justifiée pour qu'un évitement ne fasse qu'empirer les choses.

La répression Parfois, on réprime mentalement les informations dissonantes. Par exemple, on a beau savoir que l'on devrait discuter d'un problème avec un ami ou un professeur, on repousse cette idée chaque fois qu'elle survient. Changer de sujet, faire semblant de ne pas comprendre, ou même prétendre ne pas avoir entendu la critique sont des attitudes qui rentrent toutes dans la catégorie de la répression.

L'apathie L'**apathie** est une autre forme d'évitement: elle consiste à prendre en compte des informations dissonantes tout en prétendant qu'on ne s'en soucie guère. Vous pourriez, par exemple, rester assis calmement à écouter la critique d'un ami et vous comporter comme si elle ne nous affectait pas. De même, vous pourriez réagir à la perte d'un emploi en jouant l'indifférence: « Qu'est-ce que ça peut faire ? Je n'aimais pas ce travail de toute façon. »

Le déplacement Le **déplacement** se produit lorsqu'on se décharge de sentiments

INVITATION À L'INTROSPECTION

L'inventaire de vos mécanismes de défense

Faites la liste des trois mécanismes de défense que vous utilisez le plus souvent et donnez un exemple récent pour chacun d'eux. Pour dresser cette liste, vous pouvez aussi bien réfléchir à votre propre comportement que demander aux autres de partager leurs impressions à ce sujet.

Pour compléter votre inventaire, décrivez:

a) les personnes qui vous mettent le plus souvent sur la défensive;

b) les éléments de votre soi présenté que vous défendez le plus fréquemment;

c) les conséquences habituelles de l'utilisation des mécanismes de défense;

d) des manières plus satisfaisantes d'agir à l'avenir.

agressifs ou hostiles sur des personnes (ou des objets) autres que celles qui ont émis la critique au départ. Par exemple, une personne est très en colère contre son patron, mais plutôt que de risquer d'être licenciée, elle hurlera contre les personnes avec lesquelles elle vit. Malgré son prix évident, le déplacement permet souvent à la plupart des gens de préserver (du moins à leurs yeux) l'idée qu'ils sont maîtres de la situation et qu'ils sont en mesure de résister aux forces qui les menacent.

COMMENT PRÉVENIR LA DÉFENSIVE CHEZ LES AUTRES

Jusqu'ici, la défensive a été présentée comme étant de la seule responsabilité de la personne qui se sent menacée. Or, les communicateurs compétents sauvent les apparences pour eux-mêmes mais également pour les autres[19]. Il est évident que pour favoriser une réaction positive, il faut émettre des messages qui rendent honneur à l'image de l'autre tout en soutenant la présentation de sa propre image[20].

La solution à ce double défi réside dans la nature bidimensionnelle de la communication. Il est en effet possible d'exprimer du mécontentement envers l'autre sur le plan du contenu tout en lui témoignant de l'estime sur le plan relationnel. Gérer des questions délicates de façon à améliorer ses relations peut sembler une lourde tâche ; à cet égard, le chercheur Jack Gibb fournit des outils pour atténuer la réaction défensive[21]. L'observation de groupes a permis à Gibb d'isoler six types de comportements suscitant la défensive et leurs six comportements opposés, appelés **comportements de soutien**, qui véhiculent des messages relationnels de respect pour réduire le niveau de menace. Les **catégories de Gibb** sont présentées dans le tableau 10.2 et résumées dans les pages qui suivent.

comportement de soutien : comportement qui véhicule des messages relationnels de respect pour réduire le niveau de menace.

catégories de Gibb : catégories de comportements défensifs et de soutien.

évaluation : pour Gibb, affirmation comportant un jugement sur le comportement de l'autre et pouvant provoquer une réaction de défense.

description : pour Gibb, message descriptif, souvent exprimé à la première personne, qui a tendance à susciter moins de réactions défensives.

L'évaluation par opposition à la description

Le premier type de comportement suscitant une réaction de défense que Gibb a observé est l'**évaluation**. La plupart des gens s'irritent des jugements catégoriques à leur égard, qui sont interprétés comme un manque de considération. L'une des formes d'évaluation les plus courantes est le langage à la deuxième personne décrit au chapitre 5 : « Tu n'es pas un ami présent, tu ne mérites pas ma confiance. »

Contrairement au langage évaluatif à la deuxième personne, la **description** est axée sur les pensées et les sentiments. Les messages descriptifs sont souvent exprimés à la

TABLEAU 10.2 **Les catégories de comportements défensifs et de soutien de Gibb.**

Les comportements défensifs	Les comportements de soutien
1. L'évaluation	1. La description
2. Le contrôle	2. L'orientation sur le problème
3. La stratégie	3. La spontanéité
4. La neutralité	4. L'empathie
5. La supériorité	5. L'égalité
6. La certitude	6. L'expectative

première personne, ce qui a tendance à susciter moins de réactions défensives que le langage à la deuxième personne[22]. Comparez les affirmations évaluatives suivantes introduites par « tu » et leurs contreparties descriptives introduites par « je » :

Évaluation : « Tu ne sais pas de quoi tu parles ! »
Description : « Je ne comprends pas comment tu en es arrivé à cette conclusion. »

Évaluation : « Cet endroit est en désordre ! »
Description : « Si tu ne ranges pas tes souliers, je dois le faire moi-même, car sinon je trébuche dessus. C'est pour cela que je suis en colère ! »

Notez la façon dont chaque affirmation descriptive met l'accent sur les pensées et les sentiments du locuteur sans pour autant porter un jugement sur l'autre. Malgré sa valeur, le langage descriptif n'est pas le seul élément nécessaire au succès. Son efficacité dépend en partie du moment, du lieu où il est employé et de la façon dont on l'utilise. Néanmoins, il est facile de comprendre que le fait de décrire en quoi le comportement de l'autre nous affecte a des chances de produire de meilleurs résultats que le critiquer en portant des jugements sur lui.

Le contrôle par opposition à l'orientation sur le problème

Le deuxième type de comportement provoquant une réaction défensive est associé à une tentative de contrôler l'autre. Le **contrôle** se manifeste lorsqu'un émetteur veut imposer une solution au récepteur sans considération pour ses besoins ou ses intérêts. L'objet du contrôle peut être pratiquement n'importe quoi : l'endroit où aller dîner, le film à louer ou la façon de dépenser une grosse somme d'argent. Quelle que soit la situation, ceux qui agissent de manière contrôlante créent un climat de défensive. Personne n'aime avoir le sentiment que ses idées sont sans valeur et que rien de ce qu'il dira ne pourra influencer l'autre. Que ce soit à cause de ses mots, de ses gestes ou du ton de sa voix, la personne contrôlante soulève l'hostilité.

contrôle : pour Gibb, communication où l'émetteur veut imposer une solution au récepteur sans tenir compte de ses besoins ou intérêts.

orientation sur le problème : pour Gibb, approche de communication où l'on cherche à trouver une solution commune à un problème plutôt qu'à imposer une solution.

À l'inverse, dans l'**orientation sur le problème**, les communicateurs se concentrent sur la recherche d'une solution qui satisfait leurs besoins aussi bien que ceux des personnes concernées. Dans ce cas, l'objectif n'est pas de « gagner » au détriment du partenaire, mais plutôt d'en arriver à un arrangement qui donnera à chacun l'impression à d'y trouver son compte. Voici des exemples de messages axés sur le contrôle et orientés sur le problème :

Contrôle : « Tu ne dois pas téléphoner pendant les deux prochaines heures. »
Orientation sur le problème : « J'attends des appels importants. Peut-on trouver un moyen de laisser la ligne téléphonique libre durant les deux prochaines heures ? »

Contrôle : « Il n'y a qu'une façon d'aborder ce problème… »
Orientation sur le problème : « Nous avons apparemment un problème. Trouvons une solution qui nous contente tous les deux. »

« Si on oublie le "Je suis le patron !" et qu'on se concentre sur le reste, on devrait y arriver… »

stratégie : pour Gibb, manœuvre par laquelle l'émetteur cherche à tromper ou à manipuler le récepteur en cachant ses motivations.

spontanéité : pour Gibb, comportement opposé à la stratégie, consistant à être honnête avec les autres.

neutralité : pour Gibb, comportement où l'émetteur exprime de l'indifférence face au récepteur.

empathie : pour Gibb, aptitude à comprendre les sentiments de l'autre en se mettant à sa place.

supériorité : pour Gibb, comportement ou propos qui suggère que l'émetteur se croit supérieur au récepteur.

La stratégie par opposition à la spontanéité

Gibb emploie le terme **stratégie** pour caractériser ces messages engendrant la défensive par lesquels les locuteurs cachent leurs motivations. Les mots *malhonnêteté* et *manipulation* reflètent bien l'essence de cette stratégie. La victime d'une telle tromperie se sentira probablement offensée lorsqu'elle découvrira qu'elle a été manipulée.

La **spontanéité**, le comportement opposé à la stratégie, consiste à être honnête avec les autres plutôt qu'à les manipuler. Selon Gibb, la notion de spontanéité implique de mettre de côté les intentions cachées — que les autres devinent et auxquelles ils résistent. Ces exemples illustrent cette différence :

Stratégie : « Que fais-tu vendredi après le travail ? »
Spontanéité : « J'ai besoin de déplacer un piano vendredi après le travail. Peux-tu me donner un coup de main ? »

Stratégie : « Tom et Judy sortent dîner toutes les semaines. »
Spontanéité : « J'aimerais dîner au restaurant plus souvent. »

La neutralité par opposition à l'empathie

Gibb emploie le mot **neutralité** pour décrire le quatrième comportement qui suscite la défensive. Une attitude neutre est invalidante, car elle transmet un manque d'intérêt et implique que le bien-être de l'autre n'est pas très important. Cette indifférence perçue provoquera la défensive, car les gens n'aiment pas se sentir inutiles, ils protégent ainsi un concept de soi qui les valorise.

L'**empathie** consiste à accepter les sentiments de l'autre en se mettant à sa place. Cela ne signifie pas pour autant que l'on doit être d'accord avec cette personne. En lui faisant savoir qu'on se soucie d'elle et qu'on la respecte, on lui offre une forme de soutien. Gibb a découvert que les expressions faciales et corporelles de l'empathie sont souvent plus importantes pour le récepteur que les mots employés.

Observez la différence entre les affirmations neutres et empathiques suivantes :

Neutre : « Voilà ce qui arrive quand on ne planifie pas correctement. »
Empathique : « Visiblement, ça n'a pas marché comme c'était prévu. »

Neutre : « Parfois, les choses ne marchent pas. C'est comme ça. »
Empathique : « Je sais que tu as consacré beaucoup de temps et d'efforts à ce projet. »

Les effets négatifs de la neutralité apparaissent clairement dans l'hostilité que manifestent des gens ayant dû communiquer avec de grandes entreprises : « Ils me considèrent comme un numéro » ; « J'ai eu l'impression d'être pris en main par des ordinateurs. » Selon Gibb, l'empathie permet d'éviter l'indifférence dans la communication.

« J'ai parfaitement compris : j'aime les bons films et toi, tu préfères les mauvais. »

La supériorité par opposition à l'égalité

Le cinquième comportement entraînant la défensive est la **supériorité**. Tout message qui suggère « Je suis meilleur que vous » mettra probablement le destinataire sur la défensive. Plusieurs recherches confirment le caractère irritant des messages condescendants.

L'impression de supériorité provient en partie du contenu des messages et en partie de la façon dont ils sont transmis, qui suggère une tendance à s'affirmer comme supérieurs aux autres. Par exemple, le recours à une syntaxe et à un vocabulaire simplifiés ou le fait de parler lentement traduisent une attitude condescendante. Voici deux exemples de la différence entre la supériorité et l'**égalité**:

Supériorité: « Tu ne sais pas de quoi tu parles. »
Égalité: « Je ne vois pas cela de la même façon. »

Supériorité: « Non, ce n'est pas comme ça qu'il faut faire ! »
Égalité: « Si tu veux, je peux te montrer une façon de faire qui m'a réussi. »

égalité: pour Gibb, comportement où l'émetteur se place sur le même pied que le récepteur.

certitude: pour Gibb, attitude qui implique que la position de l'émetteur est incontestable.

expectative: pour Gibb, attitude ouverte sur l'opinion de l'autre.

La certitude par opposition à l'expectative

On a tous déjà rencontré des personnes aux opinions arrêtées, sûres que leur façon de faire est la seule valable ou la plus appropriée, et qui s'obstinent à dire qu'elles connaissent tous les faits et qu'elles n'ont pas besoin d'autres renseignements. En projetant un comportement que Gibb appelle la **certitude**, de tels individus suscitent la défensive. Les communicateurs qui considèrent leurs propres opinions comme des certitudes tout en méprisant les idées des autres font preuve d'un manque de considération et de respect.

À l'opposé de la certitude se trouve l'**expectative**: les personnes peuvent avoir une opinion sur le sujet, mais préfèrent reconnaître qu'elles ne détiennent pas la vérité. Elles pourront donc changer d'opinion si une autre s'avère plus juste. Voyons quelques exemples:

Le besoin d'avoir raison, marque d'esprit vulgaire.
Albert Camus, auteur français

INVITATION À L'INTROSPECTION

La rétroaction défensive

Demandez à une personne importante dans votre vie de vous aider à en apprendre plus sur vous-même. Sachant que la discussion durera probablement plus d'une heure, chacun doit être prêt à y consacrer le temps nécessaire.

1. Il s'agit tout d'abord d'expliquer les six catégories de comportements défensifs et de soutien à votre partenaire. Donnez suffisamment d'exemples pour lui faire comprendre clairement chaque catégorie.
2. Une fois l'explication terminée, demandez-lui de déterminer quelles catégories de Gibb vous employez habituellement. Demandez-lui de donner des exemples précis pour vous assurer que vous comprenez parfaitement la rétroaction. (À ce stade, vous serez probablement sur la défensive en raison de l'évaluation dont vous ferez l'objet.) Dites à votre partenaire que vous souhaitez découvrir aussi bien vos comportements défensifs que vos comportements de soutien, et que vous désirez vraiment avoir l'heure juste. (Remarque: si vous ne voulez pas entendre la vérité de la bouche de votre partenaire, ne faites pas cet exercice.)
3. Au fur et à mesure que votre partenaire parle, notez les catégories qu'il ou elle énumère avec suffisamment de détails pour résumer ses commentaires.
4. Après avoir terminé la liste, montrez-la à votre partenaire. Écoutez ses réactions, et faites les corrections nécessaires pour refléter fidèlement ses commentaires. Quand la liste est correcte, faites-la signer par votre partenaire pour montrer que vous avez compris.
5. Rédigez une conclusion dans laquelle vous noterez:

a) ce que vous avez ressenti quand votre partenaire vous décrivait;

b) si vous êtes d'accord avec l'évaluation;

c) l'effet produit par l'utilisation des catégories de Gibb sur votre relation avec votre partenaire.

Certitude :	« Ça ne marchera jamais ! »
Expectative :	« Je crois que tu vas avoir des problèmes avec cette approche. »
Certitude :	« Tu ne sais pas de quoi tu parles ! »
Expectative :	« Je n'ai jamais rien entendu de tel auparavant. Où as-tu trouvé cette information ? »

Malgré ses avantages, rien ne garantit que l'approche validante de soutien dans la communication amenée par Gibb réussit toujours à créer un climat sain. Par exemple, l'autre peut tout simplement ne pas être réceptif. Cependant, la probabilité d'une relation constructive est plus grande si la communication correspond à cette approche de soutien.

COMMENT RÉPONDRE À LA CRITIQUE DE FAÇON NON DÉFENSIVE

Comment répondre aux autres de façon non défensive lorsqu'ils émettent des messages agressifs en employant l'évaluation, le contrôle, la supériorité ou d'autres comportements relevés par Gibb ? On doit alors adopter des comportements adaptés à ce genre de situations. Malgré leur apparente simplicité, deux façons de faire comptent parmi les habiletés les plus utiles que nombre de communicateurs ont apprises[23].

Dans ce monde, rien n'est plus inconsistant et plus faible que l'eau. Et pourtant, l'eau attaque et emporte ce qui est dur et puissant. Rien ne lui résiste et rien ne peut la vaincre. Car la faiblesse a raison de la force, et la souplesse s'impose à la dureté. Tout le monde sait cela, mais personne ne se conforme à cette loi.

Las Tseu,
philosophe chinois

LA RECHERCHE D'INFORMATIONS COMPLÉMENTAIRES

La réaction qui consiste à solliciter davantage d'informations est tout indiquée puisqu'on ne peut réagir à une critique avant de bien comprendre ce que l'autre a dit. De nombreuses personnes rechignent à demander des détails lorsqu'elles sont critiquées. Leur résistance est attribuable au fait qu'elles confondent l'action d'écouter dans un esprit d'ouverture les commentaires d'un locuteur et celle de les accepter. Une fois que l'on a pris conscience qu'il est possible d'écouter, de comprendre, et même de prendre en compte les commentaires les plus hostiles sans nécessairement les accepter, il devient plus facile d'écouter quelqu'un jusqu'au bout. En cas de désaccord avec les critiques d'une personne, on sera dans une bien meilleure position pour s'expliquer si on les a bien écoutées et comprises. Par ailleurs, l'écoute attentive des critiques peut nous amener à réaliser qu'elles sont fondées ; dans ce cas, les informations complémentaires obtenues seront susceptibles de nous aider à améliorer le comportement ou l'attitude qui pose problème.

Demander des détails

Une critique vague est souvent inutile, même si la personne qui en fait les frais souhaite sincèrement changer. Une critique abstraite telle que « Tu es injuste » peut être difficile à comprendre. Dans de tels cas, il est bon de demander plus de précisions à l'émetteur (« En quoi ce que je fais est-il injuste ? ») avant de déterminer si la critique est justifiée. Si l'émetteur accuse l'autre d'être sur la défensive même après que ce dernier lui a demandé des précisions, le problème peut être attribuable à sa manière d'exprimer la question. Le ton de la voix et l'expression du visage, la posture et d'autres indices non verbaux donneront aux mêmes mots des sens différents. Par exemple, la question « De quoi exactement es-tu en train de parler ? » peut communiquer un désir sincère de savoir mais aussi l'idée que le locuteur divague.

Deviner les détails

Dans certaines situations, même les demandes de précision les plus sincères et les mieux formulées n'ont pas de succès puisque les personnes qui émettent des critiques ne sont parfois pas en mesure de déterminer avec précision le comportement qui les a insultées. C'est dans ces moments-là que seront formulés des commentaires tels que : « Je ne peux pas expliquer exactement ce qui m'agace dans ton sens de l'humour ; tout ce que je peux dire, c'est que je ne l'aime pas. » À d'autres moments, les personnes qui critiquent savent précisément quels comportements elles n'apprécient pas, mais elles semblent prendre plaisir à le faire découvrir par l'autre. Dans ces occasions-là, on entend des commentaires comme: « Et bien, si tu n'es pas assez conscient pour savoir ce que tu as fait pour me blesser, ne compte pas sur moi pour te le dire ! »

Lorsque cela se produit, on peut apprendre ce qui gêne la personne qui critique en tentant de deviner les détails de sa critique. Cette technique doit être utilisée avec bonne volonté pour produire des résultats satisfaisants. Voici quelques questions typiques posées dans le but de deviner les détails d'une critique:

> « Alors, tu n'apprécies pas le langage que j'ai employé pour écrire l'exposé. Mon langage était-il trop formel ? »
>
> « Bon, je vois que tu trouves que ma tenue a l'air bizarre. Qu'a-t-elle de si terrible ? Est-ce la couleur ? Cela a-t-il un rapport avec la coupe ? Le tissu ? »
>
> « Quand tu dis que je ne participe pas au travail dans la maison, veux-tu dire que je n'aide pas assez à faire le ménage ? »

Reformuler les idées du locuteur

Une autre stratégie pour obtenir des informations complémentaires consiste à faire parler les locuteurs désorientés ou réticents et à reformuler leurs pensées et sentiments en utilisant les habiletés d'écoute active. Un des avantages de la reformulation est qu'on n'a pas à deviner les détails du comportement qui pourraient être offensants. Clarifier ou amplifier ce que l'on comprend des paroles prononcées par ceux qui critiquent permet de mieux cerner leurs objections. Voici le dialogue entre un client mécontent et un gérant de magasin particulièrement doué qui reformule ses propos:

Le client: La façon dont vous gérez ce magasin est déplorable ! Je tiens à vous dire que je ne magasinerai plus jamais ici.

Le gérant: (*reflétant le sentiment du client*): Vous paraissez très contrarié. Pouvez-vous m'expliquer votre problème ?

Le client: Ce n'est pas mon problème, c'est celui de vos vendeurs. On a l'impression de les déranger quand on leur demande d'aider un client à trouver quelque chose ici.

Le gérant: Donc, vous n'avez pas reçu assez d'aide pour trouver les produits que vous cherchiez, c'est bien ça ?

Le client: De l'aide ? J'ai passé 20 minutes à regarder autour de moi avant de pouvoir parler à un employé. Tout ce que je peux dire, c'est que c'est une sacrée manière de diriger un magasin !

Le gérant: Donc, ce que vous êtes en train de dire, c'est que les employés semblaient ignorer les clients ?

Le client : Non. Ils étaient tous en train de servir d'autres personnes. Il me semble simplement que vous devriez avoir suffisamment d'employés pour vous occuper de la foule qui vient à cette heure-ci.

Le gérant : Je comprends maintenant. Ce qui vous a le plus agacé, c'est qu'il n'y avait pas assez de personnel pour vous servir rapidement.

Le client : C'est ça. Je ne me plains pas du service que j'ai obtenu une fois que l'on s'est occupé de moi, et j'ai toujours trouvé que vous aviez un bon choix ici. Le problème, c'est que je n'ai pas assez de temps pour attendre aussi longtemps.

Le gérant : Et bien, je suis content que vous ayez porté cela à mon attention. Nous ne voulons certainement pas voir nos clients fidèles repartir fâchés. Je verrai ce que je peux faire pour que cela ne se reproduise pas.

Jeter le blâme est une mauvaise habitude, mais accepter le blâme forge à coup sûr le caractère.

O. A. Battista, auteur américain

Cette conversation illustre deux avantages de la reformulation. Tout d'abord, la personne qui critique réduit l'intensité de son attaque après avoir réalisé que le reproche est entendu. La critique résulte souvent de la frustration provoquée par des besoins non satisfaits. Bien évidemment, ce type d'« écoute reflet » n'apaisera pas toujours celui qui critique. Un autre avantage rend pourtant cette stratégie valable. Dans le dialogue présenté ci-dessus, par exemple, le gérant a obtenu des informations précieuses en prenant le temps d'écouter le client. Il a découvert qu'à certains moments, les employés ne sont pas assez nombreux pour répondre à la demande et que le temps d'attente gêne alors des clients, ce qui risque de lui faire perdre des profits.

Interroger la personne qui critique sur ses attentes

À certains moments, l'exigence de la personne qui formule une critique est évidente :

« Baisse cette musique ! »

« Pourrais-tu laver ta vaisselle maintenant ! »

À d'autres moments cependant, il sera nécessaire de poser des questions pour découvrir ce qu'elle attend, comme dans les exemples suivants :

Jonathan : Je n'arrive pas à croire que tu as invité tous ces gens à venir sans me demander d'abord mon avis !

Séléna : Tu veux dire que tu veux que j'annule la soirée ?

Jonathan : Non, j'aurais seulement préféré que tu me le demandes avant de faire des projets.

Cynthia : Tu es si critique ! Tu as l'air de ne rien aimer dans ce que j'ai écrit.

Élie : Mais tu m'as demandé mon avis. Qu'attends-tu de moi quand tu fais cela ?

Cynthia : Je veux savoir ce qui ne va pas, mais je ne veux pas simplement entendre des critiques. Si tu trouves qu'il y a quelque chose de bon dans mon travail, j'aimerais que tu me le dises aussi.

S'enquérir des conséquences de son comportement

Des comportements qui semblent parfaitement légitimes aux yeux d'une personne sont sources de quelques difficultés pour celui qui les critique. Une façon de répondre à la critique est de chercher à savoir quelles sont les conséquences désagréables de ces comportements.

Premier voisin :	Vous dites que je devrais faire stériliser mon chat. Pourquoi est-ce si important pour vous ?
Deuxième voisin :	Parce que la nuit, il se bat avec mon chat, et j'en ai assez de payer les factures du vétérinaire.
Premier employé :	Pourquoi te soucies-tu de ce que je sois en retard au travail ou pas ?
Deuxième employé :	Lorsque le patron me pose des questions, je me sens obligé d'inventer une histoire pour que tu n'aies pas d'ennuis, et je n'aime pas mentir.
Le mari :	Pourquoi es-tu ennuyée que je perde de l'argent au poker ? Tu sais bien que je ne joue jamais au-delà de mes moyens.
L'épouse :	Il ne s'agit pas d'argent. Quand tu perds, tu es d'une humeur massacrante pendant deux ou trois jours, et ce n'est pas agréable pour moi.

S'enquérir des autres problèmes éventuels

Il paraîtrait insensé d'aller au-devant de critiques supplémentaires, mais se renseigner sur d'autres reproches permet parfois de dévoiler le problème réel, comme le montre ce dialogue :

Raoul :	Es-tu très en colère contre moi ?
Blanche :	Non. Pourquoi poses-tu cette question ?
Raoul :	Parce que pendant tout le pique-nique, tu m'as à peine parlé. Chaque fois que j'allais vers toi, tu partais ailleurs.
Blanche :	Y a-t-il autre chose qui ne va pas ?
Raoul :	Et bien, depuis quelque temps je me demande si tu n'en as pas assez de moi.

Cet exemple montre que demander à la personne qui critique si quelque chose d'autre la gêne n'est pas un exercice masochiste. Si l'on arrive à ne pas être sur la défensive, d'autres questions peuvent orienter la conversation sur des sujets qui sont à l'origine de l'insatisfaction réelle de la personne qui formule une critique.

« Quand sera-t-il capable de se redresser et de recevoir des critiques ? »

L'ACCORD AVEC LA CRITIQUE

Se montrer d'accord avec celui qui critique

Comment peut-on être d'accord avec les critiques que l'on juge non fondées? En fait, dans presque toutes les situations, il est honnêtement possible d'accepter le point de vue de l'autre tout en gardant sa propre opinion. Pour comprendre pourquoi, il faut savoir qu'il existe deux sortes d'accord qui s'appliquent à presque toutes les situations.

Aimez vos ennemis, car ils vous indiquent vos défauts.

Benjamin Franklin, diplomate américain

Être d'accord avec les faits

Se montrer d'accord avec les faits est le type d'accord le plus facile à comprendre, mais pas à pratiquer. La recherche suggère que ce type d'accord est extrêmement efficace pour rétablir sa réputation auprès de la personne qui critique[24]. Il s'agit de partager son avis lorsque l'accusation est exacte dans les faits:

A: Tu as raison, je suis en colère.

B: Je suppose que j'étais sur la défensive.

A: Maintenant que tu le dis, j'étais devenu plutôt sarcastique.

Il est tout à fait raisonnable de se montrer d'accord avec les faits si l'on considère que certains sont indiscutables. Si un ami et vous avez convenu de vous retrouver à 14 h et que vous n'arrivez pas avant 15 h, vous êtes en retard, que vous ayez une bonne explication ou non. De la même façon, on peut être amené à être d'accord avec de nombreuses interprétations d'un comportement, même si elles ne sont pas flatteuses. Car il est vrai que l'on se met vraiment en colère, que l'on peut agir bêtement, que l'on n'écoute pas toujours attentivement et qu'on se comporte parfois de façon inconsidérée.

Si beaucoup des critiques qui nous sont adressées sont exactes, pourquoi est-il tellement difficile de les accepter sans être sur la défensive? Cela relève de la confusion entre admettre des faits et accepter un jugement qui les accompagne si souvent. La plupart des personnes qui critiquent ne se contentent pas de décrire l'action qui les a offensées; elles l'évaluent également, et c'est cette évaluation qui provoque la résistance, comme c'est le cas dans ces exemples:

« C'est idiot d'être fâché. »

« Tu n'as aucune raison d'être sur la défensive. »

« Tu as eu tort d'être aussi sarcastique. »

Ce sont des évaluations de ce genre qui déplaisent. Si l'on réalise que l'on peut être d'accord avec le côté descriptif des critiques sans pour autant accepter les évaluations qui les accompagnent, on se surprendra souvent à répondre d'une façon à la fois honnête et non défensive.

Cependant, il ne faut admettre les faits que s'il est possible de le faire avec sincérité. Ce n'est bien sûr pas toujours le cas, mais on sera étonné de constater à quel point il est souvent facile d'utiliser cette simple réponse.

Être d'accord avec le point de vue de celui qui critique

Si l'on peut admettre le bien-fondé de critiques qui semblent justes, comment peut-on être d'accord avec celles qui paraissent injustifiées ? Par exemple, vous avez écouté attentivement et posé des questions pour être sûr de comprendre les critiques, mais plus vous écoutez, plus vous jugez qu'elles sont inacceptables. Même dans une telle situation, il existe un moyen d'être d'accord : il suffit de reconnaître à chacun le droit de voir les choses à sa façon. En voici quelques exemples :

A : Je ne crois pas que tu sois allé dans tous les endroits que tu viens de décrire. Tu es probablement en train d'inventer tout cela pour nous impressionner.

B : Bien, je comprends pourquoi tu peux penser cela. J'ai connu des gens qui mentaient pour obtenir l'approbation des autres.

C : Je veux que vous sachiez dès maintenant que je m'étais opposé à votre embauche. Je crois que vous avez obtenu le poste parce que vous êtes une femme.

D : Je comprends que vous puissiez croire cela en raison de toutes les lois anti-discrimination en vigueur. J'espère qu'après m'avoir côtoyée quelque temps vous changerez d'avis.

E : Je crois que la raison pour laquelle tu ne veux pas sortir n'est pas tout à fait honnête. Tu dis que c'est parce que tu as mal à la tête, mais je pense que tu évites Marie.

F : Je sais pourquoi tu crois cela. Marie et moi, nous nous sommes disputées la dernière fois que nous étions ensemble. Tout ce que je peux dire, c'est que j'ai vraiment mal à la tête.

Une des clés pour se sentir à l'aise de reconnaître le bien-fondé des critiques consiste à comprendre que pour être d'accord avec celui qui les formule, il n'est pas nécessaire de présenter ses excuses. On n'est parfois pas responsable du comportement que l'autre trouve inacceptable, auquel cas une explication dite sur un ton explicatif et non défensif serait plus appropriée qu'une excuse : « Je sais que je suis en retard. Il y avait un accident en centre-ville, et les rues étaient embouteillées. »

Dans d'autres circonstances, un comportement peut être compréhensible, bien qu'il ne soit pas parfait. Lorsque c'est le cas, on peut prendre en compte la validité des critiques sans s'excuser : « Tu as raison. J'ai vraiment perdu mon sang-froid. J'ai dû te rappeler cela trois ou quatre fois, et je crois qu'à la fin ma patience était à bout », en l'exprimant comme une explication, et non comme une défense ou une contre-attaque. Dans d'autres situations encore, on doit reconnaître à la personne qui critique le droit de voir les choses de façon différente tout en maintenant sa propre position : « Je comprends pourquoi tu penses que je dramatise. Je sais que cela ne te paraît pas aussi important qu'à moi. J'espère que tu arriveras à comprendre pourquoi j'estime que c'est si important. »

TRAVAILLEZ VOS HABILETÉS

Comment surmonter la critique

Avec un partenaire, exercez-vous à tour de rôle à avoir des réactions non défensives.

1. Choisissez une des critiques suivantes et expliquez à votre partenaire la façon dont elle devrait vous être faite :
   a) « Tu es parfois tellement égoïste. Tu ne penses qu'à toi-même. »
   b) « Ne sois pas si susceptible ! »
   c) « Tu dis que tu me comprends alors qu'il n'en est rien. »
   d) « J'aimerais que tu participes au travail ici. »
   e) « Tu es si critique ! »
2. Répondez aux arguments de la critique de votre partenaire en employant la réaction appropriée, selon ce qui a été vu dans les pages précédentes. Ce faisant, essayez de vous comporter de manière à vouloir vraiment comprendre la critique et à trouver des éléments avec lesquels vous pouvez sincèrement être d'accord.
3. Demandez à votre partenaire d'évaluer votre réaction. Suit-elle les schémas décrits dans les pages précédentes ? A-t-elle l'air sincère ?
4. Rejouez la même scène pour essayer d'améliorer votre réaction.

RÉSUMÉ

Toute relation comporte un climat de communication. Les climats positifs sont caractérisés par des messages validants qui mettent en évidence l'estime réciproque des interlocuteurs. Les climats négatifs sont généralement invalidants. D'une façon ou d'une autre, dans les relations invalidantes, les messages expriment l'indifférence ou l'hostilité.

Les climats de communication se créent tôt au sein d'une relation, à partir de messages verbaux et non verbaux. Une fois créés, les messages réciproques génèrent des spirales soit positives, soit négatives dans lesquelles des messages positifs ou négatifs pourront augmenter en fréquence et en intensité.

La défensive entrave la communication efficace. Les réactions défensives se produisent habituellement lorsque les gens essaient de protéger les éléments essentiels du soi présenté qui, selon eux, sont critiqués. Les communicateurs sur la défensive réagissent en attaquant celui qui les critique, en déformant les messages critiques ou en les évitant.

Les comportements de soutien définis par Jack Gibb dans l'expression de messages potentiellement menaçants peuvent réduire les réactions défensives chez les autres. De plus, il est possible de faire partager aux autres ses pensées et ses sentiments en sauvant les apparences grâce à l'emploi du format de message explicite. Un message explicite complet décrit le comportement concerné, au moins une des interprétations, les sentiments du locuteur, les conséquences de la situation et les intentions du locuteur par rapport à son affirmation.

Dans les situations où l'on est confronté aux critiques des autres, il est possible de réagir de façon non défensive en tentant de comprendre les critiques et en étant d'accord avec les faits ou la perception de celui qui les formule.

Mots clés

AUTRES RESSOURCES

Vous êtes maintenant en mesure de comprendre ce qui différencie un climat communicationnel invalidant et validant. Si un climat validant est susceptible d'améliorer et de promouvoir le développement de liens interpersonnels, un climat invalidant risque fort d'affecter négativement la relation. Afin de parfaire vos connaissances sur les climats de communication et les différents facteurs susceptibles de les améliorer, voici quelques ouvrages d'intérêt.

Livres

Breton, P. *Argumenter en situation difficile: que faire face à un public hostile, aux propos racistes, au harcèlement, à la manipulation, à l'agression physique et à la violence sous toutes ses formes ?,* Paris, La Découverte, 2004.

Cooper, J. *Cognitive Dissonance: Fifty Years of a Classic Theory,* Los Angeles, Sage, 2007.

Ionescu, S., M.-M. Jacquet et C. Lhote. *Les Mécanismes de défense: théorie et clinique,* Paris, F. Nathan, 2001.

Films

Antwone Fisher, réalisé par Denzel Washington (2002).

Antwone Fisher est un jeune marin colérique. Une bagarre à bord du bateau lui vaut de rencontrer le psychiatre de la base Jerome Davenport, dont le travail consiste entre autres à aider Antwone à gérer ses humeurs. Après plusieurs séances pendant lesquelles il garde un silence têtu, Antwone révèle qu'il a été abandonné à la naissance par sa mère alors emprisonnée. Il n'a jamais connu son père qui a été assassiné deux mois avant sa naissance. Élevé dans une famille d'accueil cruelle, il se sent déraciné et en veut au monde entier. Davenport devient une figure paternelle et lui assure qu'il a de la valeur. Il lui conseille de partir à Cleveland à la recherche de ses racines.

Le film est basé sur une histoire vraie et illustre à quel point le fait d'être ignoré est la forme ultime d'invalidation. Étant donné que sa mère n'a jamais cherché à le retrouver pendant ou après son emprisonnement, Antwone a l'impression que son existence ne vaut rien.

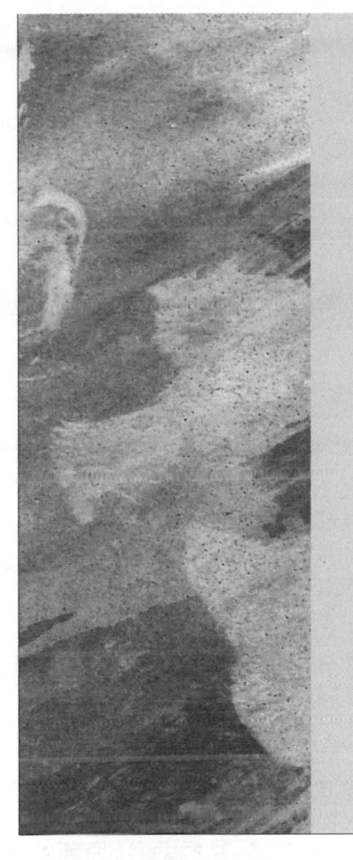

Quand il retrouve sa mère et la confronte en lui expliquant la peine que cet abandon lui a causé, elle s'enferme dans un silence coupable et ne réagit pas (il semble qu'elle en est émotionnellement incapable). La bonne nouvelle, c'est que la famille de son père, qui ne savait même pas qu'Antwone existait avant qu'il n'apparaisse sur le pas de la porte, lui réserve un accueil royal. Le film montre qu'il est possible de se sortir d'une vie difficile grâce à la confirmation et à l'amour des autres.

Dérapages incontrôlés, réalisé par Roger Michell (2002).

Gavin Banek et Doyle Gipson sont des étrangers l'un pour l'autre et se rencontrent littéralement par hasard. Tous deux sont en retard à des rendez-vous au tribunal lorsque leurs voitures entrent en collision. Gipson veut échanger leurs coordonnées d'assurance et remplir un constat d'accident ; tout ce qui intéresse Banek, c'est d'arriver à l'heure au tribunal. Banek donne un chèque en blanc à Gipson, part en auto en criant : « Meilleure chance la prochaine fois ! » et laisse Gipson coincé au milieu de la rue avec une automobile immobilisée.

Cet événement est le début d'une spirale négative qui devient rapidement incontrôlable. Gipson envoie à Banek par télécopie un important document que ce dernier a laissé à Gipson par erreur, et sur lequel s'étale la phrase « Meilleure chance la prochaine fois ! ». Banek se venge en trouvant une façon de nuire à la cote de crédit de Gipson. Ce dernier contre-attaque et Banek fait la même chose. En l'espace d'une journée, ces deux hommes détruisent réciproquement leurs vies.

Ce film porte un regard qui fait réfléchir sur la gestion inefficace d'un problème de communication entre des étrangers, qui peut se traduire par une spirale de communication destructrice.

Chapitre 11

LA RÉSOLUTION DE CONFLITS INTERPERSONNELS

CONTENU

OBJECTIFS

- Identifier les différentes étapes dans le déroulement d'un conflit.
- Différencier les différentes approches face aux conflits et leurs implications.
- Être en mesure de résoudre adéquatement les conflits.

Pour la plupart des gens, le mot *conflit* a une connotation négative. Jeter un coup d'œil dans un dictionnaire suffit pour confirmer cette idée. Les synonymes de ce mot sont nombreux et renvoient tous à quelque chose de désagréable : brouille, chicane, désaccord, discorde, friction, malentendu, mésentente, opposition, querelle, tension, etc. Et les images que l'on utilise pour les évoquer sont éloquentes[1]. Ainsi, on parle souvent du conflit en des termes guerriers : « Il a démoli mes arguments », « Il m'a fusillé du regard », « N'essaie pas de te défendre ! » et ainsi de suite. D'autres métaphores font ressortir la tension inhérente au conflit : « La situation est explosive », « J'avais besoin de me défouler », « Tu as la mèche courte ». Parfois, le conflit prend des allures de procès au cours duquel chaque partie accuse l'autre : « Allez, avoue que c'est ta faute », « Cesse de m'accuser ! », « Écoute au moins ce que j'ai à dire ». Les phrases qui suggèrent que le conflit est une situation délicate sont également courantes : « Il vaut mieux ne pas ouvrir cette boîte de Pandore », « C'est une affaire compliquée ». Même les métaphores associées au jeu semblent indiquer que, dans un conflit, une des parties doit l'emporter sur l'autre: « Tu ne joues pas franc jeu », « J'abandonne; tu as gagné! »

Malgré ce que suggèrent de telles images, le conflit peut, voire devrait, être constructif. En disposant des bons outils de communication, le conflit relève moins d'un affrontement que d'un partenariat au cours duquel les deux sujets travaillent de concert pour créer quelque chose qui ne pourrait exister sans une mutuelle coopération.

L'attitude adoptée à l'égard des conflits est parfois décisive. Selon une étude, les collégiens qui vivent une relation amoureuse intense et considèrent que le conflit est un phénomène destructeur sont moins enclins à chercher une solution pour le résoudre que leurs pairs ayant une attitude moins négative[2]. Bien sûr, l'attitude ne peut à elle seule garantir une issue satisfaisante au conflit, mais les compétences décrites dans ce chapitre pourront aider les partenaires à résoudre leurs désaccords de manière positive.

LA NATURE DU CONFLIT

conflit: différend opposant deux personnes ou deux groupes.

Avant d'aborder la résolution de conflits interpersonnels proprement dite, voyons ce qu'implique un **conflit**. Comment le définir? Pourquoi ne peut-on y échapper? En quoi peut-il être bénéfique?

LA DÉFINITION DU CONFLIT

Les conflits interpersonnels impliquent deux ou plusieurs personnes, portent sur différents sujets et revêtent des formes fort variées. Certains tournent en disputes bruyantes et enflammées, d'autres se gèrent avec des discussions calmes et rationnelles, et d'autres encore sont contenus au prix de crises passagères, mais pénibles.

Quelle que soit leur forme, tous les conflits interpersonnels ont certains points en commun. Joyce Hocker et William Wilmot (1985) en donnent une définition précise: un conflit est « un différend exprimé entre au moins deux parties interdépendantes qui reconnaissent avoir des motivations incompatibles, des gratifications limitées, et qui ont conscience de l'interférence de l'autre partenaire dans la poursuite de leurs objectifs »[3]. Une analyse des éléments de cette définition aidera à mieux comprendre ce qu'est réellement un conflit.

Un différend exprimé

Pour qu'il y ait un conflit, les deux parties doivent être conscientes d'un certain désaccord. Une personne peut, par exemple, être ennuyée depuis des mois par la radio de son voisin qui l'empêche de dormir la nuit. Cependant, il n'y a pas de conflit tant que le voisin ignore le problème. Bien sûr, il n'est pas nécessaire d'exprimer son mécontentement verbalement. Un regard assassin, un mutisme persistant ou un évitement systématique le traduisent tout aussi bien.

Des motivations incompatibles

On a tous l'impression que la résolution d'un conflit exige qu'il y ait un gagnant et un perdant. Reprenons le cas de la personne incommodée par la radio de son voisin. Est-il nécessaire qu'il y ait un gagnant et un perdant ? Certaines solutions peuvent satisfaire les deux parties. Ainsi, la personne dérangée durant la nuit peut retrouver la paix et la tranquillité en fermant sa fenêtre, ou en obtenant que son voisin ferme la sienne. Elle peut aussi se mettre des bouchons dans les oreilles, ou encore proposer à son voisin de mettre des écouteurs, ce qui lui permettra d'écouter sa musique au volume désiré sans déranger autrui. Si l'une de ces solutions fonctionne, le conflit aura été résolu sans perdant.

Malheureusement, peu de gens réussissent à trouver des solutions mutuellement satisfaisantes à leurs problèmes. Il y aura conflit tant et aussi longtemps qu'ils croiront que leurs motivations sont incompatibles avec celles des autres.

Des gratifications en quantité limitée

Les conflits surgissent également lorsque les gens pensent qu'ils ne disposent pas d'une ressource particulière en quantité suffisante. L'exemple le plus frappant est celui de l'argent. Si un travailleur demande une augmentation de salaire et que son patron préfère investir cet argent dans son entreprise, les deux parties sont en conflit. Le temps est aussi une denrée rare. En tant que conjoints et parents, nous, les auteurs de ce livre, nous démenons pour savoir comment utiliser le peu de temps dont nous disposons à la maison. Devrions-nous travailler sur ce livre ? Bavarder avec notre partenaire ? Passer du temps avec les enfants ? Nous accorder le luxe d'être seul ? Comme il n'y a que 24 heures par jour, nous finissons toujours par être en conflit avec notre famille, notre éditrice, les étudiants et les amis qui veulent tous plus de temps que nous en avons à leur accorder.

Une interdépendance

Peu importe l'ampleur de leur opposition, les parties en conflit n'en demeurent généralement pas moins dépendantes l'une de l'autre pour la satisfaction de leurs besoins. Si ce n'était pas le cas, il n'y aurait pas de conflit entre elles, même en présence de motivations incompatibles ou de ressources insuffisantes. En fait, si les deux parties n'avaient pas besoin l'une de l'autre pour résoudre le conflit, elles agiraient de manière totalement indépendante. Une des premières étapes vers la résolution d'un conflit consiste à y faire face en considérant que c'est un problème commun.

Une interférence de l'autre partie

Aussi éloignées que puissent être les positions idéologiques des parties impliquées, le conflit éclatera seulement si l'une d'elles empêche l'autre d'atteindre ses buts. Par exemple, si une personne dit à un ami qu'elle s'objecte à ce qu'il conduise en état d'ébriété, le conflit n'apparaîtra que si elle l'empêche concrètement de prendre le volant alors qu'il persiste à vouloir conduire. De même, une divergence d'opinions entre un parent et son enfant concernant le choix des vêtements et de la musique appropriés se transformera en conflit lorsque le parent tentera de lui imposer son point de vue.

LE CARACTÈRE INÉVITABLE DES CONFLITS

Toutes les relations interpersonnelles, quelle que soit leur profondeur, connaissent des conflits[4]. Peu importe le degré d'intimité, de compréhension ou de compatibilité des personnes en relation, il y a toujours des moments où les actes, les besoins ou les objectifs de l'un n'entraînent pas l'approbation de l'autre. Une personne aime la musique alternative, mais son compagnon préfère le hip-hop; une autre peut désirer sortir avec un groupe d'amis, alors que son partenaire souhaite passer la soirée en tête à tête; une étudiante pense que le travail qu'elle vient de rédiger est correct alors que son professeur lui demande de le modifier; quelqu'un aime faire la grasse matinée le dimanche tandis que ses colocataires veulent écouter la musique à plein volume! Les désaccords possibles sont infinis et variés.

Au départ, cette constatation peut sembler déprimante. Si les problèmes sont inévitables, même dans les meilleures relations, est-ce à dire que l'on est condamné à revivre les mêmes disputes, à éprouver les mêmes blessures, encore et encore? Heureusement, la réponse est «non», et c'est un «non» catégorique même! Bien que les conflits fassent partie de toute relation, il est possible de modifier la façon dont on y fait face.

LES BIENFAITS DES CONFLITS

Comme il est impossible d'éviter les conflits, il faut apprendre à les résoudre adéquatement. Si on sait communiquer de manière efficace durant un conflit, on sera en mesure de préserver la relation interpersonnelle dans l'état désiré. Les gens qui adoptent les attitudes constructives décrites dans ce chapitre se disent plus satisfaits de leurs relations[5] et des solutions qu'ils ont trouvées à leurs conflits[6] que les autres.

Une des meilleures façons de montrer la valeur des résolutions de conflits constructives est d'observer leur effet sur la communication entre conjoints. Les résultats de décennies de recherche confirment que tant les couples heureux que les gens malheureux en ménage connaissent des conflits. Ce qui diffère, c'est la manière dont ils font face à leurs problèmes[7]. Ainsi, une étude menée pendant neuf ans a révélé que les couples malheureux se disputent d'une façon «destructive»[8], chaque partenaire étant davantage préoccupé par la défense de son propre point de vue que par le problème lui-même. Aucun des partenaires de l'étude ne parvenait à écouter l'autre de façon attentive ni à lui témoigner de l'empathie; tous avaient recours à un langage à la deuxième personne et ne tenaient pas compte des messages relationnels non verbaux de leur interlocuteur. Par contre, toujours dans cette étude, un grand nombre de couples satisfaits communiquaient de façon différente lorsqu'ils étaient en désaccord. Ils considéraient que les différends étaient sains et reconnaissaient qu'il fallait y faire face[9]. Tout en se disputant, même vivement, les partenaires utilisaient les techniques de vérification des perceptions

pour essayer de comprendre la vision de l'autre et faisaient ensuite savoir qu'ils l'avaient bien saisie[10]. Ils étaient prêts à admettre leurs erreurs et pouvaient ainsi reprendre le dialogue pour chercher à trouver une solution au problème soulevé.

Les habiletés de communication qui peuvent rendre les conflits constructifs font l'objet des pages qui suivent. Y sont également présentées d'autres compétences utiles pour résoudre les conflits auxquels on doit tous inévitablement faire face.

LES DIFFÉRENTES APPROCHES FACE AUX CONFLITS

Chacun d'entre nous a un style de comportement ou une attitude caractéristique qui lui est propre lorsque ses besoins semblent incompatibles avec les demandes des autres. Bien que cette façon de faire soit parfois efficace, elle ne s'applique pas à toutes les situations. Pour illustrer ce phénomène, prenons l'exemple de Gilles et Céline, personnages fictifs, et voyons comment ils gèrent un problème. Gilles et Céline font de la course à pied depuis plus d'un an. Trois fois par semaine, ils passent une heure ou plus à s'entraîner ensemble. Les deux coureurs, du même calibre, prennent plaisir à se lancer des défis pour couvrir de plus longues distances à un rythme plus soutenu. Au fil du temps, ils sont devenus très proches. Aujourd'hui, leurs échanges touchent souvent des questions d'ordre personnel, dont ils ne discutent avec personne d'autre.

Récemment, Céline a commencé à inviter certains de ses amis à participer aux séances de course. Gilles aime bien les amis de Céline, mais ils ne sont pas très en forme, et les séances d'entraînement deviennent moins, beaucoup moins, satisfaisantes pour lui. De plus, Gilles craint de perdre le caractère intimiste de sa relation avec Céline.

Gilles fait part de ses préoccupations à Céline, mais celle-ci les prend à la légère. « Je ne vois pas le problème, lui répond elle, nous passons encore beaucoup de temps à courir ensemble, et tu m'as dit que mes amis te plaisaient. » Gilles lui rétorque : « Ce n'est pas la même chose. »

La situation présente toutes les caractéristiques d'un conflit : expression d'un différend (ils ont énoncé leur désaccord, mais maintiennent leur position respective), objectifs en apparence incompatibles et interférence (Céline veut continuer de courir avec ses amis alors que Gilles ne voudrait le faire qu'avec elle), ressources apparemment en quantité limitée (ils n'ont qu'une certaine période de temps à accorder à la course) et interdépendance (ils apprécient la compagnie de l'autre et courent mieux ensemble que séparément).

Voici cinq façons dont Gilles et Céline pourraient traiter le problème. Chacune constitue une manière de résoudre les conflits.

- Ils pourraient dire : « Laissons tomber » et cesser de courir ensemble.
- Gilles pourrait baisser les bras et sacrifier son désir de maintenir ses conversations en tête à tête et ses défis sportifs avec Céline. Ou ce pourrait être Céline qui cède et renonce à ses autres amitiés pour conserver sa relation avec Gilles.
- L'un ou l'autre pourrait lancer un ultimatum : « On le fait à ma façon, ou on cesse de courir ensemble. »

On ne peut changer tout ce qu'on affronte, mais rien ne peut changer tant qu'on ne l'a pas affronté.

James Baldwin,
auteur américain

Ce qui importe pour qu'un couple soit heureux, ce n'est pas tellement la compatibilité des partenaires que leur manière de régler leurs incompatibilités.

Léon Tolstoï,
écrivain russe

évitement: ignorance passive ou façon de ne pas s'occuper du conflit.

- Ils pourraient faire un compromis et inviter des amis à les accompagner à certaines séances seulement.
- Céline et Gilles pourraient chercher de nouvelles façons d'inclure les amis de Céline qui leur permettraient quand même de suivre l'entraînement désiré et de passer du temps seuls.

Ces cinq façons d'aborder le problème correspondent aux approches présentées au tableau 11.1 et décrites dans les paragraphes qui suivent.

L'ÉVITEMENT (PERDANT-PERDANT)

L'**évitement** se caractérise par l'ignorance passive ou l'évitement du conflit. Il peut être d'ordre physique (se tenir à distance d'un ami avec qui l'on vient d'avoir une dispute) ou verbal (changer de sujet, faire des plaisanteries ou nier l'existence d'un problème). L'évitement traduit une attitude pessimiste à l'égard du conflit, les parties prenantes croyant qu'il n'y pas de bonne solution au problème. Certaines personnes qui adoptent un tel comportement croient qu'il est moins désagréable de maintenir le statu quo que d'affronter directement le problème et d'essayer de le résoudre. D'autres pensent qu'il est préférable de laisser tomber (le sujet ou la relation) que de toujours éprouver les mêmes problèmes sans espoir de les résoudre. Dans les deux cas, l'évitement aboutit souvent à des situations perdant-perdant où aucun des partenaires n'obtient ce qu'il veut.

Dans le cas de Gilles et Céline, l'évitement implique qu'au lieu de chercher une solution à leur désaccord, ils cessent simplement de courir ensemble. Évidemment, ils n'auront plus à s'affronter, mais ils perdront tous les deux un partenaire de course et un élément important de leur amitié (et peut-être même leur amitié). Cette « solution » illustre comment l'évitement peut mener à des résultats non satisfaisants de part et d'autre.

TABLEAU 11.1 **Les différentes approches face à un conflit.**

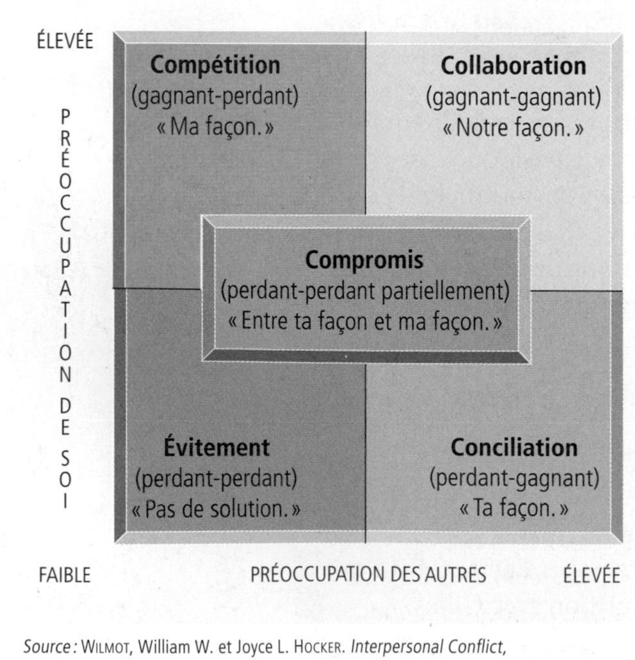

Source: Wilmot, William W. et Joyce L. Hocker. *Interpersonal Conflict*, 7e éd., New York, McGraw-Hill, 2007, p. 130-175.

L'adoption d'un comportement d'évitement permet certes de garder la paix temporairement, mais entraîne des relations insatisfaisantes[11]. Les malentendus chroniques, les rancœurs et les déceptions s'accumulent et contaminent le climat émotionnel. Les gens qui affichent un comportement d'évitement à l'égard des conflits se préoccupent peu de leurs propres besoins et des intérêts de l'autre personne, qui pourrait également être touchée par les problèmes non résolus (voir le tableau 11.1).

Malgré ses lacunes évidentes, l'évitement n'est pas toujours le plus mauvais choix[12]. Il est parfois préférable d'éviter certains sujets ou certaines situations embarrassantes si le risque associé à la franchise est trop important, par exemple s'il est probable que cela provoquera un affrontement en public. On peut également esquiver un conflit si la relation en jeu n'en vaut pas la peine.

Même dans les relations intimes, ce type de comportement a sa logique. S'il s'agit d'un problème temporaire ou mineur, il peut être plus adéquat de laisser tomber. Cela aide à comprendre pourquoi la communication au sein de bon nombre de couples heureux en ménage est caractérisée par le recours à « l'ignorance sélective » des imperfections de l'autre[13]. On ne doit pas en conclure qu'il faut éviter les conflits pour avoir de bonnes relations ; il s'agit plutôt de conserver son énergie pour les différends vraiment importants. Comme disait l'autre, il faut savoir choisir ses batailles !

LA CONCILIATION (PERDANT-GAGNANT)

La **conciliation** consiste à permettre aux autres de parvenir à leurs fins plutôt que d'affirmer son propre point de vue. Comme le montre le tableau 11.1, les individus conciliants se préoccupent moins d'eux-mêmes et beaucoup plus des autres, ce qui conduit à des résolutions de conflit de type perdant-gagnant, ou « On fera comme tu voudras ». Dans notre scénario hypothétique, Gilles pourrait être conciliant en laissant les amis de Céline se joindre à leurs séances de course, même si cela signifie un défi physique de moindre envergure et une diminution du temps de qualité avec Céline, à moins que celle-ci ne se plie aux désirs de Gilles et ne coure désormais qu'avec lui.

conciliation : action visant à réconcilier des intérêts différents pour que l'autre soit gagnant.

compétition : rivalité entre des personnes ou des groupes.

La motivation de la personne conciliante joue un rôle important dans l'efficacité de cette approche. Si la conciliation est le fruit d'un véritable acte de gentillesse, de générosité ou d'amour, la relation a de bonnes chances de s'améliorer. La plupart des gens apprécient ceux qui « se sacrifient pour l'équipe », « traitent les autres comme ils aimeraient être traités » ou choisissent de « perdre une bataille pour gagner la guerre ». Par contre, ceux qui adoptent habituellement ce comportement pour jouer le rôle de « martyr, de plaignard aigri, de pleurnichard ou de saboteur » sont beaucoup moins estimés des autres[14].

Il est important d'expliquer le rôle important que joue la culture dans la perception des différentes approches face aux conflits. Les personnes issues de cultures très contextuelles ou collectivistes sont susceptibles de considérer l'évitement et la conciliation comme des stratégies pour éviter de perdre la face et comme des façons nobles de gérer le conflit[15]. Dans les cultures peu contextuelles ou individualistes (comme le Canada), ces deux approches sont souvent considérées de manière moins favorable. On n'a qu'à penser, par exemple, au grand nombre de termes peu flatteurs que les Nord-Américains utilisent pour désigner les gens qui déclarent forfait ou abandonnent la partie au cours des conflits (« mauviette », « chiffe molle », etc.). Plus loin dans ce chapitre, on verra que les cultures collectivistes utilisent des termes et des expressions édifiantes pour décrire les mêmes traits. Ce qui importe, c'est de retenir que toutes les approches de résolution de conflits présentent un avantage dans certaines situations, et que la culture joue un rôle essentiel quant à la valeur accordée à chacune.

LA COMPÉTITION (GAGNANT-PERDANT, PARFOIS AUCUN GAGNANT)

La **compétition** est le comportement inverse de la conciliation. L'approche gagnant-perdant à l'égard des conflits présuppose que l'on se préoccupe énormément de soi et peu des autres. Comme le montre le tableau 11.1, le dominateur essaie de résoudre le conflit en amenant l'autre à accepter « sa » solution. Si Céline et Gilles essayaient tous deux de forcer l'autre à céder, il y aurait victoire de l'un aux dépens de l'autre. Certaines personnes ont recours à la stratégie gagnant-perdant lorsqu'elles sentent que la situation les place devant une alternative : « Soit j'obtiens ce que je veux , soit tu te débrouilles tout seul. » Certains jeux comme le baseball ou le poker, dont les règles imposent qu'il y ait un gagnant et un perdant, sont de bons exemples de situations gagnant-perdant. Certains conflits interpersonnels sont de ce type, comme ceux qui opposent deux collègues qui veulent une même promotion, ou encore les partenaires en couple qui ne s'entendent pas sur la façon de gérer un budget limité.

Dans certains cas, la compétition renforce la relation. Une étude a révélé que certains hommes et femmes satisfaits de leurs relations amoureuses se servaient de la compétition pour enrichir leurs interactions[16]. Par exemple, certains ont éprouvé de la satisfaction en rivalisant au jeu (qui joue le mieux au tennis ?) ou dans l'atteinte de buts (qui a le plus gros salaire ?). Ces couples satisfaits avaient élaboré un récit commun (voir le chapitre 3) qui définissait la compétition comme une mesure de l'estime de l'autre. Évidemment, on comprend facilement que ces arrangements pourraient se retourner contre eux si l'un des partenaires se mettait à se vanter ou devenait mauvais perdant. Avoir l'impression d'avoir été défait peut donner envie de prendre sa revanche et donner lieu à un cercle vicieux qui mène graduellement à une relation perdant-perdant[17].

L'approche gagnant-perdant se caractérise par l'utilisation du pouvoir. La domination physique est la forme de pouvoir qui s'impose le plus facilement à l'esprit. Certains parents menacent leurs enfants en leur donnant des avertissements comme « Arrête de faire ça ou je t'envoie dans ta chambre ». Entre eux, les adultes emploient aussi la menace de contraintes physiques, mais d'une manière moins directe, par le biais du système judiciaire : « Si tu ne suis pas les règles, tu iras en prison ! »

Le recours réel ou implicite à la contrainte n'est pas la seule forme de pouvoir utilisée dans les conflits. Les individus qui évoquent l'autorité sous une forme ou une autre adoptent une approche gagnant-perdant sans avoir à proférer des menaces de coercition physique. Par exemple, dans la plupart des entreprises, les superviseurs ont le pouvoir d'imposer les heures de travail, d'attribuer les promotions, d'assigner les tâches intéressantes ou inintéressantes et, bien sûr, de congédier l'employé jugé insatisfaisant. Les enseignants ont le choix d'utiliser le pouvoir des notes pour forcer les étudiants à agir de la façon désirée. Même la règle de la majorité d'une élection démocratique constitue une méthode gagnant-perdant de résolution de conflits. Quelle que soit son équité apparente, elle impose la satisfaction d'un groupe au détriment d'autres.

L'agressivité passive

L'**agressivité passive** apparaît lorsqu'une personne exprime de l'hostilité, mais de façon ambiguë ou pour manipuler. Ce type de comportement a été qualifié de *crazy making*, parfois rendu en français par « machiavélisme ». Un tel comportement renvoie aux personnes qui ressentent de la rancune, de la colère ou de la rage, mais qui ne peuvent ou ne veulent pas l'exprimer de façon directe. Plutôt que de taire leurs émotions (ce qui serait un comportement passif), elles envoient des messages agressifs, mais de façon subtile et indirecte, tout en conservant une façade de gentillesse. Cette attitude faussement aimable s'effrite à la longue, et la victime du stratagème est fâchée d'avoir été trompée. Celle-ci peut réagir en adoptant à son tour un comportement agressant ou en se repliant sur elle-même pour panser ses blessures. Dans un cas comme dans l'autre, l'agressivité passive n'entraîne que des effets indésirables sur la relation[18]. Si l'on revient au scénario de départ, Céline pourrait adopter une approche passive-agressive à l'égard du désir de Gilles de conserver le caractère exclusif de leurs séances d'entraînement en s'y présentant en retard, simplement pour l'ennuyer. Gilles pourrait devenir passif-agressif en acceptant d'inclure les amis de Céline mais en continuant à courir à fond de train pendant l'entraînement et les laisser derrière lui.

agressivité passive : agressivité exprimée de façon ambiguë ou pour manipuler.

agressivité directe : critique ou demande qui menace directement l'intégrité physique ou psychologique de l'autre.

L'agressivité directe

Il y a **agressivité directe** lorsqu'une personne exprime une critique ou une demande qui menace directement l'intégrité physique ou psychologique de l'autre. Les recherches en communication menées par Dominic Infante ont permis de relever plusieurs types d'agressivité directe : les critiques sur les traits de caractère, les compétences et l'apparence physique, les malédictions (souhaiter le malheur de l'autre), les taquineries, les railleries, les menaces, les jurons et autres signes non verbaux[19]. Cette forme d'agressivité risque d'avoir de lourdes conséquences pour la personne qui en est victime. Elle peut se sentir embarrassée, inadaptée, humiliée, inutile, désespérée ou déprimée. Ces sentiments peuvent affaiblir sa capacité à interagir avec les autres dans ses relations personnelles, au travail et dans la famille[20]. Soulignons qu'il existe un lien important entre la violence verbale et la violence physique[21], et même si les agressions verbales ne

« Si ça n'a pas d'importance de savoir qui a tort ou raison, pourquoi ne pas dire que j'ai raison et que tu as tort ? »

vont jamais jusqu'aux coups, leurs effets psychologiques risquent néanmoins d'être dévastateurs. Par exemple, les enfants qui se sont fait agacer par leur frère ou leur sœur se disent aujourd'hui moins satisfaits et confiants que ceux dont les relations étaient relativement exemptes de ce type d'agression[22]. Le comportement agressif peut avoir des séquelles néfastes aussi bien pour l'attaquant que pour la victime. Les hommes qui considèrent les conversations comme des joutes oratoires dans lesquelles leur partenaire jouent le rôle d'opposant courent 60 % plus de risques de mourir plus jeunes que les hommes moins agressifs[23]. Par ailleurs, le système immunitaire des nouveaux mariés dont les désaccords sont marqués par le sarcasme, les interruptions et la critique s'affaiblit plus rapidement que celui des jeunes couples ne recourant pas à ce type de procédés[24].

LE COMPROMIS (PERDANT-PERDANT PARTIELLEMENT)

compromis : action où chaque partie sacrifie une partie de ses objectifs pour arriver à un accord.

collaboration : action de chercher une solution commune à un problème.

Le **compromis** permet à chacune des personnes en relation d'obtenir une partie de ce qu'elles veulent, à la condition qu'elles sacrifient une partie de leurs objectifs respectifs. Les partenaires acceptent de trouver un règlement qui leur accorde moins qu'ils ne le souhaitaient, croyant qu'une satisfaction partielle est ce qu'ils peuvent espérer de mieux. Ainsi, Gilles et Céline pourraient en arriver à un accord où chacun ferait la « moitié du chemin » en alternant les séances d'entraînement avec et sans les amis de cette dernière. Contrairement à l'évitement, les personnes qui cherchent un compromis négocient en réalité une solution qui leur donne une partie de ce qu'elles visent, mais qui les prive également de quelque chose.

Bien que les compromis semblent parfois la meilleure option, il faut savoir que les deux parties pourraient collaborer pour aboutir à une solution souvent plus avantageuse. Lorsque les compromis sont réellement satisfaisants et qu'ils permettent de trouver une solution, il serait plus juste de parler de collaboration.

LA COLLABORATION (GAGNANT-GAGNANT)

La **collaboration** vise à trouver une solution gagnant-gagnant au conflit. Les collaborateurs se préoccupent beaucoup des besoins des autres mais aussi des leurs. Plutôt que de simplement essayer de résoudre les problèmes à leur façon ou à la façon de l'autre, ils mettent l'accent sur une solution qui intègre les deux points de vue. Dans le meilleur des cas, la collaboration mène à une issue gagnant-gagnant, où chacun obtient ce qu'il désire.

Si Céline et Gilles collaboraient, ils pourraient déterminer que la meilleure manière d'obtenir ce que chacun veut est de poursuivre les séances d'entraînement seul à seul, mais d'inviter les amis de Céline à se joindre à eux quelques kilomètres avant la fin de la course. Ils pourraient également planifier d'autres séances, moins exigeantes, qui incluraient les amis.

L'objectif de la collaboration est de trouver une issue qui satisfasse les besoins de toutes les personnes concernées. Non seulement les parties évitent d'essayer de gagner au détriment des autres, mais elles croient également qu'en travaillant ensemble, elles pourront parvenir à une solution qui dépasse le simple compromis et qui permet à chacun d'atteindre ses objectifs. Voyons quelques exemples :

- Un homme et une femme récemment mariés se disputent souvent à propos du budget. Le mari aime acheter des articles de luxe pour lui-même et pour la maison,

DÉFI ÉTHIQUE

Les comportements d'agressivité passive

Dans *Dirty Fighting with Crazymakers*, le psychologue George Bach utilise le terme *crazymakers*, littéralement « ceux qui rendent l'autre fou », pour décrire les comportements d'agressivité passive. Ce terme traduit la nature insidieuse des comportements agressifs indirects, qui peuvent susciter de la confusion et de la colère chez la victime, même si celle-ci ne se rend pas compte qu'elle en fait les frais. Il est possible d'établir le bien-fondé de chacune des autres approches face aux conflits décrites dans ce chapitre, mais il est difficile de trouver une justification aux comportements d'agressivité passive. Les types de comportements présentés ci-dessous ne constituent pas une liste exhaustive, ils peuvent servir à alimenter une réflexion chez les victimes potentielles d'agressivité passive[25]. Évidemment, un tel travail exige par la suite de vérifier ses perceptions en utilisant par exemple, des énoncés au « je », ou d'autres stratégies de communication vues précédemment pour déterminer s'il est possible de pallier l'insatisfaction du partenaire et ainsi régler le conflit de façon plus constructive.

Le fuyard. L'individu de ce type refuse de combattre. Lorsqu'un conflit apparaît, il s'en va, tombe endormi, prétend être occupé au travail ou fuit le problème d'une autre façon. Comme il repousse l'affrontement, cela peut être frustrant pour la personne qui voudrait s'attaquer au problème.

Le pseudo-conciliant. Il prétend céder devant l'autre, mais continue d'agir comme auparavant.

Le moralisateur. Au lieu d'exprimer directement son insatisfaction, le moralisateur agit de façon à ce que l'autre se sente coupable de lui avoir causé de la peine. La phrase favorite du moralisateur est « Ça va, ne t'en fais pas pour moi... », accompagnée d'un gros soupir.

Le télépathe. Au lieu de permettre à l'autre personne d'exprimer franchement ses sentiments, le télépathe se lance dans l'analyse de la personnalité de celui-ci, explique ce que le partenaire pense vraiment ou ce qui ne va pas chez lui. En se comportant de la sorte, il refuse de donner prise à ses propres sentiments et ne laisse aucune possibilité à l'autre de s'exprimer.

Le poseur de pièges. Cet individu tend un piège particulièrement malhonnête à l'autre personne en exigeant d'elle un certain comportement et, une fois celui-ci établi, le critique. Un exemple de cette stratégie serait de dire : « Soyons totalement francs l'un envers l'autre », puis de se servir des confidences du partenaire pour l'attaquer.

L'intrigant. Il évoque presque toujours ce qui le dérange, sans jamais vraiment le dire directement. Au lieu d'admettre qu'il se soucie des finances, par exemple, il demande innocemment : « Mince alors, combien ça a coûté ? », en laissant échapper un sous-entendu évident, mais sans jamais s'occuper de la crise.

La bombe à retardement. Ce type de personne ne fait jamais part de ses griefs dès qu'ils apparaissent. Elle accumule plutôt les ressentiments jusqu'à ce qu'elle déborde de doléances de grande et petite importance. Elle déballe alors toute l'agressivité contenue sur la victime dépassée et sans méfiance.

Le persécuteur. Au lieu de présenter honnêtement ses ressentiments, le persécuteur s'évertue à faire des choses qu'il sait irritantes pour ses partenaires : laisser de la vaisselle sale dans l'évier, se couper les ongles au lit, éructer bruyamment, mettre le volume de la télévision trop fort, et ainsi de suite.

Le perfide. Il y a des sujets si délicats qu'on ne peut les aborder sans détériorer la relation. Ces sujets peuvent concerner les caractéristiques physiques, l'intelligence, le comportement antérieur, ou des traits de personnalité profondément ancrés que l'autre essaie de modifier. Pour essayer de « se venger » de ses partenaires ou les blesser, le perfide se sert des détails intimes pour frapper sous la ceinture, là où il sait que ça fera mal.

Le bouffon. Parce qu'il a peur d'affronter directement le conflit, le bouffon se met à plaisanter lorsque ses partenaires veulent avoir une conversation sérieuse, ne laissant aucune place à l'expression de sentiments importants.

Le spoliateur. Plutôt que d'exprimer sa colère directement et en toute franchise, le spoliateur punit l'autre partie en la privant de quelque chose — courtoisie, affection, bonne chère, humour, sexe. Comme on peut l'imaginer, ce comportement risque de faire naître davantage de ressentiments dans la relation.

Le traître. Ce type de personne trahit ses partenaires par le sabotage, en omettant de les défendre contre des attaquants, et même en encourageant les railleries ou le mépris à leur endroit auprès d'autres personnes.

alors que sa femme craint que de tels achats ne mettent en péril le budget établi avec tant de soin. Leur solution consiste à mettre de côté une petite somme chaque mois pour les « achats non essentiels ». La somme est assez petite pour qu'ils puissent se le permettre et donne au mari la possibilité d'échapper à leur style de vie spartiate. La femme est satisfaite de l'arrangement parce que l'argent dépensé pour ces articles est devenu en soi une catégorie du budget, évacuant du coup le sentiment de « perte de contrôle » qu'elle ressent lorsque son conjoint fait des achats douteux. Le plan fonctionne si bien que le couple continue de l'appliquer même si leurs revenus ont augmenté ; d'un commun accord, ils ont majoré la somme allouée aux articles superflus.

- Marta, directrice de magasin, déteste revoir les quarts de travail des employés pour tenir compte de leurs contraintes familiales. Son personnel et elle en sont venus à un arrangement gagnant-gagnant : les employés échangent eux-mêmes leurs quarts de travail entre eux et l'avisent par écrit des changements effectués.

La collaboration permet de trouver une réponse créative à un problème particulier, solution que, bien souvent, aucune des parties n'aurait pu imaginer ni espérer avant de collaborer. C'est en quelque sorte une solution taillée sur mesure. Plus loin dans ce chapitre, on verra comment résoudre des problèmes en faisant appel à la collaboration.

QUELLE APPROCHE UTILISER?

La collaboration peut sembler l'approche idéale pour résoudre les conflits, mais il serait trop simple de penser qu'il n'y a qu'une seule et bonne façon d'y parvenir[26]. En général, les approches de type gagnant-gagnant sont préférables aux solutions gagnant-perdant et perdant-perdant. Néanmoins, l'évitement, la conciliation, la compétition et le compromis sont à l'occasion les plus appropriés. Le tableau 11.2 présente certains des éléments à prendre en considération pour décider de l'approche à utiliser lorsqu'on fait face à un conflit. Quelques autres facteurs sont à considérer au moment de faire ce choix :

- *La relation.* Lorsque l'autre personne a nettement plus de pouvoir, la conciliation peut être la meilleure approche. Si votre patron vous demande d'exécuter une tâche en précisant : « Maintenant ! », il paraît être sage d'obéir sans faire de commentaires. Une réponse plus affirmative comme « Je n'ai pas terminé ce que vous m'avez demandé de faire hier » paraît sensée, mais risquerait de vous faire perdre votre emploi.
- *La situation.* Différentes situations commandent différentes approches de résolution. Après avoir marchandé le prix d'une automobile pendant des heures, l'idéal serait peut-être que le client et le vendeur conviennent d'un prix se situant entre ce que chacun croit être juste. Dans d'autres situations cependant, on peut rester campé sur ses positions pour une question de principe et tenter d'obtenir ce que l'on croit légitime.
- *L'autre personne.* La victoire partagée est un bel idéal, mais il arrive que l'autre personne soit incapable de collaborer ou soit réticente à le faire. Certains individus tiennent tellement à l'emporter sur l'autre, même sur des points mineurs, qu'ils accordent plus d'importance à cet objectif qu'au maintien d'une bonne relation. Les efforts de collaboration de l'autre partie ont alors peu de chances d'aboutir.
- *Ses propres objectifs.* Parfois, on veut d'abord arriver à calmer une personne furieuse ou vexée. Il est probablement préférable de laisser passer l'emportement

soudain de son voisin grincheux et malade, par exemple, que de défendre ses propres opinions et risquer de provoquer une attaque d'apoplexie. Dans d'autres cas, des principes moraux pourraient commander une affirmation énergique, même si elle ne permet pas d'atteindre l'objectif visé au départ : « J'en ai assez de tes plaisanteries racistes ! J'ai déjà essayé de t'expliquer pourquoi elles sont si blessantes, mais de toute évidence tu n'as pas compris. Je m'en vais. »

LES CONFLITS RELATIONNELS

Jusqu'ici, on s'est intéressé aux approches ou comportements que les gens adoptent sur une base individuelle pour aborder un conflit. Or, le déroulement d'un conflit ne relève pas uniquement d'un choix personnel, il découle également des rapports entre les parties concernées[27]. Par exemple, même si vous entendez régler un conflit avec votre ex calmement et avec assurance, son manque de collaboration peut vous amener à perdre patience et à devenir brusque. De la même manière, vous pouvez être déterminé à faire sentir à votre professeur que son indifférence à votre égard vous déplaît, mais sa réaction positive vous amène plutôt à en discuter franchement avec lui.

TABLEAU 11.2 **Les facteurs à considérer dans le choix d'une approche appropriée pour résoudre un conflit.**

Évitement (perdant-perdant)	**Conciliation** (perdant-gagnant)	**Compétition** (gagnant-perdant)	**Compromis** (perdant-perdant partiellement)	**Collaboration** (gagnant-gagnant)
Quand le problème a peu d'importance.	Lorsqu'on s'aperçoit qu'on a tort.	Lorsqu'on n'a pas assez de temps pour chercher une solution visant une victoire partagée.	Quand on veut trouver rapidement des solutions temporaires à des problèmes complexes.	Quand le problème est trop important pour faire un compromis.
Quand les coûts de la confrontation dépassent les avantages.	Lorsque le problème est plus important pour l'autre personne que pour soi.	Quand le problème n'est pas assez important pour négocier longtemps.	Lorsque les deux restent sur leurs positions respectives, irréconciliables.	Lorsque la relation à long terme entre les deux parties est importante.
Pour calmer le jeu et prendre du recul.	Lorsque le coût à long terme de la victoire ne compense pas le gain à court terme.	Lorsque l'autre personne ne veut pas coopérer.	Lorsque les problèmes sont d'importance moyenne, mais pas suffisante pour accepter une impasse.	Pour intégrer le point de vue d'une personne qui a une conception différente du problème.
	Pour se faire du crédit en vue des prochains conflits.	Lorsqu'on est convaincu que la position qu'on défend est juste et nécessaire.	Comme mode de secours lorsque la collaboration ne fonctionne pas.	Pour renforcer une relation en montrant qu'on se soucie des préoccupations de l'autre partie.
	Pour laisser les autres apprendre de leurs erreurs.	Pour se protéger des personnes qui profitent de celles qui ont un esprit de compétition peu développé.		Pour trouver des solutions créatives et propres aux problèmes.

Source : Wilmot, William W. et Joyce L. Hocker. *Interpersonal Conflict*, 7e éd., New York, McGraw-Hill, 2007, p. 130-175.

modèle de résolution de conflit relationnel : modèle de gestion des mésententes.

modèle de résolution de conflit complémentaire : modèle où les partenaires adoptent des comportements différents.

modèle de résolution de conflit symétrique : modèle où les partenaires adoptent le même comportement.

modèle de résolution de conflit parallèle : modèle utilisant le modèle complémentaire ou le modèle symétrique selon les circonstances.

On le voit, le conflit est caractérisé par les rapports entre les gens concernés. D'ailleurs, deux ou plusieurs personnes engagées dans des relations à long terme élaborent leur propre **modèle de résolution de conflit relationnel**, ou modèle de gestion des mésententes. Nous examinerons ici des modèles de résolution de conflits relationnels qui donnent de bons résultats, et d'autres qui enveniment les rapports et occasionnent des déceptions.

LES MODÈLES COMPLÉMENTAIRE, SYMÉTRIQUE ET PARALLÈLE

Dans une relation interpersonnelle, ou même dans une relation impersonnelle, les partenaires ont recours à un de ces trois modèles — complémentaire, symétrique, parallèle — pour gérer les conflits. Dans les rapports où prédomine un **modèle de résolution de conflit complémentaire**, les partenaires adoptent des comportements différents qui provoquent un renforcement réciproque. Les personnes ayant un **modèle de résolution de conflit symétrique** se répondent par un comportement identique. Dans un **modèle de résolution de conflit parallèle**, les partenaires utilisent le modèle complémentaire ou le modèle symétrique, le choix variant selon les désaccords. Le tableau 11.3 présente les différents déroulements d'un conflit selon le modèle adopté.

Des études révèlent que le modèle complémentaire « attaque-fuite » est courant dans les mariages orageux. Un des conjoints, habituellement la femme, aborde ouvertement le problème, alors que l'autre, généralement le mari, refuse d'en parler[28]. Il est facile d'imaginer cette dynamique se répéter, dégénérer en hostilité croissante et favoriser l'isolement des conjoints. Chaque partenaire interprète le conflit à sa façon et reproche à l'autre d'empirer la situation : « Je refuse d'en parler parce qu'elle n'arrête pas de me critiquer », déclare le mari. « Je le critique parce qu'il refuse d'en parler », argumente sa femme.

TABLEAU 11.3 **Les modèles de résolution de conflits complémentaire et symétrique.**

Situation	Modèle complémentaire	Modèle symétrique
Exemple 1		
Une femme est irritée que son mari ne soit pas souvent à la maison.	Elle se plaint. Il refuse d'en parler. Il passe encore moins de temps à la maison. (Destructif)	Elle se plaint. Il se défend et se met en colère. (Destructif)
Exemple 2		
Une employée est froissée du sobriquet que lui a donné son supérieur.	L'employée le dit à son supérieur et lui explique pourquoi elle est offensée. Celui-ci s'excuse. Il ne voulait pas la blesser. (Constructif)	Malicieusement, l'employée décide de lui rendre la pareille lors d'une soirée de l'entreprise. (Destructif)
Exemple 3		
Des parents ne sont pas à l'aise avec les nouveaux amis de leur adolescent.	Ils expriment leur inquiétude. L'adolescent la rejette en déclarant qu'ils n'ont rien à craindre. (Destructif)	L'adolescent fait part à ses parents de son malaise par rapport à leur surprotection. Les parents et l'adolescent négocient une solution mutuellement satisfaisante. (Constructif)

Le modèle complémentaire n'est pas le seul à être source de problèmes dans les couples. En effet, plusieurs mariages en péril sont empêtrés dans le modèle symétrique. Si les partenaires nourrissent la même hostilité, la moindre insulte ou menace entraîne une escalade. En revanche, si les deux refusent de faire face au problème, le couple s'enlise dans l'insatisfaction.

Les modèles complémentaire et symétrique du tableau 11.3 peuvent aussi bien aider que nuire. Si les comportements associés au modèle complémentaire sont constructifs, les résultats le seront également, et le conflit pourra se régler. C'est ce qu'illustre le deuxième exemple. Le supérieur écoute volontiers les objections de son employée. Ce modèle complémentaire, écoute-parole, fonctionne bien.

Le modèle symétrique peut également porter ses fruits. Si les deux parties expliquent avec assurance leur point de vue et unissent leurs efforts pour solutionner le problème, il s'agit d'un modèle symétrique constructif. Cette possibilité se remarque dans le troisième exemple, celui du conflit parents-adolescent. S'ils se respectent suffisamment et favorisent l'écoute, les parents et l'adolescent parviendront sans doute à comprendre leurs craintes mutuelles et à trouver une solution satisfaisante pour tous.

LA CORRÉLATION ENTRE INTIMITÉ ET AGRESSIVITÉ

Les modèles de résolution de conflits peuvent aussi être envisagés sous l'optique d'une corrélation entre l'intimité et l'agressivité. Les combinaisons ci-dessous ont d'abord servi à décrire la communication dans le couple, mais elles dépeignent également d'autres types de rapports.

- *Non intime et agressif.* Le couple se querelle et ne réussit pas à discuter des questions importantes ni à les résoudre. L'agressivité s'exprime sans détour: « Laisse faire! Je n'irai pas à une autre de tes stupides soirées chez tes amis. Ils ne font que parler des derniers potins et bouffer. » Dans d'autres relations, l'agressivité est plus implicite et se traduit par du sarcasme: « J'aimerais tellement aller à une autre merveilleuse et longue soirée chez tes amis. » Ces deux démarches sont infructueuses parce qu'elles ne valent pas les frictions qu'elles engendrent.
- *Non intime et non agressif.* Les parties concernées esquivent les conflits et se fuient plutôt que de confronter les problèmes: « Tu ne reviens pas à la maison pour les vacances? Bon, c'est très bien. » Leurs rapports sont souvent d'une grande stabilité, mais les problèmes restent en suspens. À plus long terme, la relation se détériore, drainée de toute satisfaction et de son dynamisme.
- *Intime et agressif.* Le modèle allie agressivité et intimité d'une façon qui pourrait perturber les personnes étrangères à la relation. Toutefois, il donne de bons résultats dans certains cas. Deux amoureux peuvent se quereller farouchement, mais se réconcilier avec autant d'intensité. Des collègues peuvent se disputer âprement sur la marche à suivre, mais tenir fortement à leur association.
- *Intime et non agressif.* Ici, très peu de blâmes ou d'insultes. Les partenaires s'affrontent, directement ou non, mais s'efforcent de ne pas laisser les problèmes nuire à leurs rapports.

Le choix du modèle de communication est révélateur quant aux rapports qu'entretiennent les parties concernées. Mary Ann Fitzpatrick, chercheuse en communication, distingue trois catégories de couples: les couples distincts, autonomes et

« Je ne crie pas contre toi, je crie avec toi. »

conformistes[29]. Des études subséquentes ont établi que les couples de chacune de ces catégories envisagent les conflits sous un angle différent[30]. Par exemple, les couples distincts et autonomes ont tendance à éviter les conflits alors que les couples conformistes, au contraire, y accordent beaucoup d'attention. Ces derniers sont également plus sûrs de leur union. S'ils expriment souvent des sentiments négatifs, ils cherchent aussi à obtenir et à révéler une foule de renseignements personnels. Dans cette catégorie, les couples satisfaits épousent le modèle intime et non agressif, et favorisent davantage une saine communication que les couples autonomes.

Ces résultats suggèrent qu'il n'existe pas de modèle plus efficace qu'un autre en matière de gestion de conflits[31]. Des familles ou des couples peuvent se disputer de manière impitoyable, mais s'aimer profondément. D'autres préfèrent régler les problèmes de façon rationnelle et calme. Même le modèle non intime et non agressif s'avère efficace lorsqu'on veut éviter d'établir une relation interpersonnelle avec l'autre. Par exemple, un étudiant acceptera de tolérer les exigences d'un professeur anticonformiste pendant une session afin de réussir son cours. Il atteindra ainsi son objectif et évitera une confrontation qui ne lui rapporterait rien.

LE RITUEL ASSOCIÉ AU DÉROULEMENT D'UN CONFLIT

rituel d'affrontement: scénario récurrent dans le déroulement d'un affrontement entre deux personnes.

La façon de communiquer des personnes qui sont en relation depuis un certain temps se transforme souvent en une sorte de **rituel d'affrontement** — des comportements interdépendants dont elles ne sont généralement pas conscientes, mais qui sont néanmoins bien réels[32]. Voyons des exemples:

- Un jeune enfant interrompt ses parents et exige de s'immiscer dans leur conversation. Ses parents lui disent d'abord d'attendre, mais l'enfant ne cesse de pleurnicher. Ils finissent par céder, parce qu'ils jugent plus simple de l'écouter.
- Un couple se querelle. Un des conjoints quitte la maison. L'autre reconnaît ses torts et demande pardon. Le partenaire revient et ils fêtent leur réconciliation. Toutefois, ils recommencent bientôt à se quereller.
- Un patron sort de ses gonds lorsque la pression devient trop forte. Ses employés le savent et s'éloignent de lui le plus possible. Le calme revenu, le patron se fait pardonner en se montrant particulièrement sensible aux demandes de ses employés.
- Des colocataires ont une dispute à propos des tâches ménagères. L'un des deux cesse d'adresser la parole à l'autre pendant plusieurs jours, puis commence à remettre de l'ordre sans admettre qu'il avait tort.

L'utilisation d'un rituel n'est pas mauvaise en soi, surtout si tous les participants en acceptent implicitement les règles afin de résoudre le conflit[33]. Reprenons les exemples ci-dessus. Dans le premier cas, les pleurnicheries de l'enfant représentent peut-être son seul moyen d'attirer l'attention de ses parents. Dans le deuxième, la querelle permet au couple de se défouler; la réconciliation, pour tous deux, vaut le chagrin causé par cette rupture temporaire. Dans le troisième exemple, le rituel convient au patron et aux employés: le premier laisse évacuer la pression, et les seconds obtiennent ensuite une réponse favorable à leurs demandes. Enfin, dans le quatrième, au moins, l'appartement finit par être rangé.

Cependant, le rituel risque d'entraîner des problèmes lorsqu'il constitue l'unique moyen de gérer les conflits. Comme on l'a vu au chapitre 1, les bons communicateurs ont le choix de multiples comportements; ils peuvent ainsi adopter le plus efficace dans une situation donnée. Recourir à un seul et même rituel pour solutionner tous les conflits équivaut à effectuer l'ensemble des réparations dans votre maison avec un tournevis, ou à assaisonner tous vos plats avec la même épice. La solution qui se prête bien à une situation ne convient pas forcément à une autre. Le rituel est coutumier et réconfortant, mais il ne constitue que rarement la meilleure démarche à suivre pour régler les divers conflits qui font partie intégrante des relations interpersonnelles.

LES VARIABLES QUI INFLUENT SUR LE DÉROULEMENT D'UN CONFLIT

On a vu que tout système relationnel est unique. Les modèles de communication au sein d'une famille, d'une entreprise ou d'une classe sont susceptibles d'être très différents. Outre les caractéristiques de chaque relation, deux variables peuvent avoir un grand effet sur la façon dont les gens gèrent les conflits: le genre et la culture. Voyons l'impact de chacune de ces variables.

LE GENRE

L'homme et la femme ne voient pas et ne vivent pas les conflits de la même manière. Jeunes, les garçons sont plus compétitifs, plus revendicateurs et plus agressifs que les filles, qui tendent davantage à être coopératives. Les études portant sur les enfants d'âge préscolaire jusqu'au début de l'adolescence ont montré que les garçons essaient d'obtenir satisfaction en donnant des ordres (« Sors de ma piscine », « Donne-moi ton bras »). Pour leur part, les filles useraient davantage de la proposition[34] (« On pourrait lui demander si elle a des bouteilles ? », « On pourrait faire ça en premier, d'accord ? »).

Alors que les garçons dictent le comportement d'autrui dans les jeux de rôle (« C'est toi le médecin »), les filles demandent plutôt au partenaire quel rôle il veut jouer (« Pourrais-tu faire le patient quelques minutes ? ») ou trouvent plus souvent des compromis (« On pourrait toutes les deux être médecins »). De plus, les garçons ne fournissent que peu d'explications à leur demande (« Écoute, mon homme, je veux les pinces tout de suite »), alors que les filles ajoutent des explications à leurs suggestions (« On devrait d'abord les nettoyer... parce qu'il y a des microbes »).

Dans les conflits, les adolescentes adoptent des comportements agressifs, mais leurs façons de faire sont généralement moins directes que celles des adolescents. Ceux-ci s'engagent fréquemment dans des épreuves de force verbales et peuvent même recourir à la bagarre, alors que les adolescentes utilisent plutôt les ragots, la médisance et l'exclusion sociale[35]. Il ne faut pas en conclure que les comportements agressifs de ces dernières sont moins destructeurs que ceux des garçons. Le film *Méchantes ados* (basé sur le livre *Queen Bees and Wannabes*)[36] dépeint de manière colorée à quel point ces agressions indirectes peuvent être néfastes pour l'image de soi et les relations des jeunes femmes.

Les différences liées au genre quant à la façon d'aborder les conflits persistent souvent à l'âge adulte. Les femmes affirment davantage leurs idées et leurs sentiments que les hommes, qui sont plus enclins à éviter les questions épineuses[37]. Cela ne veut pas dire que les hommes sont incapables d'établir de bonnes relations, mais bien que leur conception d'une bonne relation diffère de celle de la femme. Pour certains hommes, amitié et agression ne sont pas mutuellement exclusives. De fait, plusieurs relations amicales masculines sont basées sur la compétition, que ce soit au travail ou dans les sports. Quant aux amitiés entre femmes, elles reposent davantage sur la logique et la négociation que sur l'agression[38]. Lorsque les hommes communiquent avec des femmes, ils deviennent moins agressifs et compétitifs que dans leurs relations entre hommes seulement.

Certaines recherches suggèrent que les raisons amenant les hommes et les femmes à avoir des comportements de gestion de conflits différents ont peu à voir avec le genre. La situation en cours exerce une grande influence sur la manière dont une personne aborde un conflit[39]. Ainsi, dans des situations où ils sont tous deux victimes d'une attaque verbale, l'homme et la femme ont la même propension à réagir agressivement. En fait, les chercheurs qui s'intéressent à la manière dont les couples mariés traitent leurs désaccords ont révélé que le comportement du partenaire joue un rôle plus important que le genre en ce qui a trait au style de comportement[40].

Que conclure alors à propos de l'influence du genre sur les comportements associés aux conflits ? Les recherches ont montré qu'il y a effectivement des différences, petites mais mesurables, entre les deux sexes. Toutefois, le style de chaque personne, sans égard à son genre, ainsi que la nature de la relation constituent de meilleurs prédicteurs que le genre pour déterminer de quelle manière elle fera face à un conflit.

LA CULTURE

La façon dont les gens règlent leurs différends varie grandement selon leur origine culturelle. Le franc-parler et l'approche directe qui caractérisent plusieurs Nord-Américains sont loin d'être la norme universelle[41].

L'orientation individualiste ou collectiviste d'une culture constitue l'un des facteurs qui façonnent le plus profondément les attitudes à l'égard du conflit[42]. Dans les cultures individualistes, on valorise les objectifs, droits et besoins de chacun, et la plupart des gens reconnaissent qu'une personne a le droit de défendre ses propres intérêts. Au contraire, dans les cultures collectivistes (plus communes en Amérique latine et en Asie), les intérêts du groupe ont priorité sur ceux de l'individu. Dans ces cultures, le type de comportement **assertif** qui semblerait tout à fait approprié à un Nord-Américain serait considéré comme grossier et indélicat.

assertif : qui exprime l'affirmation de soi et a une attitude de fermeté.

Un autre facteur expliquant la valeur que les Nord-Américains et les Européens du Nord accordent à l'assertivité tient à la différence entre les cultures très contextuelles et les cultures peu contextuelles[43]. Par exemple, nos voisins du Sud se font un point d'honneur d'être directs et explicites. Inversement, les gens issus de cultures très contextuelles, comme au Japon, valorisent la retenue et évitent la confrontation. Dans ces cultures, le sens provient d'une variété de règles non écrites comme le contexte, les conventions sociales et les allusions. Préserver l'honneur et la dignité de l'autre personne est un objectif de première importance, et les gens se donnent beaucoup de mal pour éviter de communiquer quoi que ce soit risquant de met-

tre leur interlocuteur dans l'embarras. Au Japon, par exemple, une demande telle que « Fermez la porte » serait trop directe[44]. Une formulation plus indirecte, comme « Il fait un peu froid aujourd'hui », serait plus appropriée. Autre exemple : la réticence des Japonais à dire « non ». Ceux-ci sont en effet plus susceptibles de répondre : « Laissez-moi y penser quelques minutes », ce que toute personne au fait de la culture japonaise considérerait comme un refus.

Dans un contexte où la communication indirecte est la norme, on ne peut s'attendre à ce que des approches plus directes réussissent. Lorsque des gens de cultures différentes vivent un conflit, leurs modes de communication habituels risquent donc de ne pas s'articuler harmonieusement. Le défi auquel font face un Américain et son épouse taïwanaise illustre bien ce type de problème. Dans les situations où le mari tenterait d'affronter sa femme verbalement et directement (comme ça se fait habituellement aux États-Unis), celle-ci serait sur la défensive ou se retirerait de la discussion. Elle, pour sa part, exprimerait son mécontentement par un changement d'humeur et la perte du contact visuel (typique de la culture chinoise), que son mari ne remarquerait pas ou qu'il ne parviendrait pas à interpréter. En bout de ligne, aucune des deux méthodes ne fonctionnerait, et les conjoints n'auraient aucune façon réaliste d'en arriver à un compromis[45].

Par ailleurs, certaines recherches suggèrent que la façon dont une personne aborde les conflits pourrait être inscrite dans ses gènes[46]. De plus, des travaux de recherche semblent indiquer que l'image de soi est un facteur de prédiction plus puissant que la culture pour déterminer le comportement d'un individu à l'égard des conflits[47]. Par exemple, une personne capable de s'affirmer et qui a grandi dans un milieu où l'on dédramatisait les conflits risque de faire preuve de plus d'agressivité que celle qui s'affirme peu et qui a évolué dans une culture où les conflits étaient courants. Un individu peut donc gérer les conflits calmement au travail, où le rationnel et la politesse sont de mise, mais crier comme un damné à la maison, si c'est sa manière et celle de son partenaire de gérer les conflits. Enfin, la façon dont chacun de nous règle ses différends relève aussi d'un choix personnel. On a la possibilité d'opter pour des méthodes stériles ou des approches constructives.

LA DÉMARCHE CONSTRUCTIVE D'UNE RÉSOLUTION DE CONFLIT

La résolution de conflits gagnant-gagnant est nettement supérieure aux approches gagnant-perdant ou perdant-perdant. Pourquoi alors l'utilise-t-on si peu souvent ? Il y a trois raisons. Premièrement, certaines personnes ont tellement l'habitude de la rivalité qu'elles pensent, à tort, que pour gagner elles doivent absolument vaincre leur adversaire. Deuxièmement, les conflits relèvent souvent de questions émotionnelles pour lesquelles les gens réagissent avec combativité, sans prendre le temps de penser à des solutions plus réfléchies. Troisièmement, le manque de coopération entre les parties rend souvent difficile une négociation constructive en vue de parvenir à une victoire partagée. Faire face à quelqu'un qui tient absolument à l'emporter exige de recourir aux arguments les plus convaincants pour lui faire voir la pertinence d'une solution gagnant-gagnant.

En dépit de ces contraintes, il est possible d'apprendre à mieux résoudre les conflits. Dans les pages qui suivent vous sera présentée une méthode qui augmente les possibilités de régler les conflits de manière collaborative, tout en permettant aux deux parties de ressortir gagnantes. À mesure que vous aborderez les étapes de cette méthode, essayez d'imaginer comment vous pourriez les appliquer à un conflit qui vous préoccupe actuellement.

DÉCELER LE PROBLÈME ET LES BESOINS NON SATISFAITS

Avant de s'exprimer de manière franche, on doit prendre conscience que le problème qu'on soulève est bien le sien. Si une personne est insatisfaite d'une marchandise, si elle n'arrive pas à dormir à cause d'un voisin trop bruyant ou si elle considère que ses conditions de travail ne sont pas à la hauteur de son rendement, ce problème est le sien. Pourquoi ? Parce que, dans chaque cas, ce sont ses besoins qui ne sont pas satisfaits. C'est elle qui a payé pour la marchandise, c'est elle qui manque de sommeil et c'est elle qui est insatisfaite de ses conditions de travail. Bien sûr, les autres personnes impliquées peuvent connaître leurs propres difficultés. Le marchand, les voisins bruyants ou le patron seront peut-être ennuyés par les exigences de la personne, mais il reste qu'au départ le problème est le sien.

Prendre conscience qu'un problème est le sien fera une grande différence lorsque viendra le temps d'en parler avec l'autre partie. Plutôt que de porter un jugement, on aura alors tendance à exposer le problème d'une façon descriptive qui non seulement sera plus efficace, mais qui réduira aussi les risques d'entraîner une réaction défensive.

L'étape suivante consiste à définir quels sont les besoins non satisfaits. Cela n'est pas toujours aussi simple qu'on le pense. En effet, derrière le problème apparent se cachent bien souvent des besoins relationnels. Imaginez qu'un ami ne vous a toujours pas rendu l'argent que vous lui avez prêté il y a longtemps. Votre besoin apparent pourrait être d'obtenir le remboursement de la somme. Cependant, il est fort probable que vous aurez une préoccupation plus fondamentale : celle d'être remboursé pour ne pas avoir l'impression que votre ami profite de vous. Comme on le verra plus loin, la capacité de reconnaître ses besoins réels joue un rôle essentiel dans la résolution des conflits interpersonnels. Rappelez-vous pour le moment qu'avant de faire part du problème à la personne concernée, vous devez avoir une idée très claire de vos besoins non satisfaits.

« Est-ce un bon moment pour une grosse engueulade ? »

FIXER UNE RENCONTRE

Les conflits deviennent souvent destructeurs lorsqu'une des deux parties en cause n'est pas disposée à en discuter au même moment que l'autre. La personne peut être fatiguée, trop pressée pour y consacrer le temps nécessaire ou encore préoccupée par d'autres soucis. En pareil cas, il est inutile de lui « sauter dessus » sans la prévenir ou de lui demander si c'est le bon moment. Insister ne ferait qu'envenimer les choses.

Dans d'autres situations, si on a une idée très nette du besoin non satisfait, on peut aborder l'autre avec une demande précise. Par exemple, une personne pourrait entamer une discussion ainsi : « Quelque chose me tracasse. Pouvons-nous en discuter ? » Si la réponse est affirmative, la conversation peut se poursuivre. Si le moment ne se prête pas à la résolution du conflit, l'idéal est de fixer un moment et un lieu qui conviennent aux deux parties.

DÉCRIRE LE PROBLÈME ET SES PROPRES BESOINS

Une personne ne peut raisonnablement croire que l'autre partie est en mesure de satisfaire ses besoins si celle-ci ignore pourquoi elle est contrariée ou ne sait pas ce qu'elle désire. Elle doit lui exposer le problème en transmettant un message explicite, comme on l'a vu au chapitre 10. Observons quelques exemples de messages explicites.

Exemple 1 : Deux colocataires discutent

« Quelque chose m'ennuie. Tu laisses tes vêtements sales un peu partout dans l'appartement même si je t'ai dit que ça me dérange (*comportement*). Je dois toujours me dépêcher de les ramasser chaque fois que des invités s'annoncent, et ce n'est vraiment pas agréable (*conséquence*). Je commence à penser que tu ne prêtes pas attention à mes demandes ou que tu essaies de me rendre folle (*interprétation*). Je ressens de plus en plus de rancune envers toi (*sentiment*) et j'aimerais bien trouver une solution pour que l'appart soit propre sans que je doive jouer à la servante ou te harceler. »

Exemple 2 : Deux amies discutent

« J'ai un problème. Lorsque tu arrives à l'improviste et que j'étudie (*comportement*), je ne sais pas trop si je dois te recevoir ou te demander de partir (*interprétation*). Je me sens mal à l'aise (*sentiment*). Peu importe mon choix, j'ai l'impression que je suis perdante : soit je te renvoie, soit je prends du retard dans mon travail (*conséquences*). J'aimerais trouver un moyen d'étudier tout en passant du temps avec toi (*intention*). »

Exemple 3 : Un couple d'homosexuelles discute

« Quelque chose me tracasse. Tu dis que tu m'aimes, mais tu passes plusieurs heures de ton temps libre avec tes amies plutôt qu'avec moi (*comportement*). Je me demande si tu le penses vraiment (*interprétation*). Je deviens inquiète (*sentiment*) et c'est pour ça que je commence à me montrer maussade (*conséquence*). J'ai besoin de savoir réellement quels sont tes sentiments à mon égard (*intention*). »

> *Notre union a souffert parce que nos disputes étaient trop courtes; aujourd'hui, nous nous disputons assez long-temps pour savoir pourquoi nous le faisons.*
>
> Hugh Prather, philosophe américain

Après avoir fait état du problème et de ses besoins, la personne doit, dans un deuxième temps, s'assurer que l'autre a bien saisi ce qu'elle lui a dit. Comme l'a vu en traitant de l'écoute, il y a de fortes chances que ses paroles aient été mal interprétées, particulièrement si le conflit engendre beaucoup de stress.

Il est irréaliste de croire que l'autre partie reformulera spontanément ce qui lui a été dit. Pour s'assurer d'avoir été bien comprise, une personne dira, par exemple: « Je ne suis pas certaine de m'être exprimée très clairement. Si tu me disais ce que tu as compris, je saurais si je l'ai bien fait ». Dans tous les cas, il faut s'assurer que l'autre a bien compris l'ensemble du message avant d'aller plus loin. Les solutions satisfaisantes sont suffisamment difficiles à trouver sans avoir à y ajouter une difficulté due à une mauvaise compréhension mutuelle.

ÉCOUTER LE POINT DE VUE DE L'AUTRE

Une fois que la personne s'est exprimée clairement, elle doit tenir compte des besoins de l'autre. D'une part, si elle veut qu'on respecte ses besoins, l'autre est en droit de s'attendre à ce qu'elle respecte les siens en retour. D'autre part, un partenaire heureux est plus disposé à coopérer en vue d'atteindre un objectif.

On peut connaître les besoins de l'autre en les lui demandant simplement: « Maintenant que je t'ai dit ce que je désirais et que je t'en ai expliqué les raisons, dis-moi ce que tu attends de moi pour être à ton tour satisfait. » Évidemment, une fois que l'interlocuteur parle de ses besoins, il faut mettre à profit les habiletés d'écoute vues au chapitre 7 pour vérifier que l'on comprend bien son message.

CHERCHER UN ARRANGEMENT

Lorsque les deux parties ont compris leurs besoins respectifs, il leur reste à trouver une façon de les satisfaire. Le meilleur moyen d'y parvenir est de proposer le plus de solutions possible et d'en faire ensuite l'évaluation pour savoir lesquelles répondent le mieux à ces besoins mutuels. La meilleure explication de ce genre d'approche a été fournie par Thomas Gordon dans son livre *Parents efficaces*[48]. Les étapes présentées ci-dessous sont une version abrégée de cette approche.

- *Reconnaître et définir le conflit.* Il s'agit de découvrir quels sont les problèmes et les besoins de chaque personne, puis de préparer le terrain pour les satisfaire tous.
- *Énoncer plusieurs solutions possibles.* Les partenaires réfléchissent ensemble pour envisager le plus grand nombre possible de solutions. Il s'agit d'un remue-méninges. À cette étape, le facteur clé est la quantité: il est important d'exprimer le plus d'idées possible, sans égard à leur pertinence. Il faut noter chaque idée qui surgit, peu importe qu'elle soit réalisable ou non. La suggestion la plus saugrenue peut parfois mener à une autre, plus réaliste.
- *Évaluer les différentes solutions.* C'est le moment de voir quelles solutions sont susceptibles de porter des fruits. Chacune des parties doit indiquer honnêtement si elle est prête à accepter une idée ou si elle la rejette. Pour qu'une solution puisse être fructueuse, toutes les personnes impliquées doivent pouvoir l'appliquer.
- *Choisir la meilleure solution.* Lorsque toutes les possibilités ont été envisagées, il faut choisir celle qui convient le mieux à tout le monde. Il est important de s'assurer que chacun la comprend bien et est prêt à l'essayer. La solution choisie n'a pas à être définitive, mais elle doit pouvoir donner des résultats positifs.

METTRE EN APPLICATION LA SOLUTION RETENUE

On ne peut être certain de la solution retenue tant qu'elle n'a pas été mise en application durant un certain temps. Après cette mise à l'épreuve, il est sage de prendre quelques instants pour discuter de son efficacité. Y a-t-il des modifications qui devraient y être apportées? Faudrait-il repenser l'ensemble de la question? Le but ici est de ne pas se laisser dépasser par le conflit et de continuer à faire preuve de créativité pour trouver une solution viable.

Il faut garder en tête deux points importants lorsqu'on pense appliquer cette méthode. Premièrement, il est primordial d'en suivre toutes les étapes. Chacune est essentielle à la réussite de la rencontre; escamoter l'une ou l'autre peut mener à des malentendus qui risquent de donner une tournure négative à la conversation. Si on la met régulièrement en application, cette méthode peut devenir une seconde nature, et on peut ainsi être en mesure de résoudre un conflit sans avoir à suivre les étapes une à une. Toutefois, pour le moment, faites preuve de patience et croyez en la valeur d'une telle démarche. Deuxièmement, une certaine dose de résistance de la part de l'autre personne est à prévoir. Comme le montre la figure 11.1, lorsqu'une des étapes ne donne pas le résultat escompté, il suffit de reprendre les précédentes au besoin.

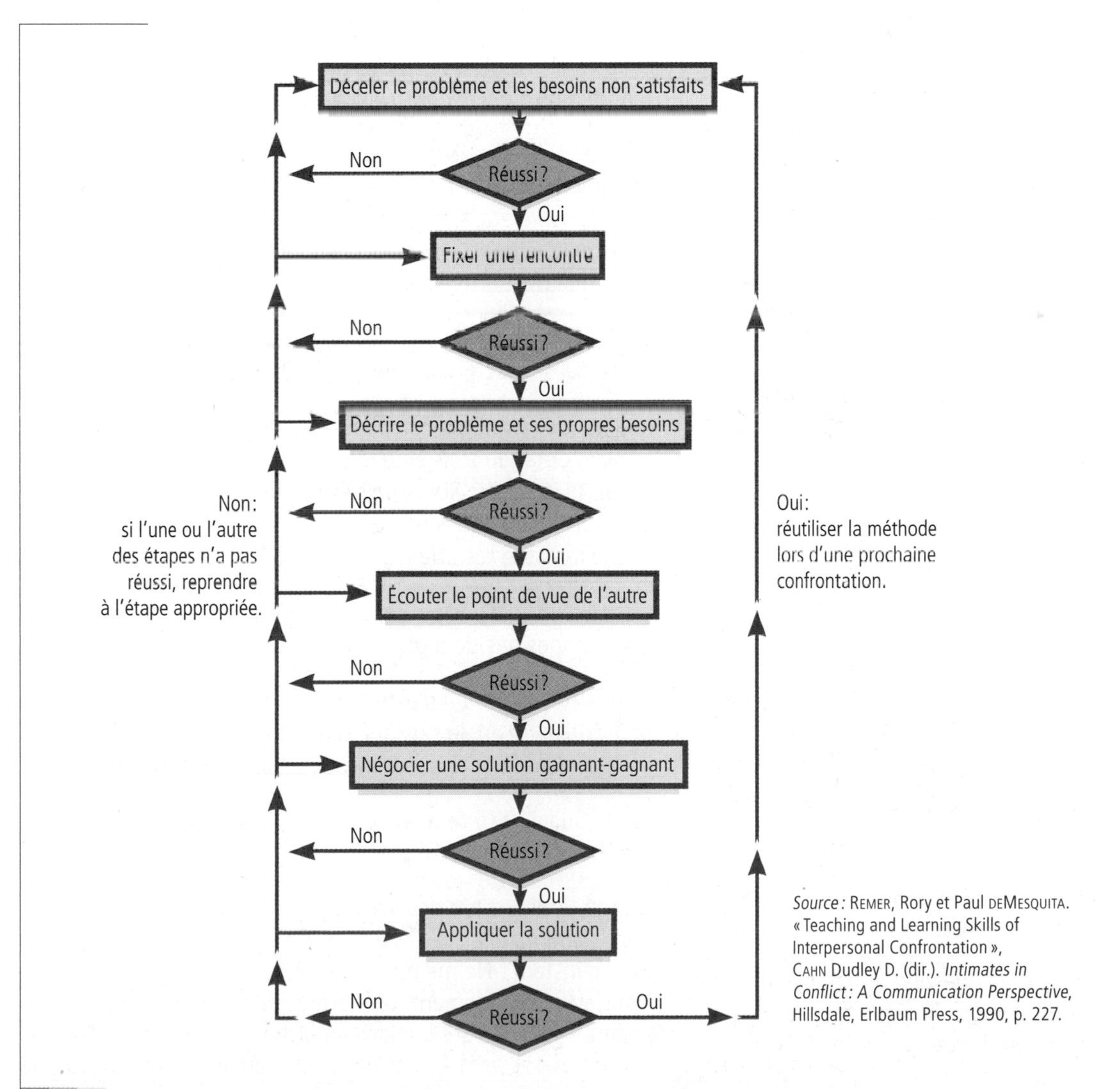

Source: REMER, Rory et Paul DEMESQUITA. « Teaching and Learning Skills of Interpersonal Confrontation », CAHN Dudley D. (dir.). *Intimates in Conflict: A Communication Perspective*, Hillsdale, Erlbaum Press, 1990, p. 227.

FIGURE 11.1 **L'organigramme du processus de négociation gagnant-gagnant.**

APPLICATION

Une résolution de problème favorable aux deux parties

Mercredi, 7 h 15. Mélina entre dans la cuisine et aperçoit l'évier rempli de vaisselle sale. C'était au tour de sa colocataire Dom de faire la vaisselle. Frustrée, elle soupire et commence à la laver, en faisant s'entrechoquer chaudrons et casseroles.

Dom : Tu ne pourrais pas faire moins de bruit ? Mon cours est seulement à 10 heures et je voudrais rattraper un peu de sommeil.

Mélina (*qui fait indirectement preuve d'agression en prenant un ton sarcastique*) : Excuse-moi de te déranger. Je lave la vaisselle du souper d'hier.

Dom (*qui ne comprend pas le message*) : J'aimerais juste que tu le fasses un peu plus silencieusement. J'ai étudié tard hier, et je suis crevée.

Mélina (*décidant de communiquer son irritation plus directement, voire agressivement*) : Et bien, si tu l'avais lavée hier soir, je n'aurais pas besoin de le faire maintenant.

Dom (*se rendant finalement compte que Mélina est fâchée contre elle, répond sur la défensive*) : Je l'aurais fait dès que je me serais levée. J'ai deux examens de mi-session cette semaine, et j'ai étudié jusqu'à minuit hier. Qu'est-ce qui est le plus important, les notes ou une cuisine étincelante de propreté ?

Mélina (*qui perpétue la spirale défensive croissante*) : J'ai des cours, moi aussi. Mais ça ne veut pas dire qu'on doit vivre dans une soue à cochons.

Dom (*d'un ton irrité*) : Laisse tomber, j'ai compris. Si c'est si important, je ne laisserai plus jamais traîner une autre assiette sale.

Mélina et Dom s'évitent pendant qu'elles se préparent pour les cours. Au cours de la journée, Mélina se rend compte qu'attaquer Dom ne fera qu'empirer la situation. Elle décide d'utiliser une approche plus constructive le soir même.

Mélina : Ce n'était pas très plaisant ce matin. Tu veux qu'on en parle ?

Dom : J'imagine que oui. Mais je m'en vais étudier avec Kim et Alice dans quelques minutes.

Mélina (*qui préfère aborder la question à un moment propice*) : Si tu dois partir bientôt, on serait mieux d'attendre. Veux-tu qu'on en discute quand tu seras revenue ?

Dom : OK, si je ne suis pas trop fatiguée.

Mélina : On pourrait aussi en parler demain avant les cours si tu préfères.

Dom : OK.

Plus tard dans la soirée, Dom et Mélina poursuivent leur conversation.

Mélina (*qui définit la question comme étant son problème à l'aide d'un message affirmatif clair*) : Je n'ai pas aimé commencer la journée par une dispute, et je n'étais pas contente de devoir faire la vaisselle alors que ce n'était pas mon tour (*comportement*). Ça me paraît injuste de faire ma part des tâches et la tienne (*interprétation*) ; c'est pour ça que je me suis mise en colère (*sentiment*) et que je t'ai fait des reproches (*conséquence*).

Dom : Mais j'étudiais ! Tu sais que ça occupe presque tout mon temps. Ce n'est pas comme si j'étais allée à une fête.

Mélina (*qui évite d'attaquer Dom en convenant sincèrement des faits et en expliquant davantage pourquoi elle était froissée*) : Je sais. Ce n'était pas seulement la question de la vaisselle qui m'a énervée. On dirait que c'est arrivé souvent que je doive faire tes tâches en plus des miennes.

Dom (*qui se met sur la défensive*) : Quand ça ?

Mélina (*décrivant précisément le comportement de Dom*) : Et bien, c'était la troisième fois cette semaine que je faisais la vaisselle alors que c'était ton tour, et je me souviens de quelques fois ces derniers temps où il a fallu que je ramasse tes affaires avant que les gens arrivent.

Dom : Je ne vois pas pourquoi tu en fais tout un plat. Si tu ne t'occupes pas de mes affaires, je les ramasserai.

Mélina (*qui continue d'expliquer son point de vue en utilisant le « je »*) : Je sais que tu le ferais. J'imagine que j'ai plus de difficulté que toi à supporter le désordre.

Dom : Ouais. Si tu te relaxais un peu, la vie commune serait vraiment plus simple !

Mélina (*étant irritée de l'accusation moralisatrice impliquant qu'elle est la seule responsable du problème*) : Hé, un instant ! Ne me mets pas tout ça sur les épaules. Nous avons simplement des normes différentes. Selon toi, je tiens trop à garder la place en ordre…

Dom : Exactement.

Mélina : ... et si on s'en tenait à ta façon de faire, je devrais laisser tomber. (*Elle écrit les conséquences désagréables si elles ne résolvent pas le problème de manière mutuellement satisfaisante.*) Je devrais accepter de vivre dans un endroit plus en désordre que je n'aimerais ou bien tout nettoyer moi-même. Et là je me fâcherais contre toi, et la situation deviendrait pas mal tendue.

Dom : Probablement.

Mélina (*donnant les grandes lignes d'une solution gagnant-gagnant*) : Nous devons trouver une façon d'entretenir l'appartement qui soit acceptable pour nous deux.

Dom : Ouais.

Mélina : Qu'est-ce qu'on pourrait faire ?

Dom (*d'un ton résigné*) : Écoute. À partir de maintenant, je vais tout simplement faire la vaisselle à mesure. Ça ne vaut pas la peine de discuter plus longtemps.

Mélina : Oui, ça vaut la peine. Si tu es vexée, l'appartement sera peut-être propre, mais ce ne sera pas mieux.

Dom (*sceptique*) : OK. Qu'est-ce que tu suggères ?

Mélina : Je ne suis pas trop sûre. Tu ne veux pas te sentir obligée de nettoyer à mesure et, de mon côté, je ne veux pas faire mes tâches et les tiennes. C'est bien ça ?

Dom : Ouais. (*Toujours sceptique.*) Alors, qu'est-ce qu'on fait ? On engage une femme de ménage ?

Mélina (*qui refuse de laisser Dom changer de sujet*) : Ce serait bien si on pouvait se le permettre. Pourquoi est-ce qu'on n'utiliserait pas des assiettes jetables ? Il y aurait moins de vaisselle à laver.

Dom : Oui, mais il y aurait quand même les casseroles.

Mélina : Ce n'est pas une solution parfaite, mais ça pourrait aider un peu. (*Elle poursuit en suggérant d'autres idées.*) Et si on cuisinait des repas qui nécessitent moins de vaisselle à nettoyer, peut-être plus de salades et moins de sautés qui collent aux poêles ? Ça serait mieux sur le plan alimentaire, aussi.

Dom : C'est une idée. Je n'aime vraiment pas frotter les poêles à frire. Mais ça ne règle pas la question des traîneries dans le salon, et je gage que je ne nettoie pas la cuisine autant que tu aimerais. Garder l'appartement propre comme un sou neuf n'est tout simplement pas une priorité pour moi comme ça l'est pour toi.

Mélina : C'est vrai, et je ne veux pas avoir à te harceler ! (*Elle clarifie l'objectif qu'elle cherche à atteindre.*) Tu sais, ce n'est pas vraiment le nettoyage et le rangement qui me dérangent le plus. C'est de faire plus que ma part. Je me demande s'il n'y aurait pas moyen que je sois responsable de garder la cuisine propre et de faire le rangement et que tu fasses autre chose pour que la charge de travail soit équitable.

Dom : Es-tu sérieuse ? Ce serait super de ne plus avoir à faire la vaisselle ! Tu veux vraiment dire que tu la ferais... et que tu ferais le ménage... si je faisais quelque chose d'autre ?

Mélina : Pourvu que la répartition soit équitable et que tu t'acquittes de tes tâches sans que j'aie à te les rappeler.

Dom : Qu'est-ce que tu aimerais que je fasse ?

Mélina : Que penserais-tu de nettoyer la salle de bain ?

Dom : Oublie ça. C'est pire que faire la vaisselle !

Mélina : OK. Cuisiner ?

Dom : Ça pourrait fonctionner, mais il faudrait qu'on mange ensemble tout le temps. Et puis, c'est agréable de faire sa propre cuisine quand on en a envie. C'est plus flexible, notre façon de faire.

Mélina : D'accord. Tu pourrais faire les courses ? Je trouve que ça prend beaucoup trop de temps, et ça ne devrait pas trop te déranger, non ?

Dom : Tu veux dire faire l'épicerie ? Tu échangerais ça contre nettoyer la cuisine ?

Mélina : Certainement. Et ranger le salon. Chaque fois que nous allons faire les courses, ça prend une heure, et nous y allons deux fois la semaine. Faire la vaisselle prendra beaucoup moins de temps.

Dom : D'accord !

De tels arrangements ne sont cependant pas toujours possibles. Il y aura des moments où même les personnes les mieux intentionnées ne seront tout simplement pas en mesure de trouver une façon de satisfaire l'ensemble de leurs besoins. Dans un cas semblable, le processus de négociation doit inclure certains compromis. Même dans cette éventualité, les étapes précédentes ne sont pas vaines. Le désir réel de chercher à connaître ce que souhaite l'autre personne et d'essayer de satisfaire cette dernière aidera à bâtir un climat de bonne volonté et améliorera la relation.

■

RÉSUMÉ

Qu'on le veuille ou non, toute relation interpersonnelle est ponctuée de conflits. La façon de les résoudre joue un rôle majeur dans la qualité et la pérennité de la relation. Si on sait les gérer de manière constructive, les différends peuvent rendre l'interaction plus intense et satisfaisante, mais si on s'en occupe mal, les relations en souffriront. Il y a plusieurs façons d'aborder les conflits : par l'évitement, la conciliation, la compétition, le compromis ou la collaboration. Chacune de ces approches peut avoir sa pertinence selon les circonstances.

La façon de gérer un conflit n'est pas toujours le choix d'une seule personne, car les parties s'influencent mutuellement et développent avec le temps un modèle comportemental qui leur est propre pour résoudre leurs différends. Ce modèle peut être complémentaire, symétrique ou parallèle ; il peut également faire intervenir une combinaison de facteurs liés au niveau d'intimité et d'agressivité des gens en présence, de même que des rituels constructifs ou destructifs. En plus d'être modulé par la relation, le comportement à l'égard du conflit l'est également par le genre et les antécédents culturels de la personne.

Dans la plupart des situations conflictuelles, une résolution de type gagnant-gagnant est la solution idéale puisqu'elle satisfait les deux parties.

Mots clés

agressivité directe (273)
agressivité passive (273)
assertif (282)
collaboration (274)
compétition (271)
compromis (274)
conciliation (271)
conflit (266)
évitement (270)
modèle de résolution de conflit relationnel (278)
modèle de résolution de conflit complémentaire (278)
modèle de résolution de conflit parallèle (278)
modèle de résolution de conflit symétrique (278)
rituel d'affrontement (280)

AUTRES RESSOURCES

Comme vous avez pu le constater, la gestion des conflits interpersonnels n'est pas chose facile. Chaque conflit présente ses particularités, si bien qu'il n'existe pas de solution universelle applicable à toutes les situations. La résolution d'un différend demande une analyse contextuelle qui sera sous-jacente à la mise en place d'une démarche de résolution constructive. Les ouvrages suivants peuvent vous aider à approfondir vos connaissances et à affiner vos capacités à résoudre les conflits.

Livres

DE BONO, E. *Conflits : comment les résoudre*, Paris, Eyrolles, 2007.

GLASS, L. *Ces gens qui vous empoisonnent l'existence*, Montréal, Éditions de l'Homme, 2003.

MARSAN, C. *Gérer les conflits : de personnes, de management, d'organisation*, Paris, Dunod, 2005.

URY, W. *Comment négocier avec les gens difficiles : de l'affrontement à la coopération*, Paris, Éditions du Seuil, 2006.

Films

Beauté américaine, réalisé par Sam Mendes (1999).

Aux yeux des autres, Lester et Carolyn Burnham ont l'air du couple parfait : physique attrayant, bons emplois et maison de banlieue immaculée. Nous apprenons rapidement que les apparences sont trompeuses. La relation des Burnham avec leur fille est superficielle. Carolyn nie la crise que vit Lester et elle ignore ses demandes pressantes de tenter de retrouver leur amour perdu. À mesure que le film se déroule vers son étonnante conclusion, on nous présente le portrait des membres d'une famille américaine, qui alternent entre l'évitement et l'agression sans montrer aucune compétence apparente à gérer les graves conflits auxquels ils font face.

Le Club de la chance, réalisé par Wayne Wang (1993).

Ce film raconte l'histoire de quatre femmes d'origine chinoise et de leurs filles. Les mères ont toutes laissé derrière elles des situations difficiles en Chine pour commencer une nouvelle vie aux États-Unis, où elles élèvent leurs filles dans un mélange de styles américain et chinois. Plusieurs des conflits qui surviennent dans le film sont le fruit de chocs des valeurs culturelles. Les mères ont grandi dans le milieu collectiviste chinois très contextuel, où l'on désapprouve le conflit ouvert et où les besoins individuels (en particulier ceux des femmes) sont réprimés au profit du bien commun. Pour atteindre leurs objectifs, les mères utilisent diverses méthodes indirectes et passives-agressives. Leurs filles, élevées aux États-Unis, adoptent une forme de communication plus directe, caractéristique des sociétés peu contextuelles. Leur comportement à l'égard des conflits est également plus affirmé et agressif, particulièrement lorsqu'elles ont affaire à leur mère.

Chapitre 12

LES GROUPES ET LE TRAVAIL EN ÉQUIPE

CONTENU

OBJECTIFS

- Définir le groupe.
- Distinguer les différentes normes et les différents rôles dans un groupe.
- Discerner les styles de leadership et les types de pouvoir.
- Reconnaître les situations problématiques dans un groupe et les dangers liés à celles-ci.
- Expliquer les principes favorisant l'harmonie dans un groupe et les avantages du travail en équipe.
- Décrire et appliquer une méthode de résolution de problème.
- Identifier les différents types de prises de décisions.

Depuis notre naissance, nous avons fait ou faisons partie d'une grande variété de groupes : familial, ethnique, religieux, social, politique, de travail, de discussion, de musique, d'activité sportive… Chacun de nous réagit différemment lorsqu'il se retrouve dans un groupe en raison de plusieurs facteurs, dont la personnalité, le moment de la vie et les individus composant le groupe.

Il vous est sûrement arrivé de vous faire une image idéale de votre participation à tel ou tel groupe pour rapidement déchanter par la suite, comme vous avez pu un jour penser être la seule personne qui ne cadrait pas dans un groupe. Dans des situations aussi désagréables, le temps peut paraître excessivement long, surtout si les membres du groupe ne possèdent pas les connaissances nécessaires au bon fonctionnement de celui-ci.

Ce chapitre vous aidera à mieux comprendre les règles et le fonctionnement d'un groupe. Pour ce faire, nous définirons d'abord ce qu'est un groupe, pour ensuite nous intéresser à ses caractéristiques et aux différents types de pouvoir qui s'y exercent. Nous verrons aussi les problématiques et les avantages des groupes ainsi que les moyens de maximiser les relations saines à l'intérieur de ceux-ci. Pour terminer, nous présenterons une technique de résolution de problème et les différents types de prises de décisions.

DÉFINIR LE GROUPE

Plusieurs auteurs se sont intéressés à la dynamique des groupes et ont proposé différentes définitions. Les propos les plus fréquemment cités permettent d'établir une définition relativement précise des groupes[1]. En en faisant la synthèse, on peut définir le **groupe** comme un ensemble comportant un nombre limité de personnes qui se réunissent et interagissent, habituellement face à face, pendant un temps déterminé, en vue d'atteindre des objectifs communs.

groupe : nombre limité de personnes qui se réunissent et interagissent, habituellement face à face, pendant un temps déterminé, en vue d'atteindre des objectifs communs.

agrégat : ensemble d'individus rassemblés physiquement ou à la suite d'une opération abstraite de catégorisation, sans lien entre eux.

Examinons de façon détaillée les différents éléments de cette définition.

UN NOMBRE LIMITÉ DE PERSONNES

Pour l'atteinte d'un but commun, Simone Landry avance qu'un groupe devrait compter de 3 à 20 individus[2]. Toutefois, il est important de souligner que c'est en rapport avec les objectifs du groupe que la taille idéale se détermine. Selon Ken Heap, un groupe de quatre ou cinq personnes favorise un climat de confort et de sécurité pour des groupes de croissance personnelle ou d'entraide, alors que sept est le nombre de gens indiqué pour réaliser un projet. Au-delà de ce nombre, on note un appauvrissement des interactions et, souvent même, une certaine compétition entre les membres[3]. De plus, un trop grand nombre de personnes risque d'entraîner un désengagement et une diminution des contributions individuelles de membres[4]. Roger Mucchielli rapporte qu'un groupe excédant 10 personnes tend à se fractionner et nécessite des modes de fonctionnement formels : établissement des procédures de travail et de prises de décisions, attribution de rôles, gestion des droits de parole[5]. Ces modes de fonctionnement seront expliqués dans les sections sur les normes et les rôles. À l'inverse, les membres d'un groupe trop restreint peuvent se sentir écrasés par la tâche et risquent d'être privés des ressources et des stimulations que procurent des interactions plus nombreuses[6]. Le groupe risque également d'être dominé par les points de vue individuels et de ne pas refléter la complexité et la richesse des réalités sociales[7].

DES PERSONNES QUI SE RÉUNISSENT ET INTERAGISSENT

Pour qu'un ensemble de gens soit considéré comme un groupe, il doit s'y produire certaines interactions. Les **agrégats** physiques qui se forment par le seul fait que des personnes se trouvent dans un même lieu au même moment ne constituent pas des groupes[8], comme une file d'usagers attendant l'autobus ou une foule qui se crée sur les lieux d'un accident. Ces gens sont réunis par la même activité, sans nécessairement communiquer entre eux. De la même façon, des étudiants qui écoutent passivement un cours sans interagir avec le professeur ou leurs pairs ne font pas partie d'un groupe.

DES OBJECTIFS COMMUNS

Lorsque des individus se joignent à un groupe, ils le font pour atteindre un ou plusieurs objectifs. Aucun groupe ne durera si les membres ne savent pas pourquoi ils effectuent une tâche ni à quoi elle sert[9]. Les objectifs donnent un sens au groupe et justifient sa raison d'être. Bien que les gens aient souvent des motifs personnels, aussi appelés *objectifs individuels*, pour se joindre à d'autres personnes, il est essentiel, afin de créer un sentiment de cohésion au sein du groupe, de déterminer une orientation commune, un but à atteindre collectivement.

Selon Marvine E. Shaw, les objectifs, qu'ils soient communs ou personnels, sont directement liés à la tâche ou comblent des besoins sociaux[10] (tels que les besoins d'inclusion, d'affection et de faire de nouvelles rencontres ou de consolider des amitiés).

LES CARACTÉRISTIQUES D'UN GROUPE

Il existe une grande diversité de groupes. De l'un à l'autre, le nombre de personnes, les interactions, la fréquence des rencontres et les objectifs varient. Les normes qui prévalent dans un groupe et les rôles joués par ses membres sont des éléments qui permettent aux groupes d'évoluer différemment. Les pages qui suivent traitent de ces caractéristiques.

LES NORMES

La plupart des groupes ont des règles de fonctionnement ou des **normes** qui régissent les comportements à adopter. Bruno Richard définit celles-ci comme des règles de conduite qu'élaborent et acceptent les membres d'un groupe ou d'une société[11] et qui indiquent comment ils devraient se comporter les uns avec les autres. Les normes prescrivent les comportements à favoriser et ceux à proscrire, elles peuvent être officielles ou officieuses. Les **normes officielles**, aussi appelées *normes explicites*, sont des règles formelles, officialisées par une série de règlements qui exposent les comportements à adopter[12]. Les interdictions de fumer dans les lieux publics, la limitation de vitesse sur la route et les exigences que vous a fait connaître votre professeur font toutes partie des normes officielles. Les **normes officieuses**, aussi appelées *normes implicites*, sont des règles informelles qui dictent les comportements adéquats et indiquent ceux qui ne le sont pas. Par exemple, un étudiant utilisera probablement un langage différent lors d'une entrevue d'emploi et lors d'une soirée entre amis. Bien qu'aucune loi officielle ne l'impose, la plupart des gens savent qu'ils ont avantage à soigner leur langage lors d'un entretien d'embauche. Ne pas dépasser dans une file d'attente, ne pas klaxonner une personne âgée qui prend du temps à traverser la rue et ne pas prendre la place de stationnement de quelqu'un qui attendait avant nous sont tous des exemples de normes officieuses.

norme : règle de conduite élaborée et acceptée par les membres d'un groupe indiquant les comportements valorisés et ceux qui ne le sont pas.

norme officielle : règle formelle, officialisée par une série de règlements qui exposent les comportements à adopter.

norme officieuse : règle informelle qui, dans un groupe donné, dicte les comportements adéquats et ceux qui ne le sont pas.

John F. Cragan et David W. Wright distinguent trois catégories de normes, qu'elles soient officielles ou officieuses :

- Les *normes sociales* gouvernent les règles liées aux relations entre les membres. Le fait de ne pas ridiculiser l'opinion de quelqu'un ou de ne pas faire de commentaires sarcastiques sont des exemples de normes permettant de conserver des relations harmonieuses dans un groupe.
- Les *normes de procédure* établissent comment un groupe doit fonctionner. Comme nous l'avons vu précédemment, plus un groupe est grand, plus il a besoin de règles de fonctionnement. Ces règles sont souvent liées aux normes de procédure. Qui dirigera le groupe ? Y a-t-il des leaders ? Doit-on avoir un consensus ou un vote majoritaire pour accepter une décision ? Faut-il parler à tour de rôle ou demander la parole en levant la main ?
- Les *normes reliées à la tâche* régissent le travail à accomplir. Qui prendra les notes durant la réunion ? Qui se chargera de taper le travail à l'ordinateur et de corriger les fautes d'orthographe[13] ?

Évidemment, dans un groupe, les normes ne sont pas toujours séparées de façon aussi distincte. Par exemple, un leader qui s'assure que chacun a le droit de parole favorise le respect dans le groupe (normes sociales), instaure une façon de fonctionner (normes de procédure) et fait progresser l'exécution de la tâche en favorisant l'apport d'idées (normes reliées à la tâche).

LES RÔLES

rôle : norme comportementale définissant ce qu'on attend d'un individu dans des circonstances déterminées.

rôle fonctionnel : rôle qui doit être assumé par les membres d'un groupe afin d'améliorer la productivité d'une tâche.

rôle lié à la production : rôle fonctionnel lié à des tâches spécifiques augmentant la probabilité de les effectuer efficacement.

rôle lié à l'entretien des relations : rôle fonctionnel favorisant l'harmonie entre les membres du groupe et le maintien de relations saines.

Lorsque la communication perdure pendant un certain temps ou qu'une tâche doit être effectuée, une série de rôles s'établissent. Un **rôle** est une norme comportementale représentant ce qu'un individu a tendance à faire dans des circonstances déterminées[14]. Pour s'assurer de bien remplir ses objectifs de travail, chaque membre d'une équipe se doit de coopérer[15]. Par exemple, une personne s'assure de recueillir l'information susceptible d'aider le groupe à progresser, alors qu'une autre se charge de la rédaction. Les rôles que les membres d'un groupe peuvent adopter sont multiples. Les **rôles fonctionnels** peuvent aider un groupe à améliorer la productivité d'une tâche ; ils se divisent en trois catégories.

1. Les **rôles liés à la production** ou à la tâche. Les membres du groupe qui ont des rôles liés à la production adhèrent à des fonctions augmentant la probabilité d'effectuer efficacement la tâche[16]. Les gens habiles à prendre des décisions sont souvent désignés pour ces rôles.
2. Les **rôles liés à l'entretien des relations**. Ceux qui assument de tels rôles gèrent les problèmes relationnels qui risquent de perturber le fonctionnement du groupe. Ces rôles prennent deux formes différentes :
   - la fonction *facilitation* est centrée sur les échanges dans le groupe et vise l'expression et la participation de l'ensemble des membres qui le constituent ;
   - la fonction *régulation* vise le règlement des conflits internes du groupe ou, du moins, leur maintien à un niveau acceptable pour permettre aux fonctions *facilitation* et *production* de se poursuivre[17].

   Pour s'acquitter de ces deux fonctions, les personnes doivent être en mesure de remarquer les différentes émotions et humeurs des membres du groupe, en plus de faire preuve de patience et de tact lorsqu'il s'agit de modérer les ardeurs des participants dans une discussion ou de régler un conflit.

3. **Les rôles d'amuseur.** Les amuseurs aiment raconter des blagues et sont reconnus pour favoriser le plaisir et la détente. Or, les périodes de détente aident les personnes à réaliser leurs objectifs si elles se produisent à des moments appropriés. Par exemple, lorsque les gens sont fatigués et irritables ou qu'ils ont l'impression de tourner en rond, une pause ou une blague peuvent détendre l'atmosphère et augmenter la productivité.

   Toutefois, il arrive que certaines personnes adoptent des rôles qui nuisent au bon fonctionnement du groupe. On les appelle les **rôles dysfonctionnels**. Bennett et Robinson donnent quelques exemples de comportements dysfonctionnels : arriver en retard à une réunion, effectuer des travaux pour soi-même et non pour le groupe, faire des remarques présomptueuses, répandre des rumeurs, etc.[18].

rôle d'amuseur : rôle fonctionnel permettant une détente et des moments de plaisir au sein du groupe.

rôle dysfonctionnel : rôle qui nuit au bon fonctionnement du groupe et à la progression dans l'exécution de la tâche.

leader : personne capable d'influencer le comportement des autres dans un groupe.

leadership : capacité d'influencer le comportement des autres dans un groupe.

LES STYLES DE LEADERSHIP

La façon dont se prennent les décisions dans un groupe dépend beaucoup du style de leadership qui s'y exerce. Un **leader** est un individu qui, par sa notoriété, son expertise ou son activité sociale intensive, est susceptible d'influencer les opinions ou actions des individus[19] ; le **leadership** est l'aptitude d'une personne à exercer cette influence.

Dès 1939, Kurt Lewin et ses collègues ont déterminé trois styles de leadership[20] qui, encore aujourd'hui, servent de référence (voir le tableau 12.1).

INVITATION À L'INTROSPECTION

Perdus

Mise en situation : Vous devez quitter précipitamment votre ville, mais vous ignorez pourquoi. Vous savez toutefois que, pour survivre, vous devrez être transporté sur une île déserte. Vous ne savez pas où est située cette île ni ce qui s'y trouve.

1 Placez-vous en équipe de quatre personnes. Pendant quelques minutes, discutez entre vous des objets que vous désirez apporter sur le bateau. Chacun n'a droit qu'à un seul objet. Vous aurez donc quatre articles en votre possession sur l'île. Les autres équipes ne doivent pas entendre ce que vous comptez apporter. Une fois que vous aurez déterminé vos quatre objets, écrivez-les sur une feuille.

2 Les équipes se rassemblent pour ne former qu'un grand groupe. Elles se retrouvent maintenant toutes sur le même bateau. Le capitaine annonce que seules deux d'entre elles pourront débarquer sur l'île. Il dit qu'une catastrophe imminente détruira les continents, mais que cette île ne sera pas touchée. Il est possible que les deux équipes soient chargées d'assurer la survie de l'espèce humaine, mais le capitaine n'en sait pas plus. Vous devez donc, d'un commun accord, déterminer quelles seront les deux équipes hors de danger. Les objets que vous avez choisis seront utiles pour faire valoir votre présence sur l'île (vous ne pouvez pas échanger d'objets avec d'autres équipes).

3 Après cet exercice, demandez-vous :

a) Qui a assumé les rôles liés à la production, à l'entretien de relations et ceux d'amuseurs ?

b) Avez-vous respecté des normes particulières ?

c) Quelles ont été les forces et les faiblesses
— de votre équipe ?
— du groupe rassemblé ?

4 Avez-vous trouvé difficile d'avoir peu d'informations pour prendre une décision ? Vous est-il arrivé de baser vos décisions sur des déductions plutôt que sur des faits ?

Le leadership autoritaire (ou autocratique)

La personne qui exerce un **leadership autoritaire**, aussi appelé *autocratique*, prend des décisions sans aucune forme de consultation et est très directive. Dans un groupe, particulièrement dans une équipe de travail ou une entreprise, ce style de leadership est celui qui cause le plus de mécontentement et d'hostilité[21]. Puisque le leader autoritaire punit ou récompense certains membres, une compétition malsaine risque de s'installer à l'intérieur du groupe, de provoquer des tensions internes et de décourager ses membres. Toutefois, un style autocratique peut se révéler efficace lorsqu'il n'est pas nécessaire d'obtenir l'appui des autres membres pour prendre une décision, lorsqu'il faut qu'elle soit prise rapidement[22] ou lorsqu'elle n'aura pas d'effet sur la motivation des principales personnes concernées par la situation[23].

Le leadership démocratique (ou participatif)

leadership autoritaire: leadership dans lequel le leader impose ses idées, ses valeurs ou ses décisions sans consulter les autres membres du groupe.

leadership démocratique: leadership dans lequel le leader amène chacun des membres d'un groupe à exprimer ses opinions et à participer au processus décisionnel.

Le **leadership démocratique** (ou participatif) est généralement le style le plus efficace. Les dirigeants démocratiques offrent des conseils aux membres et participent parfois eux-mêmes aux travaux du groupe. Ils encouragent les membres du groupe à participer au processus décisionnel, tout en ayant le dernier mot. Selon Lewin, le style démocratique encourage la manifestation de conduites d'entraide et de coopération[24].

Le style démocratique est généralement apprécié par les gens ; toutefois, il peut être une source de problème quand il y a un large éventail d'opinions et qu'il n'y a pas de moyen évident d'arriver à une décision finale équitable.

L'expérience de Kurt Lewin

En 1939, Kurt Lewin s'attarde à prendre en compte les dynamiques de groupe et tente d'expliquer expérimentalement les comportements en société. Pour ce faire, il a soumis trois groupes d'enfants, chargés de fabriquer des masques, à trois styles de leadership. Lewin tente alors de déterminer jusqu'à quel point les différents styles de leadership affectent la productivité des participants. Le leadership « laisser-faire » entraîne un faible niveau de productivité en raison du fait qu'il ne favorise pas la coopération entre les enfants. En l'absence du leader, ceux-ci ne continuent pas le travail. Leur production de masques est faible et de piètre qualité. Le style de leadership autoritaire est avantageux sur le plan de la quantité produite, mais augmente l'agressivité et les décharges émotionnelles des enfants. En outre, la qualité des masques est très moyenne. Enfin, le leadership démocratique influe favorablement sur la productivité : les enfants continuent le travail en l'absence du leader et font preuve de coopération. La qualité de la production est nettement supérieure à celle des deux autres groupes, même si la quantité demeure inférieure à celle du groupe soumis au leadership autoritaire[25].

Le laisser-faire (ou débonnaire)

Le style **laisser-faire** (ou débonnaire)[26] réduit au minimum la participation du leader dans la prise de décision puisqu'il renonce à son pouvoir de dicter des ordres. Ce leader ne prend pas d'initiative pour diriger les gens de son groupe ni pour leur suggérer d'autres lignes de conduite. En adoptant cette attitude, il donne au groupe l'occasion d'évoluer et de progresser seul[27]. Cela permet donc aux membres du groupe de prendre leurs propres décisions.

laisser-faire : leadership dans lequel le leader renonce à son rôle et laisse les membres du groupe prendre leurs propres décisions et suivre leurs propres procédures, sans dirigeant.

Cependant, ce type de leadership engendrera possiblement un climat de désordre et d'éparpillement. Les membres du groupe sont laissés à eux-mêmes, sans direction ni organisation, ce qui peut faire perdre beaucoup de temps, d'énergie et d'efficacité[28]. Le style laisser-faire a une chance de fonctionner lorsque les gens sont motivés et aptes à prendre leurs propres décisions, et dans les cas où il n'est pas nécessaire pour le leader de coordonner rigoureusement la tâche[29].

Lors de ses expériences, Kurt Lewin a découvert que le meilleur style de leadership est le démocratique (voir le tableau ci-dessous). L'approche autoritaire conduit à la révolution, tandis que celle du laisser-faire fait en sorte que les individus ne fournissent pas d'efforts constants dans leur travail et n'y consacrent pas suffisamment d'énergie[30].

TABLEAU 12.1 **Les trois styles de leadership.**

	Autoritaire	Démocratique	Laisser-faire
Décision	Le leader prend seul les décisions et donne ses directives aux membres du groupe.	Le leader suscite et encourage la discussion et le dialogue entre les membres du groupe afin de prendre les décisions.	Le leader laisse toute la liberté possible aux membres du groupe pour prendre les décisions.
Mode de fonctionnement	Il dicte les façons de faire aux membres du groupe au fur et à mesure que les activités progressent, de telle sorte qu'ils ne savent pas trop à quoi s'attendre.	Il s'efforce de faciliter les activités du groupe et n'intervient à titre d'expert que pour orienter et stimuler l'efficacité du groupe.	Il précise quelles sont les ressources offertes au groupe et ne donne de l'information que si on lui en demande.
Répartition des tâches	Il donne une tâche à chacun et forme les équipes.	Il encourage les membres du groupe à organiser les activités de la meilleure façon possible et à s'associer avec les personnes de leur choix.	Il prend le minimum d'initiatives et fait le minimum de suggestions.
Critères d'évaluation du groupe	Il s'abstient d'expliquer les critères d'évaluation de l'efficacité du groupe ; il reste à l'écart, sauf pour faire des démonstrations.	Il explique les critères d'évaluation du groupe ; il s'engage dans le groupe comme un membre à part entière.	Il s'abstient d'évaluer l'efficacité du groupe ; il demeure amical bien que passif.

Source : Inspiré de LIPPITT, R. et R. WHITE. *Une étude expérimentale du commandement de la vie de groupe*, dans LÉVY, A. (sous la dir. de). *Psychologie sociale, textes fondamentaux anglais et américains*, t. 1, Paris, Dunod/Bordas, 1978, p. 278-292 ; et de LEWIN, K. *Psychologie dynamique. Les Relations humaines*, Paris, PUF, 1975, cité par MORIN, M. E. *Psychologies au travail*, Montréal, Gaëtan Morin Éditeur, 1996.

Même si le style démocratique présente plus d'avantages et entraîne plus de satisfaction chez les membres d'un groupe, un leader ne doit pas l'adopter aveuglément. Plusieurs auteurs suggèrent de considérer certains facteurs qui pourraient influer sur le type de gestion, comme le degré d'autonomie et de maturité des membres de l'équipe, l'autorité du leader, la complexité des objectifs liés à la tâche et les conséquences des décisions sur la tâche et les relations humaines[31]. Ces considérations sont rattachées à l'**approche situationnelle**, qui consiste à adopter le leadership adéquat, c'est-à-dire celui qui est le plus adapté à la situation précise dans laquelle il s'exerce[32]. Pour bien diriger un groupe, il faut moduler l'importance que l'on accorde à la tâche et aux personnes selon la situation. Ceux qui réussissent le mieux dans ce rôle sont flexibles et peuvent adapter leur style de leadership aux exigences particulières de la situation[33].

approche situationnelle: approche qui consiste à adopter le leadership le plus adéquat, le plus adapté à la situation précise dans laquelle il s'exerce.

leader en titre: personne dont le titre lui assure la direction des activités du groupe.

pouvoir rémunérateur: capacité d'influencer le comportement d'une personne grâce à des gratifications, des récompenses.

pouvoir coercitif: capacité d'influencer le comportement d'une personne en usant de punitions, d'intimidations ou de menaces.

LE FONCTIONNEMENT D'UN GROUPE

Plusieurs personnes ont tendance à confondre *leader* et *leadership*. Or, il arrive qu'un leader n'ait aucun leadership (influence sur le comportement des autres) ou qu'une grande partie du leadership ne soit pas assumée par le leader[34].

Le leadership s'exprime par des aptitudes innées ou acquises à communiquer, à influencer[35]. Certains **leaders en titre** ne possèdent pas ces forces ou les connaissances nécessaires pour faire adhérer les autres à des actions communes. Dans de tels cas, le groupe s'organisera autour d'un meneur, d'un rassembleur reconnu officieusement. Pour bien comprendre ce point, vous n'avez qu'à vous rappeler les journées où un enseignant était malade quand vous étiez au secondaire. Qui exerçait la plus grande influence ? Le remplaçant ou les élèves qui racontaient des blagues, qui refusaient d'ouvrir leur manuel ou qui lançaient des objets à travers la classe ? Il est évident que le leader en titre, le remplaçant, avait peu d'influence sur les élèves. Dans ce cas, il devait, par différents moyens, exiger que les élèves adoptent des comportements plus disciplinés à l'aide de pouvoirs qui lui étaient conférés.

LES TYPES DE POUVOIR

Lorsqu'une personne utilise diverses stratégies pour influencer le comportement des autres, elle use de différentes formes de pouvoir[36]. John French et Bertram Raven ont établi six types de pouvoir[37].

Le pouvoir rémunérateur

Le **pouvoir rémunérateur** influence le comportement d'une personne grâce à des gratifications, des récompenses. Une promesse de promotion, de l'argent, un compliment, un sourire approbateur sont des exemples de ce type de pouvoir.

Le pouvoir coercitif

Le **pouvoir coercitif** s'exerce par le recours aux punitions, au sentiment de peur suscité par la désapprobation ou à l'intimidation. Dans les entreprises, les patrons qui menacent leurs employés de congédiement ou de réduire leur salaire s'ils ne font pas des heures supplémentaires utilisent la coercition. C'est le plus négatif des pouvoirs puisqu'il est basé sur la crainte. Des hommes d'État (Adolf Hitler, Saddam

Hussein, François Duvalier) sont restés au pouvoir pendant des décennies parce qu'ils exerçaient sur leur population cette forme d'intimidation. Ils usaient alors de la force brute, proféraient des menaces, utilisaient la torture et la restriction ou la suppression des libertés fondamentales[38].

Les connaissances ou le pouvoir du spécialiste

Des connaissances particulières, une formation ou une habileté donnée constituent une forme de pouvoir. La plupart des gens se soumettent aux avis des spécialistes et suivent leurs conseils parce qu'ils croient que leur savoir les aidera à atteindre leurs objectifs[39]. C'est ce qu'on appelle le **pouvoir du spécialiste**. Par exemple, c'est souvent cette forme de pouvoir qui nous amène à accepter de prendre des médicaments conseillés par un médecin ou un pharmacien, même en ignorant leurs composants chimiques ou leurs effets secondaires.

pouvoir du spécialiste: capacité d'influencer les autres en fonction de connaissances particulières, de formations ou d'habiletés données dans un domaine.

pouvoir de l'information: capacité d'influencer les autres en choisissant de leur donner ou non les renseignements qui orienteront leur comportement ou seront échangés contre une rémunération.

pouvoir de référence: capacité d'influencer le comportement des autres en fonction de l'admiration ou du respect que l'on inspire.

pouvoir légitime: capacité qu'a une personne d'influencer les autres en raison de la position qu'elle occupe.

conformisme: fait de modifier son comportement, ses attitudes, ses opinions pour les harmoniser avec ceux du groupe auquel on appartient.

Le pouvoir de l'information

Que feriez-vous si vous obteniez en exclusivité les réponses à un examen? Les utiliseriez-vous afin d'augmenter votre note ou les donneriez-vous en échange d'un service ou contre une rémunération quelconque? Peu importe ce que vous en feriez, ces informations vous apporteraient un pouvoir certain, appelé **pouvoir de l'information**. De fait, les personnes qui contrôlent l'information ont le pouvoir de manipuler l'opinion publique d'une façon ou d'une autre[40] et d'en tirer profit.

Le pouvoir de référence

Il y a **pouvoir de référence** lorsqu'on admire certaines personnes ou lorsqu'on s'identifie à elles[41]. Ainsi, l'opinion d'un ami ou le message véhiculé par un groupe de musique que vous appréciez auront probablement beaucoup plus d'influence et d'impact sur votre comportement que des paroles rapportées par des gens que vous ne connaissez pas.

Le pouvoir légitime

Le **pouvoir légitime** découle de la position d'autorité que détient un individu. Cette autorité provient du statut et du rôle de la personne[42]. Par exemple, on écoute avec plus d'attention les consignes du directeur d'école ou d'un policier en raison de leurs positions ou de leurs titres.

CE QUI PEUT NUIRE AU FONCTIONNEMENT D'UN GROUPE

Le bon fonctionnement d'un groupe peut être perturbé par les attitudes ou les comportements de ses membres. Les pages qui suivent présentent certaines de ces attitudes ainsi que diverses stratégies pour les éviter.

Le conformisme

Dans certaines situations, des pressions sociales, qui ne sont pas nécessairement explicites mais tout de même existantes, poussent certains membres d'un groupe à faire preuve de **conformisme**[43]. Cela se produit lorsqu'une majorité influence les opinions, les comportements et les perceptions d'une minorité ou d'un individu. Solomon Asch explique que le conformisme permet à celui qui l'adopte, d'une part, d'éviter le conflit et, d'autre part, d'éviter d'être rejeté par l'ensemble du groupe. Selon ce psychologue, une telle attitude ne veut pas dire que le sujet adhère aux opinions de la majorité. Toutefois, même si la personne sait que son opinion est la bonne, elle affiche les couleurs de la majorité. Le conformisme peut être également causé par une carence d'informations, une pression normative ou l'attractivité du groupe majoritaire[44].

La tendance au conformisme peut amener les membres d'un groupe à prendre de mauvaises décisions. Et si la personne qui se conforme aux autres détenait la bonne solution ? Sans se montrer obstiné, il est important de faire valoir son point de vue, surtout si on est convaincu de son bien-fondé.

Le manque de sérieux

Il arrive que des membres du groupe fassent preuve d'indiscipline et s'adonnent à d'autres activités que celles liées à la tâche[45]. Par exemple, un coéquipier de travail pour votre cours de méthodologie de recherche termine son travail de français pendant que vous vous évertuez à écrire vos hypothèses de recherche. Lorsque des gens ne prennent pas une activité au sérieux, ils agissent en conséquence. Ainsi, certains feront le bouffon de façon abusive et inappropriée alors que d'autres effectueront la

APPLICATION

L'expérience de Asch

En 1951, Asch convoque des groupes de huit individus à son laboratoire. Il explique aux sujets qu'ils participent à une étude sur les schémas perceptifs. Leur tâche est simple : deux séries de cartons leur sont présentées. Sur le carton de gauche (voir la figure 12.1) est dessinée une ligne verticale, appelée *ligne étalon*. Sur celui de droite figurent trois lignes verticales différentes, dont la ligne étalon. Les participants doivent indiquer quelle ligne dans le schéma de droite correspond à la ligne étalon.

Dans le groupe de huit personnes figurent sept complices de l'expérimentateur. Il n'y a donc dans la situation qu'un seul vrai sujet, à qui un tirage au sort truqué affecte toujours l'avant-dernière position lorsque les participants prennent la parole à tour de rôle. Quand le sujet aura à donner son avis, six autres membres du groupe se seront exprimés avant lui. Les groupes ont à effectuer 18 jugements. L'expérimentation se déroule sans problème aux deux premiers essais, puisque tout le groupe donne de bonnes réponses. Le troisième essai constitue le premier essai critique (il y en aura 12 sur 18). Tous les complices qui s'expriment avant le sujet donnent une réponse fausse, perceptiblement aberrante. Par exemple, ils disent que deux lignes ont la même longueur, même si celles-ci ont un écart de plus de 5 cm (ce qui représente un écart très visible). L'évidence perceptive est totale et le sujet connaît la bonne réponse, mais l'ensemble du groupe est en désaccord avec lui. Que répondra le sujet ? Donnera-t-il une réponse erronée ou juste ?

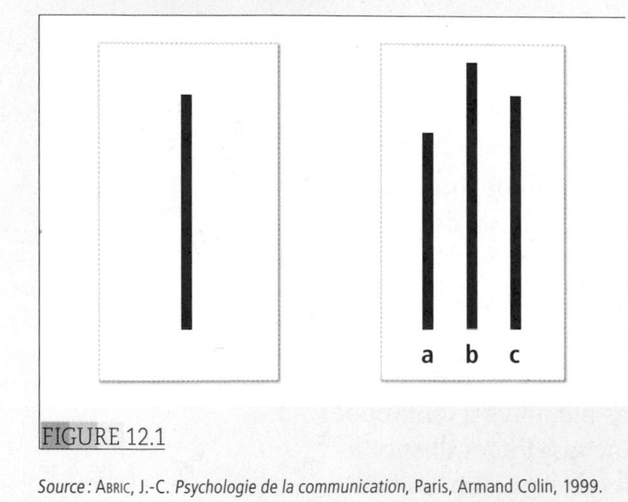

FIGURE 12.1

Source : Abric, J.-C. *Psychologie de la communication*, Paris, Armand Colin, 1999.

Sur les 123 sujets expérimentaux, seuls 23 % d'entre eux ne se sont jamais laissé influencer. Ces sujets n'ont donc jamais commis d'erreur et ont résisté à l'influence du groupe. Par contre, 32 % des sujets ont donné de fausses réponses à plus de la moitié des essais. De tels résultats montrent une forte tendance au conformisme dans la situation décrite, mais aussi de très fortes variations individuelles. Certains sujets ne se conforment jamais, d'autres, beaucoup plus et d'autres, toujours.

tâche en la bâclant. Dans le cas du travail de méthodologie, plusieurs membres de l'équipe risquent d'être frustrés par le manque de collaboration de leur coéquipier, sans compter qu'ils seront nettement désavantagés par rapport aux équipes qui font preuve d'une meilleure répartition des tâches ou dont tous les membres effectuent leur travail de façon consciencieuse.

Un comportement inapproprié

Quand un ou des membres d'un groupe font preuve d'arrogance et de non-respect envers leurs pairs, ceux-ci risquent de se sentir agressés et de riposter. La riposte peut être violente ou, au contraire, prendre la forme d'un retrait de la discussion, voire du groupe. Il n'est pas difficile d'imaginer les effets négatifs de tels comportements sur le groupe.

D'autres personnes tentent, quant à elles, d'imposer leur point de vue. Ce comportement suppose que leur principal objectif est de satisfaire les besoins et que ces personnes ne mettront un terme à la négociation que lorsqu'elles seront sûres de voir ceux-ci comblés. Ces gens utiliseront tous les types de pouvoir de leur répertoire pour faire valoir leur point de vue et n'hésiteront pas à oublier des renseignements importants afin de parvenir à leurs fins[46].

Il y a aussi des membres de l'équipe qui, à l'inverse, évitent de donner leur opinion. Une des raisons qui les poussent à choisir l'évitement est qu'ils sont mal à l'aise en situation de conflit. Ils préfèrent renoncer à donner leur point de vue plutôt qu'avoir à gérer les tensions que cause parfois un désaccord[47]. Certaines personnes choisissent de taire leur opinion parce que les autres membres de l'équipe n'écoutent pas les idées qui diffèrent des leurs et cherchent simplement à triompher dans la discussion.

Adopter une attitude positive, respecter ses coéquipiers, chercher des compromis, négocier, coopérer et trouver des solutions gagnantes (comme celles décrites au chapitre 10) restent les stratégies les plus adéquates pour faire face à ce genre de situation.

La monopolisation de la parole

Il arrive que des personnes s'imposent aux autres membres du groupe en monopolisant le droit de parole ou en interrompant leurs pairs[48]. Il y a aussi des gens qui sont plus à l'aise que d'autres dans un groupe et parlent davantage, plus longuement ou plus fréquemment, dans les discussions. De tels comportements peuvent amener les membres plus timides ou plus silencieux à se retirer de la discussion, à ne pas se sentir concernés par la tâche ou à croire que leurs opinions ne sont pas importantes. Afin d'éviter ce genre de situation, les membres de l'équipe peuvent encourager la participation de tous en favorisant des tours de table et des séances de **remue-méninges**[49].

remue-méninges: aussi appelé *brainstorming*; technique de recherche collective basée sur la stimulation de l'imagination, dans le but d'obtenir le maximum d'idées sur un sujet précis.

L'incompatibilité entre les membres d'une équipe

Certaines personnes ont beau respecter toutes les règles de l'art en communication, il n'y a rien à faire : elles ne se sentent pas bien à l'intérieur de leur équipe de travail. Cette incompatibilité peut être la conséquence directe de différentes situations. Par exemple, lorsque plusieurs membres du groupe forment des clans et ignorent les autres, il est impossible pour l'individu mis de côté de prendre sa place à l'intérieur du groupe. Certaines personnes sont, quant à elles, simplement rejetées ou incapables de se trouver des partenaires de travail pour diverses raisons (différence d'âge, de sexe, etc.). Pour elles, le travail en équipe devient une épreuve où leur solitude est mise en évidence[50]. D'autres fois, les gens feront face à une incompatibilité de caractère ou de valeurs.

Afin d'éviter ces problématiques, il est important, au moment de la formation des équipes, de fixer le nombre de partenaires et d'éviter l'association de certains membres au sein d'une équipe[51]. De plus, des principes comme la cohésion, le respect et la coopération peuvent réduire les inconvénients liés au travail dans un groupe. Nous allons maintenant voir ces principes de plus près.

LES PRINCIPES FAVORISANT LE MAINTIEN DE L'HARMONIE DANS UN GROUPE

La cohésion

cohésion: la force et l'harmonie des liens qui unissent les membres d'un groupe, grâce aux valeurs, intérêts, buts ou expériences qu'ils partagent.

La **cohésion** est probablement le facteur le plus favorable à un travail d'équipe efficace[52]. Des intérêts, des valeurs ou des buts communs, des expériences partagées, des rencontres ponctuelles qui permettent une communication et des interactions fréquentes, un problème à surmonter ou du succès dans l'atteinte des objectifs sont tous des facteurs influant sur la cohésion dans un groupe[53].

Lorsqu'il y a cohésion, les membres du groupe affichent un désir de poursuivre des objectifs communs et de consolider l'identité du groupe. Il faut toutefois distinguer la cohésion sociale de la cohésion liée à la tâche. Il arrive, par exemple, qu'un groupe soit très productif et efficace pour accomplir le travail, mais que ses membres soient incapables d'interagir socialement. Plusieurs facteurs influent sur la cohésion et l'harmonie dans un groupe:

- *La stabilité.* La cohésion se développe au fur et à mesure que les membres du groupe passent plus de temps ensemble.
- *La similarité.* La cohésion se développe davantage lorsque l'âge, les aptitudes et les intérêts sont similaires chez les membres d'un groupe.
- *La taille.* La cohésion se crée plus rapidement dans un petit groupe.
- *Le support.* Les personnes ressentent un plus grand sentiment de cohésion lorsque les gestionnaires ou les leaders donnent leur appui aux membres de l'équipe et les encouragent à se soutenir les uns les autres.
- *La satisfaction.* La cohésion est liée au degré de satisfaction de chacun des membres de l'équipe, et la satisfaction découle de la performance des participants, de leurs comportements et du respect qu'ils portent aux normes de l'équipe[54].

Le respect mutuel

Il est pratiquement impossible d'atteindre ses objectifs et de faire un travail efficace en équipe lorsque des participants font preuve d'une attitude irrespectueuse. Lorsque les individus échangent des opinions et des points de vue divergents, il n'est pas rare que le ton monte et que des propos acerbes soient échangés. Selon Jean Proulx, interdire les conduites ou les propos irrespectueux doit faire partie des règles non négociables. Ce problème surviendra moins si les participants évitent de s'attaquer aux personnes et s'ils centrent leurs interventions sur le comportement ou le propos en cause[55].

La coopération

Pour mettre en valeur la compétence des individus et des groupes, nombre d'entreprises entretiennent la rivalité et la compétition entre les employés[56]. Cependant, cette approche axée sur la compétitivité nuit non seulement à la création d'un climat de respect mutuel, mais aussi à la productivité à long terme et à la cohésion du groupe. Ce type d'approche risque également de diviser les forces du groupe. À l'inverse, dans un système basé sur la **coopération**, les différents acteurs travaillent dans un esprit de collaboration visant à mettre au premier plan les intérêts généraux de toutes les personnes concernées. Cela suppose un certain degré de confiance, d'écoute, de respect et de compréhension[57]. Des recherches ont montré que la coopération augmentait significativement la performance des individus, le degré de cohésion, le soutien entre pairs et l'estime de soi[58].

coopération : capacité qu'ont les membres d'un groupe de travailler dans un esprit de collaboration, en mettant de l'avant les intérêts généraux, dans la réalisation d'un projet commun.

La participation de tous

Que ce soit par timidité, par peur de la confrontation[59], par manque d'intérêt pour une tâche ou pour éviter de prendre des décisions, plusieurs préféreront rester silencieux. Peu importe les raisons qui motivent un individu à ne pas participer à la discussion dans un groupe, il est important de recueillir les commentaires et opinions de tous les membres. Cela permet de maximiser les sources d'information et de créer un climat de respect et de participation équitable. Pour ce faire, on peut former de plus petits groupes ou poser des questions ouvertes. Demander « Qu'en penses-tu, Jacques ? » ou « Qu'apporterais-tu comme ajustement, Kim ? » peut inciter des gens à prendre part à la discussion. Il est également important, lorsqu'un membre plus effacé s'exprime, que les autres lui accordent leur attention[60]. Soit on fait du renforcement de façon directe (« C'est bon ce que tu as dit, Isabelle, cette suggestion a été notée »), soit on y fait référence un peu plus tard dans la conversation (« Comme l'a suggéré Samuel tout à l'heure, nous pourrions… »). Le renforcement et les compliments doivent cependant être sincères et ne pas se révéler exagérés, sinon les personnes timides risquent de se décourager et de ne plus s'exprimer[61].

LES AVANTAGES D'UN GROUPE

Bien que le travail en groupe puisse comporter son lot de problèmes, plusieurs avantages découlent de situations de travail en équipe lorsqu'elles sont bien gérées et que des efforts pour maintenir des relations saines sont fournis.

Une plus grande quantité de ressources

Les échanges et les interactions en groupe aident à rassembler davantage d'information sur un sujet donné, à trouver plus de solutions à différentes problématique et des réponses plus élaborées à des questions complexes. La présence de plusieurs personnes offre un plus grand éventail de connaissances pour la résolution de problèmes. Par exemple, étudier en équipe favorise une meilleure compréhension individuelle et contribue à l'enrichissement des apprentissages en mettant à contribution les ressources de chacun.

Une plus grande assurance en soi

Les idées et opinions d'une personne sont exprimées avec plus d'assurance et sont mieux articulées lorsque celle-ci se sent appuyée par un groupe. Dans un même ordre d'idées, Jean Proulx rapporte que les étudiants ressentent moins de stress lorsqu'ils résolvent des problèmes en groupe et lorsqu'ils se sentent appuyés par une équipe au moment d'interpréter des données complexes et d'assumer des points de vue controversés[62].

Un degré d'engagement plus élevé

Charles W. Redding souligne que des personnes qui ont aidé à mettre sur pied un projet en favoriseront la réalisation[63]. Plus une personne se sent engagée dans un projet, plus elle redoublera d'efforts pour le concrétiser. De plus, lorsqu'un groupe partage une tâche, se fixe des rencontres et établit des échéanciers, les membres se sentent plus responsables de leurs engagements que s'ils travaillent seuls. Sans soutien, l'engagement et la motivation déclinent.

LA DÉMARCHE DE RÉSOLUTION DE PROBLÈME

Pour s'acquitter d'une tâche ou réaliser un projet, un groupe doit résoudre des problèmes et prendre des décisions[64]. Pour y arriver, il faut d'abord rassembler toutes les informations pertinentes, puis suivre une démarche fondée sur quelques principes simples[65] et clairement définis.

Afin de vous aider à mieux cerner les différentes étapes de cette démarche, nous les analyserons à l'aide de la situation suivante :

> *Michel, Laura, Louis et Léa doivent faire un travail de recherche en équipe comptant pour 50 % de la note finale de leur cours de méthodologie. Ils ont tous les quatre envie d'obtenir une bonne note, mais ils ont un problème : ils sont débordés de travail et ont de la difficulté à concilier leurs horaires.*

PHASE 1 : DÉFINIR DES OBJECTIFS CLAIRS ET RÉALISTES

Avant de s'attaquer à la résolution du problème, il est important de connaître les objectifs du groupe et les buts individuels de ses membres. Déterminer ceux-ci permet de définir clairement la situation qu'on souhaite obtenir. Si les buts de chacun des membres peuvent être infinis et très variés, le nombre d'objectifs communs d'un groupe doit toutefois être restreint afin de maintenir une certaine cohésion dans le processus de travail.

L'objectif commun du groupe dans la situation précédente est probablement de trouver du temps pour se réunir afin de remettre un travail répondant aux exigences du professeur et d'obtenir la meilleure note possible. En ce qui a trait aux objectifs personnels, Michel veut être ponctuel aux rencontres qui seront fixées par l'équipe, Laura veut apprendre à faire confiance à ses coéquipiers et à déléguer les tâches, Louis veut vaincre sa timidité et réussir à exprimer ses idées et, finalement, Léa désire se faire remarquer par le coéquipier qu'elle trouve séduisant.

PHASE 2 : ÉVALUER LE PROBLÈME

Étape 1 : Analyser le problème

Avant toute chose, il faut poser clairement le problème[66]. Cette première étape se fait à l'aide d'une question préliminaire.

Une question claire aidera à évaluer correctement la situation actuelle en faisant ressortir quels sont les informations importantes et les acteurs concernés. Dans l'exemple donné, les quatre étudiants pourraient se demander : « Comment pouvons-nous procéder pour faire progresser notre travail d'équipe malgré nos horaires divergents ? »

L'analyse du problème dans ce cas exigerait que l'on considère les besoins de tout le monde afin de ne pas occasionner de conflit.

Moins il y a de gens, plus l'analyse du problème se fait aisément. Plus le groupe est grand, plus les informations nécessaires à l'analyse du problème risquent d'être dispersées. Il faut donc les rassembler et les ordonner.

Étape 2 : Relever les aspects importants du problème

Dans le cadre de la résolution d'un problème, les erreurs, défauts et petits problèmes n'ont pas tous la même importance. Afin d'être efficaces, les membres du groupe doivent déterminer quels sont les obstacles les plus importants et quelles sont les mesures à prendre en priorité. Que ce soit à cause d'un manque d'écoute, de coopération ou d'organisation, certains groupes s'attardent trop longuement sur des points anodins, tournent en rond et perdent beaucoup de temps. Lorsque cela se produit, démotivation et perte d'intérêt sont choses fréquentes pour les membres du groupe. Si on observe qu'une telle situation est en train de se développer, il peut être utile de rappeler aux autres la question préliminaire et l'objectif du travail commun.

PHASE 3 : RECHERCHER ET ANALYSER DES SOLUTIONS

Étape 1 : Envisager toutes les solutions possibles

Envisager toutes les solutions possibles sous-entend de ne pas se jeter directement dans la phase de résolution du problème. Cela est nécessaire, car les solutions à un problème ne sont pas toujours celles qui sont le plus évidentes. Recourir à une séance de remue-méninges permet d'élargir la vision du problème pour obtenir d'autres solutions possibles[67].

Michel, Laura, Louis et Léa choisissent d'écrire toutes les options qui s'offrent à eux. À cette étape, ils ne doivent pas tenir compte des contraintes ou des limites liées aux différentes possibilités. En outre, aucune opposition ou critique ne doit être formulée sur les idées émises. Michel suggère qu'ils se rencontrent après leurs cours de méthodologie de recherche ; Laura offre de répartir les tâches de façon équitable afin que tout le monde fasse avancer le travail individuellement ; Louis propose des réunions le mardi ou le jeudi midi à la cafétéria ou à la bibliothèque ; Léa lance l'idée de se voir le vendredi soir afin de discuter du travail de façon plus conviviale dans un café ou un restaurant.

Étape 2 : Analyser les solutions

Une fois qu'un ensemble d'idées ont été jetées sur papier, il faut recueillir l'information liée aux différentes solutions et établir les critères à prendre en compte dans l'analyse de chacune. Il est utile de reprendre toutes les idées données à l'étape du remue-méninges et de relever les points positifs et les points négatifs de chacune d'entre elles.

À cette étape, les quatre étudiants évalueraient la faisabilité de chacune de leurs propositions en lien avec leurs horaires respectifs, la disponibilité des locaux, leurs budgets et leurs intérêts.

PHASE 4 : CHOISIR DES SOLUTIONS

Étape 1 : Rechercher les meilleures solutions possible

Lorsqu'on détient toute l'information pertinente, on est en mesure d'éliminer plusieurs idées farfelues, difficilement réalisables, qui entraîneraient de fâcheuses conséquences ou qui ne répondent tout simplement pas aux objectifs. À cette étape, le choix de solutions est plus restreint.

Louis et Laura s'aperçoivent qu'il leur est impossible d'assister aux réunions le jeudi parce qu'ils travaillent, éliminant de ce fait cette solution. Après discussion, les coéquipiers conviennent également qu'une rencontre dans un café ne les motiverait pas à travailler. De plus, ils évaluent qu'il serait injuste que Laura décide de la division des tâches seule de son côté. Ils préfèrent se consulter pour s'assurer d'une répartition des tâches équitable. Il est important de considérer toutes les solutions encore possibles, plutôt que de faire un choix de façon hâtive.

Étape 2 : Sélectionner des solutions

Choisir la solution à appliquer est une étape importante, qui engage les participants. Il est évident que chacun possède ses raisons pour privilégier l'une ou l'autre des solutions. Lorsqu'il en reste plus d'une, il faut ouvrir le champ de réflexion afin de découvrir celle qui présente le plus d'avantages et qui est la plus susceptible de procurer aux membres du groupe une satisfaction concernant le projet ou la réussite de celui-ci. Il est toujours bon de conserver au moins deux idées pour avoir une solution de rechange en cas de pépin ou si les personnes concernées désirent procéder à une réorganisation. Dans cette optique, Michel, Laura, Louis et Léa pourraient convenir de se rencontrer le mardi midi à la cafétéria, puisque personne n'a de cours cette journée-là. Ils pourraient aussi retenir l'idée de travailler à la bibliothèque si les gens qui dînent à la cafétéria sont trop bruyants et qu'ils les empêchent de progresser dans leur tâche.

La combinaison d'idées peut également se révéler intéressante et offrir des solutions gagnant-gagnant (voir le chapitre 11) aux membres du groupe. Michel, Laura, Louis et Léa conviennent finalement de se rencontrer un vendredi dans un restaurant, afin de tisser des liens avant le travail et, par la suite, tous les mardis, à l'heure du dîner, à la cafétéria (en ayant aussi la possibilité de travailler à la bibliothèque). Une fois que leur problématique et leurs hypothèses de recherche seront bien définies, ils se sépareront différentes parties à travailler individuellement.

PHASE 5 : METTRE LA SOLUTION EN APPLICATION ET AGIR

Il est temps d'appliquer la solution retenue à la résolution d'un problème. Il faut, à cette étape, déterminer les tâches et les responsabilités de chacun ainsi que les ressources nécessaires, et prévoir différents mécanismes pour régler les urgences éventuelles[68].

Pour la bonne marche des opérations, il faut établir le plan d'action et l'appliquer rigoureusement. Qui fera quoi ? Quel matériel sera nécessaire ? C'est également le moment de se fixer des échéanciers, qui sont cruciaux pour la réalisation de la tâche dans le délai préétabli.

PHASE 6 : FAIRE LE SUIVI DES ACTIONS

Il convient de s'assurer de l'efficacité de la démarche choisie et d'en évaluer les effets. Le suivi des actions consiste donc à évaluer l'impact des différentes démarches et à en valider l'efficacité.

Si Michel, Laura, Louis et Léa s'aperçoivent qu'ils n'ont pu se rencontrer deux mardis consécutifs, vaudrait-il mieux réévaluer la solution initialement apportée ? Est-ce qu'elle répond vraiment aux besoins des gens ? Est-ce que de l'information a été négligée au départ ? Peut-être leur faut-il simplement changer les heures de la rencontre.

Si la solution se révèle inappropriée, le groupe devra reprendre le processus et revoir son approche. De nouveaux problèmes peuvent aussi survenir, et un suivi adéquat et périodique permettra de les résoudre plus efficacement.

Le tableau 12.2 résume les six étapes de la résolution de problème.

LES TYPES DE PRISES DE DÉCISIONS

Plusieurs formes de processus décisionnels peuvent s'appliquer aux groupes. Les pages qui suivent expliqueront les principaux types de prises de décisions élaborés par Johnson et Johnson[69]. Vous verrez que chacune d'entre elles comporte des avantages et des inconvénients.

LA DÉCISION IMPOSÉE PAR LE POUVOIR DE LA MAJORITÉ

Dans les sociétés où la démocratie prévaut, les membres d'un groupe ont tendance à penser que la voie à suivre est d'adopter la position de la majorité, peu importe les compétences de celle-ci[70] ou les intérêts qu'elle défend. Ce processus démocratique respecte habituellement l'opinion d'un grand nombre de personnes et il est économique en termes de temps[71]. Il est, par contre, opportun de se questionner sur l'éventualité d'un écart minime entre la majorité et la minorité. Vous n'avez qu'à

TABLEAU 12.2 **Les phases de la résolution de problème.**

Phases	Tâches
1. Définir des objectifs clairs et réalistes	• Déterminer les objectifs du groupe • Déterminer les objectifs individuels
2. Évaluer le problème	• Analyser le problème à l'aide d'une question claire • Relever les aspects importants du problème
3. Rechercher et analyser des solutions	• Envisager, en faisant une séance de remue-méninges, toutes les solutions possibles, sans les critiquer ou les rejeter • Analyser les solutions – Recueillir les informations pertinentes – Établir les critères à prendre en compte dans l'analyse des solutions – Relever les points négatifs et positifs des différentes solutions
4. Choisir des solutions	• Rechercher les meilleures solutions possible • Sélectionner les solutions
5. Mettre la solution en application et agir	• Déterminer les tâches et les responsabilités individuelles • Déterminer les ressources nécessaires • Prévoir des solutions de rechange
6. Faire le suivi des actions	• Suivre les progrès • Valider l'efficacité de la démarche

penser au référendum de 1995 au Québec, alors que 50,6 % des électeurs choisissaient de demeurer dans la confédération canadienne contre 49,4 % des gens qui disaient « oui » à l'indépendance du Québec[72].

Comme on le voit, le pouvoir de la majorité peut laisser un grand nombre de personnes insatisfaites ou déçues. On assiste alors à des divisions et à l'émergence de sous-groupes qui s'opposent l'un à l'autre[73].

LA DÉCISION IMPOSÉE PAR LE LEADER OU L'AUTORITÉ SANS DISCUSSION

Il arrive que certaines décisions soient imposées par un leader ou une autorité en place. De par sa position, le leader prescrit un mode de fonctionnement. Par exemple, le patron d'une entreprise décidera des horaires de ses employés ou un enseignant déterminera les dates de remise des travaux. La prise de décision en groupe pouvant devenir une tâche longue et fastidieuse, une décision imposée par une personne en position d'autorité a le mérite de faire gagner du temps. Toutefois, beaucoup de personnes se sentent opprimées lorsqu'un leader adopte un style autoritaire et qu'il ne consulte pas les membres avant de prendre une décision.

LA DÉCISION IMPOSÉE PAR LE LEADER OU L'AUTORITÉ APRÈS DISCUSSION

Dans ce type de prise de décision, le leader a le dernier mot, mais il utilise un style démocratique et sollicite l'avis des membres du groupe au cours du processus décisionnel. Ce mode de fonctionnement procure aux membres un plus fort sentiment d'engagement. Néanmoins, les participants risquent de se sentir brimés en raison du non-respect de leurs idées, particulièrement si leurs propositions ne sont pas retenues par le leader après discussion[74].

LA DÉCISION ADOPTÉE SELON L'AVIS D'UN EXPERT OU D'UN SPÉCIALISTE

Le membre du groupe qui possède la plus grande expertise sur une question sera parfois désigné pour choisir une solution. Par exemple, si un randonneur se blesse lors d'une excursion en montagne, ce sont les consignes d'une personne possédant des connaissances médicales qui favoriseront une prise de décision rapide des actions efficaces. Le problème survient lorsqu'il est difficile d'établir qui possède la plus grande expertise sur une question. De plus, il est possible que la personne qui détient le pouvoir surestime son expertise et donne des ordres aux autres membres du groupe. Ceux-ci pourront alors ressentir de l'injustice ou de la méfiance et ne pas appuyer les décisions prises.

LA DÉCISION ADOPTÉE PAR UNE MINORITÉ

Il arrive que les décisions ne relèvent que de quelques personnes dans un groupe. Ces dernières peuvent avoir été nommées ou désignées par les autres participants pour former un sous-comité de résolution de problème dans un domaine en particulier. Dans la plupart des grosses entreprises, il existe des conseils d'établissement,

des conseils en santé et sécurité au travail, des conseils syndicaux, etc. Spécialisés dans un domaine particulier, les sous-comités sont donc à même d'étudier une question plus en profondeur. Cette façon de faire permet aussi de diviser les problématiques entre différents sous-groupes, ce qui fait gagner du temps. Toutefois, plus une problématique est majeure et affecte directement le groupe, plus les membres voudront participer au processus décisionnel.

LA DÉCISION PRISE PAR CONSENSUS

compromis: résultat d'une négociation où chacune des parties fait des concessions pour arriver à une solution commune.

On parle de consensus lorsque tout le monde est en accord avec la décision. Cette méthode présente plusieurs avantages puisque la participation de tous augmente l'engagement dans le groupe et la qualité des décisions. Par contre, ce processus est souvent long et fastidieux. Le consensus parfait s'établit lorsque tout le monde s'entend totalement sur une question; dans la réalité, ces situations sont rares, particulièrement dans les plus grands groupes. Trop de facteurs, tels que les objectifs, les valeurs, les émotions et les intérêts personnels, empêchent l'unanimité. Le terme *consensus* doit donc inclure la notion de **compromis**. Lorsque des membres font quelques concessions, le consensus ne signifie plus forcément que tous sont satisfaits du résultat, mais plutôt que tout le monde juge le résultat acceptable et que la majorité est satisfaite. Le consensus reste tout même plus qu'une opinion adoptée par une majorité, puisqu'il exige l'apport de multiples opinions différentes et leur adaptation progressive, jusqu'à ce qu'une solution satisfaisant le plus grand nombre de personnes puisse être dégagée[75].

David et Frank Johnson ont établi des liens entre le type de prise de décision (comportant le temps requis pour prendre une décision et l'engagement des membres du groupe) et la qualité décisionnelle. Cette progression est représentée dans la figure 12.2.

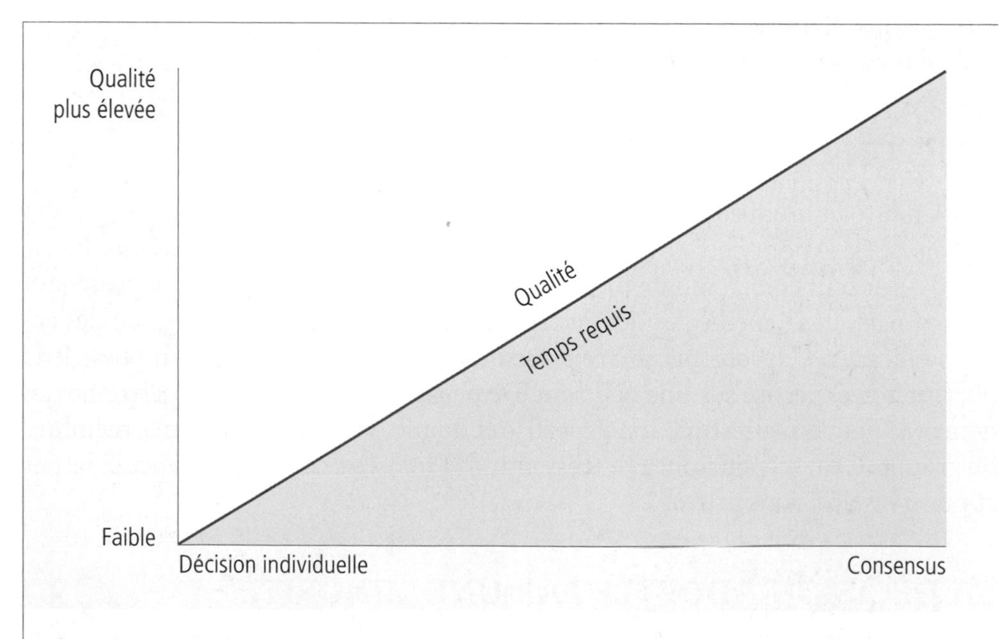

Source: Johnson, D.R et F.P. Johnson. *Joining Together: Group Theory and Group Skills*, 9e éd. [en ligne], 1991. [http://books.google.ca/books?id=t0oQzIDRxo8C&pg=PA33&lpg=PA33&dq=decision+making+Johnson+Frank+David&source=bl&ots=yGioHQXB7R&sig=N6oYipWBwyVx-Cup7G4S4TWMsHY&hl=fr&sa=X&oi=book_result&resnum=1&ct=result#PPA33,M1] (10 janvier 2009), cité par Smith, K. A. *Teamwork and Project Management*, 2e éd., McGraw-Hill, 2003.

FIGURE 12.2 **Les types de prises de décisions et la qualité décisionnelle.**

RÉSUMÉ

Chacun de nous fait partie d'une multitude de groupes qui ont leurs propres caractéristiques auxquelles il faut s'adapter.

Le groupe se définit comme un ensemble comportant un nombre limité de personnes qui se réunissent et interagissent pendant un temps déterminé, en vue d'atteindre des objectifs communs.

Afin de connaître les comportements à adopter, les membres d'un groupe établissent des normes sociales, des normes de procédure et des normes reliées à la tâche qui sont officielles ou officieuses.

Pour faire progresser une tâche, les membres d'un groupe peuvent adopter des rôles fonctionnels liés à la production de la tâche, à l'entretien des relations ou à l'amusement.

Le leadership est la capacité d'influencer le comportement des autres dans un groupe. On distingue trois styles de leadership, soit autoritaire, démocratique et laisser-faire. Le leadership à adopter dépend des situations et des membres d'un groupe. L'exercice du leadership fait appel à différentes habiletés qui manquent parfois à certains leaders en titre qui ont pour cette raison du mal à influencer les autres. Le leadership s'exerce également par différents pouvoirs: rémunérateur, coercitif, du spécialiste, de l'information, de référence et légitime.

Plusieurs situations problématiques peuvent nuire à l'efficacité des groupes: le conformisme de certains membres du groupe, le fait que des participants ne prennent pas l'activité au sérieux ou adoptent des comportements inappropriés (comme l'arrogance ou le non-respect des autres membres), la domination par une minorité et, finalement, l'incompatibilité entre certains membres du groupe.

A l'inverse, certains principes comme la cohésion, le respect mutuel, la coopération et la participation de tous peuvent contribuer au bon fonctionnement du groupe. Une équipe de travail efficace offre plusieurs avantages: une plus grande précision découlant d'un nombre de ressources plus élevé, une plus grande assurance de ses membres et un engagement plus profond.

Dans le but d'identifier la solution la plus efficace à appliquer, il est utile de suivre une démarche claire de résolution de problème. Elle s'effectue en six phases: la définition d'objectifs clairs, l'évaluation du problème, la recherche et l'analyse des solutions, le choix des solutions, la mise en œuvre de la solution et le suivi des actions.

Différents types caractérisent la prise de décision: la décision imposée par le pouvoir de la majorité, la décision imposée par une autorité sans ou après discussion, la décision adoptée selon l'avis d'un spécialiste, par une minorité ou par consensus.

Mots clés

agrégat (294)
approche situationnelle (300)
cohésion (304)
compromis (312)
conformisme (301)
coopération (305)
groupe (294)
laisser-faire (299)
leader (297)
leader en titre (300)
leadership (297)
leadership autoritaire (298)
leadership démocratique (298)
norme (295)
norme officielle (295)
norme officieuse (295)
pouvoir coercitif (300)
pouvoir de l'information (301)
pouvoir de référence (301)
pouvoir du spécialiste (301)
pouvoir légitime (301)
pouvoir rémunérateur (300)
remue-méninges (303)
rôle (296)
rôle d'amuseur (297)
rôle dysfonctionnel (297)
rôle fonctionnel (296)
rôle lié à l'entretien des relations (296)
rôle lié à la production (296)

AUTRES RESSOURCES

Depuis votre naissance, vous avez participé activement à la vie de plusieurs groupes. Chacun d'entre eux possédait des caractéristiques distinctes et sollicitait votre participation d'une manière différente. Certains de ces groupes étaient formels et avaient une structure rigide alors que d'autres, plus informels, étaient caractérisés par la souplesse de leur fonctionnement. Les documents qui suivent vous permettront de parfaire et d'approfondir vos connaissances sur les groupes. Ils présentent les grandes étapes du développement d'un groupe et traitent des conditions de rendement optimal, de la participation et de la communication à l'intérieur d'une équipe ainsi que de l'entretien du groupe.

Livres

AEBISCHER, V. et D. OBERLÉ. *Le Groupe en psychologie sociale*, Paris, Dunod, 2007.

BLANCHET, A. *La Psychologie des groupes*, Paris, Armand Colin, 2005.

CARRÉ, C. *Animer un groupe : leadership, communication et résolution de conflits*, Paris, Eyrolles, 2007.

SOLAR, C. *Équipes de travail efficaces : savoirs et temps d'action*, Outremont, Éditions Logiques, 2001.

ST-ARNAUD, Y. *Les Petits Groupes – Participation et animation*, Montréal, Gaëtan Morin, 2009.

Émission

La Job, adaptation québécoise de *The Office*, réalisé par André St-Pierre (2006).

Cette série télévisée vous permet de suivre les péripéties de la petite équipe des Papiers Jennings Papers. Ce milieu de travail est dirigé par David Gervais. Celui-ci n'a qu'un seul vrai fan : Sam Bisaillon, un ancien militaire, totalement soumis à l'autorité.

Films

Les Choristes, réalisé par Christophe Barratier (2004).

En 1948, Clément Mathieu, professeur de musique sans emploi, accepte un poste de surveillant dans un internat de rééducation pour mineurs. Le système répressif appliqué par le directeur Rachin bouleverse Mathieu. En initiant les enfants difficiles à la musique et au chant choral, Mathieu parviendra à transformer leur quotidien. L'histoire va être l'occasion de confronter deux visions de cette école : le directeur qui veut de la discipline et Mathieu qui cherche par la chorale à donner un but aux enfants.

Jeu

Cranium, Hasbro.

Que vous soyez aspirant comédien, artiste en herbe, amateur de mots croisés ou rat de bibliothèque, *Cranium* vous donnera une occasion de briller. À chaque tour, les membres d'une équipe doivent unir leurs efforts, leur matière grise et leurs talents afin d'avancer sur le plateau de jeu. La première équipe à atteindre le Cranium central remporte la partie.

SOURCES ICONOGRAPHIQUES

CHAPITRE 1

p. 2 en haut : © vgstudio / Shutterstock ; en bas : © Jean-Paul Eid • p. 3 : © Jeanne Hatch / Shutterstock • p. 4 en haut : © Institut National des Jeunes Sourds, Paris, France / Archives Charmet / The Bridgeman Art Library ; en bas : © Andresr / Shutterstock • p. 9 : © Monkey Business Images / Shutterstock • p.10 : iStockphoto © Ferran Traite Soler • p. 11 : © The New Yorker Collection 1991. Michael Maslin de cartoonbank.com. Tous droits réservés • p. 13 : © The New Yorker Collection 1993. Mike Twohy de cartoonbank.com. Tous droits réservés • p. 14 : © Jasna / Shutterstock • p. 15 : © Monkey Business Images / Shutterstock • p. 17 : ZITS © Zits Partnership 2006. Reproduit avec l'autorisation de King Features Syndicate Sally Forth © KING FEATURES SYNDICATE • p. 19 : « Diverse Talkers » © Images.com / Corbis • p. 21 : © Yuri Arcurs / Shutterstock • p. 23 : © Jupiterimages Corporation 2009 • p. 25 : « Reaching Hands » © Images.com / Corbis

CHAPITRE 2

p. 30 en haut : iStockphoto © Joan Vicent Cantó ; en bas : © Jean-Paul Eid • p. 31 : iStockphoto © Zhang bo • p. 35 : © The New Yorker Collection 1971. Lee Lorenz de cartoonbank.com. Tous droits réservés • p. 36 : iStockphoto © Hilary Brodey • p. 37 : © Stavchansky Yakov / Shutterstock • p. 38 : © Roy Carruthers / SuperStock • p. 40 en haut : © Shutterstock ; en bas : © Kevin Carden / Shutterstock • p. 42 : CATHY © Cathy Guisewite. Reproduit avec l'autorisation de Universal Press Syndicate. Tous droits réservés • p. 44 : © The New Yorker Collection 1991. Edward Frascino de cartoonbank.com. Tous droits réservés • p. 46 : © Gahan Wilson. Reproduit avec autorisation • p. 47 : © Tracy Siermachesky / Shutterstock • p. 48 : © Jupiterimages Corporation 2009 • p. 51 : © The New Yorker Collection 1973. William Hamilton de cartoonbank.com. Tous droits réservés • p. 53 : iStockphoto © Nicholas Monu • p. 54 en haut : © The New Yorker Collection 1993. Peter Steiner de cartoonbank.com. Tous droits réservés ; en bas : iStockphoto © Lise Gagne

CHAPITRE 3

p. 58 et 59 en haut : © Tyler Olson / Shutterstock • p. 58 en bas : © Jean-Paul Eid • p. 62 : © Yuri Arcurs / Shutterstock • p. 63 : © Reproduit avec l'autorisation de John Jonik • p. 65 : © Maja Schon / Shutterstock • p. 66 : ZITS © Zits Partnership. Reproduit avec l'autorisation de King Features Syndicate Sally Forth © KING FEATURES SYNDICATE • p. 67 : © Leah-Anne Thompson / Shutterstock • p. 68 : iStockphoto © Jason R. Warren • p. 70 : © Monkey Business Images / Shutterstock • p. 72 : © Robert Spriggs / Shutterstock • p. 73 : Dessin de Lorenz. Reproduit avec l'autorisation du Saturday Evening Post. • p. 74 : © vgstudio / Shutterstock • p. 76 : © The New Yorker Collection 1997. William Steig de cartoonbank.com. Tous droits réservés • p. 77 : iStockphoto © Catherine Yeulet

CHAPITRE 4

p. 84 en haut : © Laurin Rinder / Shutterstock ; en bas : © Jean-Paul Eid • p. 85 : © Refat / Shutterstock • p. 86 : © The New Yorker Collection © J. P. Rini de cartoonbank.com. Tous droits réservés • p. 87 : © Supri Suharjoto / Shutterstock • p. 90 : iStockphoto © Willie B. Thomas • p. 91 : © The New Yorker Collection 1991. Jack Ziegler de cartoonbank.com. Tous droits réservés • p. 93 en haut : © The New Yorker Collection 1995. Victoria Roberts de cartoonbank.com. Tous droits réservés ; en bas : © Getty Image • p. 99 : © Lucian Coman / Shutterstock • p. 100 : ZITS © Zits Partnership. Reproduit avec l'autorisation de King Features Syndicate Sally Forth © KING FEATURES SYNDICATE • p. 101 : © James Yang / Stock Illustration Source / Getty Images • p. 102 : © IKO / Shutterstock • p. 106 : © The New Yorker Collection 1993. Mike Twohy de cartoonbank.com. Tous droits réservés.

CHAPITRE 5

p. 110 en haut : © Pavel Losevsky / Shutterstock ; en bas : © Jean-Paul Eid • p. 111 : © Kristina Postnikova / Shutterstock • p. 112 en haut : © Kunsthistorisches Museum, Wien oder KHM, Wien ; en bas : © The New Yorker Collection 2003. Eric Lewis de cartoonbank.com. Tous droits réservés • p. 114 : © The New Yorker Collection 2001. Leo Cullum de cartoonbank.com. Tous droits réservés • p. 115 : © Dean Sanderson / Shutterstock • p. 117 : © The New Yorker Collection 2002. Leo Cullum de cartoonbank.com. Tous droits réservés • p. 119 en haut : © The New Yorker Collection 1996. J.B. Handelsman de cartoonbank.com. Tous droits réservés ; en bas : Calvin & Hobbes © Bill Watterson. Reproduit avec l'autorisation de Universal Press Syndicate. Tous droits réservés • p. 122 : © The New Yorker Collection 2003. Marian Henley de cartoonbank.com. Tous droits réservés • p. 125 : © Jupiterimages Corporation 2009 • p. 129 : © Sabri Deniz Kizil / Shutterstock • p. 130 : Graham Knuttel, *I Think We Should Leave* © New Apollo Gallery, Dublin / SuperStock • p. 132 : © The New Yorker Collection 1999. Bruce Eric Kaplan de cartoonbank.com. Tous droits réservés • p. 134 : iStockphoto © Michael Olson

CHAPITRE 6

p. 140 en haut : © BananaStock / Jupiterimages ; en bas : © Jean-Paul Eid • p. 141 : © Dale Kennington / Superstock • p. 143 : « Go Figure » © United Feature Syndicate, Inc. • p. 145 : © SuperStock • p. 146 © The New Yorker Collection 2003. Robert Mankoff de cartoonbank.com. Tous droits réservés • p. 147 : @ Lisa F. Young / Shutterstock • p. 151 : Dilbert © Scott Adams / Dist. par United Feature Syndicate, Inc. • p. 152 : « World Class » © Dale Kennington / SuperStock • p. 155 : © The New Yorker Collection 1999. Leo Cullum de cartoonbank.com. Tous droits réservés • p. 158 : en haut : © iStockphoto.com ; en bas : CATHY © Cathy Guisewite. Reproduit avec l'autorisation de Universal

Press Syndicate. Tous droits réservés • p. 160 en haut : © Melissa Schalke / Shutterstock ; en bas : tiré du *Wall Street Journal*, reproduit avec l'autorisation de Cartoon United Feature Syndicate • p. 162 : © Melissa Schalke / Shutterstock • p. 163 : © HomeStudio / Shutterstock

CHAPITRE 7

p. 166 en haut : © Mashe / Shutterstock ; en bas : © Jean-Paul Eid • p. 167 : © Sergey Rusakov / Shutterstock • p. 169 : ZITS © Zits Partnership. Reproduit avec l'autorisation de King Features Syndicate Sally Forth © KING FEATURES SYNDICATE • p. 170 : ZITS © Zits Partnership. Reproduit avec l'autorisation de King Features Syndicate Sally © KING FEATURES SYNDICATE • p. 172 : © Luban Alex / Shutterstock • p. 173 : © Saniphoto / Shutterstock • p. 176 : © Emanuel Dimitri Volakis • p. 177 : © The New Yorker Collection 2003. Ted Goff de cartoonbank.com. Tous droits réservés • p. 178 : Calligraphie d'Angie Au. Reproduction autorisée • p. 179 : De *Communication : The Transfer of Meaning* de Don Fabun. Reproduit avec l'autorisaton d'Allyn and Bacon, Boston, (Mass.). • p. 183 : © Elena Ray / Shutterstock © Elena Ray / Shutterstock • p. 185 : © Diego Cervo / Shutterstock • p. 186 : ZITS © Zits Partnership. Reproduit avec l'autorisation de King Features Syndicate Sally Forth © KING FEATURES SYNDICATE

CHAPITRE 8

p. 192 en haut : © Comstock Images / Jupiterimages ; en bas : © Jean-Paul Eid • p. 193 : © Polka Dot Images / Jupiterimages ; en bas : © Lev Dolgachov / Shutterstock • p. 194 : © Comstock Images / Jupiterimages • p. 196 : © iStockphoto • p. 197 : © The New Yorker Collection 1993. J.B. Handelsman de cartoonbank.com. Tous droits réservés • p. 199 : © Roy Carruthers / SuperStock • p.200 : Michael Pacher, détail de «Marriage of the Virgin» © Francis G. Mayer / Corbis • p. 201 : © The New Yorker Collection 1993. Mick Stevens de cartoonbank .com. Tous droits réservés • © Parolini / CartoonStock.com • p. 206 : ZITS © Zits Partnership. Reproduit avec l'autorisation de King Features Syndicate Sally Forth © KING FEATURES SYNDICATE • p. 209 : © The New Yorker Collection 2005. Mick Stevens de cartoonbank.com. Tous droits réservés • p. 211 : Dessin de Mike Ewers

CHAPITRE 9

p. 216 en haut : © Photos.com / Jupiterimages ; en bas : © Jean-Paul Eid • p. 217 : © Linevsk / Shutterstock • p. 218 : © Brand X Pictures / Jupiterimages • p. 220 : © The New Yorker Collection 1997. Bruce Eric Kaplan de cartoonbank.com. Tous droits réservés • p. 221 : © Images.com / Corbis • p. 224 : iStockphoto © Ian McDonnell • p. 226 : © The New Yorker Collection 2006. William Haefeli de cartoonbank.com. Tous droits réservés • p. 227 : © The New Yorker Collection 1995. Bruce Eric Kaplan de cartoonbank.com. Tous droits réservés • p. 233 : © The New Yorker Collection 2000. Leo Cullum de cartoonbank.com. Tous droits réservés • p. 236 : Dilbert, 5 février 1992 © Scott Adams / Dist. par United Feature Syndicate, Inc

CHAPITRE 10

p. 240 en haut : © Dmitriy Shironosov / Shutterstock ; en bas : © Jean-Paul Eid • p. 241 : © iStockphoto / Jacob Wackerhausen ; en bas : © Dmitriy Shironosov / Shutterstock • p. 244 : © The New Yorker Collection 2006. Bruce Eric Kaplan de cartoonbank.com. Tous droits réservés • p. 247 : © 2006 Michael Crawford de cartoonbank.com. Tous droits réservés • p. 248 : © The New Yorker Collection 1986. Richard Cline de cartoonbank.com. Tous droits réservés • p. 251 : © The New Yorker Collection 2001. P. C. Vey de cartoonbank.com. Tous droits réservés • p. 252 : © The New Yorker Collection 1993. Bruce Eric Kaplan de cartoonbank.com. Tous droits réservés • p. 254 : CATHY © Cathy Guisewite. Reproduction autorisée par Universal Press Syndicate. Tous droits réservés • p. 255 : © Beata Szpura / Getty Images • p. 256 : © Steve Luker / Shutterstock • p. 258 : © The New Yorker Collection 1997. Chon Day de cartoonbank.com. Tous droits réservés • p. 259 : © Nikolay Titov / Shutterstock • p. 260 : © Shutterstock / Andresr • p. 269 : © Yuri Arcurs / Shutterstock

CHAPITRE 11

p. 264 en haut : © Shutterstock / Gladskikh Tatiana ; en bas : © Jean-Paul Eid • p. 265 : © iStockphoto / tkemot • p. 266 : © Marie Bertrand / Corbis • p. 271 : © Corbis / Bettman • p. 272 : © Christie's Images / Corbis • p. 268 : Shutterstock / Piotr Sikora • p. 273 : The New Yorker Collection 2000. David Sipress de cartoonbank.com. Tous droits réservés • p. 280 : The New Yorker Collection 2001. David Sipress de cartoonbank. com. Tous droits réservés • p. 283 : © Historical Picture Archive / Corbis • p. 284 : The New Yorker Collection 2002. David Sipress de cartoonbank.com. Tous droits réservés

CHAPITRE 12

p. 292 en haut : © Yuri Arcurs / Shutterstock ; en bas : © Jean-Paul Eid • p. 293 : © iStockphoto / Dean Mitchell • p. 298 : © Monika Wisniewska / Shutterstock • p. 305 : © Shutterstock / Monkey Business Images • p. 306 : © Yuri Arcurs / Shutterstock • p. 309 : © Yuri Arcurs / Shutterstock • p. 312 : © Yuri Arcurs / Shutterstock

NOTES

Notes du chapitre 1

1. Williams, K. D. *Ostracism : The Power of Silence*, New York, The Guilford Press, 2001, p. 7-11.
2. Schachter, S. *The Psychology of Affiliation*, Stanford (Calif.), Stanford University Press, 1959, p. 9-10.
3. UPI, *Wisconsin State Journal,* 7 septembre 1978.
4. Trois articles dans *The Journal of the American Medical Association* (22-29 janvier 1992, *267,* n° 4) parlent du lien entre les influences psychosociales et les maladies coronariennes : Case, R. B., A. J. Moss, N. Case, M. McDermott et S. Eberly. « Living Alone after Myocardial Infarction », p. 515-519 ; Williams, R. B., J. C. Barefoot, R. M. Califf, T. L. Haney, W. B. Saunders, D. B. Pryon, M. A. Hlatky, I. C. Siegler et D. B. Mark. « Prognostic Importance of Social and Economic Resources among Medically Treated Patients with Angiographically Documented Coronary Artery Disease », p. 520-524 ; et Ruberman, R. « Psychosocial Influences on Mortality of Patients with Coronary Heart Disease », p. 559-560. Voir aussi Cacioppo, J. T., J. M. Ernst, M. H. Burleson, M. K. McClintock, W. B. Malarkey, L. C. Hawkley, R. B. Kowalewski, A. Paulsen, J. A. Hobson, K. Hugdahl, D. Spiegel et G. G. Berntson. « Lonely Traits and Concomitant Physiological Processes : The MacArthur Social Neuroscience Studies », *International Journal of Psychophysiology, 35,* 2000, p. 143-154.
5. Cohen, S., W. J. Doyle, D. P. Skoner, B. S. Rabin et J. M. Gwaltney. « Social Ties and Susceptibility to the Common Cold », *Journal of the American Medical Association, 277,* n° 24, 25 juin 1997, p. 1940-1944.
6. Lynch, J. J. *The Broken Heart : The Medical Consequences of Loneliness*, New York, Basic Books, 1977, p. 239-242 ; voir aussi Kposowa, A. J. « Marital Status and Suicide in The National Longitudinal Mortality Study », *Journal of Epidemiology and Community Health, 54,* n° 11, novembre 2000, p. 254-261.
7. Lynch, J. J. *Op. cit.*
8. Rees, W. D. et S. G. Lutkins. « Mortality of Bereavement », *British Medical Journal, 4,* 1967, p. 13-16.
9. Shattuck, R. *The Forbidden Experiment : The Story of the Wild Boy of Aveyron,* New York, Farrar, Straus & Giroux, 1980, p. 37.
10. Rubin, R. B., E. M. Perse et C. A. Barbato. « Conceptualization and Measurement of Interpersonal Communication Motives », *Human Communication Research, 14,* n° 4, 1988, p. 602-628.
11. Duck, S. et G. Pittman. « Social and Personal Relationships », dans Knapp, M. L. et G. R. Phillips, sous la dir. de. *Handbook of Interpersonal Communication,* 2e éd., Newbury Park (Calif.), Sage, 1994.
12. Diener, E. et M. E. P. Seligman. « Very Happy People », *Psychological Science, 13,* 2002, p. 81-84.
13. Kahneman, D., A. B. Krueger, D. A. Schkade, N. Schwartz et A. A. Stone. « A Daily Measure », *Science, 306,* 5702.
14. Goldschmidt, W. *The Human Career : The Self in the Symbolic World,* Cambridge, Basil Blackwell, 1990.
15. National Communication Association. *How Americans Communicate,* 1999, [en ligne]. [http://www.natcom.org/research/Roper/how_americans_communicate.htm] (11 septembre 2006)
16. Maslow, A. H. *Toward a Psychology of Being,* New York, Van Nostrand Reinhold, 1968.
17. Voir, par exemple, Shelly, R. K. « Sequences and Cycles in Social Interaction », *Small Group Research, 28,* n° 3, 1997, p. 333-356.
18. Dillard, J. P., D. H. Solomon et M. T. Palmer. « Structuring the Concept of Relational Communication », *Communication Monographs, 66,* 1999, p. 49-65 ; et Watzlawick, P. , J. Beavin et D. Jackson. *Pragmatics of Human Communication,* New York, Norton, 1967.
19. Sillars, A. L. « (Mis)Understanding », dans Spitzberg, B. H. et W. R. Cupach, sous la dir. de. *The Dark Side of Close Relationships,* Mahwah (N.J.), Lawrence Erlbaum Associates, Inc., 1998.
20. Redmond, M. V. « Interpersonal Communication : Definitions and Conceptual Approaches », dans Redmond, M. V., sous la dir. de. *Interpersonal Communication : Readings in Theory and Research,* Fort Worth, Harcourt Brace, 1995, p. 4-11.
21. Pour une discussion plus approfondie sur les caractéristiques des communications impersonnelle et interpersonnelle, voir Bochner, A. P. « The Functions of Human Communication in Interpersonal Bonding », dans Arnold, C. C. et J. W. Bowers, sous la dir. de. *Handbook of Rhetorical and Communication Theory,* Boston, Allyn and Bacon, 1984, p. 550 ; Trenholm, S. et A. Jensen. *Interpersonal Communication,* 2e éd., Belmont (Calif.), Wadsworth, 1992, p. 27-33 ; Stewart, J. et G. D'Angelo. *Together : Communicating Interpersonally,* 5e éd., New York, McGraw-Hill, 1998, p. 5.
22. Wood, J. *Relational Communication,* 2e éd., Belmont (Calif.), Wadsworth, 1997.
23. Gergen, K. J. *The Saturated Self : Dilemmas of Identity in Contemporary Life,* New York, Basic Books, 1991, p. 158.
24. The UCLA Internet Report. « The UCLA Internet Report : Surveying the Digital Future », 2000, [en ligne]. [http://www.digitalcenter.org/pdf/InternetReportYearOne.pdf] (26 avril 2006)
25. The UCLA Internet Report. *Op. cit.* « Surveying the Digital Future : Year Four ».
26. Voir, par exemple, Boase, J., J. B. Horrigan, B. Wellman et L. Rainie. *The Strength of Internet Ties,* Washington, Pew Internet & American Life Project, janvier 2006 ; Lenhart, A., M. Madden et P. Hitlin. *Teens and Technology : Youth are Leading the Transition to a Fully Wired and Mobile Nation,* Washington, Pew Internet & American Life Project, juillet 2005 ; et Boase, J. et B. Wellman. « Personal Relationships : On and Off the Internet », dans Perlman, D. et A. L. Vangelisti, sous la dir. de. *The Cambridge Handbook of Personal Relationships,* New York, Cambridge University Press, 2006.
27. Flanagin, A. J. « IM Online : Instant Messaging Use Among College Students », *Communication Research Reports, 22,* n° 3, août 2005, p. 175-187.

28. Boase, J., J. B. Horrigan, B. Wellman et L. Rainie. *The Strength of Internet Ties*, Washington, Pew Internet & American Life Project, janvier 2006.

29. Dainton, M. et B. Aylor. « Patterns of Communication Channel Use in the Maintenance of Long-Distance Relationships », *Communication Research Reports, 19*, 2002, p. 118-129.

30. Marriott, M. « The Blossoming of Internet Chat », *New York Times*, 1998, [en ligne]. [http://www.nytimes.com/library/tech/98/07/circuits/articles/02/chat.html] (2 juillet 1998)

31. Tannen, D. « Gender Gap in Cyberspace », *Newsweek*, 16 mai 1994, p. 52-53.

32. Pour un compte rendu plus approfondi sur ce sujet, voir Spitzberg, B. H. et W. R. Cupach. *Handbook of Interpersonal Competence Research*, New York, Springer-Verlag, 1989.

33. Pour une discussion plus approfondie sur la nature des compétences en communication, voir Spitzberg, B. H. et W. R. Cupach. « Interpersonal Skills », dans Knapp, M. L. et J. A. Daly, sous la dir. de. *Handbook of Interpersonal Communication*, 3ᵉ éd., Thousand Oaks (Calif.), Sage, 2002 ; et Wilson, S. R. et C. M. Sabee. « Explicating Communicative Competence as a Theoretical Term », dans Greene, J. O. et B. R. Burleson, sous la dir. de. *Handbook of Communication and Social Interaction Skills*, Mahwah (N.J.), Lawrence Erlbaum Associates, Inc., 2003.

34. Voir Kim, Y. Y. « Intercultural Communication Competence : A Systems-Theoretic View », dans Ting-Toomey, S. et F. Korzenny, sous la dir. de. *Cross-Cultural Interpersonal Communication*, Newbury Park (Calif.), Sage, 1991 ; et Chen, G. M. et W. J. Starosta. « Intercultural Communication Competence : A Synthesis », dans Burleson, B. R. et A. W. Kunkel, sous la dir. de. *Communication Yearbook, 19*, Thousand Oaks (Calif.), Sage, 1996.

35. Burgoon, J. K. et N. E. Dunbar. « An Interactionist Perspective on Dominance-Submission : Interpersonal Dominance as a Dynamic, Situationally Contingent Social Skill », *Communication Monographs, 67*, 2000, p. 96-121.

36. Collier, M. J. « Communication Competence Problematics in Ethnic Relationships », *Communication Monographs, 63*, 1996, p. 314-336.

37. Chen, L. « Verbal Adaptive Strategies in U.S. American Dyadic Interactions with U.S. American or East-Asian Partners », *Communication Monographs, 64*, 1997, p. 302-323.

38. Spitzberg, B. H. « An Examination of Trait Measures of Interpersonal Competence », *Communication Reports, 4*, 1991, p. 22-29.

39. Spitzberg, B. H. « What Is Good Communication ? » *Journal of the Association for Communication Administration, 29*, 2000, p. 103-119.

40. Guerrero, L. K., P. A. Andersen, P. F. Jorgensen, B. H. Spitzberg et S. V. Eloy. « Coping with the Green-Eyed Monster : Conceptualizing and Measuring Communicative Responses to Romantic Jealousy », *Western Journal of Communication, 59*, 1995, p. 270-304.

41. Voir O'Keefe, B. J. « The Logic of Message Design : Individual Differences in Reasoning about Communication », *Communication Monographs, 55*, 1998, p. 80-103.

42. Voir, par exemple, Heisel, A. D., J. C. McCroskey et V. P. Richmond. « Testing Theoretical Relationships and Non-Relationships of Genetically-Based Predictors : Getting Started with Communibiology », *Communication Research Reports, 16*, 1999, p. 1-9 ; et McCroskey, J. C. et M. J. Beatty. « The Communibiological Perspective : Implications for Communication in Instruction », *Communication Education, 49*, 2000, p. 1-6.

43. Ayres, J. et T. Hopf. *Coping with Speech Anxiety*, Norwood (N.J.), Ablex, 1993 ; voir aussi Allen, M., J. Bourhis, T. Emmers-Sommer et E. Sahlstein. « Reducing Dating Anxiety : A Meta-Analysis », *Communication Reports, 11*, 1998, p. 49-55.

44. DeTurck, M. A. et G. R. Miller. « Training Observers to Detect Deception : Effects of Self-Monitoring and Rehearsal », *Human Communication Research, 16*, 1990, p. 603-620.

45. Rubin, R. B., E. M. Perse et C. A. Barbato. « Conceptualization and Measurement of Interpersonal Communication Motives », *Human Communication Research, 14*, 1988, p. 602-628.

46. Hample, D. « Inventional Capacity », dans Van Eemeren, F. et P. Houtlosser. *Argumentation in Practice*, Amsterdam, John Benjamins, 2005.

47. Wackman, D. B., S. Miller et E. W. Nunnally. *Student Workbook : Increasing Awareness and Communication Skills*, Minneapolis, Interpersonal Communication Programs, 1976, p. 6.

48. Burleson, B. R. et W. Samter. *Op. cit.*, p. 22.

49. Burleson, B. R. « The Constructivist Approach to Person-Centered Communication : Analysis of a Research Exemplar », dans Dervin, B., L. Grossberg, B. J. O'Keefe et E. Wartella, sous la dir. de. *Rethinking Communication : Paradigm Exemplars*, Newbury Park (Calif.), Sage, 1989, p. 33-72.

50. Sypher, B. D. et T. Zorn. « Communication-Related Abilities and Upward Mobility : A Longitudinal Investigation », *Human Communication Research, 12*, 1986, p. 420-431.

51. Wiemann, J. M. et P. M. Backlund. « Current Theory and Research in Communication Competence », *Review of Educational Research, 50*, 1980, p. 185-199 ; Lakey, S. G. et D. J. Canary. « Actor Goal Achievement and Sensitivity to Partner as Critical Factors in Understanding Interpersonal Communication Competence and Conflict Strategies », *Communication Monographs, 69*, 2002, p. 217-235 ; voir aussi Redmond, M. V. « The Relationship between Perceived Communication Competence and Perceived Empathy », *Communication Monographs, 52*, décembre 1985, p. 377-382 ; et Redmond, M. V. « The Functions of Empathy (Decentering) in Human Relations », *Human Relations, 42*, 1989, p. 593-605.

52. Recherche résumée dans Hamachek, D. E. *Encounters with the Self*, 2ᵉ éd., Fort Worth, Holt, Rinehart and Winston, 1987, p. 8 ; voir aussi Daly, J. A., A. L. Vangelisti et S. M. Daughton. « The Nature and Correlates of Conversational Sensitivity », dans Redmond, M. V., sous la dir. de. *Interpersonal Communication : Readings in Theory and Research*, Fort Worth, Harcourt Brace, 1995.

53. Dunning, D. A. et J. Kruger. « Unskilled and Unaware of It : How Difficulties in Recognizing One's Own

Incompetence Lead to Inflated Self-Assessments », *Journal of Personality and Social Psychology, 77*, n° 6, décembre 1999, p. 1121-1134.

54. Adapté des travaux de R. P. Hart, tels que reportés par M. L. Knapp, dans *Interpersonal Communication and Human Relationships*, Boston, Allyn and Bacon, 1984, p. 342-344; voir aussi Hart, R. P. et D. M. Burks. « Rhetorical Sensitivity and Social Interaction », *Speech Monographs, 39*, 1972, p. 75-91; et Hart, R. P., R. E. Carlson et W. F. Eadie. « Attitudes toward Communication and the Assessment of Rhetorical Sensitivity », *Communication Monographs, 47*, 1980, p. 1-22.
55. Ifert, D. E. et M. E. Roloff. « The Role of Sensitivity to the Expressions of Others and Ability to Modify Self-Presentation », *Communication Quarterly, 45*, 1997, p. 55-67.
56. *Directory of Foreign Firms Operating in the U.S.*, 18e éd., Millis (Mass.), Uniworld Business Publications, 2005.
57. Fidelity Investments. *Fidelity's Targeted International Equity Funds*, Boston, Fidelity Distributors, 1996, p. 2-4.
58. « Employment at U.S.-Based Global Companies », *Workforce Management*, juillet 2005, p. 36-46.
59. Voir, par exemple, Hajek, C. et H. Giles. « New Directions in Intercultural Communication Competence: The Process Model », dans Burleson, B. R. et J. O. Greene, sous la dir. de. *Handbook of Communication and Social Interaction Skills*, Mahwah (N.J.), Lawrence Erlbaum Associates, Inc., 2003; et Ting-Toomey, S. et L. C. Chung. *Understanding Intercultural Communication*, Los Angeles, Roxbury, 2005.
60. Kalliny, M., K. Cruthirds et M. Minor. « Differences between American, Egyptian and Lebanese Humor Styles: Implications for International Management », *International Journal of Cross-Cultural Management*, 6, 2006, p. 121-134.
61. Samovar, L. A. et R. E. Porter. *Communication between Cultures*, 5e éd., Belmont (Calif.), Wadsworth, 2004.
62. Kassing, J. W. « Development of the Intercultural Willingness to Communicate Scale », *Communication Research Reports*, 14, 1997, p. 399-407.

Notes du chapitre 2

1. Soldz, W. et G. E. Vaillant. « The Big Five Personality Traits and the Life Course: A 45-Year Longitudinal Study », *Journal of Research in Personality, 33*, 1999, p. 208-232.
2. Pour un résumé des recherches sur l'héritabilité de la personnalité, voir Wright, W. *Born That Way: Genes, Behavior, Personality*, New York, Knopf, 1998.
3. Schwartz, C. E., C. I. Wright, L. M. Shin, J. Kagan et S. L. Rauch. « Inhibited and Uninhibited Infants "Grown Up": Adult Amygdalar Response to Novelty », *Science*, 20 juin 2003, p. 1952-1953.
4. Cole, J. G. et J. C. McCroskey. « Temperament and Socio-Communicative Orientation », *Communication Research Reports, 17*, 2000, p. 105-114.
5. Heisel, A. D., J. C. McCroskey et V. P. Richmond. « Testing Theoretical Relationships and Non-Relationships of Genetically-Based Predictors: Getting Started with Communibiology, » *Communication Research Reports, 16*, 1999, p. 1-9.
6. Cole, J. G. et J. C. McCroskey. *Op. cit.*
7. Wigley, C. J. « Vergal Aggressiveness », dans McCroskey, J. C., J. A. Daly, M. M. Martin et M. J. Beatty, sous la dir. de. *Personality and Communication: Trait Perspectives*, New York, Hampton, 1998.
8. McCroskey, J. C., A.D. Heisel et V. P. Richmond. « Eysenck's Big Three and Communication Traits: Three Correlational Studies », *Communication Monographs, 68*, 2001, p. 360-366.
9. McCrae, R. R. et P. T. Costa. « Validation of the Five-Factor Model of Personality across Instruments and Observers », *Journal of Personality and Social Psychology, 52*, 1987, p. 81-90.
10. McCrae, R. R. et P. T Costa., Jr. « Personality Trait Structure as a Human Universal », *American Psychologist, 52*, 1997, p. 509-516.
11. Cooley, C. H. *Human Nature and the Social Order*, New York, Scribner's, 1912.
12. Vangelisti, A. L. et L. P. Crumley. « Reactions to Messages that Hurt: The Influence of Relational Contexts », *Communication Monographs, 65*, 1998, p. 173-196.
13. Leets, L. et J. D. Sunwolf. « Being Left Out: Rejecting Outsiders and Communicating Group Boundaries in Childhood and Adolescent Peer Groups », *Journal of Applied Communication Research, 32*, n° 3, 2004, p. 195-223.
14. Sillars, A., A. Koerner et M. A. Fitzpatrick. « Communication and Understanding in Parent-Adolescent Relationships », *Human Communication Research, 31*, 2005, p. 107-128.
15. Adler, T. « Personality, Like Plaster, Is Pretty Stable over Time », *APA Monitor*, octobre 1992.
16. Brown, J. D., N. J. Novick, K. A. Lord et J. M. Richards. « When Gulliver Travels: Social Context, Psychological Closeness, and Self-Appraisals », *Journal of Personality and Social Psychology, 62*, 1992, p. 717-734.
17. Han, M. « Body Image Dissatisfaction and Eating Disturbance among Korean College Female Students: Relationships to Media Exposure, Upward Comparison, and Perceived Reality », *Communication Studies*, 34, 2003, p. 65-78; et Harrison, K. et J. Cantor. « The Relationship between Media Consumption and Eating Disorders », *Journal of Communication, 47*, 1997, p. 40-67.
18. Myers, P. N. et F. A. Biocca. « The Elastic Body Image: The Effect of Television Advertising and Programming on Body Image Distortions in Young Women », *Journal of Communication, 42*, 1992, p. 108-134.
19. Strong, C. M. « The Role of Exposure to Media Idealized Male Physiques on Men's Body Image », *Dissertation Abstracts International, 65*, 2005, p. 4306.
20. Grodin, D. et T. R. Lindolf. *Constructing the Self in a Mediated World*, Newbury Park (Calif.), Sage, 1995.
21. Ellison, N., R. Heino et J. Gibbs. « Managing Impressions Online: Self-Presentation Processes in the Online Dating Environment », *Journal of Computer-Mediated Communication, 11*, 2006, [en ligne]. [http://jcmc.indiana.edu/vol11/issue2/ellison.html] (11 septembre 2006)
22. Brown, J. D. et T. A. Mankowski. « Self-Esteem, Mood, and Self-Evaluation: Changes in Mood and the Way You See You », *Journal of Personality and Social Psychology, 64*, 1993, p. 421-430.

23. GARA, M. A., R. L. WOOLFOLK, B. D. COHEN et R. B. GOLDSTON. « Perception of Self and Other in Major Depression », *Journal of Abnormal Psychology, 102*, 1993, p. 93-100.

24. MILLER, L. C., L. L. COOKE, J. TSANG et F. MORGAN. « Should I Brag ? Nature and Impact of Positive and Boastful Disclosures for Women and Men », *Human Communication Research, 18*, 1992, p. 364-399.

25. BOWER, B. « Truth Aches : People Who View Themselves Poorly May Seek the "Truth" and Find Despair », *Science News*, 15 août 1992, p. 110-111 ; et SWANN, W. B. « The Self and Identity Negotiation », *Interaction Studies, 6*, 2005, p. 69-83.

26. WILMOT, W. W. *Relational Communication*, New York, McGraw-Hill, 1995, p. 35-54.

27. SERVAES, V. « Cultural Identity and Modes of Communication », dans ANDERSON, J. A., sous la dir. de. *Communication Yearbook, 12*, Newbury Park (Calif.), Sage, 1989, p. 396.

28. BHARTI, A. « The Self in Hindu Thought and Action », *Culture and Self: Asian and Western Perspectives*, New York, Tavistock, 1985.

29. GUDYKUNST, W. B. et S. TING-TOOMEY. *Culture and Interpersonal Communication*, Newbury Park (Calif.), Sage, 1988.

30. KLOPF, D. « Cross-Cultural Apprehension Research : A Summary of Pacific Basin Studies », dans DALY, J. et J. McCroskey, sous la dir. de. *Avoiding Communication : Shyness, Reticence, and Communication Apprehension*, Beverly Hills (Calif.), Sage, 1984.

31. TING-TOOMEY, S. « A Face-Negotiation Theory », dans KIM, Y. et W. GUDYKUNST, sous la dir. de. *Theory in Interpersonal Communication*, Newbury Park (Calif.), Sage, 1988.

32. LEDERMAN, L. C. « Gender and the Self », dans ARLISS, L. P. et D. J. BORISOFF, sous la dir. de. *Women and Men Communicating : Challenges and Changes*, Fort Worth, Harcourt Brace, 1993, p. 41-42.

33. Pour plus d'exemples d'étiquettes reliées au genre, voir WITTELS, A. *I Wonder... A Satirical Study of Sexist Semantics*, Los Angeles, Price Stern Sloan, 1978.

34. KNOX, M., J. FUNK, R. ELLIOTT et E. G. BUSH. « Gender Differences in Adolescents' Possible Selves », *Youth and Society, 31*, 2000, p. 287-309.

35. KOLLIGIAN, J., Jr. « Perceived Fraudulence as a Dimension of Perceived Incompetence », dans STERNBERG, R. J. et J. KOLLIGIAN, Jr., sous la dir. de. *Competence Considered*, New Haven (Conn.), Yale University Press, 1990. Voir aussi VANGELISTI, A. L., S. D. CORBIN, A. E. LUCCHETTI et R. J. SPRAGUE. « Couples' Concurrent Cognitions : The Influence of Relational Satisfaction on the Thoughts Couples Have as They Converse », *Human Communication Research, 25*, 1999, p. 370-398.

36. ZIMMERMAN, B., A. BANDURA et M. MARTINEZ-PONS. « Self-Motivation for Academic Attainment : The Role of Self-Efficacy Beliefs and Personal Goal Setting », *American Educational Research Journal, 29*, 1992, p. 663-676.

37. DOWNEY, G. et S. I. FELDMAN. « Implications of Rejection Sensitivity for Intimate Relationships », *Journal of Personality and Social Psychology, 70*, 1996, p. 1327-1343.

38. KLEINKE, C. L., T. R. PETERSON et T. R. RUTLEDGE. « Effects of Self-Generated Facial Expressions on Mood », *Journal of Personality and Social Psychology, 74*, 1998, p. 272-279.

39. ROSENTHAL, R. et L. JACOBSON. *Pygmalion in the Classroom*, New York, Holt, Rinehart and Winston, 1968.

40. BLANK, P. D., sous la dir. de. *Interpersonal Expectations : Theory, Research, and Applications* Cambridge (angl.), Cambridge University Press, 1993.

41. Pour une discussion plus approfondie sur ce sujet, voir SELIGMAN, M. E. P. *What You Can Change and What You Can't*, New York, Knopf, 1993.

42. GOFFMAN, E. *The Presentation of Self in Everyday Life*, Garden City (N.Y.), Doubleday ; et *Relations in Public*, New York, Basic Books, 1971.

43. STEWART, J. et C. LOGAN. *Together : Communicating Interpersonally*, 5e éd., New York, McGraw-Hill, 1998, p. 120.

44. LEARY, M. R. et R. M. KOWALSKI. « Impression Management : A Literature Review and Two-Component Model », *Psychological Bulletin, 107*, 1990, p. 34-47.

45. BRIGHTMAN, V., A. SEGAL, P. WERTHER et J. STEINER. « Ethological Study of Facial Expression in Response to Taste Stimuli », *Journal of Dental Research, 54*, 1975, p. 141.

46. CHOVIL, N. « Social Determinants of Facial Displays », *Journal of Nonverbal Behavior, 15*, 1991, p. 141-154.

47. Voir, par exemple, GIACALONE, R. A. et P. ROSENFELD, sous la dir. de. *Applied Impression Management : How Image-Making Affects Managerial Decisions*, Newbury Park (Calif.), Sage, 1991.

48. MORIER, D. et C. SEROY. « The Effect of Interpersonal Expectancies on Men's Self-Presentation of Gender Role Attitudes to Women », *Sex Roles, 31*, 1994, p. 493-504.

49. LEARY, M., J. B. NEZLEK, D. DOWNS, *et al.* « Self-Presentation in Everyday Interactions : Effects of Target Familiarity and Gender Composition », *Journal of Personality and Social Psychology, 67*, 1994, p. 664-673.

50. Pour une discussion détaillée sur les buts liés à la gestion de l'identité, voir METTS, S. et E. GROHSKOPF. « Impression Management : Goals, Strategies, and Skills », dans GREENE, J. O. et B. R. BURLESON, sous la dir. de. *Handbook of Communication and Social Skills*, Mahwah (N.J.), Lawrence Erlbaum Associates, Inc., 2003.

51. COLEMAN, L. M. et B. M. DEPAULO. « Uncovering the Human Spirit : Moving beyond Disability and "Missed" Communications », dans COUPLAND, N., H. GILES et J. M. WIEMANN, sous la dir. de. « *Miscommunication* » *and Problematic Talk*, Newbury Park (Calif.), Sage, 1991, p. 61-84.

52. VANDER ZANDEN, J. W. *Social Psychology*, 3e éd., New York, Random House, 1984, p. 235-237.

53. O'SULLIVAN, P. B. « What You Don't Know Won't Hurt Me : Impression Management Functions of Communication Channels in Relationships », *Communication Monographs, 26*, 2000, p. 403-432. Voir aussi BARNES, S. B. *Computer-Mediated Communication : Human-to-Human Communication across the Internet*, Boston, Allyn and Bacon, 2003, p. 136-162.

54. GIBBS, J. L., N. B. ELLISON et R. D. HEINO. « Self-Presentation in Online Personals : The Role of Anticipated Future Interaction, Self-Disclosure, and Perceived Success in Internet Dating », *Communication Research, 33*, 2006, p. 1-26.

55. Voir, par exemple, CHANDLER, D. « Personal Home Pages and the Construction of Identities on the Web », [en ligne]. [http://www.aber.ac.uk/~dgc/webident.html] (8 mai 2006)

Notes du chapitre 3

1. Les graphiques de démonstration des facteurs influençant la perception, ici et dans les paragraphes suivants, sont empruntés à COON, D. *Introduction to Psychology*, 10e éd., Belmont (Calif.), Wadsworth, 2004.
2. ALLPORT, G. W. *The Nature of Prejudice*, New York, Doubleday Anchor, 1958, p. 185.
3. WATZLAWICK, P., J. BEAVIN et D. D. JACKSON. *Pragmatics of Human Communication*, New York, Norton, 1967, p. 65.
4. FLOYD, K. et M. T. MORMAN. « Reacting to the Verbal Expression of Affection in Same-Sex Interaction », *Southern Communication Journal*, *65*, 2000, p. 287-299.
5. MANUSOV, V. « It Depends on Your Perspective : Effects of Stance and Beliefs about Intent on Person Perception », *Western Journal of Communication*, *57*, 1993, p. 27-41.
6. ADLER, T. « Enter Romance, Exit Objectivity », *APA Monitor*, 1992, *18*.
7. SHAW, C. L. M. « Personal Narrative : Revealing Self and Reflecting Other », *Human Communication Research*, *24*, 1997, p. 302-319.
8. MARTZ, J. M., J. VERETTE, X. B. ARRIAGA, L. F. SLOVIK, C. L. COX et C. E. ROSBULT. « Positive Illusion in Close Relationships », *Personal Relationships*, 5, 1998, p. 159-181. Voir aussi MURRAY, S. L., J. G. HOLMES et D. W. GRIFFIN. « The Benefits of Positive Illusions : Idealization and the Construction of Satisfaction in Close Relationships », *Journal of Personality and Social Psychology*, *70*, 1996, p. 79-98.
9. Pour une description détaillée de la manière dont les sens affectent la perception, voir ACKERMAN N., *A Natural History of the Senses*, New York, Random House, 1990.
10. PIAGET, J. *The Origins of Intelligence in Children*, New York, International Universities Press, 1952.
11. ALAIMO, K., C. M. OLSON et E. A. FRONGILLO. « Food Insufficiency and American School-Aged Children's Cognitive, Academic, and Psychosocial Development », *Pediatrics*, *108*, 2001, p. 44-53.
12. Les informations ont été trouvées sur le site Internet suivant : http://cadth.ca/index.php/fr/publication/268.
13. Pour obtenir des descriptions des différents troubles psychologiques et de leurs traitements, visitez le site du National Institute of Mental Health : http://www.nimh.nih.gov/.
14. Pour une discussion plus approfondie sur les difficultés de la communication, voir COUPLAND, N., H. GILES et J. M. WIEMANN, sous la dir. de. *Miscommunication and Problematic Talk*, Newbury Park (Calif.), Sage, 1991.
15. GILES, H., N. COUPLAND et J. M. WIEMANN. « Talk Is Cheap ... But "My Word Is My Bond" : Beliefs about Talk », dans BOLTON, K. et H. KWOK, sous la dir. de. *Sociolinguistics Today : International Perspectives*, London, Routledge & Kegan Paul, 1992.
16. STEVES, R. « Culture Shock », *Europe Through the Back Door Newsletter*, *50*, mai-septembre 1996, p. 20.
17. FADIMAN, A. *The Spirit Catches You and You Fall Down*, New York, Farrar, Straus and Giroux, 1997, p. 33.
18. Voir le site http://www.cdc.gov/tb/EthnographicGuides/Hmong/chapters/chapter2.pdf.
19. Thomas Beatie est né femme, mais a suivi un traitement hormonal pour devenir un homme, tout en gardant ses organes génitaux. Une fois marié, il a décidé de porter l'enfant du couple puisque sa femme ne le pouvait pas. Beatie a donc cessé ses traitements, et le couple a eu recours à l'insémination artificielle. Ils ont dû voir neuf spécialistes avant d'en trouver un qui accepte de les aider. Voir le site lcn.canoe.ca/lcn/sciencesetmedecine/sciences/archives/2008/03/20080327-111311.html.
20. Voir le site http://fr.wordpress.com/tag/homme-enceinte/.
21. ZIMBARDO, P. G., C. HANEY et W. C. BANKS. « A Pirandellian Prison », *New York Times Magazine*, 8 avril 1973. Voir aussi le site officiel de l'expérience : http://www.prisonexp.org/.
22. ALBERTS, J. K., U. KELLAR-GUENTHER et S. R. CORMAN. « That's Not Funny : Understanding Recipients' Responses to Teasing », *Western Journal of Communication*, *60*, 1996, p. 337-357. Voir aussi EDWARDS, R., R. BELLO, F. BRANDAU-BROWN et D. HOLLEMS. « The Effects of Loneliness and Verbal Aggressiveness on Message Interpretation », *Southern Communication Journal*, *66*, 2001, p. 139-150.
23. Voir, par exemple, BARON, P. « Self-Esteem, Ingratiation, and Evaluation of Unknown Others », *Journal of Personality and Social Psychology*, *30*, juillet 1974, p. 104-109.
24. HAMACHEK, D. E. *Encounters with Others : Interpersonal Relationships and You*, New York, Holt, Rinehart and Winston, 1982, p. 3.
25. HAMACHEK, D. *Encounters with the Self*, 3e éd., Fort Worth (Tex.), Harcourt Brace Jovanovich, 1992.
26. Pour un compte rendu des biais de perception, voir HAMACHEK, D. *Encounters with the Self*; voir aussi BRADBURY T. N. et FINCHAM F. D. «Attributions in Marriage: Review and Critique », *Psychological Bulletin*, *107*, 1990 , p. 3–33 Pour avoir un exemple du biais de complaisance en action, voir BUTTNY, R. « Reported Speech in Talking Race on Campus », *Human Communication Research*, *23*, 1997, p. 477-506.
27. YOUNG, S. L. « What the... Is Your Problem ? : Attribution Theory and Perceived Reasons for Profanity Usage During Conflict », *Communication Research Reports*, *21*, 2004, p. 338-347.
28. DION, K., E. BERSCHEID et E. WALSTER. « What Is Beautiful Is Good », *Journal of Personality and Social Psychology*, *24*, 1972, p. 285-290.
29. WATKINS, L. et L. JOHNSTON. « Screening Job Applicants : The Impact of Physical Attractiveness and Application Quality », *International Journal of Selection and Assessment*, *8*, 2000, p. 76-84.
30. COOK, G. I., R. L. MARSH et J. L. HICKS. « Halo and Devil Effects Demonstrate Valenced-Based Influences on Source-Mentoring Decisions », *Consciousness and Cognition*, *12*, 2003, p. 257-278.
31. Voir, par exemple, SILLARS, A., W. SHELLEN, A. MCINTOSH et M. POMEGRANATE. « Relational Characteristics of Language : Elaboration and Differentiation in Marital Conversations », *Western Journal of Communication*, *61*, 1997, p. 403-422.
32. STIFF, J. B., J. P. DILLARD, L. SOMERA, H. KIM et C. SLEIGHT. « Empathy, Communication, and Prosocial Behavior », *Communication Monographs*, *55*, 1988, p. 198-213.

33. REPS, P. « Pillow Education in Rural Japan », dans *Square Sun, Square Moon*, New York, Tuttle, 1967.

Notes du chapitre 4

1. STERNBERG, R. J. *Beyond I.Q.*, New York, Cambridge University Press, 1985.
2. GOTTMAN, J. M. et N. SILVER. *The Seven Principles for Making Marriages Work*, New York, Three Rivers Press, 1999.
3. EKMAN, P., R. W. LEVENSON et W. V. FRIESEN. « Autonomic Nervous System Activity Distinguishes among Emotions », *Science, 221*, 16 septembre, 1983, p. 1208-1210.
4. KLEINKE, C. L., T. R. PETERSON et T. R. RUTLEDGE. « Effects of Self-Generated Facial Expressions on Mood », *Journal of Personality and Social Psychology, 74*, 1998, p. 272-279.
5. VALINS, S. « Cognitive Effects of False Heart-Rate Feedback », *Journal of Personality and Social Psychology, 4*, 1966, p. 400-408.
6. ZIMBARDO, P. *Shyness: What It Is, What to Do about It*, Reading (Mass.), Addison-Wesley, 1977, p. 53.
7. *Ibid.*, p. 54.
8. PLUTCHIK, R. *Emotion: A Psychoevolutionary Synthesis*, New York, Harper & Row, 1980; SHAVER, P. R., S. WU et J. C. SCHWARTZ. « Cross-Cultural Similarities and Differences in Emotion and its Representation: A Prototype Approach », dans CLARK, M. S., sous la dir. de. *Emotion*, Newbury Park (Calif.), Sage, 1992, p. 175-212.
9. EKMAN, P. « Basic Emotions », dans DALGLEISH, T. et T. POWER, sous la dir. de. *The Handbook of Cognition and Emotion*, Sussex (G.-B.), John Wiley & Sons, 1999, p. 45-60; ORTONY, A. et T. J. TURNER. « What's Basic about Basic Emotions? », *Psychological Review, 97*, 1990, p. 315-331.
10. FERRARI, M. et E. KOYAMA. « Meta-Emotions about Anger and Amae: A Cross-Cultural Comparison », *Consciousness and Emotion, 3*, 2002, p. 197-211.
11. SHAVER, P. R., *et al. Op. cit.*
12. MCCROSKEY, J. C., V. P. RICHMOND, A. D. HEISEL et J. L HAYHURST. « Eysenck's Big Three and Communication Traits: Communication Traits as Manifestations of Temperament », *Communication Research Reports, 21*, 2004, p. 404-410; GROSS, J. J., S. K. SUTTON et T. V. KETELAAR. « Relations between Affect and Personality: Support for the Affect-Level and Affective-Reactivity Views », *Personality and Social Psychology Bulletin, 24*, 1998, p. 279-288.
13. COSTA, P. T. et R. R. MCCRAE. « Influence of Extraversion and Neuroticism on Subjective Well-Being: Happy and Unhappy People », *Journal of Personality and Social Psychology, 38*, 1980, p. 668-678.
14. CANLI, T., Z. ZHAO, J. E. DESMOND, E. KANG, J. GROSS et J. D. E. GABRIELI. « An MRI Study of Personality Influences on Brain Reactivity to Emotional Stimuli », *Behavioral Neuroscience, 115*, 2001, p. 33-42.
15. GODDARD, C. « Explicating Emotions across Languages and Cultures: A Semantic Approach », dans FUSSELL, S. R., sous la dir. de. *The Verbal Communication of Emotions*. Mahwah (N.J.), Lawrence Erlbaum Associates, Inc., 2002.
16. TING-TOOMEY, S. « Intimacy Expressions in Three Cultures: France, Japan, and the United States », *International Journal of Intercultural Relations, 15*, 1991, p. 29-46. Voir aussi GALLOIS, C. « The Language and Communication of Emotion: Universal, Interpersonal, or Intergroup? », *American Behavioral Scientist, 36*, 1993, p. 309-338.
17. TSAI, J. L., B. KNUTSON et H. H. FUNG. « Cultural Variation in Affect Valuation », *Journal of Personality and Social Psychology, 90*, 2006, p. 288-307.
18. PENNEBAKER, J. W., B. RIME et V. E. BLANKENSHIP. « Stereotypes of Emotional Expressiveness of Northerners and Southerners: A Cross-Cultural Test of Montesquieu's Hypotheses », *Journal of Personality and Social Psychology, 70*, 1996, p. 372-380.
19. *Ibid.*, p. 176. Voir aussi GALLOIS, C. *Op. cit.*
20. TRIANDIS, H. C. *Culture and Social Behavior*, New York, McGraw-Hill, 1994, p. 169. Voir aussi MOGHADDAM, F. M., D. M. TAYLOR et S. C. WRIGHT. *Social Psychology in Cross-Cultural Perspective*, New York, Freeman, 1993.
21. WILKINS, R. et E. GAREIS. « Emotion Expression and the Locution "I Love You": A Cross-Cultural Study », *International Journal of Intercultural Relations, 30*, 2006, p. 51-75.
22. GUERRERO, L. K., S. M. JONES et R. R. BOBURKA. « Sex Differences in Emotional Communication », dans DINDIA, K. et D. J. CANARY, sous la dir. de. *Sex Differences and Similarities in Communication*, 2e éd., Mahweh (N.J.), Lawrence Erlbaum Associates, Inc., 2006; WESTER, S. R., D. L. VOGEL, P. K. PRESSLY et M. HEESACKER. « Sex Differences in Emotion: A Critical Review of the Literature and Implications for Counseling Psychology », *Counseling Psychologist, 30*, 2002, p. 630-652.
23. SWENSON, J. et F. L. CASMIR. « The Impact of Culture-Sameness, Gender, Foreign Travel, and Academic Background on the Ability to Interpret Facial Expression of Emotion in Others », *Communication Quarterly, 46*, 1998, p. 214-230.
24. CANLI, T., J. E. DESMOND, Z. ZHAO et J. D. E. GABRIELI. « Sex Differences in the Neural Basis of Emotional Memories », *Proceedings of the National Academy of Sciences, 10*, 2002, p. 10 789-10 794.
25. MERTEN, J. « Culture, Gender and the Recognition of the Basic Emotions », *Psychologia: An International Journal of Psychology in the Orient, 48*, 2005, p. 306-316.
26. Voir, par exemple, KUNKEL, A. W. et B. R. BURLESON. « Assessing Explanations for Sex Differences in Emotional Support: A Test of the Different Cultures and Skill Specialization Accounts », *Human Communication Research, 25*, 1999, p. 307-340.
27. GOLDSMITH, D. J. et P. A. FULFS. « "You Just Don't Have the Evidence": An Analysis of Claims and Evidence in DeborahTannen's *You Just Don't Understand* », dans ROLOFF, M. E., sous la dir. de. *Communication Yearbook, 22*, Thousand Oaks (Calif.), Sage, 1999, p. 1-49.
28. WITMER, D. F. et S. L. KATZMAN. « On-Line Smiles: Does Gender Make a Difference in the Use of Graphic Accents? », *Journal of Computer-Mediated Communication, 2*, 1999.
29. SNODGRASS, S. E. « Women's Intuition: The Effect of Subordinate Role on Interpersonal Sensitivity », *Journal of Personality and Social Psychology, 49*, 1985, p. 146-155.
30. SHIMANOFF, S. B. « Degree of Emotional Expressiveness as a Function of Face-Needs, Gender, and Interpersonal Relationship », *Communication Reports, 1*, 1988, p. 43-53.

31. SHIMANOFF, S. B. « Rules Governing the Verbal Expression of Emotions between Married Couples », *Western Journal of Speech Communication, 49,* 1985, p. 149-165.

32. *Loc. cit.*

33. DUCK, S. « Social Emotions : Showing Our Feelings about Other People », *Human Relationships,* Newbury Park (Calif.), Sage, 1992. Voir aussi SHIMANOFF, S. B. « Expressing Emotions in Words : Verbal Patterns of Interaction », *Journal of Communication, 35,* 1985, 16-31.

34. ROSENFELD, L. B. « Self-Disclosure Avoidance : Why I Am Afraid To Tell You Who I Am », *Communication Monographs, 46,* 1979, p. 63-74.

35. ERBERT, L. A. et K. FLOYD. « Affectionate Expressions as Face-Threatening Acts : Receiver Assessments », *Journal of Social and Personal Relationships, 17,* 2004, p. 230-246.

36. HATFIELD, E., J. T. CACIOPPO, R. L. RAPSON et K. OATLEY. *Emotional Contagion,* Cambridge (Angl.), Cambridge University Press, 1984 ; voir aussi COLINO, S. « That Look – It's Catching », *The Washington Post,* 30 mai 2006, p. HE01.

37. GOLEMAN. *Op. cit.*, p. 115.

38. BAKKER, A. B. « Flow Among Music Teachers and Their Students : The Crossover of Peak Experiences », *Journal of Vocational Behavior, 66,* 2005, p. 822-833.

39. GOODMAN, C. R. et R. A. SHIPPY. « Is it Contagious ? Affect Similarity Among Spouses », *Aging and Mental Health, 6,* 2002, p. 266-274.

40. SULLINS, E. S. « Emotional Contagion Revisited : Effects of Social Comparison and Expressive Style on Mood Convergence », *Personality and Social Psychology Bulletin, 17,* 1991, p. 166-174.

41. DEANGELIS, T. « Illness Linked with Repressive Style of Coping », *APA Monitor, 23 (12),* 1992, p. 14-15.

42. SEIGMAN, A. W. et T. W. SMITH. *Anger, Hostility, and the Heart,* Hillsdale (N.J.), Lawrence Erlbaum Associates, Inc., 1994.

43. BOOTH-BUTTERFIELD, M. et S. BOOTH-BUTTERFIELD. « Emotionality and Affective Orientation », dans MCCROSKEY, J. C., J. A. DALY, M. M. MARTIN et M. J. BEATTY, sous la dir. de. *Communication and Personality : Trait Perspectives,* Creskill (N.Y.), Hampton, 1998.

44. BARRETT, L. F., J. GROSS, T. CHRISTENSEN et M. BENVENUTO. « Knowing What You're Feeling and Knowing What to Do About It : Mapping the Relation between Emotion Differentiation and Emotion Regulation », *Cognition and Emotion, 15,* 2001, p. 713-724.

45. GREWAL, D. et P. SALOVEY. « Feeling Smart : The Science of Emotional Intelligence », *American Scientist, 93,* 2005, p.330-339 ; YOO, S. H., D. MATSUMOTO et J. LEROUX. « The Influence of Emotion Recognition and Emotion Regulation on Intercultural Adjustment », *International Journal of Intercultural Relations, 30,* 2006, p. 345-363.

46. BUSHMAN, B. J., R. F. BAUMEISTER et A. D. STACK. « Catharsis, Aggression, and Persuasive Influence : Self-Fulfilling or Self-Defeating Prophecies ? », *Journal of Personality and Social Psychology, 76,* 1999, p. 367-376.

47. Pour pousser la discussion plus loin sur les façons d'exprimer les émotions, voir FUSSELL, S. R. *The Verbal Communication of Emotions,* Mahwah, (N.J.), Lawrence Erlbaum Associates, Inc., 2002.

48. HONEYCUTT, J. M. *Imagined Interactions : Daydreaming About Communication.,* Cresskill (N.J.), Hampton Press, 2003 ; HONEYCUTT, J. M. et S. G. FORD. « Mental Imagery and Intrapersonal Communication : A Review of Research on Imagined Interactions (IIs) and Current Developments », *Communication Yearbook, 25,* 2001, p. 315-338.

49. PENNEBAKER, J. *Writing to Heal : A Guided Journal for Recovering from Trauma and Emotional Upheaval,* Oakland (Calif.), Harbinger, 2004.

50. GALOVSKI, T. E., L. S. MALTA et E. B. BLANCHARD. *Road Rage : Assessment and Treatment of the Angry, Aggressive Driver,* Washington, American Psychological Association, 2005.

51. MCCORNACK, S. A. et T. R. LEVINE. « When Lovers Become Leery : The Relationship between Suspicion and Accuracy in Detecting Deception », *Communication Monographs, 57,* 1990, p. 219-230.

52. BOURHIS, J. et M. ALLEN. « Meta-Analysis of the Relationship between Communication Apprehension and Cognitive Performance », *Communication Education, 41,* 1992, p. 68-76.

53. PATTERSON, M. L. et V. RITTS. « Social and Communicative Anxiety : A Review and Meta-Analysis », dans BURLESON, B. R., sous la dir. de. *Communication Yearbook, 20,* Thousand Oaks (Calif.), Sage, 1997.

54. Pour une discussion plus approfondie sur la façon dont la neurobiologie influe sur les émotions, voir LEDOUX, J. E. *The Emotional Brain,* New York, Simon and Schuster, 1996.

55. VOCATE, D. R. « Self-Talk and Inner Speech », dans VOCATE, D. R., sous la dir. de. *Intrapersonal Communication : Different Voices, Different Minds,* Hillsdale (N.J.), Lawrence Erlbaum Associates, Inc., 1994.

56. RUSTING, C. L. et S. NOLEN-HOEKSEMA. « Regulating Responses to Anger », *Journal of Personality and Social Psychology, 74,* 1998, p. 790-803.

57. BARGH, J. A. « Automatic Information Processing : Implications for Communication and Affect », dans SYPHER, H. E. et E. T. HIGGINS, sous la dir. de. *Communication, Social Cognition, and Affect,* Hillsdale (N.J.), Lawrence Erlbaum Associates, Inc., 1988.

58. BECK, A. *Cognitive Therapy and the Emotional Disorders,* New York, International Universities Press, 1976.

59. METTS, S. et W. R. CUPACH. « The Influence of Relationship Beliefs and Problem-Solving Relationships on Satisfaction in Romantic Relationships », *Human Communication Research, 17,* 1990, p. 170-185.

60. MEICHENBAUM, A. *Cognitive Behavior Modification,* New York, Plenum, 1977 ; voir aussi ELLIS, A. et R. GREIGER. *Handbook for Rational-Emotive Therapy,* New York, Springer, 1977 ; et WIRGA, M. et M. DEBERNARDI. « The ABCs of Cognition, Emotion, and Action », *Archives of Psychiatry and Psychotherapy, 1,* mars 2002, p. 5-16.

61. CHATHAM-CARPENTER, A. et V. DEFRANCISCO. « Pulling Yourself Up Again : Women's Choices and Strategies for Recovering and Maintaining Self-Esteem », *Western Journal of Communication, 61,* 1997, p. 164-187.

Notes du chapitre 5

1. Voir L'Internaute. « Une tour de Babel », *Expressions*, [en ligne]. [http://www.linternaute.com/expression/langue-francaise/121/une-tour-de-babel]

2. Scott, T. L. « Teens before Their Time », *Time*, 27 novembre 2000, p. 22.

3. Adler, B. R. et N. Towne. *Communication et interactions*, 3e éd., Montréal, Beauchemin, 2005, p. 116.

4. Wallsten, T. « Measuring the Vague Meanings of Probability Terms », *Journal of Experimental Psychology, 115*, 1986, p. 348-365.

5. Coupland, N., J. M. Wiemann et H. Giles. « Talk as "Problem" and Communication as "Miscommunication": An Integrative Analysis », dans Coupland, N., J. M. Wiemann et H. Giles, sous la dir. de. *« Miscommunication » and Problematic Talk*, Newbury Park (Calif.), Sage, 1991.

6. Pearce, W. B. et V. Cronen. *Communication, Action, and Meaning*, New York, Praeger, 1980. Voir aussi Cronen, V., V. Chen et W. B. Pearce. « Coordinated Management of Meaning: A Critical Theory », dans Kim, Y. Y. et W. B. Gudykunst, sous la dir. de. *Theories in Intercultural Communication*, Newbury Park (Calif.), Sage, 1988.

7. Niven, D. et J. Zilber. « Preference for African American or Black », *Howard Journal of Communications, 11*, 2000, p. 267-277.

8. Lafrance, A. *Un nom pour la vie, pas nécessairement, Le Soleil*, samedi 24 février 2004, p. A1.

9. Voir le site Régime des rentes du Québec. « Prénoms d'enfants du Québec », *Banque de prénoms*, [en ligne]. [http://www.rrq.gouv.qc.ca/Interactif/PR2I121_Prenoms/PR2I121_Prenoms/PR2SPrenoms_01.aspx]

10. Voir, par exemple, Aune, R. K. et T. Kikuchi. « Effects of Language Intensity Similarity on Perceptions of Credibility, Relational Attributions, and Persuasion », *Journal of Language and Social Psychology, 12*, 1993, p. 224-238.

11. Giles, H., J. Coupland et N. Coupland, sous la dir. de. *Contexts of Accommodation: Developments in Applied Sociolinguistics*, Cambridge (Angl.), Cambridge University Press, 1991.

12. Reyes, A. « Appropriation of African American Slang by Asian American Youth », *Journal of Sociolinguistics, 9*, 2005, p. 509-532.

13. Bradac, J. J., J. M. Wiemann et K. Schaefer. « The Language of Control in Interpersonal Communication », dans Daly, J. A. et J. M. Wiemann, sous la dir. de. *Strategic Interpersonal Communication*, Hillsdale (N.J.), Lawrence Erlbaum Associates, Inc., 1994, p. 102-104. Voir aussi Ng, S. H. et J. J. Bradac. *Power in Language: Verbal Communication and Social Influence*, Newbury Park (Calif.), Sage, 1993, p. 27.

14. Hosman, L. A. « The Evaluative Consequences of Hedges, Hesitations, and Intensifiers: Powerful and Powerless Speech Styles », *Human Communication Research, 15*, 1989, p. 383-406.

15. Bradac, J. et A. Mulac. « Attributional Consequences of Powerful and Powerless Speech Styles in a Crisis-Intervention Context », *Journal of Language and Social Psychology, 3*, 1984, p. 1-19.

16. Bradac, J. J. « The Language of Lovers, Flovers [sic], and Friends: Communicating in Social and Personal Relationships », *Journal of Language and Social Psychology, 2*, 1983, p. 141-162.

17. Geddes, D. « Sex Roles in Management: The Impact of Varying Power of Speech Style on Union Members' Perception of Satisfaction and Effectiveness », *Journal of Psychology, 126*, 1992, p. 589-607.

18. Kubany, E. S., D. C. Richard, G. B. Bauer et M. Y. Muraoka. « Impact of Assertive and Accusatory Communication of Distress and Anger: A Verbal Component Analysis », *Aggressive Behavior, 18*, 1992, p. 337-347.

19. Dreyer, A. S., C. A. Dreyer et J. E. Davis. « Individuality and Mutuality in the Language of Families of Field-Dependent and Field-Independent Children », *Journal of Genetic Psychology, 148*, 1987, p. 105-117.

20. Proctor, R. F. et J. R. Wilcox. « An Exploratory Analysis of Responses to Owned Messages in Interpersonal Communication », *ETC: A Review of General Semantics, 50*, 1993, p. 201-220; et Vangelisti, A. L., M. L. Knapp et J. A. Daly. « Conversational Narcissism », *Communication Monographs, 57*, 1990, p. 251-274.

21. Voir, par exemple, Tannen, D. *You Just Don't Understand: Women and Men in Conversation*, New York, William Morrow, 1990; et Gray, J. *Men Are from Mars; Women Are from Venus*, New York, HarperCollins, 1992.

22. Dindia, K. « Men are From North Dakota, Women are From South Dakota », dans Dindia, K. et D. J. Canary, sous la dir. de. *Sex Differences and Similarities in Communication: Critical Essays and Empirical Investigations of Sex and Gender in Interaction*, 2e éd., Mahwah (N.J.), Lawrence Erlbaum Associates, Inc., 2006; Goldsmith, D. J. et P. A. Fulfs. « "You Just Don't Have the Evidence": An Analysis of Claims and Evidence in Deborah Tannen's *You Just Don't Understand* », dans Roloff, M. E., sous la dir. de. *Communication Yearbook, 22*, Thousand Oaks (Calif.), Sage, 1999.

23. Voir, par exemple, Haas, A. et M. A. Sherman. « Conversational Topic as a Function of Role and Gender », *Psychological Reports, 51*, 1982, p. 453-454; et Fehr, B. *Friendship Processes*, Thousand Oaks (Calif.), Sage, 1996.

24. Clark, R. A. « A Comparison of Topics and Objectives in a Cross Section of Young Men's and Women's Everyday Conversations », dans Canary, D. J. et K. Dindia, sous la dir. de. *Sex Differences and Similarities in Communication: Critical Essays and Empirical Investigations of Sex and Gender in Interaction*, Mahwah (N.J.), Lawrence Erlbaum Associates, Inc., 1998.

25. Sherman, M. A. et A. Haas. « Man to Man, Woman to Woman », *Psychology Today, 17*, juin 1984, p. 72-73.

26. Wood, J. T. *Gendered Lives: Communication, Gender, and Culture*, Belmont (Calif.), Wadsworth, 1994, p. 141.

27. Ragsdale, J. D. « Gender, Satisfaction Level, and the Use of Relational Maintenance Strategies in Marriage », *Communication Monographs, 63*, 1996, p. 354-371.

28. Sherman, M. A. et A. Haas. *Op. cit.*

29. Pour un résumé de la recherche sur les différences entre les comportements masculins et féminins dans les conversations, voir Giles, H. et R. L. Street, Jr. « Communication Characteristics and Behavior », dans Knapp, M. L. et G. R.

MILLER, sous la dir. de. *Handbook of Interpersonal Communication*, Beverly Hills (Calif.), Sage, 1985, p. 205-261 ; et KOHN, A. « Girl Talk, Guy Talk », *Psychology Today, 22*, février 1988, p. 65-66.

30. CLARK, R. A. *Op. cit.*

31. ZAHN, C. J. « The Bases for Differing Evaluations of Male and Female Speech : Evidence from Ratings of Transcribed Conversation », *Communication Monographs, 56*, 1989, p. 59-74.

32. FISHER, B. A. « Differential Effects of Sexual Composition and Interactional Content on Interaction Patterns in Dyads », *Human Communication Research, 9*, 1983, p. 225-238.

33. ELLIS, D. G. et L. MCCALLISTER. « Relational Control Sequences in Sex-Typed and Androgynous Groups », *Western Journal of Speech Communication, 44*, 1980, p. 35-49.

34. Pour une discussion plus approfondie sur les défis qu'implique la traduction d'une langue à une autre, voir SAMOVAR, L. A. et R. E. PORTER. *Communication between Cultures*, Dubuque (Iowa), W.C. Brown, 1991, p. 165-169.

35. Les exemples dans ce paragraphe sont tirés de RICKS, D. *Big Business Blunders : Mistakes in International Marketing*, Homewood (Ill.), Dow Jones-Irwin, 1983, p. 41.

36. SUGIMOTO, N. *« Excuse Me » and « I'm Sorry » : Apologetic Behaviors of Americans and Japanese*, document présenté à la conférence Communication in Japan and the United States, California State University, Fullerton (Calif.), mars 1991.

37. Un résumé sur la façon dont les styles de communication verbale varient à travers les cultures peut être trouvé au chapitre 5 de GUDYKUNST, W. B. et S. TING-TOOMEY. *Culture and Interpersonal Communication*, Newbury Park (Calif.), Sage, 1988.

38. HALL, E. T. *Beyond Culture*, New York, Doubleday, 1959.

39. ALMANEY, A. et A. ALWAN. *Communicating with the Arabs*, Prospect Heights (Ill.), Waveland, 1982.

40. BASSO, K. « To Give Up on Words : Silence in Western Apache Culture », *Southern Journal of Anthropology, 26*, 1970, p. 213-230.

41. YUM, J. « The Practice of Uye-ri in Interpersonal Relationships in Korea », dans KINCAID, D., sous la dir. de. *Communication Theory from Eastern and Western Perspectives*, New York, Academic Press, 1987.

42. SEINFATT, T. « Linguistic Relativity : Toward a Broader View », dans TING-TOOMEY, S. et F. KORZENNY, sous la dir. de. *Language, Communication, and Culture : Current Directions*, Newbury Park (Calif.), Sage, 1989.

43. MARTIN, L. et G. PULLUM. *The Great Eskimo Vocabulary Hoax*, Chicago, University of Chicago Press, 1991.

44. GILES, H. et A. FRANKLYN-STOKES. « Communicator Characteristics », dans ASANTE, M. K. et W. B. GUDYKUNST, sous la dir. de. *Handbook of International and Intercultural Communication*, Newbury Park (Calif.), Sage, 1989.

45. WHORF, B. « The Relation of Habitual Thought and Behavior to Language », dans CARROL, J. B., sous la dir. de. *Language, Thought, and Reality*, Cambridge (Mass.), MIT Press, 1956.

46. *Loc. cit.*

Notes du chapitre 6

1. La recherche appuyant ce point est citée par BURGOON, J. K. et G. D. HOOBLER. « Nonverbal Signals », dans KNAPP, M. L. et J. A. DALY, sous la dir. de. *Handbook of Interpersonal Communication*, 3e éd., Thousand Oaks (Calif.), Sage, 2002.

2. JONES, S. E. et C. D. LEBARON. « Research on the Relationship between Verbal and Nonverbal Communication : Emerging Interactions », *Journal of Communication, 52*, 2002, p. 499-521.

3. DEPAULO, B. M. « Spotting Lies : Can Humans Learn to Do Better ? », *Current Directions in Psychological Science, 3*, 1994, p. 83-86.

4. Ce ne sont pas tous les théoriciens de la communication qui sont d'accord avec la thèse voulant que tout comportement non verbal ait une valeur communicative. Pour une opinion opposée, voir BURGOON, J. K. et G. D. HOOBLER. *Op. cit.*, p. 229-232.

5. MANUSOV, F. « Perceiving Nonverbal Messages : Effects of Immediacy and Encoded Intent on Receiver Judgments », *Western Journal of Speech Communication, 55*, été 1991, p. 235-253. Voir aussi BUCK, R. et C. A. VANLEAR. « Verbal and Nonverbal Communication : Distinguishing Symbolic, Spontaneous, and Pseudo-Spontaneous Nonverbal Behavior », *Journal of Communication, 52*, 2002, p. 522-541.

6. RAMIREZ, A. et J. K. BURGOON. « The Effect of Interactivity on Initial Interactions : The Influence of Information Valence and Modality and Information Richness on Computer-Mediated Interaction », *Communication Monographs, 71*, 2004, p. 442-447.

7. CROSS, E. S. et E. A. FRANZ. *Talking Hands : Observation of Bimanual Gestures as a Facilitative Working Memory Mechanism*, Cognitive Neuroscience Society 10th Annual Meeting, New York, avril 2003.

8. MOTLEY, M. T. « Facial Affect and Verbal Context in Conversation : Facial Expression as Interjection », *Human Communication Research, 20*, 1993, p. 3-40.

9. Voir, par exemple, DRUMMOND, K. et R. HOPPER. « Acknowledgment Tokens in Series », *Communication Reports, 6*, 1993, p. 47-53 ; et ROSENFELD, H. M. « Conversational Control Functions of Nonverbal Behavior », dans SIEGMAN, A. W. et S. FELDSTEIN, sous la dir. de. *Nonverbal Behavior and Communication*, 2e éd., Hillsdale (N.J.), Lawrence Erlbaum Associates, Inc., 1987.

10. HALE, J. et J. B. STIFF. « Nonverbal Primacy in Veracity Judgments », *Communication Reports, 3*, 1990, p. 75-83 ; et STIFF, J. B., J. L. HALE, R. GARLICK et R. G. ROGAN. « Effect of Individual Judgments of Honesty and Deceit », *Southern Speech Communication Journal, 55*, 1990, p. 206-229.

11. BURGOON, J. K., T. BIRK et M. PFAU. « Nonverbal Behaviors, Persuasion, and Credibility », *Human Communication Research, 17*, p. 140-169.

12. HENNINGSEN, D. D., M. G. CRUZ et M. C. MORR. « Pattern Violations and Perceptions of Deception », *Communication Reports, 13*, 2000, p. 1-9.

13. Voir, par exemple, DEPAULO, B. M. « Detecting Deception Modality Effects », dans WHEELER, L., sous la dir.de. *Review of Personality and Social Psychology, 1*, Beverly Hills (Calif.), Sage, 1980 ; et GREENE, J., D. O'HAIR, M. CODY et C. YEN. « Planning and Control of Behavior during

Deception », *Human Communication Research, 11,* 1985, p. 335-364.

14. Lindsey, A. E. et V. Vigil. « The Interpretation and Evaluation of Winking in Stranger Dyads », *Communication Research Reports, 16,* 1999, p. 256-265.
15. Lim, G. Y. et M. E. Roloff. « Attributing Sexual Consent », *Journal of Applied Communication Research, 27,* 1999, p. 1-23.
16. Motley, M. et C. Camden. « Facial Expression of Emotion : A Comparison of Posed versus Spontaneous Expressions in an Interpersonal Communication Setting », *Western Journal of Speech Communication, 52,* 1988, p. 1-22.
17. Amos, J. « How Boys Miss Teacher's Reprimand », *BBC News,* 8 septembre 2005, [en ligne]. [http://news.bbc.co.uk/2/hi/science/nature/4227296.stm] (11 septembre 2006)
18. Ekman, P.,W. V. Friesen et J. Baer. « The International Language of Gestures », *Psychology Today, 18,* mai 1984, p. 64-69.
19. Matsumoto, D. « Ethnic Differences in Affect Intensity, Emotion Judgments, Display Rule Attitudes, and Self-Reported Emotional Expression in an American Sample », *Motivation and Emotion, 17,* 1993, p. 107-123.
20. Elfenbein, H. A. « Learning in Emotion Judgments : Training and the Cross-Cultural Understanding of Facial Expressions », *Journal of Nonverbal Behavior, 30,* 2006, p. 21-36.
21. Hall, E. T. *The Hidden Dimension,* New York, Anchors Books, 1990.
22. Bavelas, J. B., L. Coates et T. Johnson. « Listener Responses as a Collaborative Process. The Role of Gaze », *Journal of Communication, 52,* 2002, p. 566-579.
23. Booth-Butterfield, M. et F. Jordan. « *Act Like Us* » : *Communication Adaptation among Racially Homogeneous and Heterogeneous Groups,* document présenté au Speech Communication Association meeting, New Orleans (La.), 1998.
24. Weitz, S., sous la dir. de. *Nonverbal Communication : Readings with Commentary,* New York, Oxford University Press, 1974.
25. Eibl-Eibesfeldt, J. « Universals and Cultural Differences in Facial Expressions of Emotions », dans Cole, J., sous la dir. de. *Nebraska Symposium on Motivation.* Lincoln, University of Nebraska Press, 1972.
26. Coulson, M. « Attributing Emotion to Static Body Postures : Recognition Accuracy, Confusions, and Viewpoint Dependence », *Journal of Nonverbal Behavior, 28,* 2004, p. 117-139.
27. Mehrabian, A. *Silent Messages,* 2e éd., Belmont (Calif.), Wadsworth, 1981, p. 47-48 et 61-62.
28. Iverson, J. M. « How to Get to the Cafeteria : Gesture and Speech in Blind and Sighted Children's Spatial Descriptions », *Developmental Psychology, 35,* 1999, p.1132-1142.
29. Andersen, P. A. « Nonverbal Communication in the Small Group », dans Cathcart, R. S. et L. A. Samovar , sous la dir. de. *Small Group Communication : A Reader,* 4e éd., Dubuque, (Iowa), W.C. Brown, 1984, p. 37.
30. Sueyoshi, A. et D. M. Hardison « The Role of Gestures and Facial Cues in Second Language Listening Comprehension », *Language Learning, 55,* 2005, p. 661-699.
31. Koerner, B. I. « What Does a "Thumbs Up" Mean in Iraq ? », *Slate,* 28 mars, [en ligne]. [http://www.slate.com/id/2080812] (11 septembre 2006)
32. Ekman, P. et W. V. Friesen « Nonverbal Behavior and Psychopathology », dans Friedman, R. J. et M. N. Katz , sous la dir. de. *The Psychology of Depression : Contemporary Theory and Research,* Washington, J. Winston, 1974.
33. Ekman, P. *Telling Lies,* 3e éd., New York, W. W. Norton & Company, 2001, p. 107.
34. Ekman, P. et W. V. Friesen. *Unmasking the Face : A Guide to Recognizing Emotions from Facial Clues,* Englewood Cliffs (N.J.), Prentice-Hall, 1975.
35. *Ibid.*, p. 150.
36. Krumhuber, E. et A. Kappas. « Moving Smiles : The Role of Dynamic Components for the Perception of the Genuineness of Smiles », *Journal of Nonverbal Behavior, 29,* 2005, p. 3-24.
37. Davis, S. F. et J. C. Kieffer. « Restaurant Servers Influence Tipping Behavior », *Psychological Reports, 83,* 1998, p. 223-226.
38. Gueguen, N. et C. Jacob. « Direct Look versus Evasive Glance and Compliance With a Request », *Journal of Social Psychology, 142,* 2002, p. 393-396.
39. Pour un résumé, voir Knapp, M. L. et J. A. Hall, *Nonverbal Communication in Human Interaction*, p. 344-346.
40. Mehrabian, A. et M. Wiener. « Decoding of Inconsistent Communications », *Journal of Personality and Social Psychology, 6,* 1967, p. 109-114 ; voir aussi Mehrabian, A. et S. Ferris. « Interference of Attitudes from Nonverbal Communication in Two Channels », *Journal of Consulting Psychology, 31,* 1967, p. 248-252.
41. Trees, A. R. « Nonverbal Communication and the Support Process : Interactional Sensitivity in Interactions between Mothers and Young Adult Children », *Communication Monographs, 67,* 2000, p. 239-261.
42. Andersen, P. A. *Op. cit.*
43. Tusing, K. J. et J. P. Dillard. « The Sounds of Dominance : Vocal Precursors of Perceived Dominance during Interpersonal Influence », *Human Communication Research, 26,* 2000, p. 148-171.
44. Zuckerman, M. et R. E. Driver. « What Sounds Beautiful Is Good : The Vocal Attractiveness Stereotype », *Journal of Nonverbal Behavior, 13,* 1989, p. 67-82.
45. Ng, S. H. et J. J. Bradac. *Power in Language : Verbal Communication and Social Influence,* Newbury Park (Calif.), Sage, 1993, p. 40.
46. Heslin, R. et T. Alper. « Touch : A Bonding Gesture », dans Wiemann, J. M. et R. P. Harrison, sous la dir. de. *Nonverbal Interaction,* Beverly Hills (Calif.), Sage, 1983, p. 47-75.
47. *Ibid.*
48. Burgoon, J., J. Walther et E. Baesler. « Interpretations, Evaluations, and Consequences of Interpersonal Touch », *Human Communication Research, 19,* 1992, p. 237-263.
49. Crusco, A. H. et C. G. Wetzel. « The Midas Touch : Effects of Interpersonal Touch on Restaurant Tipping », *Personality and Social Psychology Bulletin, 10,* 1984, p. 512-517.
50. Lynn, M. et K. Mynier. « Effect of Server Posture on Restaurant Tipping », *Journal of Applied Social Psychology, 23,* 1993, p. 678-685.

51. Kaufman, D. et J. M. Mahoney. « The Effect of Waitresses' Touch on Alcohol Consumption in Dyads », *Journal of Social Psychology, 139,* 1999, p. 261-267.

52. Bakwin, H. « Emotional Deprivation in Infants », *Journal of Pediatrics, 35,* 1949, p. 512-521.

53. Adler, T. « Congressional Staffers Witness Miracle of Touch », *APA Monitor,* février 1993, p. 12-13.

54. Driscoll, M. S., D. L. Newman et J. M. Seal. « The Effect of Touch on the Perception of Counselors », *Counselor Education and Supervision, 27,* 1988, p. 344-354 ; et Wilson, J. M. « The Value of Touch in Psychotherapy », *American Journal of Orthopsychiatry, 52,* 1982, p. 65-72.

55. Hosoda, M., E. F. Stone-Romero et G. Coats. « The Effects of Physical Attractiveness on Job-Related Outcomes : A Meta-Analysis of Experimental Studies », *Personnel Psychology, 56,* 2003, p. 431-462.

56. Dion, K. K. « Young Children's Stereotyping of Facial Attractiveness », *Developmental Psychology, 9,* 1973, p. 183-188.

57. Ritts, V., M. L. Patterson et M. E. Tubbs. « Expectations, Impressions, and Judgments of Physically Attractive Students : A Review », *Review of Educational Research, 62,* 1992, p. 413-426.

58. Riniolo, T. C., K. C. Johnson et T. R. Sherman. « Hot or Not : Do Professors Perceived as Physically Attractive Receive Higher Student Evaluations ? », *Journal of General Psychology, 133,* 2006, p. 19-35.

59. Albada, K. F., M. L. Knapp et K. E. Theune. « Interaction Appearance Theory : Changing Perceptions of Physical Attractiveness Through Social Interaction », *Communication Theory, 12,* 2002, p. 8-40.

60. Thourlby, W. *You Are What You Wear,* New York, New American Library, 1978, p. 1.

61. Bickman, L. « The Social Power of a Uniform », *Journal of Applied Social Psychology, 4,* 1974, p. 47-61.

62. Lawrence, S. G. et M. Watson. « Getting Others to Help : The Effectiveness of Professional Uniforms in Charitable Fund Raising », *Journal of Applied Communication Research, 19,* 1991, p. 170-185.

63. Bickman, L.« Social Roles and Uniforms : Clothes Make the Person », *Psychology Today, 7,* avril 1974, p. 48-51.

64. Lefkowitz, M., R. R. Blake et J. S. Mouton. « Status of Actors in Pedestrian Violation of Traffic Signals », *Journal of Abnormal and Social Psychology, 51,* 1955, p. 704-706.

65. Hoult, T. F. « Experimental Measurement of Clothing as a Factor in Some Social Ratings of Selected American Men », *American Sociological Review, 19,* 1954, p. 326-327.

66. Hall, E. T. *The Hidden Dimension,* New York, Anchors Books, 1990.

67. Hackman, M. et K. Walker. « Instructional Communication in the Televised Classroom : The Effects of System Design and Teacher Immediacy », *Communication Education, 39, 1990, p.* 196-206. Voir aussi McCroskey, J. C. et V. P. Richmond. « Increasing Teacher Influence through Immediacy », dans Richmond, V. P. et J. C. McCroskey, sous la dir. de. *Power in the Classroom : Communication, Control, and Concern,* Hillsdale (N.J.), Lawrence Erlbaum Associates, Inc., 1992.

68. Conlee, C., J. Olvera et N. Vagim. « The Relationships among Physician Nonverbal Immediacy and Measures of Patient Satisfaction with Physician Care », *Communication Reports, 6,* 1993, p. 25-33.

69. Brown, G., T. B. Lawrence et S. L. Robinson. « Territoriality in Organizations », *Academy of Management Review, 30,* 2005, p. 577-594.

70. Ballard, D. I. et D. R. Seibold. « Time Orientation and Temporal Variation across Work Groups : Implications for Group and Organizational Communication », *Western Journal of Communication, 64,* 2000, p. 218-242.

71. Levine, R. « The Pace of Life across Cultures », dans McGrath, J. E., sous la dir. de. *The Social Psychology of Time,* Newbury Park (Calif.), Sage, 1988.

72. Hall, E. T. et M. R. Hall. *Hidden Differences : Doing Business with the Japanese,* Garden City, (N.Y.), Anchor Press, 1987.

73. Ballard, D. I. et D. R. Seibold. « Organizational Members' Communication and Temporal Experience », *Communication Research, 31,* 2004, p. 135-172 ; Kaufman-Scarborough, C. et J. D. Lindquist. « Time Management and Polychronicity : Comparisons, Contrasts, and Insights for the Workplace », *Journal of Managerial Psychology, 14,* 1999, p. 288-312.

Notes du chapitre 7

1. Barker, L., R. Edwards, C. Gaines, K. Gladney et R. Holley. « An Investigation of Proportional Time Spent in Various Communication Activities by College Students », *Journal of Applied Communication Research, 8,* 1981, p. 101-109.

2. Recherche résumée dans Wolvin, A. D. et C. G. Coakley. « A Survey of the Status of Listening Training in Some Fortune 500 Corporations », *Communication Education, 40,* 1981, p.152-164.

3. Prager, K. J. et D. Buhrmester. « Intimacy and Need Fulfillment in Couple Relationships », *Journal of Social and Personal Relationships, 15,* 1998, p. 435-469.

4. Vangelisti, A. L. « Couples' Communication Problems : The Counselor's Perspective », *Journal of Applied Communication Research, 22,* 1994, p. 106-126.

5. Wolvin, A. D. « Meeting the Communication Needs of the Adult Learners », *Communication Education, 33,* 1984, p. 267-271.

6. Sypher, B. D., R. N. Bostrom et J. H. Seibert. « Listening Communication Abilities and Success at Work », *Journal of Business Communication, 26,* 1989, p. 293-303. Voir aussi Alexander, E. R., L. E. Penley et I. E. Jernigan. « The Relationship of Basic Decoding Skills to Managerial Effectiveness », *Management Communication Quarterly, 6,* 1992, p. 58-73.

7. Marchant, V. « Listen Up ! », *Time, 153,* nº 74, 28 juin 1999. Voir aussi *Job Outlook 2006,* summarized at http://www

8. Christensen, D. et D. Rees. « Communication Skills Needed by Entry-Level Accountants », *The CPA Letter, 82,* octobre 2002, [en ligne]. [http://www.aicpa.org/pubs/cpaltr/Oct2002/AUDIT/audit.htm] (5 juillet 2006)

9. Brownell, J. « Perceptions of Effective Listeners : A Management Study », *Journal of Business Communication, 27,* 1990, p. 401-415.

10. CHAIKEN, S. et Y. TROPE, sous la dir. de. *Dual-Process Theories in Social Psychology,* New York, Guilford, 1999 ; TODOROV, A., S. CHAIKEN et M. D. HENDERSON. « The Heuristic-Systematic Model of Social Information Processing », dans DILLARD, J. P. et M. PFAU, sous la dir. de. *The Persuasion Handbook : Developments in Theory and Practice,* Thousand Oaks (Calif.), Sage, 2002, p. 137-167.
11. LANGER, E. *Mindfulness.* Reading (Mass.), Addison-Wesley, 1990.
12. BURGOON, J. K., C. R. BERGER et V. R. WALDRON. « Mindfulness and Interpersonal Communication », *Journal of Social Issues, 56,* 2000, p. 105-127.
13. LANGER, E. *Op. cit.*, p. 90.
14. Voir le site http://www.csc-scc.gc.ca/text/pblct/forum/e062/062e_f.pdf.
15. FLEXER, C. « Commonly-Asked Questions about Children with Minimal Hearing Loss in the Classroom », *Hearing Loss,* 18, février 1997, p. 8-12.
16. SMELTZER, L. R. et K. W. WATSON. « Listening : An Empirical Comparison of Discussion Length and Level of Incentive », *Central States Speech Journal, 35,* 1984, p. 166-170.
17. LEWIS, M. H. et N. L. REINSCH, JR. « Listening in Organizational Environments », *Journal of Business Communication, 23,* 1988, p. 49-67.
18. VANGELISTI, A. L., M. L. KNAPP et J. A. DALY. « Conversational Narcissism », *Communication Monographs, 57,* 1990, p. 251-274. Voir aussi MCCROSKEY, J. C. et V. P. RICHMOND. « Identifying Compulsive Communicators : The Talkaholic Scale », *Communication Research Reports, 10,* 1993, p. 107-114.
19. MCCOMB, K. B. et F. M. JABLIN. « Verbal Correlates of Interviewer Empathic Listening and Employment Interview Outcomes », *Communication Monographs, 51,* 1984, p. 367.
20. WOLVIN, A. et C. G. COAKLEY. *Listening,* 3ᵉ éd., Dubuque (Iowa), W.C. Brown, 1988, p. 208.
21. NICHOLS, R. « Listening Is a Ten-Part Skill », *Nation's Business, 75,* septembre 1987, p. 40.
22. GOLEN, S. « A Factor Analysis of Barriers to Effective Listening », *Journal of Business Communication, 27,* 1990, p. 25-36.
23. KLINE, N. *Time to Think : Listening to Ignite the Human Mind,* London, Ward Lock, 1999, p. 21.
24. CARRELL, L. J. et S. C. WILLMINGTON. « A Comparison of Self-Report and Performance Data in Assessing Speaking and Listening Competence », *Communication Reports, 9,* 1996, p. 185-191.
25. SPINKS, N. et B. WELLS. « Improving Listening Power : The Payoff », *Bulletin of the Association for Business Communication, 54,* 1991, p. 75-77.
26. MYERS, S. « Empathic Listening : Reports on the Experience of Being Heard », *Journal of Humanistic Psychology, 40,* 2000, p. 148-173 ; GRANT, S. G. « A Principal's Active Listening Skills and Teachers' Perceptions of the Principal's Leader Behaviors », *Dissertation Abstracts International Section A : Humanities and Social Sciences, 58,* 1998, p. 2933 ; VAN HASSELT, V. B., M. T. BAKER et S. J. ROMANO. « Crisis (Hostage) Negotiation Training : A Preliminary Evaluation of Program Efficacy », *Criminal Justice and Behavior, 33,* nº 1, 2006, p. 56-69.
27. Voir BRUNEAU, J. « Empathy and Listening : A Conceptual Review and Theoretical Directions », *Journal of the International Listening Association, 3,* 1989, p. 1-20 ; et CISSNA, K. N. et R. ANDERSON. « The Contributions of Carl R. Rogers to a Philosophical Praxis of Dialogue », *Western Journal of Speech Communication, 54,* 1990, p. 137-147.
28. BURLESON, B. R. « Emotional Support Skills », dans GREENE, J. O. et B. R. BURLESON, sous la dir. de. *Handbook of Communication and Social Interaction Skills,* Mahwah (N.J.), Lawrence Erlbaum Associates, Inc., 2003, p. 552.
29. BURLESON, B. R. et W. SAMTER. *Cognitive Complexity, Communication Skills, and Friendship, document* présenté au 7ᵉ International Congress on Personal Construct Psychology, Memphis (Tenn.), août 1987.
30. Voir, par exemple, EKENRODE, J. « Impact of Chronic and Acute Stressors on Daily Reports of Mood », *Journal of Personality and Social Psychology, 46,* 1984, p. 907-918 ; KANNER, A. D., J. C. COYNE, C. SCHAEFER et R. S. LAZARUS. « Comparison of Two Modes of Stress Measurement : Daily Hassles and Uplifts versus Major Life Events », *Journal of Behavioral Medicine, 4,* 1981, p. 1-39 ; DELONGIS, A., J. C. COYNE, G. DAKOF, S. FOLKMAN et R. S. LAZARUS. « Relation of Daily Hassles, Uplifts, and Major Life Events to Health Status », *Health Psychology, 1,* 1982, p. 119-136.
31. MACGEORGE, E. L., W. SAMTER et S. J. GILLIHAN. « Academic Stress, Supportive Communication, and Health », *Communication Education, 54,* 2005, p. 365-372 ; BURLESON, B. R. « Emotional Support Skills », dans GREENE, J. O. et B. R. BURLESON, sous la dir. de. *Handbook of Communication and Social Interaction Skills,* Mahwah (N.J.), Lawrence Erlbaum Associates, Inc., 2003, p. 551-594.
32. HAMPLE, D. « Anti-Comforting Messages », dans GALVIN, K. M. et P. J. COOPER, sous la dir. de. *Making Connections : Readings in Relational Communication,* 4ᵉ éd., Los Angeles, Roxbury, 2006, p. 222-227 ; voir aussi BURLESON, B. R. et E. L. MACGEORGE. « Supportive Communication », dans KNAPP, M. L. et J. A. DALY, sous la dir. de. *Handbook of Interpersonal Communication,* 3ᵉ éd., Thousand Oaks (Calif.), Sage, 2002.
33. SAMTER, W., B. R. BURLESON et L. B. MURPHY. « Comforting Conversations : The Effects of Strategy Type on Evaluations of Messages and Message Producers », *Southern Speech Communication Journal,* 52, 1987, p. 263-284.
34. DAVIDOWITZ, M. et R. D. MYRICK. « Responding to the Bereaved : An Analysis of ëHelping' Statements », *Death Education, 8,* 1984, p. 1-10.
35. NOTARIUS, C. J. et L. R. HERRICK. « Listener Response Strategies to a Distressed Other », *Journal of Social and Personal Relationships, 5,* 1988, p. 97-108.
36. MESSMAN, S. J., D. J. CANARY et K. S. HAUSE. « Motives to Remain Platonic, Equity, and the Use of Maintenance Strategies in Opposite-Sex Friendships », *Journal of Social and Personal Relationships, 17,* 2000, p. 67-94.
37. GOLDSMITH, D. J. et K. FITCH. « The Normative Context of Advice as Social Support », *Human Communication Research, 23,* 1997, p. 454-476. Voir aussi GOLDSMITH, D. J. et E. L. MACGEORGE. « The Impact of Politeness and Relationship on Perceived Quality of Advice about a Problem », *Human Communication Research, 26,* 2000, p. 234-263. Voir aussi BURLESON, B. R. « Social Support », dans KNAPP, M. L.

et J. A. Daly, sous la dir. de. *Handbook of Interpersonal Communication*, 3e éd., Thousand Oaks (Calif.), Sage, 1992.

38. Goldsmith, D. J. « Soliciting Advice : The Role of Sequential Placement in Mitigating Face Threat », *Communication Monographs, 67,* 2000, p. 1-19.

39. Bee, H. et D. Boyd. *Les âges de la vie,* 3e éd., ERPI, Saint-Laurent, *2008.*

Notes du chapitre 8

1. Byrne, D. « An Overview (and Underview) of Research and Theory Within the Attraction Paradigm », *Journal of Social and Personal Relationships, 17,* 1997, p. 417-431.

2. Hatfield, E. et S. Sprecher. *Mirror, Mirror: The Importance of Looks in Everyday Life,* Albany (N.Y.), State University of New York Press, 1986.

3. Walster, E., E. Aronson, D. Abrahams et L. Rottmann. « Importance of Physical Attractiveness in Dating Behavior », *Journal of Personality and Social Psychology, 4,* 1966, p. 508-516.

4. Berscheid, E. et E. H. Walster. *Interpersonal Attraction,* 2e éd., Reading (Mass.), Addison-Wesley, 1978.

5. Albada, K. F. « Interaction Appearance Theory : Changing Perceptions of Physical Attractiveness Through Social Interaction », *Communication Theory, 12,* 2002, p. 8-41.

6. Hamachek, D. *Encounters with Others : Interpersonal Relationships and You,* New York, Holt, Rinehart and Winston, 1982.

7. Voir, par exemple, Byrne, D. « An Overview (and Underview) of Research and Theory within the Attraction Paradigm », *Journal of Social and Personal Relationships, 14,* 1999, p. 417-431.

8. Luo, S. et E. Klohnen. « Assortative Mating and Marital Quality in Newlyweds : A Couple-Centered Approach », *Journal of Personality and Social Psychology, 88,* 2005, p. 304-326 ; voir aussi Amodio, D. M. et C. J. Showers. « Similarity Breeds Liking Revisited : The Moderating Role of Commitment », *Journal of Social and Personal Relationships, 22,* 2005, p. 817-836.

9. Aboud, F. E. et M. J. Mendelson. « Determinants of Friendship Selection and Quality : Developmental Perspectives », dans Bukowski, W. M. et A. F. Newcomb, sous la dir. de. *The Company They Keep : Friendship in Childhood and Adolescence,* New York, Cambridge University Press, 1998.

10. Burleson, B. R. et W. Samter. « Similarity in the Communication Skills of Young Adults : Foundations of Attraction, Friendship, and Relationship Satisfaction », *Communication Reports, 9,* 1996, p. 127-139.

11. Mette, D. et S. Taylor. « When Similarity Breeds Contempt », *Journal of Personality and Social Psychology, 20,* 1971, p. 75-81.

12. Heatherington, L., V. Escudero et M. L. Friedlander. « Couple Interaction During Problem Discussions : Toward an Integrative Methodology », *Journal of Family Communication, 5,* 2005, p. 191-207.

13. Specher, S. « Insiders' Perspectives on Reasons for Attraction to a Close Other », *Social Psychology Quarterly, 61,* 1998, p. 287-300.

14. Voir le chaptitre 9 « Liking, Loving, and Interpersonal Sensitivity », dans Aronson, E. *The Social Animal,* 9e éd., New York, Bedford, Freeman, & Worth, 2004.

15. Dindia, K. « Self-Disclosure Research : Knowledge Through Meta-Analysis », dans Allen, M. et R. W. Preiss, sous la dir. de. *Interpersonal Communication Research : Advances Through Meta-Analysis,* Mahwah (N.J.), Lawrence Erlbaum Associates, Inc., 2002, p. 169-185.

16. *Ibid.*

17. Flora, C. « Close Quarters », *Psychology Today, 37,* Janvier-février 2004, p. 5-16.

18. Voir, par exemple, Roloff, M. E. *Interpersonal Communication : The Social Exchange Approach,* Beverly Hills (Calif.), Sage, 1981.

19. Knapp, M. L. et A. L. Vangelisti. *Interpersonal Communication and Human Relationships,* 6e éd., Boston, Allyn & Bacon, 2006. Voir aussi Avtgis, T. A., D. V. West et T. L. Anderson. « Relationship Stages : An Inductive Analysis Identifying Cognitive, Affective, and Behavioral Dimensions of Knapp's Relational Stages Model », *Communication Research Reports, 15,* 1998, p. 280-287 ; and Welch, S. A. et R. B. Rubin. « Development of Relationship Stage Measures », *Communication Quarterly, 50,* 2002, p. 34-40.

20. Dindia, K. « Definitions and Perspectives on Relational Maintenance Communication », dans Canary, D. J. et M. Dainton, sous la dir. de. *Maintaining Relationships through Communication,* Mahwah (N.J.), Lawrence Erlbaum Associates, Inc., 2003.

21. Johnson, A. J., E. Wittenberg, M. Haigh, S. Wigley, J. Becker, K. Brown et E. Craig. « The Process of Relationship Development and Deterioration : Turning Points in Friendships That Have Terminated », *Communication Quarterly, 52,* 2004, p. 54-67.

22. Berger, C. R. « Communicating under Uncertainty », dans Roloff, M. E. et G. R. Miller, sous la dir. de. *Interpersonal Processes : New Directions in Communication Research,* Newbury Park (Calif.), Sage, 1987. Voir aussi Berger, C. R. et R. J. Calabrese. « Some Explorations in Initial Interaction and Beyond : Toward a Developmental Theory of Interpersonal Communication », *Human Communication Research, 1,* 1975, p. 99-112.

23. Pratt, L., R. L. Wiseman, M. J. Cody et P. F. Wendt. « Interrogative Strategies and Information Exchange in Computer-Mediated Communication », *Communication Quarterly, 47,* 1999, p. 46-66.

24. Buress, C. J. S. et J. C. Pearson. « Interpersonal Rituals in Marriage and Adult Friendship », *Communication Monographs, 64,* 1997, p. 25-46.

25. Solomon, D. H. « A Developmental Model of Intimacy and Date Request Explicitness », *Communication Monographs, 64,* 1997, p. 99-118.

26. Revers Dictionnaire. « Brüderschaft », [en ligne]. [http://dictionnaire.reverso.net/allemand-francais/Brudershaft]

27. Courtright, J. A., F. E. Miller, L. E. Rogers et D. Bagarozzi. « Interaction Dynamics of Relational Negotiation : Reconciliation versus Termination of Distressed Relationships », *Western Journal of Speech Communication, 54,* 1990, p. 429-453.

28. Johnson, A., E. Wittenberg, M. Haigh, S. Wigley, J. Becker., K. Brown et E. Craig. « The Process of Relationship Development and Deterioration : Turning Points in Friendships that Have Terminated », *Communication Quarterly, 52,* 2004, p. 54-67.

29. Voir, par exemple, Baxter, L. A. et B. M. Montgomery. *Relating : Dialogues and Dialectics,* New York, Guilford, 1992 ; Rawlins, W. K. *Friendship Matters : Communication, Dialectics, and the Life Course,* New York, Aldine de Gruyter, 1996 ; Spitzberg, B. H. « The Dark Side of (In)Competence », dans Cupach, W. R. et B. H. Spitzberg , sous la dir. de. *The Dark Side of Interpersonal Communication.* Hillsdale (N.J.), Lawrence Erlbaum Associates, Inc., 1993.

30. Buunk, A. P. « How Do People Respond to Others with High Commitment or Autonomy in their Relationships ? », *Journal of Social and Personal Relationships, 22,* 2005, p. 653-672.

31. Morris, D. *Intimate Behavior,* New York, Bantam, 1973, p. 21-29.

32. Baxter, L. A. et L. A. Erbert. « Perceptions of Dialectical Contradictions in Turning Points of Development in Heterosexual Romantic Relationships », *Journal of Social and Personal Relationships, 16,* 1999, p. 547-569.

33. Graham, E. E. « Dialectic Contradictions in Postmarital Relationships », *Journal of Family Communication, 3,* 2003, p. 193-215.

34. Pawlowski, D. R. « Dialectical Tensions in Marital Partners' Accounts of Their Relationships », *Communication Quarterly, 46,* 1998, p. 396-416.

35. Griffin, E. M. *A First Look at Communication Theory,* 4e éd., New York, McGraw-Hill, 2000.

36. Braithwaite, D. O. et L. Baxter. « "You're My Parent But You're Not" : Dialectical Tensions in Stepchildren's Perceptions About Communicating with the Nonresident Parent », *Journal of Applied Communication Research, 34,* 2006, p. 30-48.

37. Montgomery, B. M. « Relationship Maintenance versus Relationship Change : A Dialectical Dilemma », *Journal of Social and Personal Relationships, 10,* 1993, p. 205-223.

38. Braithwaite, D. O., L. A. Baxter et A. M. Harper. « The Role of Rituals in the Management of the Dialectical Tension of "Old" and "New" in Blended Families », *Communication Studies, 49,* 1998, p. 101-120.

39. Voir Christensen, A. et J. Jacobson. *Reconcilable Differences,* New York, Guilford, 2000.

40. Pour une discussion sur les similarités à travers les cultures, voir Brown, D. E. *Human Universals,* New York, McGraw-Hill, 1991.

41. Hamon, R. R. et B. B. Ingoldsby, sous la dir. de. *Mate Selection Across Cultures,* Thousand Oaks (Calif.), Sage, 2003.

42. Myers, J. E., J. Madathil et L. R. Tingle. « Marriage Satisfaction and Wellness in India and the United States : A Preliminary Comparison of Arranged Marriages »*Journal of Counseling & Development, 83,* n° 2, 2005, p. 183-190 ; Yelsma, P. et K. Athappilly. « Marriage Satisfaction and Communication Practices : Comparisons Among Indian and American Couples », *Journal of Comparative Family Studies, 19,* 1988, p. 37-54.

43. Pour une discussion détaillée sur les différences culturelles qui affectent les relations, voir Sun Kim, M. *Non-Western Perspectives on Human Communication : Implications for Theory and Practice,* Thousand Oaks (Calif.), Sage, 2002.

44. Breitman, P. et C. Hatch. *How To Say No Without Feeling Guilty,* New York, Broadway Books, 2000.

45. Imami, M. *16 Ways to Avoid Saying No,* Tokyo, The Nihon Keizai Shimbun, 1981.

46. Canary, D. J. et L. Stafford. « Relational Maintenance Strategies and Equity in Marriage », *Communication Monographs, 59,* 1992, p. 243-267.

47. Weigel, D. J. et D. S. Ballard-Reisch. « Using Paired Data to Test Models of Relational Maintenance and Marital Quality », *Journal of Social and Personal Relationships, 16,* 1999, p. 175-191.

48. Stafford, L. et D. J. Canary. « Maintenance Strategies and Romantic Relationship Type, Gender, and Relational Characteristics », *Journal of Personality and Social Psychology, 7,* 1991, p. 217-242.

49. Emmers-Sommer, T. M. « When Partners Falter : Repair After a Transgression », dans Canary, D. J. et M. Dainton, sous la dir. de. *Maintaining Relationships through Communication,* Mahwah (N.J.), Lawrence Erlbaum Associates, Inc., 2003, p. 185-205.

50. Dindia, K. et L. A. Baxter. « Strategies for Maintaining and Repairing Marital Relationships », *Journal of Social and Personal Relationships, 4,* 1987, p. 143-158.

51. Kelley, D. L. et V. R. Waldron. « An Investigation of Forgiveness-Seeking Communication and Relational Outcomes », *Communication Quarterly, 53,* 2005, p. 339-358.

52. Orcutt, H. K. « The Prospective Relationship of Interpersonal Forgiveness and Psychological Distress Symptoms Among College Women », *Journal of Counseling Psychology, 53,* 2006, p. 350-361 ; Eaton, J. et C. W. Struthers. « The Reduction of Psychological Aggression Across Varied Interpersonal Contexts Through Repentance and Forgiveness », *Aggressive Behavior, 32,* 2006, p. 195-206.

53. Lawler, K. A., J. W. Younger, R. L. Piferi, *et al.* « A Change of Heart : Cardiovascular Correlates of Forgiveness in Response to Interpersonal Conflict », *Journal of Behavioral Medicine, 26,* 2003, p. 373-393.

54. Bachman, G. F. et L. K. Guerrero. « Forgiveness, Apology, and Communicative Responses to Hurtful Events », *Communication Reports, 19,* 2006, p. 45-56.

55. Voir Watzlawick, P., J. H. Beavin et D. D. Jackson. *Pragmatics of Human Communication,* New York, Norton, 1967 ; et Lederer, W. J. et D. D. Jackson, *The Mirages of Marriage,* New York, Norton, 1968.

56. Watzlawick, P., *et al. Op. cit.* ; voir aussi Bryant, T. « *Marriage & Family, 4,* 2001, p. 147-152.

57. Tannen, D. *That's Not What I Meant ! How Conversational Style Makes or Breaks Your Relations with Others,* New York, Morrow, 1986, p. 190.

Notes du chapitre 9

1. Prager, K. J. et D. Buhrmester. « Intimacy and Need Fulfillment in Couple Relationships », *Journal of Social and Personal Relationships, 15,* 1998, p. 435-469.

2. Crowther, C. E. et G. Stone. *Intimacy : Strategies for Successful Relationships,* Santa Barbara (Calif.), Capra Press, 1986, p. 13.

3. MORRIS, D. *Intimate Behavior*, New York, Bantam, 1973, p. 7.

4. PARKS, M. R. et K. FLOYD. « Making Friends in Cyberspace », *Journal of Communication*, 46, 1996, p. 80-97.

5. BAXTER, L. A. « A Dialogic Approach to Relationship Maintenance », dans CANARY, D. et L. STAFFORD, sous la dir. de. *Communication and Relational Maintenance*, San Diego, Academic Press, 1994.

6. ADAMOPOULOS, J. « The Emergence of Interpersonal Behavior : Diachronic and Cross-Cultural Processes in the Evolution of Intimacy », dans TING-TOOMEY, S. et F. KORZENNY, sous la dir. de. *Cross-Cultural Interpersonal Communication*, Newbury Park (Calif.), Sage, 1991. Voir aussi FONTAINE, G. « Cultural Diversity in Intimate Intercultural Relationships », dans CAHN, D. D., sous la dir. de. *Intimates in Conflict : A Communication Perspective*, Hillsdale (N.J.), Lawrence Erlbaum Associates, Inc., 1990.

7. ADAMOPOULOS, J. et R. N. BONTEMPO. « Diachronic Universals in Interpersonal Structures », *Journal of Cross-Cultural Psychology*, *17*, 1986, p. 169-189.

8. GUDYKUNST, W. B. et S. TING-TOOMEY. *Culture and Interpersonal Communication*, Newbury Park (Calif.), Sage, 1988, p. 197-198.

9. FAUL, S. *The Xenophobe's Guide to the Americans*, London, Ravette, 1994, p. 3.

10. TRIANDIS, H. C. *Culture and Social Behavior*, New York, McGraw-Hill, 1994, p. 230.

11. LEWIN, K. *Principles of Topological Psychology*, New York, McGraw-Hill, 1936.

12. HIAN, L. B., S. L. CHUAN, T. M. K. TREVOR et B. H. DETENBER. « Getting to Know You : Exploring the Development of Relational Intimacy in Computer-Mediated Communication », *Journal of Computer-Mediated Communication*, 9, nº 3, 2004.

13. HU, Y., J. F. WOOD, V. SMITH et N. WESTBROOK. « Friendships Through IM : Examining the Relationship between Instant Messaging and Intimacy », *Journal of Computer-Mediated Communication*, *10*, nº 1, 2004.

14. BEN-ZE'EV, A. « Privacy, Emotional Closeness, and Openness in Cyberspace », *Computers in Human Behavior*, *19*, 2003, p. 451-467.

15. Voir, par exemple, BELLAH, R., W. M. MADSEN, A. SULLIVAN et S. M. TIPTON. *Habits of the Heart : Individualism and Commitment in American Life*, Berkeley (Calif.) University of California Press, 1985 ; SENNETT, R. *The Fall of Public Man : On the Social Psychology of Capitalism*, New York, Random House, 1974 ; et TRENHOLM, S. et A. JENSEN. *The Guarded Self : Toward a Social History of Interpersonal Styles*, document présenté à la rencontre Speech Communication Association, San Juan, (Porto Rico), 1990.

16. ALTMAN, I. et D. A. TAYLOR. *Social Penetration : The Development of Interpersonal Relationships*, New York, Holt, Rinehart and Winston, 1973. Voir aussi TAYLOR, D. A. et I. ALTMAN. « Communication in Interpersonal Relationships : Social Penetration Processes », dans ROLOFF, M. E. et G. R. MILLER, sous la dir. de. *Interpersonal Processes : New Directions in Communication Research*, Newbury Park (Calif.), Sage, 1987.

17. LUFT, J. *Of Human Interaction*, Palo Alto, CA, National Press Books, 1969.

18. WINTROB, H. L. « Self-Disclosure as a Marketable Commodity », *Journal of Social Behavior and Personality*, 2, 1987, p. 77-88.

19. ARONSON, E. *The Social Animal*, 7e éd., New York, W.H. Freeman, 1999.

20. FINCHAM, F. D. et T. N. BRADBURY. « The Impact of Attributions in Marriage : An Individual Difference Analysis », *Journal of Social and Personal Relationships*, *6*, 1989, p. 69-85.

21. DOWNS, V. G. « Grandparents and Grandchildren : The Relationship between Self-Disclosure and Solidarity in an Intergenerational Relationship », *Communication Research Reports*, *5*, 1988, p. 173-179.

22. ROSENFELD, L. B. et W. L. KENDRICK. « Choosing to Be Open : Subjective Reasons for Self-Disclosing », *Western Journal of Speech Communication*, *48*, automne 1984, p. 326-343.

23. NIEDERHOFFER, K. G. et J. W. PENNEBAKER. « Sharing One's Story : On the Benefits of Writing or Talking About Emotional Experience », dans SNYDER, C. R. et S. J. LOPEZ, sous la dir. de. *Handbook of Positive Psychology*, London, Oxford University Press, 2002, p. 573-583.

24. GREENE, K., V. J. DERLEGA et A. MATHEWS. « Self-Disclosure in Personal Relationships », dans VANGELISTI, A. et D. PERLMAN, sous la dir. de. *The Cambridge Handbook of Personal Relationships*, New York, Cambridge University Press, 2006 ; ROSENFELD, L. B. « Overview of the Ways Privacy, Secrecy, and Disclosure are Balanced in Today's Society », dans PETRONIO, S., sous la dir. de. *Balancing the Secrets of Private Disclosures*, Mahweh (N.J.), Lawrence Erlbaum Associates, Inc. 2000, p. 3-17.

25. POWELL, J. *Why Am I Afraid to Tell You Who I Am?* Niles (Ill.), Argus Communications, 1969.

26. AGNE, R., T. L. THOMPSON et L. P. CUSELLA. « Stigma in the Line of Face : Self-Disclosure of Patients' HIV Status to Health Care Providers », *Journal of Applied Communication Research*, *28*, 2000, p. 235-261. DERLEGA, V. J., B. A. WINSTEAD et L. FOLK-BARRON. « Reasons For and Against Disclosing HIV-Seropositive Test Results to an Intimate Partner : A Functional Perspective », dans PETRONIO, S., sous la dire. de. *Balancing the Secrets of Private Disclosures*,Mahwah (N.J.), Lawrence Erlbaum Associates, Inc., 2000, p. 71-82.

27. DINDIA, K., M. A. FITZPATRICK et D. A. KENNY. *Self-Disclosure in Spouse and Stranger Interaction : A Social Relations Analysis*, document présenté à la rencontre annuelle d'International Communication Association, New Orleans (La.), 1988 ; and DUCK, S. W. et D. E. MIELL. « Charting the Development of Personal Relationships », dans GILMOUR, R. et S. W. DUCK, sous la dir. de. *Studying Interpersonal Interaction* , New York, Guilford, 1991, p. 133-144.

28. DUCK, S. « Some Evident Truths about Conversations in Everyday Relationships : All Communications Are Not Created Equal », *Human Communication Research*, *18*, 1991, p. 228-267.

29. KLEINKE, C. L. « Effects of Personal Evaluations », dans *Self-Disclosure*, San Francisco, Jossey-Bass, 1979.

30. EISENBERG, E. M. et M. G. WITTEN. « Reconsidering Openness in Organizational Communication », *Academy of Management Review*, *12*, 1987, p. 418-428.

31. Rosenfeld, L. B. et J. R. Gilbert. « The Measurement of Cohesion and Its Relationship to Dimensions of Self-Disclosure in Classroom Settings », *Small Group Behavior, 20*, 1989, p. 291-301.

32. Rosenfeld, L. B. et G. I. Bowen. « Marital Disclosure and Marital Satisfaction : Direct-Effect versus Interaction-Effect Models », *Western Journal of Speech Communication, 55*, 1991, p. 69-84.

33. O'Hair, D. et M. J. Cody. « Interpersonal Deception : The Dark Side of Interpersonal Communication ? », dans Spitzberg, B. H. et W. R. Cupach, sous la dir. de. *The Dark Side of Interpersonal Communication*, Hillsdale (N.J.), Lawrence Erlbaum Associates, Inc., 1993.

34. Knapp, M. L. « Lying and Deception in Close Relationships », dans Vangelisti, A. et D. Perlman, sous la dir. de. *The Cambridge Handbook of Personal Relationships*, New York, Cambridge University Press, 2006.

35. DePaulo, B. M., D. A. Kashy, S. E. Kirkendol et M. M. Wyer. « Lying in Everyday Life », *Journal of Personality and Social Psychology, 70*, 1996, p. 779-795.

36. Bavelas, J. « Situations that Lead to Disqualification », *Human Communication Research, 9*, 1983, p. 130-145.

37. Rowatt, W. C., M. R. Cunningham et P. B. Druen. « Lying to Get a Date : The Effect of Facial Physical Attractiveness on the Willingness to Deceive Prospective Dating Partners », *Journal of Social and Personal Relationships, 16*, 1999, p. 209-223.

38. McCornack, S. A. et T. R. Levine. « When Lies Are Uncovered : Emotional and Relational Outcomes of Discovered Deception », *Communication Monographs, 57*, 1990, p. 119-138.

39. Seiter, J. S., J. Bruschke et C. Bai « The Acceptability of Deception as a Function of Perceivers' Culture, Deceiver's Intention, and Deceiver-Deceived Relationship », *Western Journal of Communication, 66*, 2002, p. 158-181.

40. Metts, S., W. R. Cupach et T. T. Imahori. « Perceptions of Sexual Compliance-Resisting Messages in Three Types of Cross-Sex Relationships », *Western Journal of Communication, 56*, 1992, p. 1-17.

41. Bavelas, J. B., A. Black, N. Chovil et J. Mullett. *Equivocal Communication*, Newbury Park (Calif.), Sage, 1990, p. 171.

42. Motley, M. T. « Mindfulness in Solving Communicators' Dilemmas », *Communication Monographs, 59*, 1992, p. 306-314.

43. Shimanoff, S. B. « Degree of Emotional Expressiveness as a Function of Face-Needs, Gender et Interpersonal Relationship », *Communication Reports, 1*, n° 2, 1988, p. 43-53.

Notes du chapitre 10

1. Veroff, J., E. Douvan, T. L. Orbuch et L. K. Acitelli. « Happiness in Stable Marriages : The Early Years », dans Bradbury, T. N., sous la dir. de. *The Developmental Course of Marital Dysfunction*, New York, Cambridge University Press, 1998.

2. Barbato, C. A., E. E. Graham et E. E. Perse. « Communicating in the Family : An Examination of the Relationship of Family Communication Climate & Interpersonal Communication Motives », *Journal of Family Communication, 3*, 2003, p. 123-148.

3. Guzley, R. « Organizational Climate & Communication Climate : Predictors of Commitment to the Organization », *Management Communication Quarterly, 5*, 1992, p. 379-402.

4. Pincus, D. « Communication Satisfaction, Job Satisfaction et Job Performance », *Human Communication Research, 12*, 1986, p. 395-419.

5. Vangelisti, A. L. et S. L. Young. « When Words Hurt : The Effects of Perceived Intentionality on Interpersonal Relationships », *Journal of Social & Personal Relationship, 17*, 2000, p. 393-424.

6. Cissna, K. et E. Seiberg. « Patterns of Interactional Confirmation & Disconfirmation », dans Redmond, M. V., sous la dir. de. *Interpersonal Communication : Readings in Theory & Research*, Fort Worth, Harcourt Brace, 1995.

7. Allen, M. W. « Communication Concepts Related to Perceived Organizational Support », *Western Journal of Communication, 59*, 1995, p. 326-346.

8. Seiberg, E. « Confirming & Disconfirming Communication in an Organizational Setting », dans Owen, J., P. Page et G. Zimmerman, sous la dir. de. *Communication in Organizations*, St. Paul (Minn.), West, 1976, p. 129-149.

9. Sieberg, E. et C. Larson. *Dimensions of Interpersonal Response*, document présenté à la rencontre International Communication Association, Phoenix (Ariz.), 1971.

10. Voir, par exemple, Holte, A. et L. Wichstrom. « Disconfirmatory Feedback in Families of Schizophrenics », *Scandinavian Journal of Psychology, 31*, 1990, p. 198-211.

11. Wilmot, W. W. *Dyadic Communication*, New York, R&om House, 1987, p. 149-158.

12. Hocker, J. L. et W. W. Wilmot. *Interpersonal Conflict*, 4e éd., Dubuque (Iowa), Brown & Benchmark, 1995, p. 34.

13. *Ibid.*, p. 36.

14. Gottman, J. M. et R. W. Levinson. « Rebound for Marital Conflict & Divorce Prediction », *Family Process, 38*, 1999, p. 387-292.

15. Lapinski, M. K. et F. J. Boster. « Modeling the Ego-Defensive Function of Attitudes », *Communication Monographs, 68*, 2001, p. 314-324.

16. Stamp, G. H., A. L. Vangelisti et J. A. Daly. « The Creation of Defensiveness in Social Interaction », *Communication Quarterly, 40*, 1992, p. 177-190.

17. Powell, J. *Why Am I Afraid to Tell You Who I Am ?*, Chicago, Argus Communications, 1969, p. 12.

18. Festinger, L. *A Theory of Cognitive Dissonance*, Stanford (Calif.), Stanford University Press, 1957.

19. Voir, par exemple, Cupach, W. R. et S. J. Messman. « Face Predilections & Friendship Solidarity », *Communication Reports, 12*, 1999, p. 117-124.

20. Nicotera, A. M. *Interpersonal Communication in Friend & Mate Relationships*, Albany, State University of New York, 1993.

21. Gibb, J. « Defensive Communication », *Journal of Communication, 11*, septembre 1961, p. 141-148. Voir aussi

ROBERTSON, E. « Placing Leaders at the Heart of Organizational Communication », *Communication Management, 9,* 2005, p. 34-37.

22. PROCTOR, R. F. et J. R. WILCOX. « An Exploratory Analysis of Responses to Owned Messages in Interpersonal Communication », *ETC : A Review of General Semantics*, 50, 1993, p. 201-220.
23. Adapté de SMITH, M. *When I Say No, I Feel Guilty*, New York, Dial Press, 1975, p. 93-110.
24. FITZPATRICK, M. A. « A Typological Approach to Communication in Relationships », dans RUBIN, B., sous la dir. de. *Communication Yearbook, 1*, New Brunswick (N.J.), Transaction Books, 1977.

Notes du chapitre 11

1. WILMOT, W. W. et J. L. HOCKER. *Interpersonal Conflict*, 7e ed., p. 39-49, New York, McGraw-Hill, 2007. Voir aussi BUZZANELL, P. M. et N. A. BURRELL., « Family & Workplace Conflict : Examining Metaphorical Conflict Schemas & Expressions across Context & Sex », *Human Communication Research, 24,* 1997, 109-146.
2. METTS, S. et W. CUPACH. « The Influence of Relationship Beliefs & Problem-Solving Responses on Satisfaction in Romantic Relationships », *Human Communication Research, 17,* 1990, p. 170-185.
3. WILMOT, W. W. et J. L. HOCKER. *Op. cit.*, p. 8-15.
4. Pour un résumé de la recherche détaillant la fréquence du conflit dans les relations, voir CUPACH, W. R. et D. J. CANARY. *Competence in Interpersonal Conflict*, New York, McGraw-Hill, 1997, p. 5-6.
5. GOTTMAN, J. M. « Emotional Responsiveness in Marital Conversations », *Journal of Communication, 32,* 1982, p. 108-120. Voir aussi CUPACH, W. R. *Communication Satisfaction and Interpersonal Solidarity as Outcomes of Conflict Message Strategy Use*, document présenté à l'International Communication Association Conference, Boston, mai 1982.
6. KOREN, P., K. CARLTON et D. SHAW. « Marital Conflict : Relations among Behaviors, Outcomes, and Distress », *Journal of Consulting and Clinical Psychology, 48,* 1980, p. 460-468.
7. WILMOT, W. W. et J. L. HOCKER. *Op. cit.*, p. 37.
8. GOTTMAN, J. M. *Marital Interaction : Experimental Investigations*, New York, Academic Press, 1979. Voir aussi INFANTE, D. A., S. A. MYERS et R. A. BUERKEL. « Argument and Verbal Aggression in Constructive and Destructive Family and Organizational Disagreements », *Western Journal of Communication, 58,* 1994, p. 73-84.
9. CROHAN, S. E. « Marital Happiness & Spousal Consensus on Beliefs about Marital Conflict : A Longitudinal Investigation », *Journal of Science and Personal Relationships, 9,* 1992, p. 89-102.
10. CANARY, D. J., H. WEGER, JR. et L. STAFFORD. « Couples' Argument Sequences and Their Associations with Relational Characteristics », *Western Journal of Speech Communication, 55,* 1991, p. 159-179.
11. CAUGHLIN, J. P. et T. D. GOLISH. « An Analysis of the Association between Topic Avoidance and Dissatisfcation : Comparing Perceptual and Interpersonal Explanations », *Communication Monographs, 69,* 2002, p. 275-295.
12. CAUGHLIN, J. P. et T. D. ARR. « When is Topic Avoidance Unsatisfying ? Examining Moderators of the Association Between Avoidance and Dissatisfaction », *Human Communication Research, 30,* 2004, p. 479-513.
13. CAHN, D. D. *Conflict in Intimate Relationships*, New York, Guilford, 1992, p. 100.
14. WILMOT, W. W. et J. L. HOCKER. *Op. cit.*, p. 159.
15. OETZEL, J. G. et S. TING-TOOMEY. « Face Concerns in Interpersonal Conflict : A Cross-Cultural Empirical Test of the Face Negotiation Theory », *Communication Research, 30,* 2003, p. 599-625 ; DSILVA, M. U. et L. O. WHYTE. « Cultural Differences in Conflict Styles : Vietnamese Refugees and Established Residents », *Howard Journal of Communication, 9,* 1998, p. 57-68.
16. MESSMAN, S. J. et R. L. MIKESELL. « Competition & Interpersonal Conflict in Dating Relationships », *Communication Reports, 13,* 2000, p. 21-34.
17. OLSON, L. N. et D. O. BRAITHWAITE. «"If You Hit Me Again, I'll Hit You Back" : Conflict Management Strategies of Individuals Experiencing Aggression During Conflicts », *Communication Studies, 55,* 2004, p. 271-285.
18. BEATTY, M. J., K. M. VALENCIC, J. E. RUDD et J. A. DOBOS. « A "Dark Side" of Communication Avoidance : Indirect Interpersonal Aggressiveness », *Communication Research Reports, 16,* 1999, p. 103-109.
19. INFANTE, D. A. « Aggressiveness », dans MCCROSKEY, J. C. et J. A. DALY, sous la dir. de. *Personality & Interpersonal Communication*, Newbury Park (Calif.), Sage, 1987.
20. INFANTE, D. A., A. S. RANCER et F. F. JORDAN. « Affirming & Nonaffirming Style, Dyad Sex, and the Perception of Argumentation andVerbal Aggression in an Interpersonal Dispute », *Human Communication Research, 22,* 1996, p. 315-334.
21. INFANTE, D. A., T. A. CHANDLER et J. E. RUDD. « Test of an Argumentative Skill Deficiency Model of Interspousal Violence », *Communication Monographs, 56,* 1989, p. 163-177.
22. MARTIN, M. M., C. M. ANDERSON, P. A. BURANT et K. WEBER. « Verbal Aggression in Sibling Relationships », *Communication Quarterly, 45,* 1997, p. 304-317.
23. HOUSTON, B. K., M. A. BABYAK, M. A. CHESNEY et G. BLACK. « Social Dominance and 22-Year All-Cause Mortality in Men », *Psychosomatic Medicine, 59,* 1997, p. 5-12.
24. BOWER, B. « Marital Tiffs Spark Immune Swoon... but Hypnosis Offers Immune Aid », *Science News*, 4 septembre 1993, p. 153.
25. Pour en apprendre davantage sur ces divers types de comportements, consultez les ouvrages suivants : BACH, G. et P. WYDEN. *L'Ennemi intime*, Paris, Buchet/Chastel, 1970 ; BACH, G. *Aggression Lab : The Fair Fight Manual*, Dubuque (Iowa), Kendall-Hunt, 1971.
26. CANARY, D. « Managing Interpersonal Conflict : A Model of Events Related to Strategic Choices », dans GREENE, J. O. et B. R. BURLESON, sous la dir. de. *Handbook of Communication and Social Interaction Skills*, Mahwah (N.J.), Lawrence Erlbaum Associates, Inc., 2003, p. 515-549.
27. WILMOT, W. W. et J. L. HOCKER. *Op. cit.;* aussi KNAPP, M. L., L. L. PUTNAM et L. J. DAVIS. « Measuring Interpersonal

Conflict in Organizations: Where Do We Go from Here? », *Management Communication Quarterly, 1,* 1988, p. 414-429.

28. GOTTMAN, J. et L. J. KROFOFF. « Marital Interaction and Satisfaction: A Longitudinal View », *Journal of Consulting and Clinical Psychology, 67,* 1989, p. 47-52; PIKE, G. R. et A. L. SILLARS. « Reciprocity of Marital Communication », *Journal of Social and Personal Relationships, 2,* 1985, p. 303-324.
29. FITZPATRICK, M. A. « A Typological Approach to Communication in Relationships », dans RUBIN, B., sous la dir. de. *Communication Yearbook, 1,* New Brunswick (N.J.), Transaction Books, 1977.
30. FITZPATRICK, M. A., J. FEY, C. SEGRIN et J. L. SCHIFF. « Internal Working Models of Relationships and Marital Communication », *Journal of Language and Social Psychology, 12,* 1993, p. 103-131. Voir aussi FITZPATRICK, M. A., S. FALLIS et L. VANCE. « Multifunctional Coding of Conflict Resolution Strategies in Marital Dyads », *Family Relations, 21,* 1982, p. 61-70.
31. GOTTMAN, J. « Why Marriages Fail », dans GALVIN, K. M. et P. J. COOPER. *Making Connections: Readings in Relational Communication,* 4e éd., Los Angeles, Roxbury, 2006.
32. WILMOT, W. W. et J. L. HOCKER. Op. cit.
33. CUPACH, W. R. et D. J. CANARY, p. 109.
34. Recherche résumée par TANNEN, D. *You Just Don't Understand. Women and Men in Conversation,* New York, William Morrow, 1989, p. 152-157 et 162-165.
35. HESS, N. H. et E. H. HAGEN. *Evolution and Human Behavior, 27,* 2006, p. 231-245; UNDERWOOD, M. K. *Social Aggression Among Girls,* New York, Guilford, 2003.
36. WISEMAN, R. *Queen Bees & Wannabes: Helping Your Daughter Survive Cliques, Gossip, Boyfriends, and Other Realities of Adolescence,* New York, Three Rivers Press, 2003.
37. CANARY, D. J., W. R. CUPACH et S. J. MESSMAN. *Relationship Conflict,* Newbury Park (Calif.), Sage, 1995.
38. Voir PAPA, M. J. et E. J. NATALLE. « Gender, Strategy Selection, and Discussion Satisfaction in Interpersonal Conflict », *Western Journal of Speech Communication, 52,* 1989, p. 260-272.
39. Recherche résumée dans CUPACH, W. R. et D. J. CANARY. *Competence in Interpersonal Conflict,* New York, McGraw-Hill, 1997, p. 63-65.
40. BURGGRAF, C. S. et A. L. SILLARS. « A Critical Examination of Sex Differences in Marital Communication », *Communication Monographs, 54,* 1987, p. 276-294.
41. Pour une discussion détaillée sur la culture, le conflit et le contexte, voir GUDYKUNST, W. B. et S. TING-TOOMEY. *Culture and Interpersonal Communication,* Newbury Park (Calif.), Sage, 1988, p. 153-160.
42. TING-TOOMEY, S. « Managing Conflict in Intimate Intercultural Relationships », dans CAHN, D. D., sous la dir. de. *Conflict in Personal Relationships,* Hillsdale (N.J.), Lawrence Erlbaum Associates, Inc., 1994.
43. Voir, par exemple, TING-TOOMEY, S. « Rhetorical Sensitivity Style in Three Cultures: France, Japan, and the United States », *Central States Speech Journal, 39,* 1988, p. 28-36.
44. OKABE, K. « Indirect Speech Acts of the Japanese », dans KINCAID, L., sous la dir. de. *Communication Theory: Eastern and Western Perspectives,* San Diego (Calif.), Academic Press, 1987, p. 127-136.
45. FONTAINE, G. « Cultural Diversity in Intimate Intercultural Relationships », dans CAHN, D. D., sous la dir. de. *Intimates in Conflict: A Communication Perspective,* Hillsdale (N.J.), Lawrence Erlbaum Associates, Inc., 1990.
46. Voir, par exemple, BEATTY, K. J. et J. C. MCCROSKEY. « It's in Our Nature: Verbal Aggressiveness as Temperamental Expression », *Communication Quarterly, 45,* 1997, p. 466-460.
47. OETZEL, J. G. « Explaining Individual Communication Processes in Homogeneous and Heterogeneous Groups through Individualism-Collectivism and Self-Construal », *Human Communication Research, 25,* 1998, p. 202-224.
48. GORDON, T. *Parent Effectiveness Training,* New York, Wyden, 1970, p. 236-264.

Notes du chapitre 12

1. Voir ANZIEU, D. et J. Y. MARTIN. *La Dynamique des groupes restreints,* 7e éd., Paris, PUF, 1982; BOISVERT, D., F. COSSETTE et M. POISSON. *Animation de groupes,* Cap-Rouge (Qué.), Presses Universitaires, 1995; CHAMBERLAND, G., L. LAVOIE et D. MARQUIS. *20 formules pédagogiques,* Sainte-Foy, Presses de l'Université du Québec, 1995; De VISSCHER, P. *Us, avatars et métamorphoses de la dynamique des groupes restreints,* Grenoble, Presses universitaires de Grenoble, 1991; LANDRY, S. « Le Groupe restreint: prémisses conceptuelles et modélisation », *Revue québécoise de psychologie, 16,* nº 1, 1995, p. 45-62; RICHARD, B. *Psychologie des groupes restreints,* Québec, Presses Universitaires, 1995; SAINT-ARNAUD, Y. *Les Petits Groupes. Participation et communication,* Montréal, Presses de l'Université de Montréal: CIM, 1989.
2. LANDRY, S. « Le Groupe restreint: prémisses conceptuelles et modélisation », *Revue québécoise de psychologie, 16,* nº 1, 1995, p. 45-62.
3. HEAP, K. *La Pratique du travail social avec les groupes,* Paris, ESF éditeur, 1994.
4. YETTON, P. et P. BOTTGER. « The Relationships among Group Size, Member Ability, Social Decision Schemes and Performance », *Organizational Behavior and Human Performance, 32,* nº 2, 1983, p.145-159.
5. MUCCHIELLI, R. *La Dynamique des groupes,* 13e éd., Paris, ESF éditeur, 1992.
6. YETTON, P. et P. BOTTGER. *Op. cit.*
7. MUCCHIELLI, R. *Op. cit.*
8. LECLERC, C. *Comprendre et construire les groupes,* Québec, Les Presses de l'Université Laval, 1999.
9. PROULX, J. *Le Travail en équipe,* Québec, Les Presses de l'Université du Québec, 1999.
10. SHAW, M. E. *Group Dynamics,* 1976, [en ligne]. [http://www.brianmac.co.uk/group.htm] (12 janvier 2009)
11. RICHARD, B. *Psychologie des groupes restreints,* Cap-Rouge (Qué.), Presses inter universitaires, 1995.
12. MYERS, G. E. et M.T. MYERS. *Les Bases de la communication humaine, une approche théorique et pratique,* 2e éd., Montréal, Chenelière/McGraw-Hill, 1990.
13. CRAGAN, J.F. et D. W.WRIGHT. *Communication in Small Group Discussions: An Integrated Approach,* 3e éd., St-Paul (Minn.), West Publishing, 1991.

14. MYERS, G. E. et M. T. MYERS. *Op. cit.*

15. CHEVALIER, C. et L. SELHI. *Communiquer pour mieux interagir en affaires*, Montréal, Gaëtan Morin éditeur, 2004.

16. ABRIC, J.-C. *Psychologie de la communication*, Paris, Armand Colin, 1999.

17. *Ibid.*

18. BENNETT, R. J. et S. L. ROBINSON. « Development of a Measure of Workplace Deviance », *Journal of Applied Psychology, 85*, n° 3, 2000, p. 349-360.

19. INSEEC, ÉCOLE DE COMMERCE. « Définition Leader d'opinion », [en ligne]. [www.definitions-marketing.com/popup.php3?id_article=151] (7 janvier 2009)

20. LEWIN, K., R. LIPPIT et R. K. WHITE. « Patterns of Aggressive Behavior in Experimentally Created "Social Climates" », *Journal of Social Psychology, 10*, 1939, p. 271-301, cité dans RICHARD, B. *Psychologie des groupes restreints*, Cap-Rouge, Presses inter universitaires, 1995 ; BEAUCHAMP, A. *Travailler en groupe*, Ottawa, Novalis, 2005.

21. STRAKER, D. *Lewin's Leadership Styles*, [en ligne]. [changingminds.org/disciplines/leadership/styles/lewin_style.htm] (6 janvier 2009)

22. MYERS, G. E. et M. T. MYERS. *Les Bases de la communication humaine, une approche théorique et pratique*, 2e éd., Montréal, Chenelière/McGraw-Hill, 1990.

23. STRAKER, D. *Op. cit.*

24. VAN WAGNER, K. *Lewin's Leadership Styles*, [en ligne]. [psychology.about.com/od/leadership/a/leadstyles.htm] (6 janvier 2009)

25. WIKIPÉDIA. *École des relations humaines*, [en ligne]. [fr.wikipedia.org/wiki/École_des_relations_humaines] (7 janvier 2009)

26. COLLERETTE, P. *Pouvoir, leadership et autorité*, Sillery, Québec, Presses de l'Université du Québec, 1991.

27. DE VITO, J. A. *Les Fondements de la communication humaine*, Boucherville, Gaëtan Morin éditeur, 1993.

28. MORIN, M. E. *Psychologies au travail*, Montréal, Gaëtan Morin Éditeur, 1996.

29. STRAKER, D. *Op. cit.*

30. STRAKER, D. *Op. cit.*

31. TANNENBAUM, R. et W. H. SCHMIDT. « *How to Choose a Leadership Pattern* », *Harvard Business Review*, mai-juin 1973 ; VROOM, V. H. et P. W. YETTON. *Leadership and Decision Making*, Pittsburgh, University of Pittsburg Press, 1978 ; REDDIN, W. J. « The Three Dimensional Grid », *The Canadian Personnel and Industrial Relations Journal, 13*, 1966, p. 13-20 ; HERSEY, P. et K. H. BLANCHARD. *Management of Organization Behavior : Utilizing Human Ressources*, 3e éd., Englewood Cliffs (N.J.), Prentice Hall, 1977.

32. CÔTÉ, N. *La Personne dans le monde du travail*, Boucherville, Gaëtan Morin Éditeur, 1991.

33. De VITO, J. A. *Op. cit.*

34. ADLER, B. R. et N. TOWNE. *Communication et interactions*, 3e éd., Montréal, Beauchemin, 2005.

35.GUENIER, G. « Le Leadership », Intercoach, [en ligne]. [http://www.intercoach.fr/definition-du-leadership.asp?id_pa=613*]* (7 janvier 2009)

36. VALLERAND, R. J. *Les Fondements de la psychologie sociale*, Boucherville, Gaëtan Morin éditeur, 1994.

37. FRENCH, J. R. P. et B. H. RAVEN. « The Bases of Social Power », dans CARTWRIGHT, D., sous la dir. de. *Studies in Social Power*, Ann Arbor (Minn.), University of Michigan Press, 1959, p. 150-167 ; RAVEN, B. H. « Social Power and Compliance in Health Care », dans MALES, S., C. D. SPIELBERGER, P. B. DEFARES et I. G. SARASON, sous la dir. de. *Topics in Health Psychology*, New York, John Wiley and Sons, 1988, p. 229-244, cité dans VALLERAND, R. J. *Les Fondements de la psychologie sociale*, Boucherville, Gaëtan Morin éditeur, 1994.

38. CÔTÉ, N. *La Personne dans le monde du travail*, Boucherville, Gaëtan Morin Éditeur, 1991.

39. VALLERAND, R. J. *Op. cit.*

40. CÔTÉ, N. *Op. cit.*

41. VALLERAND, R. J. *Op. cit.*

42. CÔTÉ, N. *Op. cit.*

43. CODOL, J.-P. *Conformisme*, [en ligne], 2001. [http://fr.wikipedia.org/wiki/Conformisme] (26 décembre 2008)

44. ASCH, S. *Conformisme*, [en ligne], 2001. [http://fr.wikipedia.org/wiki/Conformisme] (26 décembre 2008)

45. PROULX, J. *Le Travail en équipe*, Québec, Presses de l'Université du Québec, 1999.

46. SAMSON, A. *Persuadez pour mieux négocier*, Montréal, Les éditions Transcontinental, et Charlesbourg, Les Éditions de la Fondation de l'entrepreneurship, 2003.

47. SAMSON, A. *Op. cit.*

48. PROULX, J. *Le Travail en équipe*, Québec, Presses de l'Université du Québec, 1999.

49. LEWIN, K. *Psychologie dynamique. Les Relations humaines*, Paris, PUF, 1975.

50. PROULX, J. *Op. cit.*

51. *Ibid.*

52. CÔTÉ, N. *La Personne dans le monde du travail*, Boucherville, Gaëtan Morin Éditeur, 1991.

53. BORMANN, E. G. *Discussion and Group Method : Theory and Practice*, 2e éd., New York, Harper and Row, 1975 ; DOLAN, S. L. et G. LAMOUREUX. *Initiation à la psychologie du travail*, Montréal, Gaëtan Morin éditeur, 1990, cité par CÔTÉ, N. *La Personne dans le monde du travail*, Boucherville, Gaëtan Morin Éditeur, 1991.

54. SHAW, M. E. *Group Dynamics*, 1976, [en ligne]. [http://www.brianmac.co.uk/group.htm] (12 janvier 2009)

55. PROULX, J. *Le Travail en équipe*, Québec, Presses de l'Université du Québec, 1999.

56. DROLET, M. *Le Coaching d'une équipe de travail*, Montréal, Les éditions Transcontinental, et Charlesbourg, Les Éditions de la fondation de l'entrepreneurship, 1999.

57. SAMSON, A. *Persuadez pour mieux négocier*, Montréal, Les Éditions Transcontinental, et Charlesbourg, Les Éditions de la fondation de l'entrepreneurship, 2003 ; HOWDEN, J. et M. KOPIEC. *Cultiver la collaboration*, Montréal, Chenelière/

McGraw-Hill, 2002; WIKIPÉDIA.« Coopération », [en ligne]. [http://fr.wikipedia.org/wiki/Coopération] (12 janvier 2009)

58. THOUSAND, J. S., R. A. VILLA et A. J. NEVIN. *La Créativité et l'apprentissage coopératif*, Montréal, Les éditions Logique, 1998.

59. LENCIONI, P. *Optimisez votre équipe*, Saint-Hubert, Les éditions Un monde différent, 2005.

60. ADLER, B. R. et N. TOWNE. *Communication et interactions*, 3e éd., Montréal, Beauchemin, 2005.

61. Ibid.

62. PROULX, J. *Le Travail en équipe*, Québec, Presses de l'Université du Québec, 1999.

63. REDDING, C. W. *Communication within the Organization*, New York, Industrial Communication Council, 1972, cité par ADLER, R. B. et N. TOWNE. *Op. cit.*

64. CHEVALIER, C. et L. SELHI. *Communiquer pour mieux interagir en affaires*, Montréal, Gaëtan Morin éditeur, 2004.

65. MANAGEMENT DES RESSOURCES HUMAINES. « La Démarche de résolution de problème », *Notes de synthèse*, [en ligne]. [http://www.e-rh.org/documents/mrp.pdf] (7 janvier 2009)

66. DEWEY, J. *How We Think*, Washington, Heath & Co., 1910, cité par MYERS, G. E. et M. T. MYERS. *Les Bases de la communication humaine*, Montréal, Chenelière/McGraw-Hill, 1990.

67. LEHU, J.-M. *L'Encyclopédie du marketing*, [en ligne] [http://www.e-marketing.fr/xml/Definition-Glossaire/6015/Brainstorming] (26 décembre 2008)

68. ADLER, B. R. et N. TOWNE. *Op. cit.*

69. JOHNSON, D. R. et F. .P. JOHNSON. *Joining Together: Group Theory and Group Skills*, 9e éd., (1991), cité par SMITH, K. A. *Teamwork and Project Management*, 2e éd., [en ligne]. [http://books.google.ca/books?id=t0oQzIDRxo8C&pg=PA33&lpg=PA33&dq=decision+making+Johnson+Frank+David&source=bl&ots=yGioHQXB7R&sig=N6oYipWBwyVxCup7G4S4TWMsHY&hl=fr&sa=X&oi=book_result&resnum=1&ct=result#PPA33,M1] (10 janvier 2009)

70. LECLERC, C. *Comprendre et construire les groupes*, Québec, Les Presses de l'Université Laval, 1999.

71. CHEVALIER, C. et L. SELHI. *Communiquer pour mieux interagir en affaires*, Montréal, Gaëtan Morin éditeur, 2004.

72. RADIO-CANADA. « Référendum 1995 : Le Québec face à son destin », Archives, 1995, [en ligne]. [http://archives.radio-canada.ca/politique/provincial_territorial/dossiers/1796-12207] (10 janvier 2009)

73. CHEVALIER, C. et L. SELHI. *Communiquer pour mieux interagir en affaires*, Montréal, Gaëtan Morin éditeur, 2004.

74. *Ibid.*

75. WIKIPÉDIA. *Consensus et dictature de la majorité*, [en ligne]. [http://fr.wikipedia.org/wiki/Pens%C3%A9e_commune] (11 décembre 2008)

INDEX

Les numéros en caractères gras indiquent qu'une définition du terme se trouve sur la page correspondante.

A

B

C